EMMANUELLE ARSAN

Emmanuelle Arsan est née en Thaïlande. Elle n'a
pas vingt ans quand paraît en 1959, dans la clandestinité, le premier volume d'*Emmanuelle* (*La leçon
d'homme*, suivi en 1960 de *L'antivierge*), et ce n'est
qu'en 1967 que le livre est officiellement publié.
Emmanuelle a fait l'objet de plus de quinze adapta-
tions cinématographiques, la plus célèbre étant celle
de Just Jaeckin (1973). Emmanuelle Arsan a également été comédienne aux côtés de Steve McQueen
et Richard Attenborough dans *La cannonière du
Yang-Tsé*.

EMMANUELLE

EMMANUELLE ARSAN

EMMANUELLE

Livre I : La Leçon d'homme
Livre II : L'Antivierge

LA MUSARDINE

Texte intégral

© La Musardine, 1999
ISBN 2-266-10184-6

EMMANUELLE

À la veille de l'an 2000, il n'y a sans doute plus grand risque à parier que d'ici là aucun autre roman ne viendra plus disputer à Emmanuelle son titre incontesté jusqu'à présent : « l'érotique du siècle. »

Histoire d'O *n'est pas ici en cause.* Histoire d'O *(publié en 1954, soit cinq ans avant Emmanuelle) est un chef-d'œuvre auquel, d'ailleurs, l'auteur d'Emmanuelle a rendu hommage, déclarant que, sans doute, s'il n'y avait eu* Histoire d'O*, Emmanuelle n'aurait pas vu le jour[1].*

Mais Emmanuelle Arsan tient aussi à marquer sa différence :

« L'Histoire d'O cherche à montrer que la soumission et la souffrance peuvent paradoxalement conduire à la liberté de l'âme. Sous un apparent paganisme, l'amour est donc pour O, en fait, une passion religieuse. Peu importe que le dieu servi soit de ce monde ou de l'autre : l'ascèse et le mysticisme impliquent toujours une foi. Et dans l'ombre

---

1. Emmanuelle Arsan, *L'Hypothèse d'Éros,* Filippacchi, 1974.

que toute foi fait tomber sur l'esprit, l'amour et l'égoïsme deviennent indiscernables.

« Emmanuelle est irréligieuse, incroyante, athée — même à l'endroit d'Éros. La raison même n'est pas pour elle objet de culte. Mais elle soupçonne que les émotions devraient se mettre à l'heure de l'intelligence et que la morale devrait faire preuve de plus d'invention »...

C'est cette nouveauté qui, d'emblée, conquiert à Emmanuelle *un si vaste public, malgré la clandestinité. André Breton signale le livre en première page de* Arts. *André S. Labarthe lui consacre toute sa chronique d'un important mensuel de l'époque,* Constellation :

« Que voilà un beau livre, et qu'il sonne juste à nos oreilles [...] Le terme de morale retrouve ici son sens humain : c'est parce que la morale est un art de vivre qu'*Emmanuelle* est le livre du bonheur [...] *Emmanuelle* prend rang dans l'histoire scandaleuse de l'émancipation de l'homme à côté de ces repères du progrès humain qui s'appellent Sade, Baudelaire, Fourier, Engels »...

Ce qu'apportait Emmanuelle, *c'est André Pieyre de Mandiargues qui l'a précisé le mieux à l'époque dans un compte rendu de, mais oui,* La Nouvelle Revue française :

« Comme les histoires policières ou de science-fiction, les écrits érotiques, on le sait, sont généralement prisonniers d'un cadre, d'un système et de règles qui tiennent à leur catégorie. En outre, ils visent à un but assez précis, pour quoi on les achète. Mais il y en a qui sortent de ce cadre, qui brisent ce système ou ces règles et pour lesquels ce but est accessoire. Portant la marque spirituelle de leur auteur, ils sont originaux et font partie de la littérature »...

Mandiargues loue beaucoup ensuite « le premier chapitre [...] admirable. Il rappelle à la fois, par la tension et par la puissance de surprise, les meilleurs épisodes charnels de Balzac, et ces "sommets du récit" qui dominent superbement les romans de Lawrence Durrell ». *Il fait de menues réserves sur la suite,* « quoiqu'*Emmanuelle* nous fasse apercevoir certains dessous de la capitale siamoise qui ne sont pas moins fiévreux et troubles que ceux d'Alexandrie », *et poursuit :*

... « Dans la dernière partie, l'intérêt se déplace. C'est que l'auteur, jeune femme asiatique, paraît-il, a chargé l'un de ses personnages, un pédéraste nommé Mario, d'exprimer ses propres idées sur l'érotisme et sur le rôle qui lui est dévolu par rapport à l'homme et à l'avenir du monde. Un peu appliqués et enfantins (charmants à cause de cela aussi, peut-être bien), ces discours ouvrent curieusement la fenêtre sur des horizons où la nature est écrasée par le triomphe de l'esprit moderne. Ainsi l'auteur d'*Emmanuelle* fait-elle la contrepartie de ce que nous avons lu chez Lawrence, par exemple, et là elle se rapproche de certaine attitude de Baudelaire »...

Mais surtout :

« Elle s'éloigne pareillement des idées que nous expose souvent Georges Bataille. Sa conception de l'érotisme est optimiste, radieuse, rayonnante, à

9

l'image d'un édifice affirmant la gloire de l'homme dégagé de la glèbe et des servitudes anciennes. »

« Optimiste, radieuse, rayonnante »... *Là était bien la nouveauté érotique en 1959. Et là était bien ce que le public, obscurément, attendait. Et si durable sera* « *l'effet* Emmanuelle », *si considérable le phénomène de société, que Jean-Jacques Brochier, dans le* Magazine littéraire, *pourra écrire en 1967, quelques semaines après la mise en vente, enfin, d'une* Emmanuelle *officielle*[1] :

« *Emmanuelle* [...] c'est l'harmonie d'une existence où la sensualité, reconnue dans son importance, n'est finalement qu'un élément de la vie heureuse. De là ce phénomène rare en littérature : l'érotisme d'Emmanuelle n'est pas pathologique, contrairement aux érotismes de la révolte. Il est une part capitale de la satisfaction de l'individu, qui ne se sent menacé par rien, qui se déploie dans sa consonance avec le monde : un érotisme de l'accord parfait »...

Aujourd'hui l'« *effet* Emmanuelle », *prolongé par six films, des dizaines de millions de spectateurs et de cassettes, semble n'avoir rien perdu de sa force.*

Or curieusement, pour des problèmes de droits un peu compliqués, le livre était devenu introuvable en France. D'autant plus que sa deuxième partie, L'Antivierge, *n'était plus éditée depuis une vingtaine d'années et qu'ainsi l'ouvrage, quand on le trouvait, était la plupart du temps incomplet.*

---

1. À laquelle Françoise Giroud, dans *L'Express,* consacrera une page entière sans jamais citer le titre !

La Musardine est fière de remettre en circulation, intégralement, en plein accord avec Emmanuelle Arsan, les deux parties de ce livre incomparable, enfin complet selon la volonté de son auteur.

À PROPOS DE
L'ANTIVIERGE

Il n'y a guère à dire de plus de L'Antivierge que nous n'ayons déjà dit d'Emmanuelle, pour la simple et bonne raison que ce sont en fait les deux parties d'un même livre.

En effet le manuscrit primitif de l'ouvrage se présentait d'une seule pièce sous le titre général d'Emmanuelle, avec deux sous-titres : Emmanuelle I, La Leçon d'homme ; Emmanuelle II, L'Antivierge.

Ce manuscrit fut déposé par Emmanuelle Arsan en mains propres chez l'éditeur Éric Losfeld courant 1958, sans provoquer de la part de celui-ci aucun commentaire. Il le rangea dans un tiroir. L'auteur ayant repris de son côté la vie itinérante qui était la sienne, tout le monde oublia la chose un certain temps.

Quelques mois plus tard, en 1959, Losfeld manquant de copie tomba sur le manuscrit, le parcourut et décida de le publier (sans prévenir d'ailleurs l'auteur). Le jugeant trop gros, il le coupa en deux morceaux, et fit imprimer le premier sous le seul titre d'Emmanuelle tout court. Craignant la police, avec laquelle il avait eu quelques ennuis, il mit en vente le volume clandestinement.

*Ce n'est qu'en 1967, le succès s'étant largement confirmé, et la police étant devenue moins active, qu'il se décida à mettre sa raison sociale sur les exemplaires d'*Emmanuelle *avec le sous-titre* La Leçon d'homme, *et à publier, l'année suivante, la deuxième partie,* L'Antivierge, *figurant à sa juste place de sous-titre d'*Emmanuelle, *mais sur un volume séparé.*

Par la suite, un mauvais sort persistant sembla s'acharner sur Emmanuelle II, L'Antivierge. *Lorsque Robert Laffont publia en 1989 la première édition intégrale d'*Emmanuelle *(celle que nous reproduisons ici), il était prévu que* L'Antivierge *suivrait. Las, la direction nouvelle prise par la maison eut raison de ces bonnes intentions, et* Emmanuelle *resta amputée de son deuxième volet.*

Épuisé dans toutes ses éditions depuis une vingtaine d'années, Emmanuelle II, L'Antivierge *reparaît enfin au grand jour grâce à un auteur et un éditeur enfin d'accord comme il se doit.*

Voici donc dans son édition intégrale, pour le plus grand plaisir de tous, cette œuvre « optimiste, radieuse, rayonnante, à l'image d'un édifice affirmant la gloire de l'homme dégagé de la glèbe et des servitudes anciennes », *selon la formule d'un grand critique de l'époque.*

JEAN-JACQUES PAUVERT

Livre I
La Leçon d'homme

Ou si les femmes dont tu gloses
Figurent un souhait de tes sens
[fabuleux...

MALLARMÉ,
L'Après-midi d'un faune.

à Jean

Nous ne sommes pas encore au monde
Il n'y a pas encore ce monde
Les choses ne sont pas encore faites
La raison d'être n'est pas trouvée.

Antonin ARTAUD

1

LA LICORNE ENVOLÉE

> *Vénus a mille manières de prendre
> ses ébats, mais la plus simple, la moins
> fatigante, c'est de rester à demi pen-
> chée sur le côté droit.*
>
> OVIDE, *L'Art d'aimer.*

Emmanuelle prend à Londres l'avion qui doit la conduire à Bangkok. L'odeur de cuir neuf, semblable à celle que conservent, après des années d'usage, les autos britanniques, l'épaisseur et le silence des moquettes, un éclairage d'un autre monde sont d'abord tout ce qu'elle peut saisir de ce décor où elle pénètre pour la première fois.

Elle ne comprend pas ce que lui dit l'homme souriant qui la guide ; pourtant, elle ne s'en inquiète pas. Peut-être son cœur bat-il plus vite, mais ce n'est pas d'appréhension — à peine de dépaysement. L'uniforme bleu, les marques d'attention, l'autorité du personnel chargé de l'accueillir et de l'initier, tout concourt à l'installer dans un sentiment de sécurité et d'euphorie. Les rites qu'on lui a fait accomplir, devant des guichets dont elle n'a même pas cherché à percer le mystère, elle sait qu'ils avaient pour objet de lui donner accès à l'univers qui va être le sien pendant douze heures de sa vie : un univers avec ses lois différentes des codes connus, plus contraignantes aussi, mais, par là même, plus délectables peut-être. Cette architecture de métal ailé, courbe et close sur le transparent début d'après-midi de l'été anglais, montre leur borne à la fois aux gestes usuels et à la volonté. Au qui-vive de la liberté succèdent les loisirs et les quiétudes de la sujétion.

On lui désigne une place : la plus proche de la cloison. Mais celle-ci est uniformément tendue d'étoffe, sans hublots; la voyageuse ne verra pas au-delà de ce mur soyeux. Que lui importe ! Elle ne désire rien d'autre que de se livrer aux pouvoirs de ces profonds fauteuils, s'engourdir entre leurs bras laineux, contre leur épaule de mousse et sur leurs jambes de sirènes.

Elle n'ose cependant encore s'allonger, comme le steward l'y invite, lui montrant les leviers sur lesquels il faut agir pour faire basculer le dossier. Il presse un bouton et le faisceau lilliputien trace une ellipse lumineuse sur les genoux de la passagère.

Une hôtesse survient, dont les mains s'envolent, disposant dans un compartiment situé au-dessus des sièges la légère trousse de cuir couleur de miel qu'Emmanuelle a emportée pour tout bagage de cabine, car elle ne pense pas avoir à changer de costume en cours de voyage et elle n'a l'intention ni d'écrire ni même de lire. L'hôtesse parle français et l'impression de demi-étourdissement qu'éprouve depuis deux jours l'étrangère (elle n'est arrivée à Londres que de la veille) se dissipe.

La jeune fille est penchée sur elle et sa blondeur fait paraître plus nocturne encore la longue chevelure d'Emmanuelle. Toutes deux sont vêtues presque de même : jupe d'ottoman bleu et chemisier blanc, ou étroite jupe de soie sauvage et blouse de shantung. Pourtant, le soutien-gorge aperçu à travers la chemisette de l'Anglaise suffit, si léger qu'il est, à priver sa silhouette de la mobilité à laquelle on devine que la poitrine d'Emmanuelle est nue sous sa blouse. Et, tandis que le règlement de la compagnie contraint la première à fermer haut l'échancrure de son col, le corsage de la seconde est assez entrouvert pour qu'un spectateur attentif puisse découvrir un profil de sein par la chance d'un geste ou la complicité d'un courant d'air.

Emmanuelle est heureuse que l'hôtesse soit jeune et que ses yeux soient pareils aux siens — semés de minces copeaux d'or.

La cabine, l'entend-elle dire, est la dernière de l'avion, la plus proche de l'empennage. Cette place exposerait Emmanuelle à des secousses dans tout autre appareil, mais (et la voix de la jeune fille s'infléchit d'orgueil), à bord de la *Licorne envolée,* le confort est partout le même — du moins (se reprend-elle) dans les cabines de luxe, car, évidemment, les passagers de classe touriste ne bénéficient ni d'autant d'espace autour d'eux, ni de sièges aussi doux, ni de l'intimité des rideaux de velours entre chaque rangée de fauteuils.

Emmanuelle n'a pas honte de ces privilèges, ni de la fortune qu'il a fallu dépenser pour les lui procurer. Au contraire, elle éprouve une douceur presque physique à la pensée de l'excès d'égards dont elle est l'objet.

L'hôtesse vante maintenant l'aménagement des salons de toilette, qu'elle fera visiter à sa passagère dès que le vol aura commencé. Ils existent en nombre suffisant à divers endroits de l'appareil pour qu'Emmanuelle n'ait pas à craindre d'être importunée par des allées et venues. Si elle le veut, elle n'aura pratiquement à rencontrer que les trois personnes qui vont partager sa cabine. Mais qu'elle préfère, au contraire, un peu de société, alors il lui sera aisé de lier connaissance avec d'autres voyageurs, en se promenant le long des couloirs ou en s'asseyant au bar. Désire-t-elle avoir de la lecture ?

— Non, dit Emmanuelle. Je vous remercie, vous êtes très gentille. Je n'ai pas envie de lire pour le moment.

Elle cherche ce qu'elle pourrait demander pour faire plaisir. S'intéresser à l'avion ? À quelle vitesse vole-t-il ?

— À plus de mille kilomètres à l'heure de moyenne ; et son rayon d'action lui permet de ne se poser que toutes les six heures.

Avec une unique escale intermédiaire, le voyage d'Emmanuelle durera donc à peine plus de la moitié d'un jour. Mais, parce qu'elle va perdre du temps (en apparence) en tournant dans le même sens que la Terre, elle n'arrivera pas avant neuf heures du lendemain à Bangkok, heure locale. Au total, elle n'aura guère le temps de faire autre chose que de dîner, dormir et s'éveiller.

Deux enfants, garçon et fille, si semblables qu'on ne peut que les imaginer jumeaux, écartent le rideau. Emmanuelle note d'un coup d'œil leur tenue conventionnelle et disgracieuse d'écoliers anglais, leur blondeur presque rousse, leur expression de froideur affectée et la hauteur avec laquelle ils s'adressent par mots brefs et crachés des lèvres, à l'employé de la compagnie. Bien qu'ils n'aient pas, semble-t-il, plus de douze à treize ans, la sûreté de leurs gestes assure, entre celui-ci et eux, une distance que le premier ne songe pas à réduire. Ils se carrent posément dans les sièges que le couloir sépare d'Emmanuelle. Avant que celle-ci ait pu les examiner en détail, entre le dernier des quatre passagers auxquels est réservée cette cabine et l'attention de la jeune femme se reporte sur lui.

Plus grand qu'elle d'au moins une tête, nez et menton résolument modelés, noir de moustache et de cheveu, il sourit à Emmanuelle, penché légèrement au-dessus d'elle pour installer une serviette de cuir souple et sombre, qui sent bon. Son costume ambré, sa chemise d'illion plaisent à Emmanuelle. Elle le juge élégant et bien élevé, ce qui constitue, en somme, l'essentiel des qualités qu'on attend d'un voisin de cabine.

Elle essaye de deviner son âge : quarante, cinquante ans ? Il doit avoir bien vécu, à cause de ces plis d'indulgence à l'angle des yeux... Sa présence a plus d'agrément, pense-t-elle, que celle des prétentieux petits collégiens. Mais elle se moque aussitôt, à part soi, de cette sympathie et de cette aversion hâtives. Inutiles, aussi : pour une nuit !...

Bientôt, elle a suffisamment oublié les enfants et l'homme pour qu'émerge la sensation d'agacement qui, depuis un moment, flottait entre les eaux de sa conscience, lui gâtant en partie le plaisir du départ : l'hôtesse, profitant du mouvement qu'ont créé les arrivants, s'est éloignée et Emmanuelle aperçoit, par l'entrebâillement du rideau, sa hanche bleue pressée contre un voyageur invisible. Elle s'en veut de sa jalousie, essaye de détourner les yeux. Une phrase venue d'elle ne sait où rôde dans sa tête sur un air de plain-chant désolé : « *Dans la solitude et dans l'abandon.* » Elle secoue l'obsession, ses cheveux noirs fouettent ses joues, coulent sur son visage... Mais la jeune Anglaise se redresse ; elle se tourne vers l'arrière de l'appareil ; elle apparaît entre les draperies, dont elle écarte des deux mains les jambes paresseuses ; elle est auprès d'Emmanuelle.

— Voulez-vous que je vous présente vos compagnons de voyage ? demande-t-elle ; et, sans attendre de réponse, elle annonce le nom de l'homme.

Emmanuelle croit comprendre « Eisenhower », ce qui la met en gaieté et lui fait manquer le nom des jumeaux.

Maintenant, l'homme lui parle. Comment savoir ce qu'il dit ? L'hôtesse voit l'embarras d'Emmanuelle, interroge ses compatriotes, rit en découvrant un bout de langue.

— C'est bien ennuyeux, se moque-t-elle. Aucun de ces trois voyageurs ne sait le moindre mot de français. Belle occasion pour vous de rafraîchir votre anglais !

Emmanuelle veut protester, mais déjà la jeune fille a pirouetté, remuant les doigts à l'adresse de ses passagers, en un signe hermétique et gracieux. Emmanuelle retrouve son délaissement. Elle a envie de bouder, de se désintéresser de tout.

Son voisin persévère et s'applique, articulant des phrases dont le vain bon vouloir la fait sourire. Elle a une moue de regret, confesse d'une voix enfantine : « Je ne comprends pas ! » et il se résigne à se taire.

D'ailleurs, un haut-parleur s'anime, caché dans quelque repli de tenture. Après que l'annonceur anglais s'est tu, Emmanuelle reconnaît, parlant français (*pour elle,* se dit-elle), la voix de son hôtesse, à peine faussée par l'amplificateur. Elle souhaite la bienvenue aux passagers de la *Licorne,* donne l'heure, la liste des membres de l'équipage, avertit que le décollage aura lieu dans quelques minutes, que les ceintures de sécurité doivent être bouclées (un steward surgit à point pour se charger lui-même d'ajuster celle d'Emmanuelle) et que les passagers sont invités à ne pas fumer ni se déplacer aussi longtemps que la lumière rouge restera allumée.

À peine plus qu'un murmure, un frisson des cloisons insonorisées, traduit l'éveil des réacteurs. Emmanuelle ne s'aperçoit même pas que l'avion roule le long de la piste. Il lui faudra assez long-temps avant de comprendre qu'elle vole.

Elle ne le devine, en fait, que lorsque le signal rouge s'éteint et que l'homme, s'étant levé, lui offre, par gestes, de la débarrasser de sa veste de tailleur qu'elle a gardée, elle ne sait pourquoi, sur ses genoux. Elle le laisse faire. Il lui sourit encore, ouvre un livre et ne la regarde plus. Un serveur, déjà, apparaît, portant un plateau de verres. Emma-nuelle choisit un cocktail qu'elle croit reconnaître à la couleur, mais ce n'est pas celui auquel elle s'attendait, et il est plus fort.

Ce qui, au-delà des cloisons de soie, devait être un après-midi passa sans qu'Emmanuelle eût le temps de faire rien d'autre que de croquer des pâtis-series, boire du thé, feuilleter, sans le lire, un maga-zine que l'hôtesse lui avait prêté (elle refusa d'en accepter un second, pour ne pas être distraite de la nouveauté de « voler »).

Un peu plus tard, on installa devant elle une petite table et on lui servit, dans des récipients de formes insolites, des plats nombreux et difficiles à identifier. Un quart de champagne était fixé dans une cavité du plateau et Emmanuelle s'en servit des rasades dans une flûte miniature. Cette dînette lui parut durer des heures, mais elle n'avait pas hâte qu'elle s'achevât, tant la découverte de ce jeu lui plaisait. Il y eut des desserts multiples, du café dans des tasses de poupées et des liqueurs dans des verres immenses. Lorsqu'on vint enlever les tables, Emmanuelle avait acquis la certitude de bien profiter de son aventure, de savourer la douceur de la vie.

Elle se sentait légère et un peu endormie. Elle constata qu'elle avait même perdu ses préventions à l'égard des jumeaux. L'hôtesse allait et venait, ne manquant pas de lui lancer, au passage, un mot joyeux. Lorsqu'elle était absente, Emmanuelle ne s'impatientait pas.

Elle se demanda quelle heure il pouvait être et s'il était temps de dormir. Mais en réalité, n'avait-on pas la liberté de dormir n'importe quand, dans ce berceau ailé, si loin déjà de la surface de la terre, ayant atteint cette partie de l'espace où il n'y a plus ni vents ni nuages et où Emmanuelle n'était pas sûre qu'il y eût même encore un jour et une nuit.

Les genoux d'Emmanuelle sont nus sous la lumière dorée qui tombe des diffuseurs. Sa jupe les a découverts et les yeux de l'homme ne les quittent plus.

Elle a conscience que ses genoux sont levés vers ce regard pour qu'il y prenne son plaisir. Mais peut-elle se donner le ridicule de les recouvrir — et puis, comment le ferait-elle ? Sa jupe ne se laissera pas allonger. Pourquoi, d'ailleurs, aurait-elle tout à coup honte de ses genoux, elle qui aime jouer d'habitude à les laisser dépasser de sa robe ? Sous le nylon invisible, le mouvement de leurs fossettes troue d'ombres agiles la couleur de pain brûlé de leur peau. Elle connaît le trouble qu'ils font naître. À force de les regarder, plus nus d'être serrés l'un contre l'autre comme au sortir d'un bain de minuit sous le faisceau d'un projecteur, elle-même, en ce moment, sent ses tempes battre plus vite et ses lèvres se charger de sang. Bientôt, ses paupières se ferment et Emmanuelle se voit, non plus partiellement nue mais tout entière, livrée à la tentation de cette contemplation narcissique, devant laquelle elle sait qu'elle sera, une fois de plus, sans défense.

Elle résista, mais ce n'était que pour mieux goûter, par degrés, les délices de l'abandon. Celui-ci s'annonça par une langueur diffuse, une sorte de conscience tiède de tout son corps, un désir de relâchement, d'ouverture, de plénitude, sans rêverie précise encore, ni émotion identifiable : rien qui fût très différent de la satisfaction physique qu'elle aurait éprouvée à s'étirer au soleil sur une plage de sable chaud. Puis, peu à peu, en même temps que la surface de ses lèvres devenait plus brillante, que ses seins gonflaient et que ses jambes se tendaient, attentives au moindre contact, son cerveau essaya des images, au début presque sans formes, longtemps sans liens, mais qui suffisaient à humecter ses muqueuses et à cambrer ses reins.

Quasi imperceptibles, mais sans défaillances, les vibrations amorties de la coque de métal accordaient Emmanuelle à leur fréquence, cherchant des harmoniques dans les rythmes de son corps. Une onde montait le long de ses jambes, partant des genoux (épicentres chimériques de ce tremblement de sensations sans contours), résonnant inexorablement, à la surface des cuisses, toujours plus haut, secouant Emmanuelle de frissons.

Désormais, les fantasmes accouraient, obsédants : lèvres qui se posaient sur sa peau, organes d'hommes et de femmes (dont les visages restaient ambigus), phallus, pressés de la toucher, de se frotter contre elle, de se frayer un passage entre ses genoux, forçant ses jambes, ouvrant son sexe, la

pénétrant avec des efforts, un labour qui la com-
blaient. Leur mouvement était celui d'un progrès
continu : ils ne revenaient pas en arrière ; l'un après
l'autre, ils s'enfonçaient dans l'inconnu du corps
d'Emmanuelle, par l'étroite voie qu'ils ne se las-
saient pas de reconnaître, paraissant ne jamais trouver de limites à leur course, cheminant indéfiniment
à l'intérieur d'elle, la rassasiant de chair et, à n'en
plus finir, se vidant en elle de leurs sucs.

L'hôtesse crut Emmanuelle endormie et elle fit,
avec précaution, basculer le dossier, transformant le
siège en couchette. Elle étendit une couverture de
cachemire sur les longues jambes alanguies, que le
glissement du fauteuil avait découvertes à mi-
cuisses. L'homme, alors, se leva et fit lui-même la
manœuvre qui plaçait son siège au niveau de celui
de sa voisine de cabine.

Les enfants s'étaient assoupis. L'hôtesse souhaita
bonne nuit à la cantonade et éteignit les plafonniers.
Seules, deux veilleuses mauves empêchèrent les
objets et les hommes de perdre toute forme.

Emmanuelle s'était abandonnée sans ouvrir les
yeux au soin que l'on prenait d'elle. Sa rêverie, toutefois, n'avait rien perdu de son intensité ni de son
urgence, au cours de ces mouvements. Sa main
droite rampait maintenant le long de son ventre, très
lentement, se retenant, finissant par atteindre le
niveau du pubis, sous la couverture légère que sa
progression faisait onduler. Mais, dans cette
pénombre, qui pouvait la voir ? Du bout des doigts,
elle explorait, creusait la soie souple de sa jupe,
dont l'étroitesse s'opposait à ce que ses jambes
s'entrouvrissent : elles tendaient l'étoffe dans leur
effort pour s'écarter ; elles y réussirent suffisamment, enfin, pour que les doigts sentissent, à travers
la minceur du tissu, le bouton de chair en érection

qu'ils cherchaient et sur lequel ils pressèrent avec tendresse.

Pendant quelques secondes, Emmanuelle laissa l'ovation de son corps s'apaiser. Elle essayait de retarder l'issue. Mais, bientôt, n'y tenant plus, elle commença, avec une plainte étouffée, de donner à son médius l'impulsion minutieuse et douce qui devait amener l'orgasme. Presque aussitôt, la main de l'homme se posa sur la sienne.

Le souffle perdu, Emmanuelle sentit ses muscles et ses nerfs se nouer, comme si un jet d'eau glacée l'avait fouettée en plein ventre. Elle resta immobile, non point vidée de sensations, mais toutes sensations et toute pensée arrêtées, à la manière d'un film dont on suspend le déroulement sans obscurcir l'image. Ni elle n'eut peur, ni elle ne fut, à proprement dire, choquée. Elle n'eut pas, non plus, le sentiment d'être prise en faute. En vérité, elle n'était capable, à ce moment-ci, de formuler de jugement ni sur le geste de l'homme ni sur sa propre conduite. Elle avait enregistré l'événement; puis sa conscience s'était figée. Maintenant, de toute évidence, elle attendait ce qui allait prendre la suite de ses songes écroulés.

La main de l'homme ne remuait pas. Elle n'était pas, pour autant, inactive. Par son simple poids, elle exerçait une pression sur le clitoris, sur lequel appuyait la main d'Emmanuelle. Rien d'autre ne se produisit pendant assez longtemps.

Puis Emmanuelle perçut qu'une autre main soulevait la couverture et la rejetait, pour se saisir à l'aise d'un de ses genoux et en tâter les creux et les reliefs. Elle ne s'attarda d'ailleurs pas et remonta, d'un mouvement lent, le long de la cuisse, débordant bientôt l'ourlet du bas.

Quand la main toucha sa peau nue, pour la première fois Emmanuelle eut un sursaut, et elle tenta d'échapper à l'envoûtement. Mais, en partie parce qu'elle ne savait pas exactement ce qu'elle voulait accomplir, en partie parce que les deux mains de l'homme lui semblaient trop fortes pour qu'elle eût la moindre chance d'échapper à leur prise, elle ne fit guère que soulever maladroitement le buste, rapprocher de son ventre, comme pour le protéger, la main qu'elle avait libre, et se tourner à demi sur le côté. Elle se rendait bien compte qu'il eût été aussi simple et plus efficace de serrer les jambes l'une contre l'autre, mais, sans qu'elle pût s'expliquer pourquoi, ce geste lui paraissait tout d'un coup si inconvenant et si risible qu'elle n'osait le faire et qu'elle finit tout bonnement par renoncer à dominer une situation qui la confondait, se laissant derechef gagner par la paralysie qu'elle n'était parvenue à surmonter que pour un court instant et de façon bien dérisoire.

Comme si elles voulaient tirer pour l'édification d'Emmanuelle la leçon de cette vaine révolte, les mains de l'homme l'abandonnèrent d'un coup... Mais elle n'eut même pas le temps de se demander ce que signifiait ce soudain revirement, car, déjà, elles étaient de nouveau sur elle, cette fois au niveau de la taille, sûres, rapides, dégrafant le gros-grain de sa jupe, faisant glisser la fermeture Éclair; tirant l'étoffe sur les hanches, jusqu'aux genoux. Puis elles remontèrent. L'une d'elles pénétra sous le slip d'Emmanuelle (léger, et transparent, comme tous les sous-vêtements qu'elle a l'habitude de porter — peu nombreux, à vrai dire : un porte-jarretelles, parfois un jupon, sous ses jupes amples, jamais de soutien-gorge ni de gaine, bien que, dans les boutiques du faubourg Saint-Honoré où elle achète sa lingerie, elle se fasse essayer, par l'une ou l'autre des vendeuses blondes, brunes, belles, à demi réelles, qui s'agenouillent à ses pieds en découvrant leurs longues jambes, d'innombrables modèles de bustiers, de guêpières, de culottes ou de cache-sexe, que leurs doigts gracieux font monter le long de ses seins ou de ses cuisses, et dont elles la caressent, patiemment, avec des gestes répétés et souples, jusqu'à ce que les yeux d'Emmanuelle se ferment et qu'elle ploie doucement les genoux, se posant sur le sol jonché de nylon comme une voile qu'on amène, ouverte, chaude et livrée à la parfaite et assouvissante habileté des mains et des lèvres).

Le corps d'Emmanuelle retomba dans la position d'où son ébauche de résistance l'avait momentanément dérangé. L'homme caressa de la paume, comme on flatte une encolure de pur-sang, son ventre plat et musclé, juste au-dessus du haut renflement du pubis. Ses doigts coururent le long des plis de l'aine, puis au-dessus de la toison, traçant les côtés du triangle dont ils semblaient estimer l'aire. L'angle inférieur en était très ouvert, disposition assez rare, qu'ont néanmoins perpétuée les sculpteurs grecs.

Lorsque la main qui parcourait le ventre d'Emmanuelle se fut rassasiée de proportions, elle força les cuisses à s'écarter davantage ; la jupe roulée autour des genoux entravait leurs mouvements : elles se soumirent, cependant, s'ouvrant autant qu'elles le pouvaient. La main prit dans son creux le sexe chaud et gorgé, le caressant comme pour l'apaiser, sans hâte, d'un mouvement qui suivait le sillon des lèvres, plongeant — d'abord légèrement — entre elles, pour passer sur le clitoris dressé et venir se reposer sur les boucles épaisses du pubis. Puis, à chaque nouveau passage entre les jambes, qui, repoussant la jupe, se séparaient plus largement, les doigts de l'homme allèrent prendre plus loin en arrière leur départ, s'enfoncèrent plus profondément entre les muqueuses humides. Par moments, toutefois, soit caprice, soit calcul, ils ralentissaient leur progression, feignant d'hésiter, à mesure que la tension d'Emmanuelle croissait. Se mordant les lèvres pour endiguer le sanglot qui montait de sa gorge, les reins arqués, elle pantelait du désir du spasme dont l'homme semblait vouloir la rapprocher sans cesse sans le lui laisser jamais atteindre.

D'une seule main, il jouait de son corps au rythme et sur le ton qu'il lui plaisait, dédaigneux des seins, de la bouche, ne semblant friand ni d'embrasser ni d'étreindre, restant, au milieu de la volupté incomplète qu'il dispensait, nonchalant et distant. Emmanuelle agita la tête de droite et de gauche, fit entendre une série de gémissements étouffés, des sons qui ressemblaient à une prière. Ses yeux s'entrouvrirent et cherchèrent le visage de l'homme. Ils commençaient à briller de larmes.

Alors, la main s'immobilisa, gardant serrée en elle toute la partie du corps d'Emmanuelle qu'elle avait enflammée. L'homme se pencha un peu vers la passagère et prit, de son autre main, une des siennes, qu'il attira vers lui et introduisit à l'intérieur de son vêtement. Il l'aida à se refermer sur la verge rigide et guida ses mouvements, réglant leur amplitude et leur cadence au mieux de son goût, les modérant ou les accélérant selon le degré de son excitation, jusqu'à ce qu'il eût acquis la conviction qu'il pouvait s'en remettre à l'intuition et au désir de bien faire d'Emmanuelle et la laisser achever à sa manière la manipulation à laquelle elle n'avait d'abord apporté qu'un esprit noyé et une docilité enfantine, mais qu'elle perfectionnait peu à peu avec une sollicitude imprévue.

Emmanuelle avait avancé le buste de façon que son bras remplît mieux son office et l'homme, à son tour, se rapprocha, pour qu'elle pût être aspergée par le sperme qu'il sentait sourdre du fond de ses glandes. Longtemps encore, pourtant, il réussit à se contenir, tandis que les doigts serrés d'Emmanuelle montaient et descendaient, moins timides à mesure que la caresse se prolongeait, ne se bornant plus à un élémentaire va-et-vient, mais s'entrouvrant, soudain experts, pour glisser le long de la grosse veine gonflée, sur la cambrure de la verge, plongeant (en griffant imperceptiblement la peau de leurs ongles limés) le plus bas possible — aussi près des testicules que l'étroitesse du pantalon le permettait, puis revenant, avec une torsion lascive, jusqu'à ce que les plis de peau mobile au creux de la paume moite eussent recouvert la pointe du membre, qu'elle semblait ne devoir jamais atteindre tant celui-ci grandissait. Là, serrant de nouveau très fort, la main repartait vers le bas de la hampe, tendant le prépuce, tour à tour étranglant la chair tumescente ou relâchant son étreinte, frôlant à peine la muqueuse ou la harcelant, massant à grands mouvements de poignet ou agaçant à petits coups sans merci... Le gland, doublant de taille, s'embrasait, menaçant à chaque instant, pensa-t-elle, d'éclater.

Emmanuelle reçut, avec une exaltation étrange, le long de ses bras, sur son ventre nu, sa gorge, son visage, sur sa bouche, dans ses cheveux, les longs jets blancs et odorants que dégorgeait enfin le membre satisfait. Ils paraissaient ne devoir jamais se tarir. Elle croyait les sentir couler dans sa gorge, qu'elle les buvait... Une griserie inconnue la prenait. Une délectation sans pudeur. Lorsqu'elle laissa retomber son bras, l'homme saisit du bout des doigts le clitoris d'Emmanuelle et la fit jouir.

Un bourdonnement indiqua que le haut-parleur allait être utilisé. La voix de l'hôtesse, volontairement assourdie pour que les passagers ne fussent pas trop brusquement réveillés, annonça que l'appareil se poserait à Bahreïn dans une vingtaine de minutes. Il en redécollerait à minuit, heure locale. Une collation serait servie à l'aéroport.

La lumière renaissait progressivement dans la cabine, imitant la lenteur d'un lever du jour. Emmanuelle se servit de sa couverture (qui avait glissé à ses pieds) pour éponger le sperme dont elle avait été éclaboussée. Elle remonta sa jupe, recouvrit ses hanches. Lorsque l'hôtesse entra, Emmanuelle, assise sur la couchette, dont elle n'avait pas relevé le dossier, essayait encore de mettre de l'ordre dans sa toilette.

— Vous avez bien dormi ? interrogea gaiement la jeune fille.

Emmanuelle acheva d'agrafer sa ceinture :

— Mon chemisier est tout froissé, fit-elle.

Elle regardait les taches humides qui s'étalaient de part et d'autre de l'échancrure du col. Elle roula vers l'extérieur les revers du corsage et le bout incarnat d'un de ses seins apparut. L'encolure resta ouverte de la sorte et les regards des quatre Anglais étaient rivés au profil saillant du sein nu.

— N'avez-vous pas de quoi vous changer ? questionna l'hôtesse.

— Non, dit Emmanuelle.

Elle ébaucha une moue. Elle se retenait ostensiblement de rire. Les yeux des deux femmes se rencontrèrent et reconnurent leur complicité ; leur trouble était égal. L'homme les observait. Son costume ne présentait pas un faux pli, sa chemise était aussi nette qu'au départ, sa cravate n'était pas dérangée.

— Venez avec moi, décida l'hôtesse.

Emmanuelle se leva, contourna son voisin (la place ne manquait pas) et suivit la jeune Anglaise dans le cabinet de toilette, tout en glaces, en poufs, en garnitures de cuir blanc, en tablettes chargées de cristaux et de lotions.

— Attendez-moi !

L'hôtesse s'éclipsa, revint après quelques minutes, apportant une petite valise ; elle en souleva le couvercle, tira d'un compartiment minuscule un pull-over couleur de feuille morte, tissé de fils d'orlon, de laine et de soie si légers qu'il tenait tout entier dans sa main fermée. Lorsqu'elle le secoua, il se gonfla soudain comme un ballon de caoutchouc devant Emmanuelle émerveillée.

— Vous me le prêtez ? demanda-t-elle.

— Non, c'est un cadeau que je vous fais. Je suis sûre qu'il va très bien vous aller : c'est votre genre.

— Mais...

L'hôtesse posa un doigt sur les lèvres qui s'arrondissaient devant elle pour protester. Ses yeux tendres scintillaient. Emmanuelle ne pouvait les quitter du regard. Elle approcha vers eux son visage. Mais l'hôtesse avait déjà virevolté ; elle tendait une eau de toilette :

— Frictionnez-vous avec cela, c'est un parfum d'homme.

La voyageuse se rafraîchit le visage, les bras et le cou, plongea entre ses seins le tampon d'ouate qu'elle avait imprégné du liquide musqué, puis, se ravisant, détacha rapidement les derniers boutons de sa blouse.

Des deux bras renversés en arrière, elle fit tomber sur le tapis blanc sa chemisette de soie et respira à pleins poumons, subitement étourdie par sa demi-nudité. Elle se tourna vers l'hôtesse et la contempla avec une jubilation candide. Celle-ci se pencha pour glaner la blouse chiffonnée ; elle la pressa contre son visage :

— Oh ! ce que ça sent bon ! s'écria-t-elle, riant de malice.

Emmanuelle perdit contenance. L'évocation de l'incroyable scène de l'heure précédente lui paraissait hors de propos en ce moment. Sa seule pensée, qui tournait dans sa tête comme dans une cage, c'était de se défaire de sa jupe, de ses bas, d'être entièrement nue pour cette belle fille. Ses doigts jouaient avec la fermeture de sa ceinture.

— Comme vos cheveux sont épais et noirs! s'extasia l'hôtesse, s'amusant à faire glisser une brosse le long des vagues d'Emmanuelle, qui recouvraient jusqu'au-dessous de la taille son dos nu. Quels reflets! Ce qu'ils sont soyeux! Je voudrais bien avoir d'aussi beaux cheveux.

— Mais j'aime les vôtres, contesta Emmanuelle.

Oh! si seulement sa compagne voulait, elle aussi, se dévêtir! Elle le désirait tant que sa voix s'enrouait. Elle implora:

— Est-ce qu'on ne peut pas prendre de bain, dans cet avion?

— Bien sûr que si. Mais il vaut mieux que vous attendiez: les salles de bains de l'escale sont encore plus confortables. Et, d'ailleurs, vous n'auriez pas le temps, nous allons nous poser dans cinq minutes.

Emmanuelle ne parvenait pas à se résigner. Ses lèvres tremblaient. Elle tira sur la glissière de sa jupe.

— Dépêchez-vous de mettre mon sweet petit jumper, réprimanda la jeune Anglaise, en tendant le lainage à Emmanuelle.

Elle l'aida à passer la tête par l'encolure étroite. Le tricot élastique était si moulant et si fin que les pointes des seins se détachaient en relief, aussi visibles que si, au lieu d'avoir été revêtues d'un chandail, elles avaient simplement été peintes en roux. L'hôtesse sembla les remarquer pour la première fois.

— Ce que vous êtes séduisante ! s'exclama-t-elle.

Et elle appuya le bout de l'index, en riant, sur un des mamelons aigus, un peu comme elle eût pressé le bouton d'une sonnerie. Les yeux d'Emmanuelle pétillèrent :

— Est-ce vrai, demanda-t-elle, que les hôtesses de l'air sont toutes vierges ?

La jeune fille éclata d'un rire d'oiseau chanteur, puis, avant qu'Emmanuelle ait eu le temps de réagir, ouvrit la porte, entraînant sa passagère.

— Vite ! Regagnez votre place. La lumière rouge est allumée, nous allons atterrir.

Mais Emmanuelle rechignait. Elle n'avait pas la moindre envie, de surcroît, de se retrouver côte à côte avec son voisin de cabine.

L'escale lui parut ennuyeuse. À quoi bon savoir qu'on est dans une île arabe, si l'on n'en voit rien ? L'aéroport, aseptique et chromé, trop crûment illuminé, réfrigéré, étanche, insonorisé, ressemblait singulièrement à l'intérieur du satellite artificiel que montraient, à ce moment même, les actualités télévisées sur l'écran du salon où attendaient les voyageurs. Emmanuelle se baigna ; but du thé ; grignota des gâteaux en compagnie de quatre ou cinq passagers, parmi lesquels se trouvait le « sien ».

Elle le regardait avec étonnement, essayant de comprendre ce qui s'était passé entre eux une heure auparavant. Cet épisode ne cadrait pas avec le reste de l'histoire d'Emmanuelle. Était-elle même sûre qu'il eût réellement existé ? Oh, puis, penser à cela était trop compliqué ! Trop risqué, en outre. Le plus simple et le plus prudent était de se refuser à y réfléchir davantage. Elle s'appliqua à faire le vide dans toute la partie de son cerveau qui persistait à se poser des questions.

Au moment où le mouvement des autres, plutôt que la voix incompréhensible du haut-parleur, lui indiqua qu'il fallait regagner le bord, elle avait réussi à ne plus très bien savoir ce qu'elle mettait tant de soin à oublier.

Lorsque les passagers eurent regagné l'avion, ils virent qu'il avait été nettoyé, remis en ordre, ventilé. Un parfum frais avait été vaporisé dans les cabines. Les couchettes étaient garnies de couvertures neuves. De gros oreillers, d'une blancheur lumineuse, gonflés de duvet, rendaient plus tentant encore le velours bleu de nuit sur lequel ils étaient posés. Le steward vint demander si l'on désirait des boissons. Non? Eh bien! bonne nuit! L'hôtesse apporta à son tour ses vœux pour le sommeil. Tout ce cérémonial ravissait Emmanuelle. Elle se sentit redevenir heureuse — de manière positive, avec élan, avec certitude. Elle voulait que le monde fut exactement ce qu'il était. Tout, sur terre, était définitivement bien.

Elle s'étendit sur le dos. Elle n'avait pas peur, cette fois, de montrer ses jambes; elle avait envie de les remuer. Elle les souleva tour à tour, pliant et dépliant les genoux, faisant jouer les muscles de ses cuisses, frottant, avec un doux crissement de nylon, ses chevilles l'une contre l'autre. Elle goûta en détail le plaisir physique que lui causait cet exercice de ses membres. Pour pouvoir mieux bouger, elle releva sa jupe plus haut encore, délibérément, sans se cacher, en tirant des deux mains sur l'étoffe.

« Après tout, soliloqua-t-elle, ce ne sont pas seulement mes genoux qui valent la peine d'être regardés, ce sont mes jambes en entier. Il faut reconnaître qu'elles sont vraiment jolies; on dirait deux petites rivières couvertes de feuilles sèches et toutes gonflées de mauvais esprit qui s'amusent à passer l'une par-dessus l'autre. Et ce n'est pas la seule chose que j'ai de bien. J'aime aussi ma peau, qui se dore au soleil comme un grain de maïs, sans jamais rougir; et j'aime aussi mes fesses. Et les toutes petites framboises au bout de mes seins, avec leur collerette de sucre rouge. Je voudrais tellement pouvoir les lécher. »

Les plafonniers déclinèrent et elle tira sur elle, avec un soupir de bien-être, la couverture imprégnée d'une senteur d'aiguilles de pin que la compagnie aérienne lui offrait pour protéger ses rêves.

Quand il ne resta plus d'allumé que les veilleuses, elle se tourna sur le côté et chercha à distinguer son compagnon de cabine, qu'elle n'avait pas osé regarder franchement depuis qu'elle se trouvait de nouveau allongée près de lui. À sa surprise, elle rencontra le propre regard de l'homme posé sur elle et qui semblait l'attendre, visible malgré la presque totale obscurité. Quelque temps, ils restèrent ainsi, les yeux dans les yeux, sans autre expression que celle d'une parfaite tranquillité. Emmanuelle reconnaissait l'étincelle d'affection un peu amusée, un peu protectrice, qu'elle avait remarquée au moment où ils s'étaient rencontrés pour la première fois (quand, au juste? était-ce à peine sept heures plus tôt?), et elle se disait que c'était cela, en lui, qu'elle aimait bien.

Parce que ce voisinage, de façon imprévue, lui devenait ainsi agréable, elle sourit en fermant les yeux. Elle avait confusément envie de quelque chose — mais ne savait quoi. Elle ne trouva d'autre solution que de recommencer à se réjouir d'être belle : sa propre image tournait dans sa tête comme un refrain favori. Le cœur battant, elle cherchait en pensée la crique invisible qu'elle savait enfouie sous son promontoire d'herbes noires, au confluent des deux rivières : elle sentait leur courant venir lécher ses bords. Lorsque l'homme se souleva sur un coude et se pencha vers elle, elle ouvrit les paupières et le laissa l'embrasser. Le goût des lèvres sur ses lèvres avait la fraîcheur et le sel de la mer.

Elle redressa le buste et leva les bras, afin de lui faciliter la tâche lorsqu'il voulut lui retirer son maillot. Elle savoura le trouble de voir jaillir de dessous la laine rousse ses seins que la pénombre faisait paraître plus ronds et volumineux encore que de jour. Pour lui laisser intact le plaisir de la déshabiller, elle ne l'aida pas lorsqu'il chercha la fermeture de sa jupe ; cependant, elle souleva les hanches pour qu'il pût la faire glisser sans peine. Cette fois, l'étroit fourreau ne resta pas entortillé autour de ses genoux : elle en fut complètement délivrée.

Les mains actives de l'homme la débarrassèrent de son mince slip. Après qu'elles eurent aussi décroché le porte-jarretelles, Emmanuelle roula elle-même ses bas et les envoya rejoindre sa jupe et son sweater au pied de la couchette.

Seulement lorsqu'elle fut ainsi entièrement dévêtue, il la serra contre lui et commença de la caresser, des cheveux aux chevilles, n'oubliant rien. Elle avait maintenant tant envie de faire l'amour que le cœur lui faisait mal et que sa gorge était nouée : elle croyait qu'elle ne pourrait jamais plus respirer, revenir au jour. Elle avait peur, elle aurait voulu appeler, mais l'homme la tenait trop étroitement enlacée, une main dans le sillon de ses fesses, dilatant la petite crevasse tremblante, un doigt tout entier englouti. En même temps, il l'embrassait avidement, léchant sa langue, buvant sa salive.

Elle se plaignait, à petites plaintes, sans qu'elle

sût exactement pourquoi cette peine. Était-ce le doigt qui la fouillait, si loin au fond de ses reins? Ou la bouche qui se nourrissait d'elle, avalant chaque souffle, chaque sanglot? Était-ce le tourment du désir ou la honte de sa luxure? Le souvenir de la longue forme cambrée qu'elle avait tenue au creux de sa main la hantait, magnifique et dressée, rogue, dure, rouge, sûrement brûlante à ne pouvoir le supporter. Elle gémit si fort que l'homme eut pitié : elle sentit enfin le membre nu, fort comme elle l'avait attendu, se poser sur son ventre, et elle se pressa contre lui de toute la douceur de son corps.

Ils restèrent un long moment ainsi, sans bouger; puis l'homme, brusquement, l'enleva dans ses bras et la fit passer par-dessus lui, de sorte qu'elle était désormais allongée sur la couchette qui se trouvait du côté du couloir. Moins d'un mètre la séparait des enfants anglais.

Elle avait oublié jusqu'à leur existence. Elle se rendit compte tout d'un coup qu'ils ne dormaient pas et qu'ils la regardaient. Le garçon était le plus proche, mais la fillette s'était blottie contre lui pour mieux voir. Immobiles et le souffle retenu, ils fixaient Emmanuelle de leurs pupilles élargies, où elle ne put rien lire d'autre qu'une curiosité fascinée. À la pensée d'être possédée sous leurs yeux, de se livrer, elle, Emmanuelle, à cet excès de débauche, elle éprouva une sorte de vertige. Mais, en même temps, elle avait hâte que cela se fît et qu'ils pussent tout voir.

Elle était couchée sur le côté droit, les cuisses et les genoux repliés, les reins offerts. L'homme la tenait aux hanches, par-derrière. Il glissa une jambe entre celles d'Emmanuelle et s'introduisit en elle par une poussée rectiligne, irrésistible, que rendaient facile l'absolue rigidité de son pénis aussi bien que l'humidité de la chair d'Emmanuelle. Ce n'est qu'après, avoir atteint le point le plus profond de son vagin et s'y être arrêté, le temps de soupirer d'aise, qu'il commença de faire aller et venir son membre à grands coups réguliers.

Emmanuelle, délivrée de son angoisse, pantelait, plus liquide et plus chaude à chacune des ruées du phallus. Comme s'il se nourrissait d'elle, celui-ci augmentait de taille et ses mouvements, d'amplitude et d'allant. À travers la brume de sa félicité, elle réussit à s'émerveiller que la course de ce bélier pût être aussi longue dans son ventre. Ses organes, s'amusa-t-elle à se représenter, ne semblaient pas s'être atrophiés pendant tant de mois qu'ils n'avaient pas été stimulés par un aiguillon masculin. Cette volupté retrouvée, elle souhaitait maintenant en profiter le plus complètement et le plus long-temps possible.

Le voyageur ne paraissait pas, de son côté, près de se lasser de forer le corps d'Emmanuelle. Elle aurait aimé savoir, à un moment donné, depuis combien de temps il était en elle ; mais aucun point de repère ne lui permettait d'en juger.

Elle se retenait de céder à l'orgasme, sans que cela lui coûtât d'effort ni de frustration, car elle s'était entraînée, depuis l'enfance, à prolonger le plaisir de l'attente et elle appréciait plus encore que le spasme cette sensitivation croissante, cette extrême tension de l'être qu'elle savait à merveille se procurer seule lorsque ses doigts effleuraient pendant des heures, avec une légèreté d'archet, la corde tremblante de son clitoris, refusant de se rendre à la supplication de sa propre chair, jusqu'à ce qu'enfin la pression de sa sensualité l'emportât, s'échappant en tornades effrayantes comme les convulsions de la mort, mais dont Emmanuelle renaissait sur-le-champ plus alerte et dispose.

Elle regardait les enfants. Leurs visages avaient

perdu tout air de morgue. Ils étaient devenus humains. Non point excités ni ricanants, mais attentifs et presque respectueux. Elle essaya d'imaginer ce qui se passait dans leur tête, le désarroi où devait les plonger l'événement dont ils étaient témoins, mais les idées s'effilochèrent en elle, sa pensée était traversée d'éblouissements et elle était bien trop heureuse pour se soucier vraiment d'autrui.

Quand, à l'accélération des mouvements, à une certaine raideur des mains qui agrippaient ses fesses et, aussi, à une brusque enflure et aux pulsations de l'organe qui la traversait, elle comprit que son partenaire allait éjaculer, elle-même se laissa entraîner. Le fouet du sperme porta au paroxysme son plaisir. Pendant tout le temps qu'il se vidait en elle, l'homme se maintînt très loin au fond de son vagin, abuté, de ce fait, au col de sa matrice. Et, même au milieu de son spasme, Emmanuelle gardait assez d'imagination pour jouir du tableau qu'elle se faisait du méat dégorgeant des coulées crémeuses qu'aspirait, active et gourmande comme une bouche, l'ouverture oblongue de son utérus.

Le voyageur acheva son orgasme et Emmanuelle se calma à son tour, envahie par un bien-être sans remords, à quoi la moindre chose contribuait : le glissement du mâle qui se retirait, le contact de la couverture qu'elle sentait qu'il étendait sur elle, le confort de la couchette et l'opacité montante et tiède du sommeil qui la recouvrit.

L'avion avait franchi la nuit comme un pont, aveugle aux déserts de l'Inde, aux golfes, aux estuaires, aux rizières. Lorsque Emmanuelle ouvrit les yeux, une aube qu'elle ne pouvait voir irisait les contours de la chaîne birmane, cependant qu'à l'intérieur de la cabine la lueur mauve des veilleuses ne laissait rien deviner du dépaysement ni de l'heure du jour.

La couverture blanche était tombée de la couchette, et Emmanuelle était étendue, nue, sur le côté gauche, pelotonnée comme un enfant frileux. Son vainqueur dormait.

Emmanuelle, reprenant conscience par degrés, restait immobile. Rien de ce qu'elle pouvait penser ne se laissait lire sur son visage. Au bout d'un temps assez long, elle étira lentement les jambes, cambra les reins, se retourna sur le dos, tâtonnant de la main pour se recouvrir. Mais son geste resta suspendu : un homme, debout dans le couloir, la regardait.

L'inconnu, dans la position qu'il occupait par rapport à elle, lui parut d'une stature gigantesque et la jeune femme se dit aussi qu'il était invraisemblablement beau. C'est sans doute cette beauté qui fit qu'elle oublia sa nudité, ou du moins n'en fut pas gênée. Elle pensait : c'est une statue grecque. Un tel chef-d'œuvre ne peut être vivant. Un fragment de poème la traversa, qui n'était pas grec : *Déité du temple en ruine...* Elle aurait voulu des primevères, des herbes jaunies, à foison au pied du dieu, des feuillages en vrille autour de son socle et qu'un souffle de vent fît remuer les courts cheveux d'agneau qui bouclaient sur ses oreilles et sur son front. Le regard d'Emmanuelle longea l'arête rectiligne du nez, se posa sur les lèvres ourlées, sur le menton de marbre. Deux tendons fermes sculptaient la ligne du cou jusqu'à la chemise entrouverte sur une poitrine sans toison. Les yeux de la femme poursuivirent leur étude. Une saillie démesurée tendait le pantalon de flanelle blanche, près du visage d'Emmanuelle.

L'apparition se pencha et prit la jupe et le pullover qui gisaient à terre. Elle ramassa aussi le slip et

le porte-jarretelles, les bas et les escarpins éparpil-
lés, puis se redressa et dit :

— Venez.

La voyageuse s'assit sur sa couchette, posa les
pieds sur la moquette du sol et prit la main qui se
tendait. Puis, s'étant levée d'un souple effort, elle
avança, nue, comme si elle avait changé de monde
dans l'altitude et dans la nuit.

L'inconnu la conduisit dans le salon de toilette où
elle était déjà venue avec l'hôtesse. Il s'adossa à la
cloison capitonnée de soie et disposa Emmanuelle
de sorte qu'elle lui fît face. Elle faillit laisser échapper un cri lorsqu'elle vit le reptile herculéen qui se
dressait devant elle hors de sa broussaille dorée.
Parce qu'elle était sensiblement plus petite que
l'homme, le gland trigonocéphale atteignait
jusqu'entre ses seins.

Le héros saisit Emmanuelle à la taille et la souleva sans peine. La jeune femme entoura de ses
doigts croisés la nuque masculine, dont elle sentit
les muscles durcir sous ses paumes, et elle disjoignit
ses jambes pour que le membre écarlate sur lequel
son ravisseur la faisait retomber pût la pénétrer. Des
larmes coulèrent sur ses joues, tandis que l'homme
entrait en elle avec précaution, la déchirant. Emmanuelle, s'appuyant des genoux contre le mur et sur
les hanches de son partenaire, aidait de son mieux le
serpent fabuleux à ramper au tréfonds de son corps.
Elle se tordait, griffant le cou auquel elle s'accrochait, sanglotant, criant des râles et des mots inintel-
ligibles. Elle ne fut même pas consciente, dans son
égarement, que l'homme jouissait, vite, avec une
poussée si sauvage de son bassin qu'il semblait
vraiment vouloir s'ouvrir une voie à travers elle,
jusqu'à son cœur. Lorsqu'il se retira, le visage
éclairé, il la garda debout, pressée contre lui. Le

phallus mouillé rafraîchissait la peau endolorie d'Emmanuelle.

— Tu as aimé ? demanda-t-il.

Emmanuelle posa la joue sur la poitrine du dieu grec. Elle sentait sa semence bouger en elle.

— Je vous aime, murmura-t-elle.

Puis :

— Voulez-vous me prendre encore ?

Il sourit.

— Tout à l'heure, dit-il. Je reviendrai. Habille-toi, maintenant.

Il se pencha, posa au milieu de ses cheveux un baiser si chaste qu'elle n'osa plus rien dire. Avant même qu'elle eût compris qu'il la quittait, elle se retrouva seule.

Avec des gestes ralentis, comme s'il s'agissait d'une cérémonie (ou parce qu'elle n'avait pas encore entièrement retrouvé le rythme du réel), elle fit couler sur elle l'eau de la douche, couvrit son corps de mousse, se rinça avec minutie, frotta sa peau de serviettes chaudes et odorantes qu'elle tira d'un distributeur, vaporisa sur sa nuque et sa gorge, sous ses aisselles et sur la fourrure de son pubis un parfum qui évoquait la verdeur d'un sous-bois, brossa ses cheveux. Son image lui était rendue de trois côtés par de longs miroirs : il lui parut qu'elle n'avait jamais été si fraîche ni resplendi de plus de beauté. L'inconnu allait-il revenir, comme il l'avait promis ?

Elle attendit jusqu'à ce que le haut-parleur annonçât l'approche de Bangkok. Alors, avec une moue de dépit, le cœur brouillé, elle s'habilla, regagna la cabine, retirant son sac et sa jaquette du filet à bagages et les posant sur ses genoux, comme elle s'asseyait dans le fauteuil dont une main prévenante avait de nouveau modifié la forme et auprès duquel avaient été placés une tasse de thé et un plateau de brioches. Son voisin, sur lequel elle jeta un regard distrait, eut une réaction de surprise.

— *But... aren't you going on to Tokyo?* s'enquit-il, une nuance de contrariété dans la voix.

Emmanuelle devina assez aisément ce qu'il avait voulu dire et secoua négativement la tête. Le visage de l'homme s'assombrit. Il posa une autre question, qu'elle ne comprit pas et, d'ailleurs, elle n'avait guère l'esprit à lui répondre. Elle regardait droit devant elle avec une expression de chagrin.

Le voyageur avait sorti un carnet et il le tendit à Emmanuelle, lui faisant signe d'y écrire. Sans doute voulait-il qu'elle lui laissât son nom, ou une adresse où il pût la retrouver. Mais elle refusa d'un nouveau hochement de tête, le front buté. Elle se demandait si l'inconnu au visage de lierre et à l'odeur de pierre chaude, si le génie fantasque du temple en ruine quitterait avec elle l'avion à Bangkok, ou s'il s'envolerait vers le Japon... Même en ce cas, allait-elle du moins le revoir à l'escale...

Elle le chercha des yeux parmi les passagers qui, descendus de l'appareil, attendaient, groupés sous ses ailes, dans le matin de l'aéroport tropical, qu'on les conduisît aux bâtiments de ciment et de verre dont la silhouette futuriste se détachait sur un ciel déjà blanc de chaleur. Mais elle ne reconnut personne qui eût sa taille et ses cheveux d'automne. L'hôtesse lui souriait : elle la vit à peine. Déjà, on la poussait vers les grilles de la douane. Quelqu'un franchit un barrage, montrant un laissez-passer, et appela Emmanuelle. Elle courut en avant et se jeta, avec un cri de joie, dans les bras tendus de son mari.

2

VERT PARADIS

*Est-ce que je vous conseille de tuer vos
[sens ?
Je vous conseille l'innocence des sens.*

Nietzsche, *Ainsi parlait Zarathoustra.*

Le bassin de mosaïque noire et d'eau rose où
dansent les chevilles d'Emmanuelle est celui du
Royal Bangkok Sports Club. Les épouses et les
filles admises à ce cercle viril viennent, les samedis
et dimanches après-midi, montrer leurs jambes et
leurs seins à travers la transparence de leur robe au
pesage du champ de courses et, à découvert, sur le
pourtour de la piscine, les autres jours de la
semaine.

Le visage au creux de ses bras repliés, allongée
près d'Emmanuelle (qui sent par moments la
caresse des cheveux courts sur le flanc de sa cuisse),
une jeune femme au corps de pouliche, que l'affleu-
rement des muscles sous la peau cuivrée dessine à la
sanguine dans le soleil comme un croquis de
sculpteur, parle. Son rire heureux résonne à la surface de l'eau. La beauté de sa voix pare ses confidences.

— Gilbert croit de bon ton de jouer l'outragé depuis le passage du Flibustier : il me fait grief de mes trois nuits de fugue. Dieu sait pourtant si je suis revenue sagement au logis la quatrième — une fois le Flibustier parti !

Emmanuelle savait que celle-ci était Ariane, femme du comte de Saynes, conseiller de l'ambassade de France, et qu'elle avait vingt-six ans.

— Quelle mouche a donc piqué ton mari ? s'enquit une autre, occupée à peigner, sur une chaise longue de toile rouge, une chienne blasée qu'elle appelait O. Ses principes fléchiraient-ils ?

— Ce qui lui a déplu, ce n'est pas que je passe ces nuits dans la cabine du commandant, mais que je ne l'en aie pas averti. Il croit s'être rendu ridicule en me cherchant partout, jusques et y compris à la police.

Les filles bourdonnèrent. Étalées sur le gril des dalles, dans une torpeur quasi stupéfiée (si entraînées qu'elles fussent à subir cette cuisson), elles formaient une étoile de chair brûlante autour d'Ariane à plat ventre et d'Emmanuelle assise. Cette dernière les entendait plus qu'elle ne les voyait, les reflets de berlingot de l'eau tiède autour de ses jambes l'intéressant, pour l'instant, plus que le spectacle de leurs corps rissolés.

— Où voulait-il que tu sois ? Ce n'était pas bien sorcier à deviner.

— Pour une fois que ce pays offrait une chance de distractions !

— D'autant qu'il avoue m'avoir vue pour la dernière fois à la fin de cette fête à bord : sans armure ni défense entre deux fiers gabiers qui semblaient résolus à se partager ma dépouille.

— Ils l'ont fait ?

— Comment le saurais-je ?

Elle redressa le buste pour interpeller Emmanuelle. Celle-ci ne put se défendre d'admirer une fois de plus l'aisance et la rouerie avec lesquelles ces baigneuses de céramique dénouaient dans leur dos la bride de leur soutien-gorge, soi-disant pour ne pas risquer de rayure claire sur leur hâle, en réalité afin d'enrôler au service de leur silhouette les lois de la pesanteur lorsque, avec une apparente innocence, elles se soulevaient sur les coudes pour saluer un ami qui passait près d'elles.

— Ma chère, lui révéla Ariane, vous avez raté l'occasion du siècle, car il ne se présente pas deux occasions par siècle à Bangkok, comme Chouffie vient de le faire remarquer. Un petit bateau de guerre tout choupinet est venu mouiller, le week-end dernier, dans la rivière, sous prétexte de rendre je ne sais quelle politesse à la marine siamoise. J'aurais voulu que vous voyiez cela : un équipage de chèvre-pieds ! Le commandant — dionysiaque ! Il n'y a eu, pendant trois jours que cocktails, dîners, danses — et le reste !

L'indiscrétion, le ton désinvolte, le rire aigu des jeunes Françaises qui l'entouraient intimidaient Emmanuelle : elle s'étonnait que son expérience de Parisienne lui fût de si peu de secours pour affronter cette société excessive. Le désœuvrement et le luxe de ces déracinés lui semblaient plus démesurés que le temps le plus perdu, l'argent le moins modeste d'Auteuil et de Passy. Leur oisiveté même, elles la vivaient avec intensité, dans une parade sans improvisation ni relâche. Et tout paraissait indiquer qu'elles n'avaient d'autre souci au long des jours, quel que fût le lieu et quel que fût leur âge, leur apparence, leur condition, que de séduire ou être séduites.

L'une d'elles, dont la crinière fauve s'enchevêtrait avec une profusion de mirage sur les épaules et jusqu'aux hanches, nonchalamment se leva et vint au bord de la piscine, où elle resta debout, s'étirant et bâillant, les jambes en V, l'entrejambe, étroit comme un lacet, de son bikini blanc laissant fuser la touffe ensoleillée de ses poils de lionceau et, aux yeux soudain attentifs d'Emmanuelle, découvrant la moulure du sexe : un sexe fort, exercé, dont la pureté de visage et la grâce de lignes de la jeune fille aggravaient l'impudeur.

— Jean n'est pas si sot, avisa-t-elle. Il s'est informé du départ du Flibustier avant de faire venir sa femme.

— Dommage, constata Ariane, d'un ton de regret sincère. Elle aurait eu un succès fou.

— Pourtant, je ne vois pas très bien comment il pouvait croire Emmanuelle plus en sécurité à Paris, ironisa une des filles demi-nues. Elle ne devait pas y être négligée !

Ariane regarda Emmanuelle avec, semblait-il, un intérêt accru. Une des acolytes commenta avec flegme :

— C'est vrai. Son mari ne doit pas être jaloux, pour l'avoir laissée ainsi un an toute seule.

— Pas un an, six mois ! rectifia Emmanuelle.

Elle scrutait le relief ourlé de la vulve, si près d'elle qu'elle aurait pu, en se penchant de côté, la toucher des lèvres.

— Je pense qu'il a bien fait de ne pas vous demander de venir ici en même temps que lui, intervint la maîtresse d'O. Il a passé presque tous les derniers mois dans le Nord ; il n'avait pas encore de maison et devait loger à l'hôtel chaque fois qu'il était à Bangkok. Ce n'aurait pas été une vie pour vous.

Et elle ajouta aussitôt :

— Comment trouvez-vous votre villa ? J'ai entendu dire qu'elle était ravissante.

— Oh! elle est à peine terminée : il manque encore des meubles. Ce que j'aime surtout, c'est le jardin, avec ses grands arbres. Il faudra que vous veniez voir, acheva poliment Emmanuelle.

— N'allez-vous pas tout de même être seule à Bangkok les trois quarts de l'année? se renseigna quelqu'un du cortège d'Ariane.

— Mais non, répliqua Emmanuelle avec un peu d'irritation. Maintenant que les ingénieurs sont installés, Jean n'a plus besoin d'aller à Yarn Hee : il aura assez à faire au siège. Il restera tout le temps avec moi.

— Bah! fit la comtesse avec un rire rassurant, la ville est grande.

Comme Emmanuelle n'avait pas l'air de comprendre à quoi cette étendue pouvait servir, Ariane expliqua :

— Le travail va accaparer ses journées, vous verrez. Vous aurez tout l'espace et le loisir voulus pour faire manœuvrer vos galants. C'est encore une chance que les hommes valides de ce pays ne soient pas tous aussi occupés que nos époux! Vous conduisez vous-même?

— Oui, mais je n'ose pas me lancer dans ce labyrinthe de rues impossibles. Jean me laisse le chauffeur, jusqu'à ce que j'aie appris à me repérer.

— Vous aurez vite fait de connaître l'essentiel. Et je vous piloterai.

— Autrement dit, Ariane se charge de vous débaucher !

— Billevesées! Emmanuelle n'a pas besoin de moi pour cela. J'ai plutôt envie qu'elle me raconte ses propres fredaines : Minoute a raison, il n'y a vraiment qu'à Paris que l'on peut rôtir le balai à gogo.

— Mais je n'ai rien à raconter, objecta faiblement Emmanuelle.

Par chance, le langage panaché d'Ariane l'égayait; sinon, elle se serait sentie presque misérable.

— Soyez tranquille, affirma celle qui se montrait la plus anxieuse de connaître ses secrets. Vous pouvez nous faire les confidences les plus impudiques : nous sommes des tombeaux !

— Que voulez-vous que je vous dise ? Pendant tout le temps que je suis restée en France, affirma Emmanuelle avec une force et une sérénité soudaines, je n'ai jamais trompé mon mari.

Pendant un moment, le silence régna parmi les femmes. Elles semblaient évaluer la portée de cette déclaration. L'accent de sincérité d'Emmanuelle les avait impressionnées. La comtesse regardait la nouvelle venue avec un peu de dégoût. Cette petite était-elle une prude ? Pourtant, à en juger par son costume...

— Depuis combien de temps êtes-vous mariée ? interrogea-t-elle.

— Presque un an, répondit Emmanuelle.

Et elle ajouta, pour les rendre jalouses de sa jeunesse :

— Je me suis mariée à dix-huit ans.

Brusquement, elle dit encore, de peur de leur laisser reprendre l'avantage :

— Un an de mariage dont la moitié de séparation ! Vous pensez si je suis heureuse d'avoir retrouvé Jean.

Ses yeux, à sa propre surprise et avant qu'elle ait eu le temps de les détourner, s'embuèrent.

Les jeunes femmes hochèrent la tête, comme pour exprimer leur sympathie. En réalité, elles pensaient : « Celle-ci n'appartient pas à notre camp. »

— Aimeriez-vous venir à la maison prendre un milk-shake ?

Emmanuelle n'a pas remarqué plus tôt celle qui vient de se lever, d'un saut. Mais déjà, la mine de fermeté, l'assurance presque protectrice du nouveau visage l'amusent — parce que ce visage est en même temps celui d'une petite fille.

Pas si petite que ça, corrige-t-elle, tandis que l'adolescente se campe, semblant la prendre sous sa garde. Dans les treize ans, sans doute, mais presque aussi grande qu'elle-même. La différence est dans la maturité de leur corps : celui-ci a quelque chose d'encore brut, d'incomplètement délié. Peut-être est-ce, d'ailleurs, par le grain de la peau qu'il se rattache le plus à l'enfance : une peau sur laquelle la patine du soleil ne prend pas — qui n'est pas chaude de ton, civilisée, élégante comme celle d'Ariane. Emmanuelle la juge même, à première vue, un peu rugueuse... Mais pas vraiment : plutôt picotée, comme d'une très fine chair de poule. Sur les bras, surtout. Elle paraît plus vernie sur les jambes. De belles jambes de garçon — à cause de leurs chevilles aux tendons en relief, de leurs genoux et de leurs mollets durs, de leurs cuisses nerveuses. Plaisantes à voir pour leurs proportions réussies et leur force légère plutôt que pour l'émotion un peu trouble que font généralement naître les jambes de femmes. Celles-ci, Emmanuelle les imagine plus aisément courant sur le sable ou se détendant sur le tremplin d'un plongeoir que, défaites par la caresse d'une main ouvrant à un corps impatient la porte d'un corps docile.

Elle reçoit la même impression du ventre de sportive, concave, creusé par l'entrain, palpitant comme un cœur, de tout le tonus de ses muscles alignés, et que l'exiguïté du triangle d'étoffe — pas plus que ne porte à la scène une danseuse nue — ne parvient même pas à rendre indécent.

Les petits seins pointus ne le sont pas davantage,

si peu dissimulés qu'ils sont eux-mêmes par le symbolique ruban du bikini. « C'est joli, se dit Emmanuelle, mais, vraiment, pourquoi ne reste-t-elle pas le torse nu, ce serait encore mieux, et je suis bien tranquille que cela ne donnerait de mauvaises pensées à personne (à la réflexion, elle n'en est plus aussi sûre). Elle se demande quelle peut être la sensualité d'aussi jeunes seins, puis elle se remémore les siens et les plaisirs qu'elle en tirait lorsqu'ils marquaient à peine encore son profil, pas même aussi saillants, reconnaît-elle, que ceux-là, car, à mesure qu'elle les regarde mieux, ils lui paraissent moins négligeables. Il se peut que ce soit le contraste de ceux d'Ariane qui ait d'abord influencé son jugement. Ou bien les hanches étroites, ou la taille d'écolière...

Ou peut-être aussi les longues nattes épaisses qui jouent sur cette poitrine rose. Ces nattes, voilà qui enchante Emmanuelle. Elle n'a jamais vu de cheveux pareils. Si blonds, si fins qu'ils en sont presque invisibles — ni paille, ni lin, ni sable, ni or, ni platine, ni argent, ni cendres... À quoi les comparer ? À certains écheveaux de soie grège, mais non pas tout à fait blanche cependant, dont on se sert pour broder. Ou au ciel d'aurore. Ou au pelage du lynx des neiges... Emmanuelle rencontre les yeux verts et elle oublie tout le reste.

Obliques, allongés, se relevant vers les tempes d'un mouvement si rare qu'on les croirait fourvoyés sur ces joues claires d'Européenne — mais si verts, il est vrai ! si lumineux ! Emmanuelle y voit passer, comme surgit et vire le faisceau d'un phare, tour à tour des lueurs d'ironie, de sérieux, de raison, d'extraordinaire autorité, puis, soudain, de sollicitude, voire de compassion, et, encore, de malice rieuse, de fantaisie, d'ingénuité, de complicité : des feux d'ensorcellement.

« Les yeux de Lilith ! » songe Emmanuelle.

Bien sûr, elle ne revoit pas en cette jeune fille la belle démone, l'oiseau de nuit diffamé, mais la femme qui précéda Ève dans l'histoire des commencements. À peine créée, elle s'envola. L'obéissant, dévot et incurieux Adam l'avait déçue. Depuis ce temps, elle n'a cessé de revivre fabuleusement dans les cœurs mortels. Maintenant même, Emmanuelle la retrouve telle que l'inventaient ses rêveries d'enfance — sœur nécessaire, scandale juste, exemple — haussant en riant ses épaules d'ange. Et le ciel de Siam, au-dessus d'Emmanuelle, autour d'elle, s'anime en secret de bruissements d'ailes. Par la grâce d'un regard couleur de feuilles naissantes, est-ce la Merveille revenue qui transparaît soudain dans l'air aveuglant ? Est-ce ainsi qu'aux premiers matins du Soleil l'arbre de la connaissance du bien et du mal a verdi et qu'ont été bravées les défenses ? Une minceur androgyne et une voix indocile vont-elles à nouveau déranger le paradis terrestre ? Une promesse jamais tenue servira-t-elle enfin à innocenter les désirs ?

— Je m'appelle Marie-Anne.

Et, sans doute parce qu'Emmanuelle, tout à sa vision, a oublié de lui répondre, elle répète son invitation :

— Voulez-vous m'accompagner chez moi ?

Cette fois, Emmanuelle lui sourit et, à son tour, se lève. Elle explique qu'elle ne peut accepter aujourd'hui, parce que Jean va venir la chercher au club et l'emmener faire des visites. Elle ne rentrera qu'assez tard. Mais elle serait tellement heureuse que Marie-Anne vînt la voir le lendemain. Sait-elle où elle habite ?

— Oui, dit brièvement Marie-Anne. D'accord. À demain après-midi !

Emmanuelle profite de la diversion pour échapper à la bande. Elle prétexte qu'elle ne veut pas faire attendre son mari. Elle se hâte vers sa cabine.

— Crois-tu que la chambre d'amis pourra être prête dans quelques jours ? demanda à Emmanuelle son mari lorsqu'ils se mirent à table.

Les murs escamotables, en ce moment repliés, s'ouvraient sur un rectangle d'eau, où des lotus, le matin roses, mauves, blancs ou bleus, dodelinaient le soir leurs calices verts.

— On peut s'en servir dès maintenant, si l'on veut. Il n'y manque que des rideaux et les coussins multicolores que je veux mettre sur le lit. Ah ! oui, aussi une lampe.

— J'aimerais bien que la pièce soit tout à fait en état dimanche en huit.

— Sûrement, elle le sera. Il ne faut pas dix jours pour installer ça. Quelqu'un doit venir ?

— Oui : Christopher. Tu sais... Il est en Malaisie. Depuis un mois. Avant que tu n'arrives, je l'ai invité. Il vient de répondre. Tout s'arrange au mieux : la maison elle-même l'envoie faire un tour en Thaïlande. Il pourra passer plusieurs semaines avec nous. Cela va faire trois ans que je ne l'ai pas revu. Tu verras, c'est un type bien.

— C'est lui, n'est-ce pas, qui est resté avec toi à Assouan, après la construction du barrage ?

— Oui, le seul qui ne s'est pas dégonflé.

— Je me souviens, maintenant. Tu m'as raconté comme il est sérieux...

Jean rit de la moue de sa femme.

— Sérieux, d'accord, mais tout de même pas sinistre ! Je l'aime bien. Et je suis sûr qu'il te plaira, à toi aussi.

— Quel âge a-t-il ?

— Six ou sept ans de moins que moi. Il sortait à peine d'Oxford, à l'époque.

— Il est anglais?

— Non. Enfin, oui, à moitié. Par sa mère. Mais son père est l'un des fondateurs de la société. Ne t'imagine cependant pas qu'il est du genre fils à papa. Au contraire, c'est un bûcheur. On peut lui faire confiance.

Emmanuelle était un peu déçue de devoir déjà partager l'intimité retrouvée. Néanmoins, elle résolut sur-le-champ de bien accueillir ce visiteur si cher à son mari. Elle se souvenait de photos où Christopher apparaissait en explorateur athlétique et bronzé, au sourire rassurant, et elle se dit qu'à tout prendre, elle aimait mieux l'avoir pour hôte que les vieux P.-D.G. bedonnants qu'il lui faudrait sûrement, plus tard, guider à travers les curiosités de la ville, en les protégeant de l'insolation et des moustiques.

Elle s'enquit d'autres détails, avide d'images des années dangereuses, au temps où elle ne connaissait pas encore Jean. S'il avait été tué alors, elle ne serait jamais devenue sa femme : cette pensée lui serrait le cœur. Elle ne pouvait plus manger.

Le boy circulait autour de la table, apportant des noix de coco fourrées de flan d'œuf et de caramel, après le riz glacé et les beignets de fleurs que la vieille cuisinière aux dents rouges avait mis trois jours à préparer en l'honneur de la nouvelle maîtresse. Il avançait en se détendant alternativement sur la pointe des pieds, prenant chaque fois élan comme pour bondir. Emmanuelle en avait un peu peur. Il faisait trop peu de bruit, il était trop fort et trop souple, trop bien ajusté, trop toujours là — trop comme un chat.

Marie-Anne arriva dans une voiture américaine blanche, qu'un chauffeur indien à turban et à barbe noire conduisait. Il repartit aussitôt après l'avoir déposée.

— Tu pourras me reconduire, Emmanuelle? demanda Marie-Anne.

Emmanuelle fut saisie par le tutoiement. Elle remarqua aussi, mieux que la veille, combien la voix était en harmonie avec les tresses et la peau. Elle eut, dans une impulsion, envie d'embrasser l'enfant sur les deux joues, mais quelque chose l'en retint. Peut-être les petits seins pointus sous le chemisier bleu? Ou les yeux verts? C'était absurde! Marie-Anne se tenait tout près d'elle.

— Ne fais pas attention à ce que racontent ces idiotes, dit-elle. Ce sont des vantardes. Elles ne font pas le dixième de ce qu'elles prétendent.

— Bien sûr! convint Emmanuelle, après une seconde d'incompréhension : Marie-Anne, d'évidence, se référait à ses aînées de la piscine. Voulez-vous que nous allions sur la terrasse?

Aussitôt, elle regretta le « vous », instinctivement employé. Marie-Anne accepta l'offre d'un mouvement de tête. Elles montèrent à l'étage.

En passant devant la porte de sa chambre, Emmanuelle se rappela subitement la grande photo nue que Jean gardait d'elle à son chevet. Elle hâta le pas, mais Marie-Anne s'était déjà arrêtée devant le grillage moustiquaire qui séparait la pièce du palier.

— C'est ta chambre? dit-elle. Je peux voir?

Elle poussa le panneau, sans attendre la réponse. Emmanuelle la suivit. La visiteuse pouffa de rire.

— Quelle immensité de lit! Combien tenez-vous là-dedans?

Emmanuelle rougit.

— Ce sont deux lits, en réalité. Ils sont joints l'un contre l'autre.

Marie-Anne regardait la photo.

— Tu es belle, dit-elle. Qui t'a prise?

Emmanuelle voulut mentir, dire que c'était Jean, mais elle n'y parvint pas.

— Un artiste, un ami de mon mari, convint-elle.

— Tu as d'autres photos? Il n'a pas dû prendre que celle-ci. N'en as-tu pas où tu es en train de faire l'amour?

La tête d'Emmanuelle lui tourna légèrement. Quelle sorte de petite fille était-ce là, qui la regardait de ses grands yeux clairs, avec ce sourire de fraîcheur, en posant sur un ton de camaraderie, sans émotion apparente, d'aussi étonnantes questions? Et le pire était que, peut-être à cause de ce regard, Emmanuelle sentait qu'elle-même ne pourrait faire autrement que de dire la vérité et que cette enfant avait le pouvoir de lui arracher, si elle le voulait, les aveux les plus secrets. Elle ouvrit brusquement la porte, comme si ce geste avait dû la défendre.

— Vous venez? dit-elle.

Une fois de plus, elle avait oublié le « tu ».

Marie-Anne sourit fugitivement. Elles débouchèrent sur une terrasse, qu'une tente rayée de jaune et blanc abritait du soleil. La rivière proche faisait courir une brise tiède. Marie-Anne s'exclama :

— Quelle chance tu as! Il n'y a pas d'autre maison à Bangkok qui ait une situation pareille. Quelle vue merveilleuse et comme on se sent confortable!

Elle resta un moment immobile devant le paysage de cocotiers et de flamboyants. Puis, d'un geste naturel, elle dégrafa la haute ceinture de raphia qui serrait sa taille et la lança sur un des fauteuils de rotin. Sans autre délai, elle fit glisser la fermeture de sa jupe bariolée, qui tomba d'un coup à ses pieds. La jeune fille sauta hors du cercle que l'étoffe dessinait sur le carrelage. Sa blouse s'arrêtait aux hanches, plus bas que ne montait l'échancrure latérale du slip, de sorte qu'on ne voyait de celui-ci, devant et derrière, qu'un étroit bandeau vertical cramoisi orné de dentelle. Elle s'affala sur une des chaises longues, s'empara d'un magazine, ne perdant pas une minute.

— Il y a un siècle que je n'ai pas eu de revues françaises. D'où sort celle-là ?

Elle s'arrangea à son aise, les jambes allongées sagement côte à côte. Emmanuelle poussa un soupir, chassa les pensées confuses qui l'assaillaient, s'installa face à Marie-Anne. Celle-ci éclata de rire.

— Qu'est-ce que c'est que cette histoire : « *L'Huile de Hibou* » ? Cela ne t'ennuie pas que je la lise maintenant ?

— Mais non, Marie-Anne.

La visiteuse se plongea dans sa lecture. Le volume ouvert cachait son visage.

Elle ne resta pas longtemps immobile : déjà, son corps s'animait de soubresauts rapides, pareils aux écarts d'un jeune cheval. Elle releva un genou, et sa cuisse gauche, quittant le plan où elle s'était tenue auparavant, serrée contre l'autre, vint mollement s'appuyer à l'accoudoir du siège. Emmanuelle tenta de glisser un regard par l'entrebâillement du slip. Une main de Marie-Anne quitta le livre et vint, sans hésitation, entre les jambes disjointes, écarter le nylon et chercher, très bas, un point qu'elle sembla trouver et sur lequel elle se fixa pour un instant. Puis elle remonta, découvrant après son passage l'entaille entre les chairs bordées. Elle joua sur le renflement qui tendait l'étoffe, puis redescendit, se glissa sous les fesses et recommença son périple. Mais, cette fois-ci, seul le médius était abaissé, les autres doigts, soulevés avec grâce, l'encadrant comme des élytres ouverts : il effleura la peau, jusqu'à ce que le poignet, brusquement ployé, se reposât. Emmanuelle sentait son cœur battre si fort qu'elle craignait qu'on ne l'entendît. Sa langue pointait entre ses lèvres.

Marie-Anne continua son jeu. Le maître-doigt appuya plus profondément, écartant la chair. De nouveau, il s'arrêta, traça un cercle, hésita, tapota, vibra d'un mouvement presque invisible. Un son incontrôlé sortit de la gorge d'Emmanuelle. Marie-Anne abaissa son livre et lui fit un sourire.

— Tu ne te caresses pas? s'étonna-t-elle. Elle pencha la tête sur son épaule, le regard futé. Moi, je me caresse toujours quand je lis.

Emmanuelle approuva de la tête, incapable de parler. Marie-Anne posa sa lecture, cambra les reins, porta ses mains aux hanches et, d'un geste vif, fit descendre le slip rouge sur ses cuisses. Elle agita les jambes en l'air, jusqu'à ce qu'elle en fût libérée. Puis elle se détendit, ferma les yeux et, de deux doigts, sépara les muqueuses roses.

— C'est bon, à cet endroit, dit-elle. Tu ne trouves pas?

Emmanuelle opina de nouveau du chef. Marie-Anne disait, sur un ton de conversation banale :

— J'aime mettre très longtemps. C'est pourquoi je ne touche pas trop le haut. Il vaut mieux faire des va-et-vient dans la fente.

Le geste illustrait le précepte. À la fin, ses reins ébauchèrent un arc et elle laissa passer une faible plainte.

— Oh! dit-elle, je ne peux plus m'empêcher!

Son doigt tressaillait sur le clitoris comme une libellule. La plainte devint cri. Ses cuisses s'ouvrirent violemment, se refermèrent d'un coup sur la main prisonnière. Elle cria longtemps, de façon presque déchirante, et retomba, pantelante. Puis, le souffle retrouvé en quelques secondes, elle ouvrit les yeux.

— C'est vraiment trop bon! ronronna-t-elle.

Et, la tête derechef inclinée, elle introduisit le médius dans son sexe, précautionneusement, délicatement. Emmanuelle se mordait les lèvres. Lorsque le doigt eut disparu jusqu'au bout, Marie-Anne poussa un long soupir. Elle rayonnait de santé, de bonne conscience, de satisfaction du devoir accompli.

— Caresse-toi aussi, encouragea-t-elle.

Emmanuelle hésita, comme à la recherche d'une issue. Mais ce désarroi ne dura guère. Elle se leva brusquement et ouvrit son short. Elle le fit glisser le long de ses jambes. Elle ne portait rien dessous. Son pull orangé faisait ressortir le lustre de son pubis noir.

Quand Emmanuelle fut de nouveau étendue, Marie-Anne vint s'asseoir à ses pieds, sur un pouf de peluche touffue. Elles étaient maintenant toutes deux dans le même appareil, le buste vêtu, le bas-ventre et les fesses nus. Marie-Anne regardait de tout près le sexe de son amie.

— Comment aimes-tu te caresser ? demanda-t-elle.

— Mais comme tout le monde ! dit Emmanuelle, que le souffle léger de Marie-Anne sur ses cuisses égarait.

La main de la petite fille, si elle s'était posée sur elle, l'aurait délivrée de la tension de ses sens et aussi de sa gêne. Mais Marie-Anne ne la touchait pas.

— Fais-moi voir, dit-elle seulement.

Du moins la masturbation fut-elle pour Emmanuelle un soulagement immédiat. Il lui sembla qu'un rideau se tendait entre elle et le monde et, à mesure que ses doigts accomplissaient entre ses jambes leur mission familière, la paix s'installa en elle. Elle ne chercha pas, cette fois, à prolonger le régal de l'attente. Elle avait besoin de retrouver vite une assise, un terrain connu ; et elle n'en connaissait aucun mieux que l'éblouissant refuge de l'orgasme.

— Comment as-tu appris à jouir, Emmanuelle ? demanda Marie-Anne, lorsque son amie eut recouvré ses esprits.

— Toute seule. Ce sont mes mains qui ont découvert ça d'elles-mêmes, dit Emmanuelle, riant.

Elle se sentait de bonne humeur et, désormais, le cœur à bavarder.

— Est-ce que tu savais déjà faire, à treize ans ? interrogea Marie-Anne, avec doute.

— Tu penses bien, depuis longtemps ! Pas toi ?

Marie-Anne s'abstint de répondre et poursuivit son enquête.

— Et à quel endroit préfères-tu te caresser ?

— Oh ! à plusieurs. La sensation est différente à la pointe, ou sur la tige, ou près de la base : là. Est-ce que ça n'est pas la même chose, avec toi ?

Marie-Anne, de nouveau, ne tint pas compte de la question. Elle dit :

— Caresses-tu seulement ton clitoris ?

— Non, quelle idée ! La toute petite ouverture, tu sais, juste au-dessous : l'urètre. C'est aussi très sensible. Il suffit que je la touche du bout des doigts pour que je jouisse tout de suite.

— Qu'est-ce que tu fais encore ?

— J'aime à me caresser en dedans des lèvres, où c'est le plus mouillé.

— Avec tes doigts ?

— Et aussi avec des bananes (la voix d'Emmanuelle eut un accent de fierté) ; je les fais pénétrer jusqu'au bout. Je les pèle, d'abord. Il ne faut pas qu'elles soient mûres. Les longues, vertes, qu'on trouve ici au marché flottant — ce que c'est bon !

D'évoquer cette volupté, elle se sentait défaillir. Elle était si captivée par les images de ses délectations solitaires qu'elle en avait presque oublié la présence d'une autre. Ses doigts pétrirent sa vulve. Elle aurait voulu que quelque chose, en ce moment, s'y enfonçât. Elle se tourna sur le côté, vers Marie-Anne, les paupières closes, les jambes grandes écartées. Il lui fallait absolument de nouveau jouir. Elle frotta de ses doigts joints le versant intérieur des lèvres de son sexe, à grands mouvements rapides, très réguliers, pendant plusieurs minutes, jusqu'à ce qu'elle fût assouvie.

— Tu vois, je peux me caresser plusieurs fois de suite, coup sur coup.

— Tu le fais souvent ?

— Oui.

— Combien de fois par jour ?

— Ça dépend. Tu comprends, à Paris, j'étais dehors le plus clair du temps : à la fac, ou à courir les magasins. Je ne pouvais presque jamais me faire jouir plus d'une ou deux fois le matin : en me réveillant, en prenant mon bain. Et puis deux ou trois fois le soir, avant de m'endormir. Et, encore pendant la nuit, lorsque je m'éveillais. Mais, quand je suis en vacances, je n'ai rien d'autre à faire : je peux me caresser beaucoup plus. Et, ici, ça va être tout le temps les vacances !

Elles restèrent ensuite sans rien dire, proches l'une de l'autre, savourant l'amitié qui naissait de leur franchise. Emmanuelle était heureuse d'avoir pu parler de ces choses, d'avoir surmonté sa timidité. Heureuse surtout, sans oser tout à fait se l'avouer, de s'être masturbée devant cette fille qui aimait à regarder, qui savait jouir. Elle la parait déjà dans son cœur de tous les mérites. Et elle la trouvait maintenant si jolie ! Ces yeux d'elfe... Et cette coupure songeuse qui dessinait une moue au visage d'en bas, aussi expressive, aussi distante, aussi charnue que l'autre ! Et ces cuisses ouvertes, sans gêne, insoucieuses de leur nudité... Elle demanda :

— À quoi penses-tu, Marie-Anne ? Tu as l'air si grave !

Et, pour jouer, elle tira une des nattes.

— Je pense aux bananes, dit Marie-Anne.

Elle plissa le nez et toutes deux rirent à en perdre le souffle.

— C'est pratique de ne plus être vierge, commenta l'aînée. Autrefois, pas de bananes ! Je ne savais pas ce que je manquais.

— De quelle façon as-tu commencé avec les hommes ? enquêta Marie-Anne.

— C'est Jean, dit Emmanuelle, qui m'a déflorée.

— Tu n'avais eu personne, avant ? se récria Marie-Anne, si manifestement scandalisée que son interlocutrice prit un ton d'excuse.

— Non. Enfin, pas vraiment. Naturellement, les garçons me caressaient. Mais ils ne savaient pas trop bien s'y prendre.

Elle retrouva son assurance pour dire :

— Jean, lui, m'a fait l'amour tout de suite. C'est pour cela que je l'ai aimé.

— Tout de suite ?

— Oui, le deuxième jour que je l'ai connu. Le premier, il est venu chez moi ; il était un ami de mes parents. Il m'a regardée tout le temps, d'un air amusé, comme s'il voulait me faire enrager. Il s'est arrangé pour se trouver seul avec moi, m'a posé des questions sur tout : combien j'avais eu de flirts, si j'aimais faire l'amour. J'étais terriblement embarrassée, mais je ne pouvais pas m'empêcher de lui dire la vérité. Un peu comme à toi ! Et lui aussi voulait avoir toutes sortes de précisions. Le lendemain après-midi, il m'a invitée à faire une promenade dans sa belle voiture. Il m'a dit de m'asseoir tout contre lui et il a immédiatement caressé mes épaules, puis mes seins, tandis qu'il conduisait. Finalement, il a arrêté l'auto dans un chemin de la forêt de Fontainebleau et il m'a embrassée pour la première fois. Il m'a dit, d'un ton qui, je ne sais pourquoi, me rassurait complètement sur ce qui allait arriver : « Tu es vierge, je vais te prendre. » Et nous sommes restés longtemps là, sans parler ni bouger, serrés l'un contre l'autre. Mon cœur a fini par battre un peu moins fort. J'étais heureuse. Cela arrivait exactement de la façon dont j'aurais pu rêver (bien qu'en réalité je n'y aie jamais rêvé). Jean me dit de retirer moi-même ma culotte et je me hâtai de lui obéir, car je voulais coopérer à ma défloraison, pas la subir passivement. Il me fit étendre sur la banquette de l'auto, dont la capote était abaissée : je voyais la tête verte des arbres. Lui se tenait debout dans l'ouverture de la portière. Il n'a pas commencé par me caresser. Il est entré en moi tout de suite, de telle manière, pourtant, que je ne me rappelle pas avoir eu mal. Au contraire, j'ai tellement joui que je me suis évanouie — ou endormie, je ne sais plus. En tout cas, je ne me souviens plus de rien jusqu'au restaurant dans la forêt, où nous avons dîné tous les deux. C'était merveilleux ! Jean a ensuite demandé une chambre. Et nous avons continué de faire l'amour jusqu'à minuit. J'ai eu vite fait d'apprendre !

— Qu'ont dit tes parents ?

— Oh ! rien ! Le lendemain, je criais partout que je n'étais plus vierge et que j'étais amoureuse. Ils ont eu l'air de trouver ça normal.

— Et Jean t'a demandée en mariage ?

— Certainement pas ! Ni lui ni moi n'avions l'idée de nous marier. Je n'avais même pas dix-sept ans. Je venais juste de passer mon bac. Et j'étais bien trop contente d'avoir un amant, d'être la « maîtresse » d'un homme.

— Pourquoi t'es-tu mariée, alors ?

— Un beau jour, Jean m'a annoncé, tranquillement comme toujours, que sa société l'envoyait au Siam. J'ai cru que j'allais tomber par terre de chagrin. Mais il ne m'en a pas laissé le temps. Il a continué, sans plus de préambule : « Je vais t'épouser avant de partir. Tu viendras me rejoindre plus tard, lorsque j'aurai une maison où t'installer. »

— Quelle impression cela t'a fait ?

— Ça m'a paru féerique, trop beau pour être vrai. Je riais comme une folle. Un mois après, nous étions mariés. Mes parents avaient jugé tout naturel que je sois la maîtresse de Jean, mais ils ont poussé les hauts cris quand il a parlé de m'épouser. Ils ont tenté de lui prouver qu'il était trop vieux, que j'étais trop jeune, « trop innocente », même ! Comment trouves-tu ça ? Mais c'est lui qui les a convaincus. Je voudrais bien savoir ce qu'il a pu leur dire. Mon père a dû être coriace : il ne pouvait se résigner à ce que je laisse tomber math sup.

— Quoi ? dit Marie-Anne.

— L'année de mathématiques que j'avais commencée à la fac.

Marie-Anne éclata de rire.

— Quelle idée !

Emmanuelle eut l'air contrariée :

— Je ne vois pas ce que ça a de si drôle. Je voulais être astronome.

Une rêverie éclair l'enleva, quelques secondes, dans le ciel physique dont elle avait abandonné l'étude pour répondre à une autre attirance. Lorsqu'elle parla à nouveau, sa voix révéla la nostalgie de ces espaces à venir, mais aussi sa détermination de ne pas y renoncer pour toujours.

— Je le veux encore. Dès que je serai installée, je me remettrai à la poursuite des étoiles. Il doit bien y avoir un observatoire, dans ce pays. Et des profs qui sauront m'apprendre à manier les parsecs.

D'un geste expéditif, Marie-Anne fit comprendre que ce sujet n'était pas inscrit à son ordre du jour. Elle ramena à ses classes terrestres l'écolière buissonnière :

— Comment se sont passés tes débuts de femme mariée ? interrogea-t-elle.

— Jean devait partir après notre mariage. Mais, par chance, il a été retardé de six mois. Grâce à quoi nous n'avons pas été séparés tout de suite. J'ai pu être sa femme légitime aussi longtemps que j'avais été son amante. Et j'ai trouvé que c'était aussi amusant d'être mariée que d'être pécheresse. Quoique, au début, ça m'ait paru drôle de faire l'amour la nuit.

— Et après ? Où as-tu vécu, pendant son absence ? Chez tes parents ?

— Mais non ! Dans son appartement, enfin *notre* appartement, rue du Docteur-Blanche.

— Il n'avait pas peur de te laisser comme ça, toute seule ?

— Peur ? De quoi ?

— Comment, de quoi ? Que tu le trompes !

Emmanuelle parut juger l'hypothèse saugrenue.

— Je ne suppose pas. Nous n'en avons jamais parlé. Ça n'a pas dû lui venir à l'esprit. Ni à moi non plus.

— Mais tu l'as bien tout de même fait, ensuite ?

— Pourquoi ? Non. Des tas d'hommes couraient après moi. Je les trouvais ridicules...

— Alors, ce n'est pas de la blague, ce que tu as dit aux filles ?

— Aux filles ?

— Hier, tu ne te rappelles déjà plus ? Tu leur as déclaré que tu n'avais jamais couché avec un autre homme que ton mari.

Emmanuelle hésita, une fraction de seconde. Il n'en fallut pas plus pour qu'instantanément Marie-

Anne fût en alerte. Elle pivota, se mit à genoux, se pencha par-dessus l'accoudoir, dardant le soupçon.

— Il n'y a pas un mot de vrai dans tout cela, dénonça-t-elle, justicière. Il n'y a qu'à regarder ta figure. Tu devrais voir comme tu as l'air franche !

Emmanuelle essaya, sans conviction, de se dérober.

— D'abord, je n'ai jamais dit une chose pareille...

— Quoi ! Tu n'as pas dit à Ariane que tu ne trompais pas ton mari ? C'est même pour cela que j'ai voulu te parler. Parce que je ne te croyais pas. Heureusement !

Emmanuelle maintint sa casuistique :

— Eh bien ! tu as tort. Et je te répète que je n'ai pas dit ça de la façon dont tu le racontes. J'ai simplement dit que j'étais restée fidèle à Jean tout le temps que j'ai été à Paris. Voilà.

— Qu'est-ce que ça veut dire : voilà ?

Marie-Anne scruta le visage d'Emmanuelle, qui se forçait à la désinvolture. Abruptement, la jeune fille changea de tactique. Sa voix se fit câline.

— D'ailleurs, pourquoi aurais-tu été fidèle, je me le demande ? Il n'y avait pas de raison que tu te prives.

— Je ne me privais pas : je n'avais envie de personne. C'est simple.

Marie-Anne fit une moue, réfléchit, puis questionna :

— Donc, si tu avais eu envie de quelqu'un, tu aurais fait l'amour avec lui ?

— Mais oui.

— Qu'est-ce qui le prouve ? défia Marie-Anne, la voix acide comme un enfant chamailleur.

Emmanuelle la regarda d'un air indécis, puis, soudain, dit :

— Je l'ai fait.

Marie-Anne fut électrisée. Elle se leva d'un bond, se rassit, croisa les jambes en tailleur, posa les deux mains sur ses genoux.

— Tu vois, moralisa-t-elle, la mine outrée, l'accent blessé. Et tu essayais de faire croire que non !

— Je ne l'ai pas fait *à Paris,* expliqua Emmanuelle, d'un ton de patience. *Dans l'avion.* L'avion qui m'amenait ici. Tu comprends ?

— Et avec qui ? pressa Marie-Anne, qui affichait de ne plus vouloir se fier à rien.

Emmanuelle prit son temps, puis dévoila :

— Avec deux hommes, dont je ne sais pas le nom.

Si elle pensait faire sensation, elle dut déchanter, car Marie-Anne ne broncha pas ; elle poursuivit son interrogatoire :

— Ils ont joui en toi ?

— Oui.

— Ils étaient très profond, en dedans de toi ?

— Oh ! oui.

Emmanuelle porta instinctivement la main à son ventre.

— Caresse-toi, en me racontant, ordonna Marie-Anne.

Mais Emmanuelle secoua négativement la tête. Elle semblait soudain frappée d'aphasie. Marie-Anne l'examina d'un œil critique.

— Va, intima-t-elle, parle !

Emmanuelle obéit, d'abord à contrecœur et avec embarras, puis, bientôt, excitée par sa propre histoire, sans plus se faire prier et, au contraire, s'efforçant de n'oublier aucun détail. Elle s'arrêta après avoir dit comme la statue grecque l'avait ravie. Marie-Anne l'avait écoutée d'un air studieux, changeant plusieurs fois de posture... Elle affecta pourtant de n'être pas particulièrement impressionnée.

— Tu l'as dit à Jean ? s'informa-t-elle.
— Non.
— Tu as revu ces deux hommes ?
— Évidemment pas !

Il sembla que, pour le moment, Marie-Anne n'eût plus rien à demander.

Emmanuelle appela une petite servante — tout droit sortie, noire chevelure fleurie, corps ocre et sarong écarlate, d'un rêve de Gauguin — pour qu'elle leur fît du thé. Elle remit son short et Marie-Anne son slip. La jupe multicolore resta sur le sol. La jeune fille réclama ensuite de voir toutes les photos d'Emmanuelle nue et celle-ci alla les lui chercher. Aussitôt, Marie-Anne retrouva son mordant.

— Écoute ! Tu ne vas pas me dire que tu n'as rien fait avec le photographe ?

— Mais enfin, se rebella Emmanuelle, il ne m'a même pas touchée !

Et elle ajouta, jouant le dépit :

— D'ailleurs, je n'avais aucune chance, il était pédéraste.

Marie-Anne fit une moue. Elle restait sceptique. Elle étudia à nouveau les épreuves.

— Je trouve, communiqua-t-elle, qu'un artiste devrait toujours faire l'amour avec son modèle avant de faire son portrait. Tu as eu une idée gâteuse de t'adresser à quelqu'un qui n'aimait pas les femmes.

— Je ne l'ai pas choisi, attesta Emmanuelle, qui commençait à se sentir vexée pour de bon. C'est lui-même qui a proposé de me photographier. Je te l'ai dit, c'est un ami de Jean.

Marie-Anne eut un geste comme pour balayer ce passé.

— Il faudrait vraiment te faire peindre par

quelqu'un de bien. Ce sera trop tard quand tu seras vieille.

L'image de ce que Marie-Anne devait entendre par « quelqu'un de bien » et celle de l'imminence de sa propre décrépitude donnèrent le fou rire à Emmanuelle.

— Je n'aime pas poser. Même pour une photo. Alors, tu penses, pour un tableau !

— Et, depuis que tu es ici, tu n'as rien fait avec des hommes ?

— Tu es folle ! s'indigna Emmanuelle.

Marie-Anne apparut soucieuse, presque découragée.

— Il faudra pourtant bien que tu te trouves, un jour ou l'autre, un amant, soupira-t-elle.

— Est-ce tellement indispensable ? fit Emmanuelle, plutôt amusée.

Mais son interlocutrice ne se montrait nullement d'humeur à plaisanter. Elle haussa les épaules avec agacement.

— Tu es drôle, Emmanuelle, dit-elle.

Puis, après un silence :

— Tu n'as tout de même pas l'intention de continuer à vivre comme une vieille fille ?

Et elle répéta, prise d'une sorte de colère :

— Tu es drôle, vraiment !

— Mais, plaida Emmanuelle timidement, je ne suis pas une vieille fille, j'ai un mari !

Cette fois, Marie-Anne se contenta de répondre par un regard froid. Selon toute apparence, l'argument la navrait. Elle renonçait visiblement à discuter davantage. C'était Emmanuelle, maintenant, qui n'avait pas envie de changer de sujet de conversation. Elle tenta de recréer l'atmosphère :

— Tu ne veux pas retirer ta culotte, Marie-Anne ?

Celle-ci secoua ses tresses.

— Non, il va falloir que je parte. (Elle se leva.) Tu me raccompagnes?

— Tu es si pressée? s'alarma Emmanuelle.

Mais elle avait déjà compris que les décisions de Marie-Anne étaient sans appel.

Dans la voiture, la jeune fille fit peser sur elle un regard consterné.

— Tu sais, dit-elle, je ne veux pas que tu perdes ta vie, tu es trop jolie. C'est tout à fait bête que tu sois prude comme tu es.

Emmanuelle partit d'un grand éclat de rire. Marie-Anne ne lui laissa pas le temps d'ironiser.

— C'est incroyable que tu aies pu parvenir à ton âge sans autre chose que ces petites aventures de rien du tout sur ton avion sans fenêtres. Tu t'es vraiment conduite comme une cruche.

Elle hocha la tête avec tristesse.

— Je t'assure, tu n'es pas normale.

— Marie-Anne...

— Oh! non. Enfin, ce n'est pas la peine de se lamenter sur ce qui est ancien.

Le phare vert émit un rayonnement de souveraineté:

— À partir de maintenant, feras-tu au moins ce que je te dirai?

— Mais quoi, au juste?

— *Tout* ce que je te dirai.

— Peuh! fit Emmanuelle, fascinée.

— Tu le jures?

— Oh! bon. Si ça t'amuse.

Elle continuait de rire, mais Marie-Anne ne se laissa pas détourner de ses responsabilités.

— Veux-tu que je te donne un conseil?

— Non, merci!

L'œil d'elfe analysa la gravité du cas. Emmanuelle jouait l'impertinence, sans s'illusionner sur ses chances de tenir tête à Marie-Anne. Lorsque la voiture s'arrêta devant l'immeuble de la banque que son père dirigeait, celle-ci dit :

— Ce soir, à minuit juste, caresse-toi encore. Je le ferai à la même heure.

Emmanuelle battit des cils, en signe de connivence. Elle se pencha pour envoyer un baiser à la jeune fille. Celle-ci lui cria de loin :

— N'oublie pas !

Ce n'est qu'après son départ qu'Emmanuelle se rendit compte qu'elle-même n'avait pu poser à Marie-Anne la moindre question. Si la petite fille aux nattes savait désormais tout de la vie intime de sa nouvelle amie, celle-ci ignorait complètement ce que pouvait être la sienne. Elle avait même oublié de lui demander si elle était vierge.

Le soir, lorsque son mari, après sa douche, entre dans la chambre, il trouve Emmanuelle qui l'attend, assise sur ses talons, toute nue, au bord du grand lit bas. Elle entoure ses hanches de ses bras et prend sa verge dans sa bouche. À peine l'a-t-elle sucée quelques secondes que la hampe gonfle et se redresse. Emmanuelle la fait aller entre ses lèvres jusqu'à ce qu'elle soit très dure. Puis elle la lèche sur toute sa longueur en penchant la tête, pressant le vaisseau bleuté qui court à fleur de peau et dont la congestion et le relief augmentent sous son baiser. Jean lui dit qu'elle a l'air de grignoter un épi de maïs et elle le mordille de ses petites dents pour achever la ressemblance. Vite, elle se rachète en aspirant doucement dans sa bouche la peau satinée des testicules, les soulève dans ses mains, fait glisser la pointe de sa langue sous elles, caresse une autre veine, se gorge du sang chaud qu'elle sent battre plus fort au toucher de ses lèvres, explore de plus en plus intimement, fouille, va, vient, remonte brusquement au bout du phallus, le pousse au fond de sa gorge, si loin qu'elle manque de s'étrangler ; là, sans le retirer, irrésistiblement elle pompe d'un lent mouvement, tandis que sa langue enveloppe et masse.

Ses bras enlacent les reins de son mari avec une passion qui croît à mesure qu'elle tète plus régulièrement sa verge et que l'excitation de ses lèvres et de sa langue se communique à ses seins et à son sexe. Elle sent que coule entre ses cuisses serrées un liquide abondant comme la salive dont elle humecte en ce moment dans sa bouche chaude le membre apoplectique. Pour pouvoir gémir de volupté et laisser un orgasme partiel la soulager et lui permettre de poursuivre sa fellation, elle fait ressortir un moment le pénis de ses lèvres, sans cesser de caresser le méat entrouvert de tendres petits coups de sa langue. Puis elle engloutit à nouveau le pont de chair palpitante qui les relie.

Jean a pris entre ses mains les tempes de sa femme, mais ce n'est pas pour guider ses mouvements ni en régler le rythme. Il sait qu'il a meilleur compte de se fier à elle et de la laisser à sa guise raffiner leur commun plaisir. Le style qu'elle donnera à cette étreinte la distinguera une fois de plus de toutes les autres. Certains jours, Emmanuelle joue à faire languir son mari : elle ne se fixe nulle part, butine d'un point sensible à l'autre, tire de la gorge de sa victime des plaintes, des prières dont elle n'a cure, la fait sursauter, panteler, la pousse au délire, jusqu'au moment où, d'un dernier geste, précis et vif, elle parfait son œuvre. Mais, aujourd'hui, elle se veut dispensatrice de satisfaction plus sereine. Sans tenir trop serrée la verge vibrante, elle ajoute la pression de ses doigts et le mouvement régulier de sa main à la succion de ses lèvres — appliquée à délivrer harmonieusement l'organe de sa semence, à le vider le plus totalement possible. Lorsque Jean se rend, elle avale par lentes gorgées la substance savoureuse qu'elle a réussi à tirer du fond de lui ; mais, le dernier jet, elle le laisse en ronronnant fondre sur sa langue amoureuse.

Elle est elle-même engagée si avant dans l'orgasme qu'il suffit que son mari serre son clitoris entre ses lèvres pour qu'elle achève de jouir.

— Tout à l'heure, je te prendrai, dit-il.

— Non, non ! Je veux te boire encore une fois ! Promets ! Promets-moi que tu reviendras dans ma bouche. Oh ! tu couleras encore dans ma bouche, dis, dis, s'il te plaît ! C'est tellement bon ! J'aime tant !

— Tes amies t'ont-elles aussi bien caressé que moi, lorsque je n'étais pas là ? lui demande-t-elle plus tard, lorsque tous deux se reposent.

— Comment voudrais-tu ? Il n'existe pas une femme qui puisse t'être comparée.

— Même les Siamoises ?

— Même elles.

— Ne dis-tu pas cela pour me faire plaisir ?

— Tu sais bien que non. Si tu n'étais pas la meilleure des amantes, je te l'avouerais — pour t'aider à le devenir. Mais, vraiment, je ne vois pas ce que tu peux apprendre de plus. Il doit tout de même y avoir une limite à l'art d'aimer.

Emmanuelle reste songeuse.

— Je ne sais pas.

Ses sourcils se rapprochent. Le son de sa voix témoigne que son doute n'est pas feint.

— En tout cas, j'en suis sûrement encore loin ! Jean se récrie.

— Qu'est-ce qui te fait penser cela ?

Elle ne répond pas. Il insiste :

— Tu ne me crois pas bon juge ?

— Oh ! si.

— Pas bon professeur, alors ? On dirait, tout d'un coup, que tu n'es pas satisfaite de ton éducation amoureuse. Peut-être n'aurais-tu pas dû te limiter à mes classes.

Elle se hâte de le rassurer.

— Mon chéri ! personne au monde ne pouvait m'apprendre mieux que toi. Mais c'est difficile à expliquer... J'ai l'impression qu'il doit y avoir, en amour, quelque chose de plus important, de plus intelligent que de simplement bien savoir faire.

— Tu veux dire le dévouement, la sympathie, la tendresse ?

— Non, non ! Ce quelque chose d'important, je suis tout à fait sûre que ça a trait à l'amour physique. Mais ça ne veut pas dire que ce soit affaire de connaissances supplémentaires, ni de plus d'habileté, ni de plus d'ardeur : c'est peut-être plutôt un état d'esprit, une mentalité.

Elle reprend son souffle :

— Je ne sais pas, au fond, si c'est une question de limite. Si c'était, au contraire, une question d'angle, de manière de voir ?

— Une façon différente d'envisager l'amour ?

— Pas seulement l'amour. Tout !

— Ne peux-tu t'expliquer plus clairement ?

Elle ourle les lèvres, piteusement, enroule autour de ses ongles nacrés les boucles de sa toison, comme pour s'aider à méditer.

— Non, conclut-elle. Ce n'est pas clair dans ma tête. Il y a certainement un progrès que je dois faire, quelque chose à trouver, qui me manque encore pour être une vraie femme, vraiment ta femme. Mais je ne sais pas quoi !

Elle se désole :

— Je croyais connaître tant de choses, mais que sont-elles à côté de ce que j'ignore ?

Elle plisse le front avec impatience :

— Ce qu'il faut, d'abord, c'est que je devienne plus intelligente. Tu vois, je ne sais rien, je suis trop innocente. Je suis trop pucelle. C'est affreux, ce soir, ce que je peux me sentir pucelle ! Pucelle de partout, toute hérissée de pucelage : à en avoir honte.

— Mon ange pur !

— Oh ! non, pas pur ! Pas pur du tout. Une pucelle, ce n'est pas forcément pur. Mais c'est forcément bête.

Il l'embrasse, enchanté d'elle. Elle persiste :

— C'est plein de préjugés.

— Comme c'est adorable de t'entendre te plaindre de ton innocence, alors qu'on vient d'être ravi par tes chastes lèvres !

Elle se déride, mais est-elle convaincue ?

— Ah ! si c'est vraiment par là que l'esprit doit venir aux filles, dit-elle avec un grand soupir, je ne vais plus laisser passer une minute sans le tirer de toi.

L'évocation produit sur Jean un effet qu'Emmanuelle n'est pas longue à découvrir ; déjà, elle veut mettre sa promesse à exécution, elle se lève et darde sa langue entre ses dents humides... Mais lui la retient.

— Qui t'a dit que c'était seulement par cette bouche-là qu'entrait l'esprit ? Souviens-toi : il souffle où il veut.

Il se couche sur elle et elle a tout de suite autant envie d'être prise que lui de la prendre. Elle ouvre elle-même son sexe, du bout des doigts. Elle guide le gland, l'aide à plonger en elle. Ses genoux se soulèvent, encadrent le corps masculin, s'écartèlent, tandis que l'organe durci s'enfonce dans son ventre comme il l'avait fait, tout à l'heure, dans sa gorge. Pour elle, qui voudrait en même temps le sentir dans sa bouche, l'exubérance de l'imagination supplée au réel et ses lèvres, que sa langue lèche, croient goûter la douceur du sperme; elle rêve qu'elle boit, le plaisir de son ventre emplit sa gorge; elle implore :

— Jouis en moi !

Elle sent que l'orifice de sa matrice s'est soudé au phallus et l'aspire comme un suçoir. Elle a envie que Jean éjacule, elle tente, de toute la persuasion de son ventre et de ses fesses, de lui arracher sa liqueur : chaque muscle de son corps concourt à faire d'elle un animal élastique et agile, qui se colle à l'homme et le fait trembler de plaisir. Mais Jean veut la vaincre, la faire jouir la première; il la poignarde à coups rapides, violents, de toute la longueur et de toute la grosseur de sa verge, sans ménagement, les dents serrées, avide de l'entendre qui râle, de la sentir parfumée et chaude, et de la voir qui se débat, bondit comme sous le fouet, lui griffe le dos, crie enfin, crie si fort, si longtemps, que la voix et le souffle finissent par lui manquer et qu'elle se calme et se tait soudain, étourdie, matée, sereine, sentant à peine encore son corps, mais déjà désireuse que l'excitation renaisse dans son esprit et que son cerveau se congestionne et palpite à nouveau comme un sexe.

Elle désire, pour un moment, qu'il ne bouge plus. Il le sait et se tient immobile. Elle murmure :

— Je voudrais m'endormir, comme cela, avec toi dans moi.

Il pose sa joue contre la sienne. La marée des cheveux de nuit caresse ses lèvres. Ils restent ainsi ils ne savent combien de temps. Puis, il l'entend qui halète dans son oreille :

— Est-ce que je suis morte ?

— Non. Tu vis de moi.

Il la serre et elle frissonne.

— Oh ! mon amour, c'est vrai que nous ne faisons qu'un. Je suis ton corps de femme. Toi, tu es l'homme venu de moi.

Elle pose ses lèvres sur les siennes, l'embrasse de toute la force et la tendresse de sa bouche.

— Encore ! Plus profond ! Ouvre-moi... Jouis dans mon cœur !

Elle supplie et rit en même temps de sa propre déraison :

— Dépucelle-moi ! Oh ! je t'aime ! Dépucelle-moi vraiment !

Il entre dans le jeu :

— Prends l'initiative, c'est ton tour. Enseigne-moi. Déniaise-moi. Apprends-moi à jouir comme toi.

Elle murmure : « Oui ! » Puis se dédit :

— Plus tard ! Fais d'abord tout ce dont tu as envie. Ne m'en demande pas la permission, ni comment le faire. Fais-le.

Elle voudrait pouvoir se livrer plus encore, avoir plus complètement conscience d'être prise, au gré de celui qui la prend, être à sa disposition, ne pas être consultée, être faible, être facile, ne rien faire d'autre qu'obéir activement et s'ouvrir... Existe-t-il, s'exalte-t-elle en secret, plus grand bonheur que de consentir ? Cette pensée suffit à achever de la faire basculer dans l'orgasme.

Puis, lorsqu'elle se retrouve bête abattue, échine brisée, jambes mortes, destin consommé, trophée heureux dans l'ombre aventurée du conquéreur :

— Tu crois, dit-elle, que je suis la femme que tu veux ?

Il se contente de l'embrasser.

— Mais je veux le devenir plus encore !

— Chaque jour, tu l'es davantage.

— En es-tu sûr ?

Il lui sourit avec confiance. Elle cesse de s'inquiéter. Un courant nocturne circule dans ses veines, l'engourdit, lui ferme les lèvres. Elle tente de livrer combat au plaisir qui lui brouille l'esprit.

— Ce doit être Marie-Anne qui m'a mis martel en tête, s'entend-elle dire, à sa propre surprise, car ce n'était pas cela qu'elle voulait confier à Jean.

Lui, en effet, s'étonne.

— Pourquoi Marie-Anne ?

— Elle est drôlement délurée.

Emmanuelle n'a plus envie de parler. Cette plante qui continue de croître en elle, avec ses racines, ses branches infinies, sa sève, plus urgente que la pensée... Mais son mari insiste, tandis qu'il recommence lentement à bouger en elle et se prépare à lui donner sa substance.

— Compterais-tu sur elle, tout d'un coup, pour te révéler les arcanes de la vie ?

— Pourquoi pas ?

L'idée amuse Jean :

— As-tu déjà eu un aperçu de ses talents ?

Elle hésite un peu, finit par prétendre, sans se soucier d'être crue ou non, trop occupée dans un autre monde :

— Non.

Puis elle sourit à une image, qui n'est pas déplacée sur les rivages où son rêve aborde.

— Mais je voudrais bien !

Jean a une inflexion d'indulgence :

— Je vois, dit-il.

Il la berce.

— Mon petit puceau désire faire l'amour avec Marie-Anne, n'est-ce pas ? C'est ce qui le tourmente ?

Emmanuelle secoue de haut en bas la tête, méthodiquement, avec l'exagération que l'on met dans ses gestes et ses paroles lorsqu'on veut se faire comprendre sans avoir à ouvrir les yeux.

— Ce n'est pas seulement ça, mais c'est sûrement ça aussi, convient-elle.

Il se moque doucement :

— Avec cette petite fille !

Mais elle fait une grosse moue d'enfant gâtée qui, déjà, lui dessine son visage de la nuit, et sa voix proteste, de loin, amortie, retirée, comme d'un creux de vague :

— J'ai bien le droit d'en avoir envie, non ?

Jean se déverse en elle, s'émerveillant d'avoir tant à lui donner, de la percer si profondément, de tant jouir.

Ils restent ensuite allongés côte à côte, se touchant des épaules et des hanches. Elle ne bouge pas, pour qu'aucune goutte ne sorte d'elle.

— Dors, dit Jean.

— Attends...

Dans une pièce éloignée, les notes régulières d'un carillon léger. Lentement, la main d'Emmanuelle descend vers son ventre, ses doigts touchent son clitoris, pénètrent son sexe gorgé de sperme. Les cuisses de Marie-Anne s'entrouvrent devant les yeux fermés d'Emmanuelle, qui, à chaque geste qu'elle voit en rêve, répond par une identique caresse. Lorsqu'elle sait que son amie va se rendre, elle crie, plus fort encore qu'elle n'a crié entre les bras de son mari. Lui, soulevé sur un coude, sourit de la regarder jouir, nue et comme lumineuse de plaisir, une main captive de son ventre, l'autre pressant ses seins tour à tour, et les jambes longtemps encore secouées de frissons après que son front, ses paupières, ses lèvres ont revêtu l'immobile douceur du sommeil.

3

DES SEINS, DES DÉESSES ET DES ROSES

> *Au milieu de mes bras je me suis faite une autre.*
>
> Paul VALÉRY, *La Jeune Parque.*

> *Ici, et jusqu'au soir. La rose d'ombres tournera sur les murs. La rose d'heures défleurira sans bruit. Les dalles claires mèneront à leur gré ces pas épris du jour.*
>
> Yves BONNEFOY, *Hier régnant désert.*

Emmanuelle veut aller au club pour nager, non pour y écouter des cancans. Elle décide donc de s'y rendre le matin. Elle parcourt dix fois la longueur du bassin, souplement, sans se soucier du temps qu'elle met, ni des regards des rares hommes présents à cette heure-là. Le mouvement répété de ses bras au-dessus de sa tête a fait sortir ses seins de son maillot sans bretelles. Lorsqu'elle roule sur le côté, le ruissellement de l'eau fait valoir leur relief et satine leur peau. Une fine rigole circulaire s'est creusée autour de leur pointe ; les bords de l'aréole paraissent, de ce fait, relevés, dessinant un atoll.

Sans ce détail, qui rappelle la vulnérabilité de leur pulpe et en évoque à la bouche le goût juteux, leur courbure serait peut-être trop parfaite pour émouvoir, ils donneraient trop l'impression de seins de statue.

Lorsque, haletante après cet exercice, Emmanuelle saisit des deux mains les montants chromés de l'échelle, elle vit que l'issue était gardée. Ariane de Saynes, penchée au-dessus d'elle, debout sur le rebord vernissé, riait à pleine gorge.

— Route barrée! s'exclama-t-elle. Montrez patte blanche!

Emmanuelle fut contrariée qu'une des « idiotes » l'eût retrouvée. Elle sourit cependant du mieux qu'elle put. Ariane insista :

— Alors, on joue les naïades à l'heure où les honnêtes femmes vont au marché? Qu'est-ce que c'est que ces cachotteries?

— Mais! Vous-même êtes bien ici, fit observer Emmanuelle.

Elle essaya de remonter.

L'importune ne se pressait pas de lui livrer passage.

— Ah! moi, ce n'est pas la même chose, dit-elle, affectant un air de mystère.

Emmanuelle ne lui demanda pas d'éclaircissements.

La comtesse détaillait tranquillement les charmes de sa prisonnière.

— Vous êtes divinement tournée! admira-t-elle.

Elle avait rendu sa sentence avec l'accent de la conviction et Emmanuelle se dit qu'en définitive elle n'avait pas l'air malveillante. Elle était peut-être un peu toquée, mais il fallait aussi convenir qu'elle était tonique, *fortifiante*. Emmanuelle n'eut plus besoin d'autant se forcer pour être aimable.

Ariane finit par s'écarter de l'échelle. La nageuse

se hissa sur le bord. Posément, du bout des doigts, elle fit rentrer ses seins, ou, plus exactement, la moitié inférieure de ses seins, dans son costume de bain (presque toute la pointe en restait visible) et s'assit près d'Ariane. Deux grands garçons de type nordique se rapprochèrent et entamèrent la conversation en anglais. La comtesse répondait de bonne humeur. Emmanuelle s'inquiétait peu de n'y rien comprendre. Ariane se tourna brusquement vers elle et demanda :

— Est-ce qu'ils vous disent quelque chose, ces deux-là ?

Emmanuelle fit la moue et Ariane se chargea d'aviser les prétendants de l'échec de leur candidature. Apparemment sans rancune, ils rirent bruyamment. Mais ils ne paraissaient pas pour autant disposés à s'en aller. Emmanuelle leur trouvait l'air incroyablement niais. Au bout d'un moment, sa compagne se leva avec détermination et la tira par le bras.

— Ils nous ennuient, déclara-t-elle. Venez avec moi sur le plongeoir.

Les deux filles grimpèrent les huit mètres et s'installèrent à plat ventre, côte à côte sur la plate-forme recouverte d'un tapis de corde. Ariane se débarrassa prestement du haut, puis du bas, de son costume de bain.

— Vous pouvez vous mettre à nu, informa-t-elle. D'ici, on a le temps de voir venir son monde.

Mais, en ce moment, Emmanuelle n'avait pas envie d'être nue devant Ariane. Elle bredouilla une explication peu probante : que son maillot collant n'était pas commode à enlever et à remettre ; que le soleil était trop dur...

— Vous avez raison, admit Ariane. Il vaut mieux vous y entraîner graduellement.

Après quoi, elles se laissèrent gagner par une

demi-léthargie. Emmanuelle trouva qu'après tout la comtesse avait de bons côtés. Elle aimait bien les gens avec qui elle pouvait rester sans parler. Ce fut pourtant elle-même qui rompit, au bout d'un certain temps, le silence.

— Qu'est-ce qu'il y a à faire ici, en dehors de la piscine, des cocktails et des soirées chez Pierre ou Paul? Est-ce qu'on ne finit pas par se morfondre un peu, tout de même?

Ariane siffla, comme devant une énormité.

— Euh là! Ce ne sont pas les passe-temps qui manquent. Je ne parle pas des cinémas, des boîtes de nuit, de la gnognotte. Mais on peut faire du cheval, du golf, du tennis, du squash, du ski nautique sur la rivière; ou se donner du vague à l'âme sur les canaux; et visiter les pagodes, pourquoi pas? Il n'y en a pas loin de mille : à raison d'une par jour, vous avez de quoi vous occuper pendant trois ans. Il est dommage que la mer — je veux dire la vraie mer, où l'on peut se baigner — soit à cent cinquante kilomètres. Mais ça vaut le voyage. Les plages sont extraordinaires, longues et larges à n'en plus finir, bordées de cocotiers, désertes et jonchées de coquillages. L'eau est fabuleusement phosphorescente, la nuit : bourrée de milliards de petites choses. Les coraux vous chatouillent les pieds. Et les requins viennent vous manger dans la main.

— Je voudrais voir ça! s'esclaffa Emmanuelle.

— Ils vous chantent même des sérénades, si vous faites l'amour sur leurs terres. Le jour, sous le soleil, avec le sable qui vous masse, ou à l'ombre des arbres-à-sucre. Vous trouvez toujours un petit garçon prêt à vous éventer pour un tical, pendant que votre preux vous rend honneur. Et, la nuit, couchée sur la plage, à la limite des vagues, le dos caressé par leur langue et les yeux protégés des étoiles par un visage enamouré, ah ! l'on apprécie sa chance d'être femme !

— Si je comprends bien, c'est encore ça, le sport favori, dans ce pays ? interrogea Emmanuelle, sans se formaliser.

Ariane la dévisagea avec un sourire énigmatique et ne répondit qu'après un certain temps.

— Dites-moi, ma choute...

Elle s'interrompit, semblant supputer quelque probabilité mystérieuse. Emmanuelle se tourna vers elle en riant :

— Qu'est-ce que vous voulez que je vous dise ?

Ariane réfléchit en silence, puis décida d'un coup de la confiance que méritait la nouvelle venue. Sa voix perdit le ton de persiflage mondain qu'elle avait affecté jusqu'alors. Elle fit à sa voisine une grimace d'amitié.

— Je suis sûre, dit-elle, que vous avez du tempérament. Vous n'êtes pas la petite sainte nitouche que vous prétendez être. Heureusement, d'ailleurs. Pour vous dire la vérité, vous m'avez tout de suite intéressée.

Emmanuelle ne savait trop que penser de cette déclaration. Elle restait, presque malgré elle, sur la défensive ; plutôt vexée que flattée, car elle n'aimait pas que l'on mît en doute sa franchise. Et qu'avaient donc tout le temps ces filles à la juger bégueule ? Ça l'avait d'abord fait rire, mais ça commençait maintenant à l'agacer.

— Vous n'avez pas envie de vous plaire, ici ? poursuivit Ariane, d'un ton qui en disait plus que les mots.

— Si, dit Emmanuelle. Elle était consciente de s'aventurer sur une voie dangereuse, mais craignait davantage encore d'être soupçonnée de vertu.

Le sourire d'estime d'Ariane ne la récompensa qu'à demi.

— Alors, coquelinette, venez avec moi, un soir. Vous direz à votre ami que vous avez un dîner de femmes. En fait d'ouvroir, vous verrez ce que je vous réserve ! Il n'est pas, à cinquante années-lumière à la ronde, de plus galants et hardis pourfendeurs que les chevaliers d'Ariane. Pleins d'esprit, jeunes, bien découplés et habiles à l'estoc comme à la taille. Vous n'avez rien à craindre. D'accord ?

— Mais, tergiversa Emmanuelle, vous me connaissez à peine. Est-ce que vous ne...

Ariane haussa les épaules :

— Je vous connais assez ! Je n'ai pas besoin de vous mettre en observation prolongée pour m'apercevoir que vous êtes belle à étourdir filles et garçons. Et ceux dont je vous parle s'y entendent en beauté. Il ne me viendrait pas à l'idée de vous les faire rencontrer si je n'étais pas sûre d'eux et de vous. Voilà.

— Et... questionna Emmanuelle, avec une hésitation. Votre mari ? Il ne se formalise pas de vos fréquentations ?

Ariane eut un rire plein de franchise :

— Il faudrait être un mari bien vulgaire pour haïr les amants de sa dame, déclama-t-elle.

— Je ne sais pas si Jean trouvera cela aussi normal.

— Alors, vous ne le mettrez pas dans la confidence, conclut Ariane, avec bonhomie.

D'un bond, elle se rapprocha d'Emmanuelle, lui entoura la taille de son bras et la serra contre elle :

— Vous voulez me jurer de me dire la vérité ?

Emmanuelle battit des cils, sans trop se commettre. Les seins solides et chauds contre son épaule lui faisaient un peu perdre pied, quoi qu'elle en eût.

— Vous n'allez plus essayer de me faire croire

que vous n'avez jamais accueilli dans ce corps grisant d'autres que votre mari, n'est-ce pas ? Bon ; eh bien, le lui avez-vous toutes les fois avoué ?

Emmanuelle était au supplice. Voilà que la quête des confessions recommençait ! Mais à quoi bon se défendre ? Et devrait-elle passer pour plus ingénue qu'elle n'était ? Elle secoua la tête pour répondre négativement à la question d'Ariane. Celle-ci l'embrassa gaiement sur l'oreille.

— Tu vois, triompha-t-elle. Elle la contempla avec fierté. Je te promets que tu ne regretteras pas d'être venue à Bangkok !

Le ton semblait impliquer qu'Emmanuelle avait accepté de signer un pacte. Elle tenta d'échapper à ses conséquences, dans ce qu'elles lui paraissaient avoir de plus imminent :

— Non, écoutez ! Cela me gêne.

Elle s'enhardit brusquement et affirma :

— Ne croyez pas que ce soit par pudibonderie, ou pour des raisons morales. Ce n'est pas ça. Mais... laissez-moi au moins le temps de m'habituer à l'idée. Progressivement.

— Bien sûr, fit Ariane. Rien ne presse. Comme pour le soleil...

Elle parut prise d'une inspiration subite, laissa ses lèvres dessiner un sourire furtif et se mit sur son séant.

— Viens, intima-t-elle. Nous allons nous faire masser.

Elle remit son bikini, puis, avec un peu de dédain, sur le ton dont elle se serait adressée à un bébé, ajouta :

— N'aie pas peur, pucette, il n'y a que des femmes.

Emmanuelle laissa sa voiture au club et accompagna Ariane dans son cabriolet découvert. Elles roulèrent pendant une demi-heure ; à travers les cyclo-pousse et les motos taxis qui enfumaient les rues bordées d'enseignes chinoises. Elles s'arrêtèrent devant un bâtiment neuf, à un seul étage, que flanquaient des marchands de soie, des restaurants et des agences de voyages. Une inscription en caractères inconnus d'Emmanuelle ornait la façade. Elles poussèrent une porte de verre épais et se trouvèrent dans le hall de réception d'un établissement de bains, peu différent d'aspect de ce qu'il aurait été en Europe. Une Japonaise en kimono à fleurs les accueillit avec politesse, s'inclinant devant elles à plusieurs reprises, les mains croisées sur la poitrine, avant de les conduire le long de couloirs qui sentaient la vapeur et l'eau de Cologne. Elle s'arrêta devant une porte, se plia de nouveau en deux. Emmanuelle se demanda si elle était muette.

— Tu peux entrer ici, dit Ariane, toutes les masseuses se valent. Je prendrai la cabine d'à côté. Retrouvons-nous dans une heure, ajouta-t-elle.

Emmanuelle ne s'était pas attendue à ce qu'Ariane la laissât seule. Elle se sentit un peu désemparée. La porte que la Japonaise avait entrouverte donnait accès à une salle de bains petite et propre, à plafond très bas, où une jeune Asiatique en sarrau blanc d'infirmière se tenait, menue, entre une baignoire et une table de massage. Elle avait un visage d'oiseau revenu de bien des voyages. Elle aussi fit une courbette, prononça quelques mots, sans paraître attacher d'importance à ce qu'on la comprît ou non, s'avança vers Emmanuelle, et, d'un doigt attentif entreprit de dégrafer son corsage.

Lorsque Emmanuelle fut dévêtue, elle lui fit signe d'entrer dans la baignoire, qu'emplissait une eau bleutée, odorante et chaude. Elle passa un linge humide sur le visage de sa cliente, puis lui savonna avec méthode les épaules, le dos, la poitrine, le ventre. Emmanuelle frissonna lorsque l'éponge gonflée de mousse circula entre ses jambes.

Quand elle eut achevé de la baigner et l'eut séchée dans une grande serviette tiède, la Siamoise invita Emmanuelle à s'étendre sur la table capitonnée. Elle la frappa d'abord avec la tranche de la main, à petits coups précipités, puis lui pinça les muscles, pesa sur ses mollets et ses reins, tira sur les phalanges de ses orteils, lui malaxa longuement la nuque et lui tapa sur la tête. À demi assommée, Emmanuelle se sentait malgré tout détendue et contente.

La masseuse sortit ensuite d'une armoire deux appareils de la taille d'un paquet de cigarettes, qu'elle fixa au revers de chacune de ses mains et qui émirent aussitôt un ronflement de toupie. Ses paumes vibrantes rampèrent lentement à la surface du corps nu, s'y enfonçant par tout ce qui offrait une cavité ou un pli, se glissant au creux du cou, sous les aisselles, entre les seins, entre les fesses, avec une compétence irrésistible. Puis elles cherchèrent sur la surface intérieure des cuisses les points les plus réceptifs. Emmanuelle trembla de toute sa chair. Ses jambes se séparèrent et elle souleva légèrement le pubis avec un mouvement d'une inimitable grâce, qui tendait les lèvres de son sexe comme pour un baiser d'enfant. Mais les mains s'éloignèrent et remontèrent vers le buste, allant et venant avec métier, repassant sur leurs traces à l'instar d'un fer appliqué à glacer une percale. Lorsque Emmanuelle commença de geindre, d'une voix à peine audible, elles grimpèrent jusqu'aux mamelons, tournèrent sur eux, tantôt effleurant leur sommet, tantôt appuyant sur les pointes et les faisant rentrer dans l'épaisseur des seins. Les ondes la traversaient, lui léchaient les reins. Elle se cambra, cria plaintivement, pendant de longues minutes. Les mains continuèrent leur office sur les bouts sensibles de sa poitrine jusqu'à ce que l'orgasme décrût, se calmât, laissant Emmanuelle inerte et molle.

Paupières closes, elle écoutait maintenant battre son cœur. Sa cadence lui rappelait celle d'un tambour d'Afrique, dont la peau tendue aurait rendu baisers pour baisers. « Mais quels baisers, en réalité ? » songea-t-elle, dépitée. « Tout mon corps a été traité comme s'il était une vulve, sauf ma vulve elle-même ! À quoi sert, alors, qu'elle soit si bien dessinée et aussi soyeuse ? À quoi bon ses gonflements et ses creux ? Pourquoi cette jeune fille ne me touche-t-elle pas plus bas que la toison de mon ventre ? Les lèvres de mon sexe sont aussi longues et belles et bonnes à lécher que celles de ma bouche ; et pourtant la bouche fermée de cette muette ne semble pas avoir envie de les embrasser ! Eh bien, si elle ne veut pas de l'occasion que je lui offre, je me caresserai moi-même. Devant elle ! Je vais lui montrer ce qu'il faut faire à une femme, quand cette femme nue ferme les yeux. »

Une étrangeté qu'elle perçoit peu à peu fait dévier ses pensées, avant qu'elle n'ait eu le temps de mettre son projet à exécution : au rythme bruyant de son cœur répond un écho de derrière l'une des cloisons. Ce ne sont pas des coups, cependant : plutôt une voix, un ahan, une plainte sourde, un râle. Et ce n'est pas Ariane, c'est un homme. Un homme qui crie, à présent, assez fort pour que le son franchisse l'obstacle du matériau isolant qui sépare les cabines et protège leurs occupants de distractions inopportunes.

Après avoir tendu un moment l'oreille, Emmanuelle n'est plus sûre qu'il s'agisse à proprement parler de cris. En automobiliste avertie, elle pense au cognement d'une bielle, à un piston mal huilé, dont les souffrances seraient incongrûment amplifiées. Mais non! se corrige-t-elle à nouveau : de l'autre côté de la paroi, ce n'est certainement pas un moteur qui grippe; il est plus probable qu'un homme étouffe.

L'étrangle-t-on? Qui commet le crime? La victime est-elle un client du salon de massage? À moins que ce ne soit, au contraire, ce client — ou une cliente — qui viole un masseur. Y a-t-il donc ici des masseurs? Ariane a assuré que n'y officiaient que des femmes. Mais faut-il toujours croire Ariane?

Emmanuelle interrogea sur tout cela la jeune Siamoise, sans espoir de se faire comprendre. Celle-ci avait, entre-temps, reporté ses soins des seins aux épaules, des cuisses aux chevilles. Elle répondit à l'enquête de sa patiente par un sourire gourmé, puis prononça, à son tour, dans sa langue, une phrase qui rendait le son d'une question. En même temps elle avançait ses doigts effilés vers le bas-ventre d'Emmanuelle, la regardant, les sourcils levés, comme dans l'attente d'une permission. Avec soulagement, avec empressement, avec bonheur, Emmanuelle fit « oui » de la tête. La main, alourdie par le vibromasseur, exécuta minutieusement, à la surface et dans les replis du sexe, les mouvements dont elle avait l'expérience, sachant exactement comment donner le plus de plaisir. Elle ne prenait aucune précaution de douceur, ni ne laissait de répit, sûre du résultat, ajoutant la virtuosité de ses palpations, de ses frottements et de ses griffades au pouvoir des vibrations électriques.

Emmanuelle se retenait de toutes ses forces, mais sa résistance fut de courte durée. Elle jouit de nouveau, si violemment que même le visage de la masseuse refléta un certain effroi. Longtemps après que les mains se furent retirées d'elle, Emmanuelle se tordait encore, hoquetant, serrant entre ses doigts crispés les bords de la table blanche.

— Les murs ont beau être insonorisés, dit Ariane, lorsqu'elles se retrouvèrent à la sortie, quand tu t'y mets, tu passes au travers. Maintenant, tu ne viendras pas me raconter que tu préfères les mathématiques.

Marie-Anne retourna quatre après-midi de suite chez Emmanuelle. Chaque fois, elle lui faisait subir un interrogatoire plus serré, réclamant — et obtenant — des précisions nouvelles, aussi bien sur les gestes que son amie échangeait avec son mari que sur le dévergondage de ses rêveries quotidiennes.

— Si tu t'étais donnée dans la réalité à tous les hommes avec qui tu l'as fait en imagination, observa-t-elle un jour, tu serais une femme accomplie.

— Tu veux dire que je serais morte, répliqua Emmanuelle en riant.

— Comment ça ?

— Crois-tu qu'on puisse se faire faire l'amour par des hommes aussi souvent qu'on se fait jouir toute seule ?

— Pourquoi pas ?

— Mais, écoute, c'est fatigant d'être prise par un homme !

— Et ça ne te fatigue jamais de te caresser ?

— Non.

— Combien de fois le fais-tu, maintenant ?

Emmanuelle eut un sourire pudique :

— Hier, je l'ai fait beaucoup, tu sais. Je crois bien au moins quinze fois.

— Il y a des femmes qui le font autant avec des hommes.

Emmanuelle hocha la tête :

— Oui, je sais, dit-elle. Mais elle ne semblait pas tentée.

— Dans le fond, argua-t-elle, les hommes, ce n'est pas toujours si excitant. C'est lourd, c'est dur, ça fait même mal, quelquefois. Et ça ne connaît pas forcément la façon dont les filles aiment le mieux jouir...

Paradoxalement, il n'y avait qu'une sorte de confidence qu'Emmanuelle n'osait faire franchement à la jeune fille. À peine y faisait-elle gauchement, de temps à autre, allusion, sans réussir à deviner si Marie-Anne comprenait ou non. Elle-même parvenait mal à s'expliquer une timidité et une discrétion que rien, dans la conduite de sa visiteuse, ne paraissait pourtant justifier. Aussitôt arrivée, Marie-Anne se déshabillait : elle n'avait même fait aucune difficulté pour retirer son chemisier lorsque Emmanuelle le lui avait suggéré, et les deux filles passaient désormais leur rendez-vous toutes nues, sur la terrasse entourée de feuillage. Néanmoins, l'émotion qu'en ressentait Emmanuelle ne se traduisait que par la multiplication des caresses qu'elle pratiquait sur elle-même : elle n'osait toucher son amie, ni l'inviter à la toucher, bien qu'elle le désirât au point d'en perdre le sommeil. Une étrange pudeur, une étrange impudeur se disputaient son âme. Elle en venait à se demander — confusément, toutefois, et en se refusant à y réfléchir trop à fond — si cette insolite réserve n'était pas en réalité un raffinement supérieur et nouveau inventé à son propre insu par l'intuition de ses sens et si la privation du corps de Marie-Anne qu'elle s'infligeait de la sorte, contre tout instinct et toute raison, n'avait pas finalement une saveur plus subtile, un attrait plus pervers que n'en aurait peut-être eu une étreinte physique. Si bien qu'Emmanuelle découvrait, dans cette situation qui aurait dû normalement la faire souffrir — où une petite fille disposait d'elle selon son caprice, sans rien concéder en retour aux goûts de sa partenaire —, une source imprévue de délectation sensuelle.

De même qu'une volupté inconnue surgissait ainsi de la frustration de celui de tous les désirs charnels qui lui avait de tout temps paru le plus naturel et auquel elle avait attaché le plus de prix, une autre valeur érotique lui était révélée par l'effet du secret remarquable que sa petite amie gardait sur sa propre vie sexuelle. Emmanuelle se rendait compte, en constatant la facilité avec laquelle elle se résignait à ne rien — ou presque rien — savoir de Marie-Anne, qu'elle éprouvait plus de plaisir cérébral et physique à offrir à une autre le spectacle de la luxure qu'elle n'en aurait eu à être spectatrice. Et, si elle était chaque jour impatiente de retrouver son amie, c'était moins, désormais, pour l'excitation de la contempler nue ou d'être témoin de ses jeux lascifs que pour celle, infiniment plus scandaleuse et, par conséquent, plus délicieuse, de se caresser elle-même, allongée sur sa chaise longue, sous le regard d'attention de Marie-Anne. Celle-ci partie, le charme n'était pas pour autant rompu : Emmanuelle revoyait en pensée les yeux verts fixés sur son sexe et, jusqu'au soir, continuait de se masturber.

Le mercredi qui suivit la première rencontre, Emmanuelle fut invitée à prendre le thé chez la mère de Marie-Anne. Elle trouva, dans le salon prétentieusement meublé, une dizaine de « dames », qui lui parurent aussi parfaitement insignifiantes les unes que les autres. Elle regrettait déjà de ne pouvoir être seule avec sa confidente, qu'elle voyait sagement assise sur le tapis, toute à ses devoirs de petite fille modèle, lorsque son intérêt fut ranimé par l'arrivée d'une jeune femme très élégante, à première vue aussi déplacée qu'elle-même dans cette assemblée.

La nouvelle venue rappelait à Emmanuelle les mannequins parisiens qu'elle avait aimés. Elle avait d'eux la taille élancée, l'impondérable lassitude, la distance illusoire et les plis de pierre. La bouche entrouverte « comme une rose », les sourcils d'ambre, soulevés au-dessus des yeux démesurés, la courbe câline des cils modelaient sur ce visage une ingénuité si improbable qu'elle en prenait l'allure d'une bravade. Emmanuelle se disait avec intolérance qu'elle était sans doute la seule, en cet endroit, qui, par ce qu'elle appelait son « expérience », pût comprendre ce qu'avait en réalité de modeste une recherche si absolue, de méritoire une conception si exigeante du devoir de beauté, d'ensorcelant tant de passion cachée sous le détachement du regard de nacre. Elle se souvenait d'avoir ainsi découvert, sur le masque de ses amies, « emprunté aux plus fiers monuments », ce qu'avait voulu dire Baudelaire en condamnant « le mouvement qui déplace les lignes ». Les déesses d'albâtre se sont faites chair, mais l'homme a gardé le désir des statues, l'homme qui ne croit que dans les paradis inaccessibles et dans les dieux inanimés, et la chair adorée est redevenue pierre.

Cette évocation se chargeait en ce moment, pour Emmanuelle, d'une émotion ambiguë, où avaient également part la saveur encore proche de ses emballements d'écolière et les vertiges plus adultes des salons d'essayage. Elle pensait qu'elle-même aimerait à devenir œuvre d'art, qu'arrivée à Bangkok comme une glaise il serait bon qu'elle y trouvât forme (elle songeait moins à la forme du corps —

dont elle n'avait pas de raisons de vouloir changer
— qu'à celle de l'esprit). Et, bien qu'elle ne se
représentât pas concrètement en quoi consisterait
cet accomplissement, elle souhaitait que sa vie
devînt un jour quelque chose de précieux et de
réussi comme l'était la coupe compliquée de ces
cheveux d'airain, de triomphant comme ces yeux
gris, et de dédaigneux du jugement des foules
comme ce tailleur dont le dessin défiait les lignes du
corps et dont l'encolure ne semblait pouvoir tenir
fermée qu'au prix d'un difficile geste du bras, qu'il
était néanmoins tentant d'imaginer sans autre signification que celle d'attester, par un mouvement de
frilosité sous ce climat torride, la déroute des éléments et la faillite des conventions en face de la
souveraine fantaisie de l'humeur des femmes.

Avant que sa mère n'ait eu le temps de présenter
l'arrivante, Marie-Anne se leva et attira Emmanuelle dans un coin du salon, où on ne pouvait les
entendre.

— J'ai un homme pour toi, dit-elle, avec
l'expression de satisfaction que donne une mission
remplie.

Emmanuelle ne put s'empêcher de pouffer :

— En voilà une nouvelle ! Et tu as une manière
d'annoncer ça ! Qu'est-ce que c'est, « un homme
pour moi » ?

— C'est un Italien, très beau. Je le connais
depuis longtemps, mais je n'étais pas encore sûre
qu'il fût ce qu'il te fallait. J'ai réfléchi. C'est bien
lui dont tu as besoin. Tu dois faire sa connaissance
sans perdre de temps.

Cette note d'urgence, bien dans le genre de
Marie-Anne, égaya une fois de plus Emmanuelle.
Elle n'était pas du tout certaine que le candidat, quel
qu'il fût, était « ce qu'il lui fallait », mais elle ne
voulait pas décevoir sa tutrice. Elle fit de son mieux

pour témoigner de l'intérêt à son projet, à défaut de reconnaissance pour sa sollicitude :

— Comment est-il, ton bel homme ? demanda-t-elle.

— Tout à fait marquis florentin. Tu n'en as sûrement jamais rencontré d'aussi bien. Mince, grand, avec un nez d'aigle, des yeux noirs, perçants et profonds, un teint sombre, le visage osseux...

— Eh bien !

— Quoi ? Ne me crois pas, si tu préfères. Mais je suis tranquille que tu riras moins bêtement quand tu le verras. Lui aussi est né sous le signe du Lion.

— Qui d'autre ?

— Ariane et moi.

— Ah ! Alors...

— Mais il a les cheveux noirs et brillants, comme les tiens. Avec juste assez de mèches argentées pour que cela ait du chic.

— Des cheveux gris ! Mais c'est un vieux !

— Naturellement. Il a l'âge qui convient pour toi : exactement le double du tien, trente-huit ans. C'est pourquoi je te dis qu'il faut te dépêcher : l'année prochaine, tu seras trop vieille. D'ailleurs, l'année prochaine, il ne sera plus là.

— Qu'est-ce qu'il fait à Bangkok ?

— Rien. Il est très intelligent. Il se promène à travers le pays, il connaît tout. Il va fouiller les ruines, il étudie l'âge des bouddhas. Il a même trouvé au musée des choses que le bonhomme qui en a la garde n'y avait jamais vues. Je crois qu'il écrit un livre là-dessus. Mais, comme je te le disais, il ne fait surtout rien.

Emmanuelle interrompit brusquement Marie-Anne :

— Dis-moi, qu'est-ce que c'est que cette fille fantastique ?

— Fille fantastique ?

— Oui, celle qui vient d'arriver.

— Arriver où ?

— Mais *ici,* Marie-Anne ! Es-tu devenue stupide ? Là, regarde, droit devant toi...

— C'est de Bi dont tu veux parler ?

— Qu'est-ce que tu dis ?

— Je dis *Bi.* C'est plutôt toi qui es dérangée.

— Elle s'appelle Bi ? Quel drôle de nom !

— Oh ! ce n'est pas un nom. En anglais, cela veut dire abeille. Ça s'écrit *b,* deux *e.* Moi, je préfère l'écrire *b, i.* C'est plus clair.

— Mais elle, comment l'écrit-elle ?

— Comme je le lui dis.

— Tout de même, Marie-Anne !

— Tu penses bien que ce n'est pas son vrai nom. C'est moi qui lui ai donné celui-là. Maintenant, tout le monde a oublié l'autre.

— Dis-le-moi tout de même.

— Qu'est-ce que ça peut te faire ? Tu n'arriverais pas à le répéter, c'est un machin imprononçable, un nom anglais complètement grotesque.

— Je ne peux quand même pas non plus l'appeler Bi ?

— Tu n'as pas besoin de l'appeler.

Emmanuelle regarda Marie-Anne avec étonnement, hésita, puis se contenta de demander :

— Elle est anglaise ?

— Non, américaine. Mais, rassure-toi, elle parle français comme toi et moi. Elle n'a même pas d'accent, ça manque de pittoresque.

— Elle n'a pas l'air de trop te plaire.

— Elle ? C'est ma meilleure amie !

— Ça, alors ! Pourquoi ne m'as-tu jamais parlé d'elle ?

— Je ne peux pas te parler de toutes les filles que je connais.

— Mais si tu aimes tant celle-ci, tu aurais pu au moins m'en dire un mot.

— Qu'est-ce qui te fait supposer que je l'aime tant ? C'est mon amie, c'est tout. Ce n'est pas forcément quelqu'un que j'aime.

— Marie-Anne !... Comment veux-tu qu'on comprenne quelque chose à ce que tu racontes ? La vérité, c'est que tu ne veux rien me dire de ce qui te concerne. Et tu ne veux pas que je connaisse tes amies. Tu es jalouse, ou quoi ? Tu as peur que je te les prenne ?

— Je ne vois pas ce qu'il pourrait y avoir d'utile pour toi à perdre ton temps avec une bande de filles.

— Tu me fais rire, à la fin ! Mon temps n'est pas si précieux. À t'entendre, on croirait vraiment que mes jours sont comptés !

— Eh !

Marie-Anne semblait si sérieusement le penser qu'Emmanuelle en fut troublée. Elle protesta :

— Je ne me sens pas encore décrépite.

— Oh ! tu sais, ça vient vite.

— Et cette Bi, cette *Bee* — je trouve plus jolie l'orthographe anglaise, ça veut au moins dire quelque chose — a-t-elle, elle aussi, un pied dans la tombe, selon tes calculs ?

— Elle a vingt-deux ans et huit mois.

Emmanuelle demanda encore :

— Est-ce qu'elle est mariée ?

— Même pas.

— Alors, elle est encore plus vieille fille que moi ? Qu'est-ce qu'elle doit entendre !

Marie-Anne ne fit pas de commentaires.

— Tu n'as pas l'intention de me la présenter, si je comprends bien ? reprit Emmanuelle.

— Mais tu n'as qu'à venir ! Au lieu de débiter des âneries.

Marie-Anne fit un signe à Bee, qui s'avança à leur rencontre.

— Voilà Emmanuelle, dit Marie-Anne, comme elle aurait révélé l'auteur d'un mauvais coup.

Les grands yeux gris, vus de près, donnaient une impression d'intelligence et de liberté. Bee ne devait pas davantage se soucier de dominer autrui que se laisser aisément régenter elle-même. Emmanuelle pensa, à part soi, que Marie-Anne avait sûrement du fil à retordre avec celle-ci. Elle se sentit vengée.

Elles échangèrent d'inoffensives banalités. La voix de la nouvelle venue allait bien avec son regard. Le débit en était posé et elle n'hésitait jamais. Une gaieté intime la réchauffait. Emmanuelle se dit que cette femme avait le visage et le ton du bonheur.

Elle voulut savoir à quoi Bee occupait ses journées. Surtout à se promener en ville, semblait-il. Vivait-elle seule à Bangkok? Non, elle était venue, il y a un an, rendre visite à son frère, qui exerçait les fonctions d'attaché naval auprès de l'ambassade américaine. Elle avait eu d'abord l'intention de ne rester qu'un mois, mais, au bout du compte, elle était toujours là. Elle n'avait aucune hâte de s'en aller.

— Lorsque j'en aurai assez de ces vacances prolongées, dit-elle, je me marierai et je retournerai aux États-Unis. Je n'ai pas envie de travailler. J'adore n'avoir rien à faire.

— Êtes-vous fiancée? demanda Emmanuelle.

Cette question lui fit découvrir le rire de Bee. Il était très franc et très joli.

— Vous savez, dans mon pays, on se fiance la veille du mariage; et, l'avant-veille, on ne sait pas encore avec qui. Comme ce n'est ni demain ni après-demain que j'ai l'intention de me retirer, je serais bien embarrassée de vous dire quel choix je ferai.

— Mais, se marier, ce n'est pas forcément se retirer, protesta Emmanuelle.

Bee eut un sourire indulgent. Elle fit simplement : « Oh ! » avec une intonation de doute. Elle ajouta :

— Ce n'est pas un mal de se retirer.

Emmanuelle faillit demander : se retirer de quoi ? Mais elle eut peur d'être indiscrète. Ce fut Bee qui s'enquit :

— Vous êtes contente de vous être mariée si jeune ?

— Oh ! oui, dit Emmanuelle. C'est sûrement ce que j'ai fait de mieux dans ma vie.

Bee sourit de nouveau. Emmanuelle fut saisie par l'impression de bonté qui émanait d'elle. La beauté d'émail du visage (que l'on aurait dit pur de tout fard mais, pour mener à bien si parfaite simulation de la nature, Emmanuelle savait quelle application et quelle patience il avait fallu et combien d'heures de savant maniement des pinceaux et des crèmes), avec ce qu'elle avait de presque gênant par son excès de perfection, s'oubliait dès que l'enjouement perçait à travers elle comme le soleil à travers un vitrail. L'on n'avait plus alors envie de dire : comme cette femme est belle ! mais : comme elle a l'air sympathique ! Emmanuelle, cependant, préférait encore penser : comme elle semble heureuse ! Elle sentait que cet état les rapprochait, car elle avait conscience d'être elle-même heureuse. Et le malheur l'effrayait au point qu'elle était incapable d'aimer sincèrement quiconque étalait complaisamment ses souffrances, se plaignait. Elle avait parfois honte de ce trait de son caractère, bien qu'il ne dénotât pas la dureté du cœur, mais seulement une passion ombrageuse, presque obsédante, de la beauté.

Pendant que Marie-Anne faisait la conversation aux dames, Emmanuelle ne quitta pas Bee. Elles ne parlèrent de rien d'important, mais il était clair qu'elles trouvaient l'une et l'autre plaisir à être ensemble. Emmanuelle était même assez contente que sa petite amie la négligeât. Lorsque Jean vint la chercher, elle regretta de devoir partir. Marie-Anne lui jeta, d'un ton affairé, en lui disant au revoir : « Je t'appellerai ! » Emmanuelle pensa, trop tard, qu'elle-même aurait bien dû demander son numéro de téléphone à Bee. Elle était si consternée par cet oubli qu'elle ne parvenait pas à répondre aux questions de son mari.

Emmanuelle, sans pouvoir s'expliquer exactement pourquoi, appréhendait de revoir Ariane. Plutôt que de risquer de la rencontrer au Sports Club, elle renonça à ses séances de natation matinales. Elle avait demandé à Jean ce qu'il pensait de la jeune comtesse et il avait répondu qu'il la trouvait très belle fille. Il aimait sa fougue et son absence de chichis. Avait-il fait l'amour avec elle ? avait voulu savoir Emmanuelle. Non, mais, si l'occasion s'en était présentée, il n'aurait pas demandé mieux. Emmanuelle, qui était généralement plutôt fière que son mari eût du succès auprès d'autres femmes, sentit cette fois-ci — contre toute logique, puisque, en fait, il n'en avait pas eu auprès d'Ariane — un violent pincement de jalousie, dont elle s'efforça de ne rien laisser voir à Jean, mais toute la journée lui en parut empoisonnée.

Peu de temps après cette conversation, elle reçoit un coup de téléphone d'Ariane. Celle-ci lui dit qu'elle est hébétée par la pluie qui tombe depuis deux jours, mais elle vient d'avoir une « idée géniale ». Elle va apprendre le squash à Emmanuelle. Qu'est-ce que c'est ? Une sorte de tennis auquel, justement, l'on peut jouer même quand il pleut, parce qu'il se pratique sous un toit. Emmanuelle va adorer ça. Ariane apportera des raquettes et des balles ; tout ce qu'Emmanuelle a à faire est de passer un short, se chausser d'espadrilles et la retrouver au Sports Club dans une demi-heure.

La comtesse avait raccroché avant qu'Emmanuelle ait eu le temps d'inventer une excuse. Elle se dit qu'après tout ce sport, dont elle n'avait jamais entendu parler jusque-là, risquait d'être amusant, et elle se prépara d'assez bonne grâce.

Lorsqu'elles se rencontrèrent au club, les deux femmes découvrirent qu'elles étaient habillées de la même façon : pull-overs de coton jaune au-dessus de shorts noirs. Elles s'esclaffèrent.

— Portez-vous un soutien-gorge ? s'enquit Ariane.

— Jamais, protesta Emmanuelle. Je n'en possède pas un seul.

— Bravo ! s'enthousiasma sa compagne, qui saisit des deux mains par la taille et décolla légèrement du sol Emmanuelle éberluée : elle ne s'était pas imaginé qu'Ariane fût si forte.

Cette dernière proclamait :

— Ne croyez pas un mot de toutes ces sornettes ; au sujet du tennis ou du cheval qui font tomber les seins si on ne les ficelle pas dans des sacs à malice. C'est juste le contraire. Le sport les fortifie et, plus on leur mène la vie dure, plus ils deviennent fermes. Vous n'avez qu'à voir les miens.

Elle releva son pull, au milieu du terre-plein, où circulaient d'autres joueurs. Emmanuelle ne fut pas la seule à pouvoir admirer le buste de chasseresse.

Elle trouva qu'un court de squash était, à première vue, la chose la plus banale du monde : un plancher, quatre cloisons de bois et un toit. De la galerie d'où elle le découvrait, cela lui apparaissait comme une sorte de fosse. Elles y descendirent par une échelle, qui pivota autour de son barreau supérieur pour se plaquer au toit, automatiquement relevé par des ressorts, dès qu'elles eurent posé le pied sur le sol. Pour quitter la fosse, il leur faudrait faire redescendre l'échelle en tirant sur une corde. Ariane expliqua que le jeu consistait à projeter tour à tour une balle de caoutchouc dur contre la cloison, en se servant d'une raquette de faible diamètre et à long manche.

La petite balle noire, sous les smashes d'Ariane, filait si vite qu'Emmanuelle devait courir comme une folle d'un mur à l'autre, riant aux éclats lorsque ses cheveux dénoués lui fouettaient le visage. Au bout d'une demi-heure, elle renvoyait assez brillamment les balles, mais ses jambes se dérobaient sous elle et elle ne trouvait plus son souffle. Son corps entier ruisselait. Ariane donna le signal du repos et rappela l'échelle. D'une sacoche qu'elle avait nouée aux barreaux, elle tira deux serviettes. Elle ôta son maillot et se frictionna énergiquement, puis s'approcha d'Emmanuelle et se servit du linge sec pour éponger la poitrine et le dos de son amie, qui se laissait faire, haletante. Son pull-over, trempé, était roulé sous ses aisselles, elle n'avait pas le courage de lever les bras pour le retirer. Ariane l'adossa à l'échelle inclinée, sur laquelle Emmanuelle, folâtre, feignit de se laisser crucifier, bras et jambes écartés.

Sa partenaire lui frottait les seins avec légèreté et elle continua bien après qu'ils furent secs. Aux sensations âpres d'essoufflement, de fatigue et de soif qui brûlaient le larynx d'Emmanuelle, était venue s'ajouter une congestion qui n'était pas sans agrément. Soudain, Ariane laissa tomber le linge éponge et, glissant les bras sous ceux de son élève, s'allongea contre elle de tout son corps. Emmanuelle sentit des pointes de seins chercher les siennes (dès qu'elles les eurent trouvées, elle s'abandonna au plaisir, trop grand pour qu'elle y pût résister) et un pubis actif qui la pressait à travers le tissu des shorts. Sa position renversée rattrapait les quelques centimètres de taille qu'elle avait de moins, de sorte que leurs bouches étaient exactement à la même hauteur. Ariane l'embrassa comme Emmanuelle ne l'avait jamais été : très profondément, explorant tour à tour, sans négliger la moindre surface, ses lèvres, sa langue, toutes les anfractuosités et saillies de sa bouche, son palais, ses dents, pendant si long-temps qu'elle ne sut jamais si ce baiser avait duré des minutes ou des heures. Elle ne sentait plus la soif qui, tout à l'heure, irritait sa gorge. Elle remuait doucement, pour que son clitoris pût s'épanouir, durcir et chercher refuge dans la solidité de l'autre ventre. Lorsque l'érection en fut si forte qu'Emma-nuelle n'était plus qu'un énorme bourgeon près d'éclater, elle serra entre ses jambes, sans même s'en rendre compte, une des cuisses d'Ariane, contre laquelle elle commença de frotter son sexe, d'un souple mouvement de tout son bassin. Ariane la laissa faire pendant quelques minutes, sachant qu'Emmanuelle avait besoin de cet exutoire à la tension excessive de ses sens. Puis elle retira ses lèvres et regarda sa cadette avec ce rire qu'elle avait si souvent et qui semblait traduire la joie d'avoir fait une bonne blague. Emmanuelle fut en même temps gênée par ce regard et rassurée de constater qu'Ariane mettait si peu de sentimentalité dans leurs enlacements. Elle avait envie d'être encore embras-sée ; et elle n'avait pas envie que les seins d'Ariane la quittassent. Mais celle-ci la prit brusquement au-dessus des hanches, comme elle l'avait fait au moment de leur arrivée et, d'un coup de reins athlétique, elle la souleva, le long de l'échelle. Les talons d'Emmanuelle s'accrochèrent à un barreau. Elle crut qu'Ariane voulait embrasser ses seins, mais la meneuse de jeu gardait la tête à distance et ses yeux moqueurs ne se détachèrent pas de ceux de sa victime. Avant qu'Emmanuelle ait le temps de se faire une idée nette de ce qui lui arrivait, la main d'Ariane s'était insinuée par la jambe de son short et, déjà, prenait possession de son sexe humide.

Les doigts d'Ariane étaient aussi adroits, exercés et efficaces que sa langue. Ils effleurèrent le clitoris, puis d'eux d'entre eux, serrés l'un contre l'autre, s'enfoncèrent résolument au plus profond de la chair, étirant les parois de la muqueuse, massant la protubérance résistante de la matrice, déployant une activité, un discernement admirables. Emmanuelle se laissa entraîner dans l'orgasme sans résistance, rassemblant seulement ses forces pour jouir le plus possible, s'ouvrant et se tendant au-devant de la main qui la fouissait. Elle eut la sensation qu'une lave débordait d'elle et coulait, épaisse et chaude, le long d'Ariane. Lorsqu'elle glissa enfin, inconsciente, le long de l'échelle, son amie la recueillit dans ses bras et la pressa contre elle. Si Emmanuelle avait pu voir à ce moment les yeux d'Ariane, elle aurait peut-être été surprise de découvrir qu'ils ne se moquaient plus.

Toutefois, quand Emmanuelle revint à elle, sa partenaire avait retrouvé son espièglerie et son entrain ordinaires. Elle la tenait par les épaules, à bout de bras. Elle demanda, en éclatant de rire, mais gentiment :

— Est-ce qu'il te reste assez de jambes pour remonter l'échelle ?

Emmanuelle éprouva tout d'un coup une confusion intense et elle baissa un visage d'enfant boudeur. L'autre lui prit le menton entre les doigts pour le relever. Elle était de nouveau toute proche.

— Dis-moi, murmura-t-elle d'un ton grave, presque étranglé, qu'Emmanuelle ne lui avait jamais connu, est-ce que d'autres femmes t'ont déjà fait cela ?

Emmanuelle restait extérieurement impassible, mais, en réalité, son esprit était en proie à un désarroi qu'elle-même avait du mal à comprendre. Elle prit le parti de faire la sourde oreille. Cependant, Ariane insistait impérieuse et enjôleuse tout à la fois :

— Réponds ! N'as-tu encore jamais fait l'amour avec des femmes ?

Image du respect humain et du mauvais vouloir, Emmanuelle s'entêtait dans son silence. Ariane se rapprocha et ses lèvres bougèrent contre celles de son amie.

— Viens chez moi, souffla-t-elle. Tu veux bien ?

Mais Emmanuelle secoua négativement la tête.

Ariane garda un long moment le menton rebelle dans sa main, mais elle ne dit plus rien. Lorsque, finalement, elle s'écarta, rien, dans son regard enjoué et sa moue gamine, ne laissait deviner si elle avait été déçue par le refus d'Emmanuelle et si elle lui en voulait.

— Grimpe, dit-elle, après lui avoir chatouillé le bout du nez.

Emmanuelle se retourna et escalada les échelons. Ariane la suivit. Emmanuelle fit redescendre jusqu'à la taille son tricot, toujours mouillé.

— Oh, tu as laissé ton pull en bas ! remarqua-t-elle. (Et elle offrit aussitôt :) Veux-tu que j'aille le chercher ?

(Elle s'aperçut, après coup, qu'elle venait de tutoyer Ariane pour la première fois.)

Mais celle-ci eut un geste de dédain souverain :

— Laisse ! Ça n'en vaut pas la peine ; il est complètement fichu.

Elle jeta une serviette sur ses épaules, sans se préoccuper de la croiser sur sa poitrine. Elle balançait d'une main les raquettes et son sac de toile bariolée, comme toutes deux marchaient vers le garage. De l'autre, elle tenait la main d'Emmanuelle. Des groupes leur firent signe au passage, elle leur rendit gaiement leur salut, découvrant encore un peu plus la nudité de ses seins. Emmanuelle avait tout d'un coup l'impression que la terre entière les regardait. Elle ne se sentait plus que pudeur et alarme. Elle avait hâte de se séparer d'Ariane et était déterminée, une fois de plus, à ne pas la revoir.

Arrivées devant leurs voitures, Ariane lâcha la main de sa compagne et lui fit face, tandis qu'elle nouait enfin devant elle les pans de sa serviette. Elle la regardait avec une expression d'interrogation et d'attente, dont l'éloquence ironique n'avait pas besoin de paroles. De nouveau, Emmanuelle baissa la tête ; son embarras, le désordre de ses pensées n'étaient pas feints. Ariane n'insista pas le moins du monde. Elle se pencha et embrassa légèrement son amie sur la joue.

— À bientôt, mon cabri, dit-elle allègrement.

Elle sauta dans l'auto et démarra en faisant un geste d'adieu.

Lorsqu'elle fut partie, Emmanuelle regretta de n'avoir rien fait pour la retenir. Elle aurait voulu voir encore ses seins. Surtout, elle aurait voulu les sentir sur elle. Elle avait tout d'un coup envie d'être nue et qu'Ariane fût nue et étendue de tout son long sur elle, toutes les deux très nues, plus nues qu'elles ne l'avaient jamais été. Elle avait envie de ses seins contre ses seins et de son sexe contre son sexe. Et elle avait envie d'être caressée par des mains de femme, par des jambes, des lèvres, un corps de femme... Si Ariane était revenue à ce moment-là sur ses pas, ah! comme Emmanuelle se serait donnée à elle.

Christopher arriva ce même jour. Il était beaucoup plus beau que ses photos, avait l'allure et le rire ouvert d'un joueur de rugby anglo-saxon; ses cheveux blonds rudement peignés semblaient lutter contre une trombe d'air. Emmanuelle se sentit tout de suite en confiance, ainsi qu'auprès d'un très ancien ami. Faisant les honneurs de son jardin, elle passa un bras sous le bras de son mari, l'autre sous celui de Christopher. Elle disputait par avance à Jean la compagnie de l'arrivant :

— Tu ne vas pas faire travailler Christopher tout le temps! Je veux l'emmener sur les *khlongs,* lui montrer le marché aux voleurs...

— Mais c'est que je ne suis pas ici en vacances, se défendait Christopher, enchanté.

Le double plaisir de retrouver Jean et de le découvrir si bien marié donnait pour lui à ce dimanche les dehors les plus fastes. Il ne cachait pas l'admiration que lui inspirait Emmanuelle :

— Ce forban de Jean a vraiment trop de chance! s'écria-t-il en couvrant son hôtesse d'un regard d'enthousiasme. Il n'a rien fait pour mériter ça!

— Heureusement, plaisanta-t-elle. J'aurais horreur d'un mari méritant!

Ils veillèrent tard, joyeux et bruyants, ne se couchèrent que lorsque le sommeil triompha d'Emmanuelle, lui fermant les yeux dans le fauteuil où elle s'était lovée, sous la bougainvillée qui recouvrait la terrasse du rez-de-chaussée. Il ne pleuvait pas. Les crapauds-buffles s'étaient tus. Les étoiles avaient leur couleur de saison sèche. Le milieu d'août offre souvent de ces répits trompeurs.

Emmanuelle dort nue. Mais, pour déjeuner avec Jean sur le large balcon de leur chambre, elle revêt une des petites chemises de nuit très courtes dont elle a (en partie pour le plaisir de l'essayage) acquis un grand nombre avant son départ de Paris. Celle qu'elle porte ce matin est transparente et plissée, et la teinte en est presque identique à celle de sa peau. L'ourlet n'en descend pas plus bas que l'aine. Trois boutons la ferment à la taille. Le souffle le plus léger la soulève. Emmanuelle soudain se met à rire.

— Grands dieux! J'avais oublié que nous avions un invité. Je ferais mieux de mettre quelque chose d'un peu plus habillé.

Et elle s'apprête à se changer. Mais Jean intervient :

— Absolument pas, édicte-t-il. Tu es bien mieux comme cela.

Elle n'a pas d'objection, au fond, à se montrer dans cette tenue, habituée depuis longtemps à être vue nue par toutes sortes de gens. À cet égard, l'attitude de son mari prolonge celle de son enfance. L'idée qu'elle dût passer une robe de chambre pour paraître devant eux aurait été jugée absurde par ses parents autant que par elle-même. Elle a acheté des chemises de nuit après son mariage par coquetterie et non par pudeur.

Christopher, lui, est moins à l'aise que ses hôtes. Assis en face d'Emmanuelle, il ne peut détacher les yeux des seins que le soleil anime à travers le plissage : leurs pointes le trouent d'une tache de sang. Lorsqu'elle se lève et lui apporte des biscuits, des fruits, du miel, la brise matinale entrouvre jusqu'au nombril la lingerie ajourée et le triangle d'astrakan s'approche de lui, si près de son visage qu'il peut en respirer le parfum de muguet.

Il n'ose porter la tasse de thé à ses lèvres, de peur que ses mains ne tremblent. Il pense avec affolement : « Que deviendrai-je si je dois me lever ? Ou si quelqu'un vient retirer la nappe ? »

Emmanuelle, par bonheur, retourne dans sa chambre avant que les hommes n'aient achevé d'avaler leurs tartines. Christopher a ainsi le temps de se ressaisir.

Ils ne devaient être de retour qu'à l'heure du dîner. Emmanuelle n'eut pas envie de rester seule chez elle tout le jour. Elle prit sa voiture et partit vers le centre de la ville. Une heure durant, elle roula sans but précis, s'égarant souvent, s'arrêtant parfois pour entrer dans un magasin, ou se perdant dans la contemplation horrifiée d'un lépreux : assis sur le trottoir, il se déplaçait à reculons, prenant appui sur ses poignets rongés et traînant sur le sol souillé des moignons de cuisses. Emmanuelle fut si bouleversée par ce spectacle qu'elle ne pouvait remettre le moteur en marche. Elle restait là, paralysée, ayant oublié où elle voulait aller et les manœuvres qu'il fallait faire, avec ses pieds entiers, ses mains saines et fragiles. En même temps, sa conscience lui fait honte de son trouble :

« En ayant peur de cet homme, je l'exclus, reconnaissait-elle. Je me conduis aussi cruellement que les gens de mon pays qui, naguère, enfermaient les lépreux, les regardaient comme déjà morts, leur faisaient porter des insignes infamants. Les Siamois, eux, sont moins injustes : ils ne traitent pas un malade en coupable. Ils le soignent. Ils ne le fuient pas, ils ne le montrent pas du doigt. Ils ne font pas d'esclandre quand ils le rencontrent dans la rue. Ils lui donnent à manger et à boire. Ils le laissent aller là où il lui plaît de vivre le peu de jours qui lui restent. »

Mais ces reproches ne la secouraient pas. Elle distingua à ce moment, non loin, sortant d'une boutique chinoise, une silhouette qu'elle reconnut. Elle poussa un cri qui résonna comme un appel à l'aide :

— Bee !

La jeune fille se retourna et fit un geste de surprise joyeuse. Elle s'approcha de l'auto.

— Je vous cherchais, dit Emmanuelle.

En même temps, elle se rendit compte que c'était la vérité.

— Eh bien ! vous avez de la chance de m'avoir trouvée, plaisanta Bee. Parce que je ne viens pas souvent de ce côté-là.

« Bien sûr, elle ne me croit pas », pensa tristement Emmanuelle.

— Voulez-vous que nous déjeunions ensemble, toutes les deux ? proposa-t-elle d'une voix de prière si instante que Bee ne sut, pendant un moment, que répondre.

Ce fut Emmanuelle qui poursuivit :

— J'ai une idée ! Venez chez moi. Il y a plein de choses à manger. Et vous ne connaissez pas encore ma maison.

— Ne préféreriez-vous pas que je vous fasse essayer des curiosités locales ? offrit Bee. Il y a, tout près d'ici, un petit restaurant siamois très pittoresque. Je vous y invite.

— Non, non ! s'entêta Emmanuelle. Une autre fois. Maintenant que je vous ai, je veux vous emmener avec moi.

— Si vous voulez !

Bee ouvrit la portière et s'assit auprès d'elle.

Emmanuelle s'épanouit. Elle avait brusquement la sensation de s'être retrouvée, sûre de ses désirs, fière de ce qu'elle aimait, aussi incapable de simuler que d'attendre. Il s'en fallait de peu qu'elle ne criât sa joie à tue-tête, tandis qu'elle conduisait au mépris de toute prudence à travers la fourmilière de la ville. Elle riait aux éclats, sans prétexte. Elle semblait lancer des rayons. Un chant d'espérance chantait dans sa tête. Ô ma terre ferme ! Ô ma belle à l'appel ailé, ô toi ma belle, ma douce belle ! Ô ma terre à l'appel ailé, ô ma belle, ma douce belle ! Ma baie promise à l'appel ailé, ma belle, ô ma douce belle ! Belle, ma terre, ma baie, mon aile !

Elle tendait les bras avec une tendresse de naufragée, secouant ses lourds cheveux trempés de vagues, baisant avec des sanglots de bonheur le beau rivage de douce terre. Enfin, enfin ! Si douce était la terre où la vague la déposait, vêtue de ses cheveux mouillés, si douce à son torse altéré et à ses jambes nues, si accueillante à son corps livré. Tout était oublié de ce qu'elle avait appris et désappris depuis qu'elle avait chaviré d'un monde à l'autre, dans les sortilèges de la nuit d'août. L'aurore de toujours lui dorait les lèvres.

Bee la regardait avec admiration et un peu de perplexité.

L'élégance et le modernisme de la décoration plurent à la visiteuse. Elle fit l'éloge des arrangements de fleurs, talent japonais qu'Emmanuelle avait acquis à Paris ; des meubles de céramique ; des vasques de pierre translucide garnies de coraux et de coquillages de mer et du grand mobile forgé qui se dressait au milieu de la pièce, encombrant, provocant, cliquetant de tout son insolite feuillage de fer.

Elles déjeunèrent rapidement. Emmanuelle avait

perdu la parole. Son regard de jubilation ne quittait pas Bee.

Puis elles visitèrent le jardin, malgré le soleil brûlant. Emmanuelle guidait son amie par la main à travers les boutures et les plançons, pour lui faire pressentir ce que serait la beauté de son paysage quand ses arbustes auraient fleuri.

Elle cueillit une rose à longue tige et la tendit à Bee. Celle-ci entoura de ses doigts la corolle rouge et la posa contre sa joue. Emmanuelle approcha ses lèvres et donna un baiser à la rose.

Lorsqu'elles retournèrent à la maison, la sueur coulait de leur visage et de leur cou.

— Si nous prenions une douche ? suggéra Emmanuelle.

Bee reconnut que c'était une bonne idée.

Dès qu'elles furent dans sa chambre, Emmanuelle arracha ses vêtements avec autant de hâte que s'ils avaient été en feu. Bee ne commença de se déshabiller que lorsque Emmanuelle eut retiré la dernière pièce de son costume. Elle dit d'abord :

— Quel beau corps vous avez !

Puis, elle défit lentement son col. Lorsqu'elle entrouvrit son chemisier, qu'elle portait directement sur la peau, tout comme Emmanuelle, celle-ci ne put retenir une exclamation : le buste de Bee était pareil à celui d'un garçon.

— Vous voyez comme je suis plate, dit la jeune fille.

Elle n'en semblait nullement humiliée. Elle savourait la surprise d'Emmanuelle. Celle-ci inspectait les pointes roses, si petites et si pâles qu'elles en paraissaient impubères. Bee s'enquit, peu sérieusement :

— Est-ce que vous trouvez cela laid ?

— Oh, non ! Au contraire, c'est merveilleux ! s'écria Emmanuelle, avec un tel accent de ferveur que son interlocutrice y répondit par un sourire attendri.

— Vous auriez pourtant le droit de vous montrer difficile : vous avez de si admirables seins, remarqua-t-elle. Nous offrons un contraste étonnant, n'est-ce pas ?

Mais Emmanuelle était convertie et fanatique :

— Qu'y a-t-il de si intéressant à avoir de gros seins ? remontra-t-elle. On ne voit que ça sur les couvertures de magazines. Tandis que vous, c'est tellement différent des autres femmes. C'est si joli !

Sa voix s'assourdit un peu :

— Je n'ai jamais rien vu d'aussi excitant, vous savez. Je ne vous dis pas cela pour rire.

— J'avoue que, moi, ça m'amuse assez, dit Bee, qui faisait glisser sa jupe le long de ses jambes. Je n'aimerais sans doute pas avoir une poitrine trop petite ; mais, pas de poitrine du tout, ça a de l'humour, ne croyez-vous pas ? (Elle semblait tout à coup plus loquace. Emmanuelle ne se rappelait pas l'avoir entendue prononcer un aussi long discours.) Pendant longtemps, même, j'ai vécu dans la crainte de voir mes seins se mettre à pousser. J'aurais eu l'impression de perdre toute personnalité. Et je priais chaque soir : « Mon Dieu, faites que je n'aie jamais de vrais seins ! » J'ai été tellement sage que le bon Dieu m'a exaucée !

— Quelle chance ! s'écria Emmanuelle. Ç'aurait été terrible que vos seins grandissent. Je vous aime tellement comme ça !

Elle trouvait aussi les jambes de Bee étonnantes, si longues et de lignes si pures qu'elles semblaient sorties des cartons d'un dessinateur de mode, ne pas être tout à fait vraies. Les hanches étroites, la minceur flexible de la taille ajoutaient de leur côté à l'impression de finesse et de race. Mais ce qui frappa davantage encore Emmanuelle, ce fut,

lorsque Bee eut retiré son slip, l'extraordinaire protubérance du pubis rasé. Elle n'en avait jamais vu
dont le relief se détachât pareillement du plan du
ventre ni qui fût, autant que celui-là, gonflé de
sexualité femelle. Elle se disait qu'elle ne connaissait rien au monde de plus aristocratique et de plus
provocant. L'absence de poils dégageait l'entaille
du sexe, qui montait haut et se creusait, profonde et
nette, offerte sans équivoque au regard. Le contraste
de cette féminité fièrement exposée et du buste
d'éphèbe, allié au fait que le corps de Bee était uniformément hâlé (de sorte qu'on ne pouvait s'empêcher de se représenter qu'il avait été exposé tout
entier au soleil et que d'autres avaient pu contempler à leur aise cette nudité hermaphrodite), avait
l'éclat d'un défi. Et, en dépit de la grâce distante de
Bee, le gonflement lisse et fendu de son bas-ventre
était si sensuel, se jetait en avant avec un tel mouvement d'invite qu'Emmanuelle sentait son propre
sexe fouillé comme par une main. Il fallait, résolut-
elle, que Bee fût à elle sur-le-champ, que lui soit
ouvert ce sillon voluptueux, cette fente... Oh! cette
fente! Cette fente, dont la vue la faisait trembler.
Cette fente ourlée de corail vivant, cette beauté!
Cette partie la plus belle de tous les corps qu'a pu
inventer l'Univers. Ce chef-d'œuvre de ce que, sur
terre, la vie a sculpté. Rien, nulle part, ne doit être
davantage aimé!...

Elle ouvrit la bouche pour dire à Bee ce qu'elle
voulait, mais, au même moment, la jeune fille se
tourna vers la salle de bains :

— Et cette douche? rappela-t-elle.

L'artifice paraissait désormais superflu à Emmanuelle. Elle ordonna, pour couper court au mouvement de Bee :

— Venez sur le lit.

La visiteuse s'arrêta devant la porte, l'air hésitant, puis prit le parti de rire.

— Mais j'ai envie de me rafraîchir, pas de dormir, dit-elle.

Emmanuelle se demanda si Bee pensait vraiment que c'était une invitation à la sieste qu'elle avait reçue, ou si elle ne faisait que feindre l'innocence. Elle croisa son regard à celui de son amie nue et se désespéra de n'y trouver aucun sous-entendu.

Elle rejoignit Bee et ouvrit la porte :

— Alors, nous ferons l'amour sous la douche, dit-elle fermement.

4

CAVATINE, OU L'AMOUR DE BEE

> *Arrête-toi, instant : tu es si beau !*
>
> GOETHE, *Faust.*

> *Je laisserai le lit comme elle l'a laissé, défait et rompu, les draps mêlés, afin que la forme de son corps reste empreinte à côté du mien.*
>
> *Jusqu'à demain, je n'irai pas au bain, je ne porterai pas de vêtements et je ne peignerai pas mes cheveux de peur d'effacer ses caresses.*
>
> *Ce matin, je ne mangerai pas, ni ce soir, et, sur mes lèvres, je ne mettrai ni rouge ni poudre, afin que son baiser demeure.*
>
> *Je laisserai les volets clos et je n'ouvrirai pas la porte, de peur que le souvenir resté s'en aille avec le vent.*
>
> Pierre LOUŸS,
> *Les Chansons de Bilitis,*
> « Le passé qui survit ».

La salle de bains est équipée de plusieurs sortes de douches. L'une est fixée au plafond, une autre au mur, une troisième, plus petite, au bout d'un long tuyau annelé, que l'on peut tenir à la main et orienter à son gré. L'une près de l'autre sous les pluies croisées, les deux femmes poussent des cris frileux. Pour protéger ses cheveux, Emmanuelle les a relevés sur le sommet de la tête et cet édidice la fait paraître de la même taille que sa compagne.

Elle dit à Bee qu'elle va lui montrer à quoi sert la douche flexible. Elle prend le tuyau dans sa main droite, entoure de son bras gauche les hanches de son amie et lui ordonne d'entrouvrir les jambes.

Bee obéit. Emmanuelle dirige obliquement, de bas en haut, le jet tiède vers le sexe de son invitée, puis l'en approche peu à peu, tantôt lui imprimant des tremblements rythmés, savants, immodérés comme le sont ceux de ses doigts quand ils droguent son clitoris, tantôt un mouvement de spirale. Elle connaît à fond les règles de ce jeu. L'eau retombe en cascade entre les jambes de Bee. Emmanuelle relève les yeux :

— Est-ce bon ? interroge-t-elle.

Bee a l'air de trouver la question incongrue : elle hésite un moment, paraît vouloir en faire la remarque, se ravise, finalement se contente d'incliner affirmativement la tête. L'instant d'après, elle avoue pourtant :

— Oui, très bon.

Sans cesser de diriger la douche d'une main sûre, Emmanuelle penche le buste et prend une des petites pointes de seins dans sa bouche. Elle sent que Bee pose une main sur ses cheveux, est-ce pour la repousser ? est-ce pour la presser contre elle ? Emmanuelle serre entre ses lèvres le mamelon de poupée, le provoque du bout de sa langue, le suce. Il devient tout de suite dur, fait plus que doubler de grosseur. Elle se redresse, triomphante :

— Vous voyez...

Mais elle se tait : les traits de Bee ont perdu leur masque de sérénité. Les beaux yeux gris sont plus immenses encore, les lèvres ont augmenté d'épaisseur et d'éclat. Le visage presque enfantin, purifié, une Bee qu'Emmanuelle ne connaissait pas jusqu'alors, bouleversante d'intensité et de beauté, jouit sans un cri, sans un frisson, sans que le rythme de son corps trahisse la violence de son plaisir.

L'extase se prolonge si longtemps qu'Emmanuelle se demande si son amie est encore consciente de sa présence. Puis, peu à peu, l'expression merveilleuse s'efface et Emmanuelle est triste que cette volupté ne puisse durer toujours. Elle est si intimidée par la transfiguration dont elle a été témoin qu'elle n'ose parler. Bee lui sourit.

Emmanuelle passe les bras autour du cou de son amie et embrasse ses lèvres. Elle gémit de plaisir lorsque le corps de Bee se soude au sien : la fraîcheur ruisselante de leurs deux peaux est, à elle seule, une caresse. Elle l'enlace étroitement, frotte lentement son pubis contre le sien.

Bee devine quel plaisir cherche Emmanuelle ; elle cajole ses reins, appuie doucement sur ses fesses, l'ente sur son ventre. Dans sa bouche qui s'ouvre, une saveur singulière pénètre, juteuse et douce comme un fruit exotique. Elle sent le spasme qui monte dans le beau corps qu'elle tient contre elle. Elle l'aide de tout son pouvoir. Elle entend sur ses lèvres murmurer des mots qui ont le son de l'amour.

— Emmanuelle est intelligente, curieuse de tout et toujours de bonne humeur. Mais ce n'est pas pour cela que je l'ai épousée, dit Jean à Christopher, dans la jeep qui creuse deux ornières rouges.

La sueur poisse leur peau, la lourdeur de l'air leur

enflamme la gorge. Ils franchissent un petit pont : des garçons et des filles jouent dans l'eau, s'éclaboussant avec des rires criards.

— Regarde. N'est-ce pas de l'Orient de cinéma ?

Jean arrête le moteur. Ils descendent vers l'arroyo et se rafraîchissent le visage. Les enfants sautent d'enthousiasme, les montrant du doigt, piaillant en chœur :

— *Farang ! Farang !*

— Qu'est-ce qu'ils disent ? s'inquiète Christopher.

— Juste : « Européens ! Européens ! » Comme les gosses de chez nous crient : « Chinois ! Chinois ! »

Une fillette, dont les cheveux mouillés caressaient les épaules de longues langues noires, vint à eux. Elle avait ramassé à terre un sarong bleu vif, qui tranchait sur l'ambre de sa peau, et le nouait autour de sa taille, comme elle avançait.

— *Than yâk sü som-ô maï tja ?* questionna-t-elle, en adressant aux étrangers un sourire charmeur.

— Je ne sais pas ce qu'elle nous veut, confessa Jean.

La petite fille désigna d'un geste une corbeille d'énormes pamplemousses, posée à l'abri d'un arbre-à-pain.

— Ah ! je vois. Elle nous offre des pomélos. Ce ne serait pas une mauvaise idée.

Jean agita affirmativement le chef, articulant :

— *Ao ko daï !*

L'enfant courut vers le panier, revint avec un fruit plus gros que sa tête. Elle leva une main dont les cinq doigts étaient écartés :

— *Hâ baht.*

— D'accord, mignonne, dit Jean.

Il lui tendit un billet de cinq ticaux, qu'elle examina avec soin.

— Nos comptes sont bien en ordre ? demanda Jean.

— *Kha !*

Elle n'était nullement embarrassée par cette conversation bilingue. Christopher s'en étonna.

— Comprend-elle le français ?

— Pas même en songe. Mais cela n'interdit pas un brin de causette.

La petite souleva le fruit à la hauteur de son visage, avec une expression d'interrogation :

— *Pok haï maï tja ?*

Jean écarta les bras en signe d'incompréhension. La main libre de l'enfant décrivit autour de l'écorce grenue des orbes imaginaires, puis fit le geste de peler.

— Ah ! mais oui, pourquoi pas ? acquiesça Jean. Ce serait gentil de ta part, ça.

Elle retourna à son panier, y prit un tout petit couteau à lame de bronze courbe et effilée, puis s'assit, le pamplemousse posé sur sa jupe, que tendaient ses jambes croisées.

Les deux hommes s'installèrent sur l'herbe, vis-à-vis d'elle.

— Puisque tu n'as pas épousé Emmanuelle pour son esprit, comme tu dis, je suppose que c'est pour sa beauté ? relança Christopher. On le conçoit.

— Peut-être, mais cela n'aurait pas suffi à me séduire.

— Alors ? Qu'est-ce qui t'a conquis ? Ses talents ménagers ?

— Non, son génie charnel. Je ne connais personne au monde qui aime autant faire l'amour. Et qui le fasse aussi bien.

Christopher fut choqué. Ce genre de confidence lui paraissait de mauvais goût. Pourtant, il brûlait d'en entendre davantage.

— Tu as sûrement de la chance, dit-il, avec quel-

que effort. Mais ne cours-tu pas aussi des risques ?
Ce... comment l'appelles-tu ?... ce don qu'elle a —
d'autres peuvent le deviner... Être tentés... Chercher
à profiter d'elle. Vouloir te la prendre.

— On ne peut pas me prendre ce qui n'est pas à
moi, dit Jean, d'un ton d'évidence. Elle n'est pas
mon bien. Elle n'est pas ma beauté.

Le visage de Christopher refléta l'incompréhension. Jean ajouta :

— Je ne l'ai pas épousée pour la priver.

La fillette tendit des tranches de pamplemousse
sur ses paumes jointes. Jean en accepta une, après
un petit salut de la tête, et la dégusta avec un plaisir
manifeste.

— Tu ne manges pas ? demanda-t-il à Christopher. Celui-ci prit machinalement le fruit offert. Il
fixait la scène d'un air absent. Jean dit encore :

— Emmanuelle et moi sommes intéressés par le
monde. Et nous avons le goût d'en savoir plus.

Il rit, remarqua avec entrain :

— Il y a de quoi faire !

Il piqua une autre tranche des mains de l'enfant.
Conclut :

— Assez pour justifier le travail en équipe.

Christopher trouvait insuffisantes les réponses de
Jean. Il revint à la charge :

— Avant de mentionner ses qualités amoureuses,
tu as parlé de l'intelligence d'Emmanuelle. Pour toi
qu'est-ce que c'est, grosso modo, qu'être intelligent ?

Jean donna l'impression qu'il rassemblait de bric
et de broc les éléments d'une réponse improvisée :

— Eh bien, mettons que ce soit : chercher autre
chose que ce que d'autres ont déjà trouvé. Et
encore : savoir, au bon moment, se rebiffer contre
les arguments d'autorité. Résister à la pensée prêt-à-
porter. Ne pas trop s'enticher des modèles et des

modes. L'intelligence, c'est ce qui nous fait fuir les slogans, les mots d'ordre, les interdits, les étendards, les processions, les croisades. C'est ce qui nous conseille de ménager nos applaudissements, nos huées.

— Ouais... Bien empirique, tout ça! Dis-moi plutôt comment on repère scientifiquement une femme intelligente. La tienne, par exemple.

— Elle ne voit pas que ce que je vois. Elle ne croit pas tout ce que je crois.

Christopher émit un grognement peu aimable, où Jean distingua :

— Laissons tomber! Tu fais du féminisme, quand je te demande d'être objectif.

Il savait que le mot féminisme tapait sur les nerfs de Jean. Celui-ci, pour une fois, expliqua pourquoi :

— L'inégalité des hommes et des femmes — que je connais par ouï-dire — n'est pas le vrai problème. La guerre des sexes n'est qu'un aspect partiel, local, épisodique, d'un conflit qui vient de plus loin et est à l'origine de plus de souffrances que la répartition des corvées de vaisselle dans les ménages. Un conflit plus que jamais d'actualité et qui restera sans doute brûlant jusqu'à ce que les lois de la thermodynamique se fatiguent de notre engeance.

— Bon, alors passe tout de suite au vrai problème, écourta Christopher.

— C'est celui que pose la division des bipèdes en deux mondes, aussi distants et incompatibles qu'un chiffre d'affaires est éloigné de la théorie des nombres ordinaux transfinis. Il y a, d'un côté, le monde de l'autorité; de l'autre, les hommes et les femmes de découverte. Dans le monde de l'autorité, on emploie son ancienneté et sa force à imposer des idées reçues et à maintenir inchangé un ordre moral préétabli. Préétabli on ne sait par qui : ce qui permet au pédantisme dominant de prétendre qu'il s'agit d'un ordre éternel. Les pontifes ont repris à leur compte le rôle des dieux.

— Les dieux, dit Christopher, étaient une minorité condamnée. Leurs substituts modernes, idem. Leur quantité est négligeable, face au nombre des incroyants. Epsilon opposé à ensemble infini.

— Erreur ! se récria Jean. Car la piétaille soumise aux maîtres à penser forme un ensemble plus grand que celui de tous les résistants imaginables. Formidable est la masse de ceux qui adorent obéir, qui raffolent de marcher en rangs, qui ne demandent et redemandent qu'à se conformer, imiter, conserver. Si, au moins, ces suiveurs en chantant n'étaient pas si lugubres ! Mais la différence et l'indépendance des autres leur donnent le cafard. La puissance des chefs repose sur la tristesse des disciplinés. Les crédules sont devenus tristes à force d'entendre dire que tout allait mieux autrefois qu'aujourd'hui. Peux-tu m'expliquer pourquoi ces milliards de pleurnicheurs préfèrent croire ça qu'y aller voir ?

Christopher mordit distraitement dans la dernière tranche de fruit, ce qui ne l'empêcha pas de parler clair :

— Je ne m'attendris pas sur les malheurs de ceux qui ne veulent pas savoir. Personne n'est obligé de mourir plus con qu'il est né.

— Oh, si ! soupira Jean. Mais ne faisons pas de politique à la campagne. Et ne te tape pas tout le pomélo.

Christopher avala sa bouchée avant de revenir au sujet :

— Emmanuelle appartient donc à la catégorie des femmes qui aiment à comprendre ? Autrement dit, elle est comme toi et moi. Rien de bien spécial.

— Rien du tout, en effet, ricana Jean, qui parut

subitement tenté de monter sur ses grands chevaux. Si ce n'est que, comme toi et moi, elle ne s'imagine pas que la connaissance lui est venue, ou lui viendra, d'un autre monde. Elle n'attend pas, non plus, que cette connaissance lui soit distribuée, comme une soupe populaire, par des ecclésiastiques, des propagandistes ou des militaires. Elle est — à la différence de toi et moi qui regrettons le bon vieux temps où nous manquions nous faire buter ensemble — peu portée sur la nostalgie. Elle a tendance à penser qu'elle n'est pas forcément plus immorale que ses arrière-vieux, médaillés de la guerre du feu. Et elle se dit qu'en tout cas elle est probablement plus heureuse. Mais surtout elle ne doute pas d'être beaucoup moins bien sous tous les rapports que les femmes et les hommes qui viendront après elle. Du moins fera-t-elle son possible pour apprendre quelque chose des enfants qu'elle aura peut-être. Y compris l'amour.

Jean reprit son souffle et son ton moqueur pour assurer :

— Un sujet dont elle connaît déjà, pourtant, un sacré bout !

Christopher continuait à se montrer bizarrement nerveux.

— J'ai l'impression, bougonna-t-il, que si tu t'étais trouvé à la place d'Adam tu ne te serais pas mieux conduit que lui.

— J'aurais été du côté d'Ève, dit Jean. Une femme qui aime les fruits défendus et déteste les gardiens de jardins publics ne peut pas être entièrement mauvaise.

Les enfants s'étaient accroupis en cercle et les dévisageaient en silence, se poussant de temps en temps du coude, avant de partir d'un fou rire qui leur tirait des larmes.

— Ils ont l'air de se foutre de nous, constata Christopher.

La pulpe sucrée rafraîchissait sa langue, mais sa gorge restait serrée. Il enrageait secrètement d'avoir été trop timide. « Quel crétin je fais ! Je n'ai pas interrogé Jean sur la seule chose qui m'importe. Je me tamponne complètement de ce qu'Emmanuelle pense d'intelligent et de philosophique : tout ce que je veux savoir, c'est comment elle fait l'amour. Ce salaud de Jean ne m'a mis l'eau à la bouche que pour mieux me laisser sur ma soif. C'était à moi de le forcer à me donner des détails : de quelle façon Emmanuelle le fait jouir ; comment elle jouit. Au lieu de m'allécher pompeusement par les beautés d'esprit de sa femme, qu'il me dise donc quel goût a sa chatte ! Qu'il me décrive la manière dont elle se sert de ses doigts, de ses seins, pour branler une queue. Comment se branle-t-elle elle-même ? Le fait-elle devant lui ? Devant d'autres ? Souvent ? Que cet abruti me parle donc, bon Dieu ! de l'anus de sa femme ! De sa langue. Le suce-t-elle ? Avec ses lèvres, avec sa gorge ? Boit-elle beaucoup de son sperme ? Combien de fois par semaine ? Combien de fois par jour ? En aime-t-elle le goût ? Lui a-t-il demandé si tous les spermes ont un goût différent ? Celui de qui, jusqu'à présent, a-t-elle préféré ? Il devrait lui proposer de goûter le mien. Lui permettre de me branler. Et de me sucer. Il sait bien que je n'en profiterais pas pour chercher à baiser sa femme. En tout cas, pas dans le vagin. Ou alors, pas complètement. Je ne ferais qu'entrouvrir sa vulve. Je n'y entrerais que très peu. J'y mettrais seulement le gland. Je ne m'enfoncerais pas à l'intérieur. Pas tout de suite. Pas plus profond que je ne le ferais dans sa bouche. Je ne progresserais au-dedans que par très petits coups. Jusqu'à la moitié de ma queue. Pas plus qu'aux deux tiers. Ou à peine plus. Comme lorsque je l'enculerai. Je l'enculerai le même jour où je la baiserai. De toute façon, si j'enfile jusqu'au bout ma queue dans sa chatte, quand je l'aurai fait jouir, je me retirerai à temps. Je veillerai à ne pas éjaculer au fond de son sexe. Au fait, pourquoi. non ? Qu'Emmanuelle ait un enfant de Jean ou de moi, quelle différence ? D'ailleurs, si lui et moi lui faisons l'amour tous les jours, elle sera tôt ou tard enceinte sans qu'aucun de nous trois puisse jurer de qui. Est-ce important ? Pour elle, évidemment pas. Pour Jean, encore moins. En somme, ce n'est important que pour moi. J'aimerais qu'elle soit enceinte de mon sperme. Jusqu'à ce que nous soyons sûrs qu'elle l'est, Jean peut très bien ne jouir que dans la bouche de sa femme. Moi, dans son utérus, matin et soir. Je vais le faire aujourd'hui même, tout à l'heure, dès notre retour. »

Les images de plus en plus affermies qu'il évoquait s'imposaient avec tant d'urgente douceur qu'il ne tentait plus du tout, ni mentalement ni physiquement, de lutter contre elles. Il n'avait gardé aucun de ses anciens scrupules de conscience, plus la moindre crainte de dépérir de remords. Au contraire, il se félicitait : « C'est bon, se disait-il, de penser de cette façon-là à la femme de mon ami. » Ce n'aurait pas été aussi bon pour lui, il le savait, de s'imaginer devenant l'amant d'une autre femme.

Il s'émouvait également pour Jean. Jean serait content que Christopher fasse l'amour avec Emmanuelle, le fasse même plus souvent que lui, plus audacieusement que lui. « Je parierais qu'il ne la sodomise pas », se persuadait-il. Lui, qui ne l'avait fait que fort rarement avec d'autres, le ferait beaucoup avec elle. Jean veillerait à ce que sa femme donne à son ami le plus de plaisir possible et prenne énormément de plaisir avec lui. Et il serait fier d'annoncer partout que Christopher jouissait de la beauté, de la sensualité et de l'amour d'Emmanuelle, à s'en faire éclater la tête et le sexe.

Christopher ne doutait pas que cette harmonie admirable allait porter à la perfection des relations jusqu'alors incomplètes. Leur camaraderie, à y bien songer, s'était construite dans la pagaille. Tout allait désormais entrer dans l'ordre, l'ordre absolu et superbe de l'amitié.

« Ce serait un drôle d'ami, vraiment, celui qui ne partagerait pas sa femme avec son ami ! » jugeait-il, enivré de logique. « Et un drôle de futur père, celui qui ne voudrait pas que ses enfants soient engendrés dans le corps de sa femme par le corps de son ami ! » Ce Jean, quel type épatant c'était ! Quelle chance ils avaient, tous deux, de s'être rencontrés ! Si Christopher éprouvait maintenant un désir si affolant de faire l'amour avec Emmanuelle, n'était-ce pas (en venait-il sincèrement à se demander) par amour pour Jean au moins autant que par goût pour elle ?

Et pourtant, il entendit à peine Jean suggérer qu'on achetât un pomélo de plus. Puis parler d'écluses et de kilowatts. La petite Siamoise s'appliquait, pointant sa langue rouge entre ses dents, à écorcer artistiquement un second fruit. Lui la regardait en aveugle. Elle et Jean avaient perdu toute consistance physique, toute présence, toute identité devant ses yeux. Il n'y avait pour lui de visible, sur ce talus torride, que les seins ronds d'Emmanuelle, ses fesses nerveuses, la nudité tentatrice de son ventre. Il ne sentait plus que sa queue qui bandait.

Jean sauta sur ses pieds, annonçant que le temps était venu pour eux de se remettre en route. Alors seulement, il s'aperçut de l'émotion de Christopher, spectaculaire sous le mince short de coutil blanc. Il arrondit les lèvres de surprise, éclata de rire :

— Eh bien ! jubila-t-il, je ne te connaissais pas ces inclinations. Je ne te présenterai plus aux petites filles.

Il prit à témoin, goguenard, leur hôtesse, qui, elle, ne paraissait pas se formaliser de la situation le moins du monde.

— Écoute ! continua Jean, attends qu'elles soient un peu moins vertes. Celle-ci n'a même pas huit ans !

Emmanuelle savonne le corps de son invitée. Elle sait si bien s'y prendre, glissant sa main entre les jambes de Bee, que celle-ci doit se défendre :

— Non, non, pas tout le temps, Emmanuelle ! C'est trop fatigant. Laissez-moi reprendre des forces.

Son amie lui permet de se rincer et de se sécher. Elle la cajole :

— Venez dans mon lit !

Bee se tait et Emmanuelle, tout de suite, s'affole. Alors, la belle jeune fille l'embrasse sur les paupières.

— Allons dans votre chambre, dit-elle.

Emmanuelle la renverse en travers du grand lit, s'étend sur elle, lui couvre de baisers le front, les pommettes, le cou, lui mordille le lobe des oreilles, la poitrine. Elle se laisse glisser sur le tapis, s'agenouille, enfonce son visage dans le ventre nu.

— Oh ! gémit-elle, comme c'est doux !

Elle frotte ses joues, l'une après l'autre, son nez, ses lèvres, contre la saillie élastique du pubis.

— Chérie ! Chérie !

Bee ne bouge pas, reste silencieuse. Emmanuelle s'inquiète :

— Êtes-vous bien, comme cela ?

— Oui.

— Vous voulez bien, n'est-ce pas, vous voulez bien être mon amante ?

— Mais, Emmanuelle...

Elle s'interrompt, caresse les cheveux dénoués, attend.

Emmanuelle écarte les longues jambes de Bee, frôle l'ouverture qui les sépare. Bee soupire, laisse retomber ses bras le long de son corps, ferme les yeux. Emmanuelle touche de la pointe de sa langue la coupure, étroite et nette comme un sexe de vierge. Elle humecte sur toute leur longueur les bords de la vulve, en lèche l'intérieur, puis cherche le clitoris, l'aspire, le stimule de vibrations, l'adoucit de salive, le fait aller et venir entre ses lèvres comme un phallus minuscule. Elle-même glisse dans son vagin son médius replié. De sa main libre, elle pénètre le sexe de son amie. Ses doigts sont tout humides. Elle les fait courir entre les fesses. Celles-ci se soulèvent pour qu'Emmanuelle puisse forcer plus facilement l'orifice le plus étroit. Alors seulement, Bee crie. Elle continue de crier tout le temps qu'Emmanuelle la lèche, la suce et fait aller sa main de l'une à l'autre des ouvertures de son corps. Emmanuelle doit s'avouer fatiguée la première. Elle se couche de nouveau sur le corps de sa maîtresse. Ni l'une ni l'autre ne semblent avoir la force de parler.

Plus tard, lorsque Bee, malgré les prières de son amante, s'est déjà rhabillée, Emmanuelle lui entoure le cou de ses bras.

— Je veux que vous me disiez quelque chose. Mais jurez-moi que ce sera la vérité !

Bee se contente de sourire affirmativement.

Emmanuelle dit :

— Je t'aime.

Bee cherche au fond des yeux dorés ce qu'elle doit répondre, quelle sorte de vérité est attendue d'elle. Mais, déjà, l'expression grave, presque pathétique d'Emmanuelle, a fait place à une moue câline.

— Es-tu sûre que je te plaise ? Je veux dire, non, attends, écoute-moi d'abord, est-ce que je te plais autant, ou plus, qu'aucune de tes autres amies ? Est-ce que je t'ai fait autant plaisir ?

Cette fois-ci, Bee rit franchement. Emmanuelle est fâchée.

— Pourquoi vous moquez-vous de moi ? se plaint-elle.

— Écoutez, petite Emmanuelle, murmure Bee, et elle s'approche tout près des lèvres de sa compagne. Apprenez un grand secret. Je n'avais pas encore fait ce que nous avons fait aujourd'hui.

— La douche, le...

— Tout ! Je n'avais jamais fait l'amour, comme vous dites, avec une autre femme.

— Oh ! proteste Emmanuelle. (Elle plisse le front.) Je ne vous crois pas !

— Il faut me croire, puisque c'est vrai. Et je vais encore vous avouer autre chose. Jusqu'à cet après-midi, jusqu'à ce que je vous connaisse, je trouvais même cela un peu ridicule.

— Mais... balbutie Emmanuelle, interdite. Voulez-vous dire que vous n'aimiez pas le faire ?

— Je n'avais jamais essayé.

— C'est impossible, s'écrie Emmanuelle, avec un tel accent que Bee éclate de rire.

— Pourquoi ? T'ai-je donc paru si experte ?

demande, à voix basse, Bee, sur un ton de complicité presque gouailleuse qui est tout nouveau sur ses
lèvres et déconcerte Emmanuelle.

Elle relève aussi que Bee l'a tutoyée.

— Vous... tu n'avais pas l'air étonnée.

— Je ne l'étais pas. Parce que c'était vous.

— Ah? dit Emmanuelle.

Elle réfléchit. Puis elle interroge, comme si elle
sortait d'un rêve, comme si elle avait tout oublié de
la conversation précédente :

— Ne m'aimez-vous pas, Bee?

Celle-ci la regarde sans sourire.

— Je vous aime bien, oui.

Emmanuelle pose encore une question, moins
parce qu'elle y attache d'importance que pour
rompre le silence :

— Et... est-ce que l'expérience vous a plu?
Est-ce que vous êtes contente?

Bee a un air de résolution soudaine.

— Cette fois, dit-elle, c'est moi qui vais te caresser.

Emmanuelle n'a pas le temps de répondre. Bee,
fermement, l'a prise par la taille et l'a forcée à se
coucher. Elle lui embrasse le sexe comme elle le
ferait d'une bouche. Elle penche la tête de côté,
pour que ses propres lèvres soient parallèles à ces
autres lèvres. Elle avance la langue, la glissant dans
le sillon docile, aussi loin qu'elle le peut. D'un seul
élan, Emmanuelle se sent submergée, à la fois,
d'amour et de volupté. Surprise par la soudaineté de
cet orgasme, Bee a d'abord un mouvement de recul.
Mais lorsqu'elle voit qu'Emmanuelle continue
d'être secouée de frissons, elle applique de nouveau
sa bouche et lèche minutieusement le suc qui coule
de son amoureuse. Lorsqu'elle se redresse, elle dit
en riant :

— Jamais je n'aurais pensé que je puisse un jour

aimer boire à cette source-là ! Eh bien ! tu vois, maintenant, j'aime.

La sonnerie du téléphone interrompt cette confession. C'est Marie-Anne qui annonce sa visite. En temps ordinaire, Emmanuelle serait ravie ; à ce moment-ci, cette nouvelle la consterne. Il faut toute la bonne humeur de Bee pour la dérider. Elles ne se soucient pas plus l'une que l'autre d'affronter en commun Marie-Anne. Elles conviennent donc de se revoir le lendemain. Bee viendra retrouver Emmanuelle dès le matin. Le chauffeur la reconduit.

Emmanuelle attendit la visiteuse sans prendre la peine de passer un vêtement. L'étonnant était qu'elle n'avait cependant pas, en ce moment, la moindre arrière-pensée de corrompre sa petite amie.

Elle était trop incapable de déguiser ses émotions pour que la perspicacité de Marie-Anne ne fût pas mise aussitôt en éveil.

— Qu'est-ce qui t'arrive ? demanda-t-elle. Tu as un air de fille qu'on vient de demander en mariage.

Emmanuelle essaya d'éluder les aveux, mais ne tint pas longtemps.

— J'ai une grande nouvelle et qui va t'intéresser, finit-elle par annoncer. Prépare-toi à béer d'émerveillement.

— Tu es enceinte ?

— Ne sois pas trop bête. Essaye plutôt de deviner.

— Non. Toi, parle. Qu'est-ce que tu mijotes ?

— Rien du tout. Ce que j'ai à t'apprendre, c'est que j'ai fait l'amour avec Bee.

Emmanuelle avait lâché sa confidence, sans être du tout rassurée sur l'effet qu'elle allait produire.

Elle ne prévoyait cependant pas que la réaction de Marie-Anne serait aussi décourageante :

— Est-ce là tout ce que tu avais à me dire ? questionna la jeune fille, d'un ton blasé. Ça ne méritait pas tout ce préambule. Qu'est-ce que ça a d'extraordinaire ?

— Mais, enfin... fit Emmanuelle, décontenancée. Elle est fascinante, Bee ! Ne la trouverais-tu pas toimême à ton goût, par hasard ?

Marie-Anne haussa les épaules.

— Ce que tu peux être godiche, ma pauvre Emmanuelle. Je ne vois vraiment pas quelle gloire il y a à coucher avec une fille. Tu annonces ça comme un coup de maître : tu me fais rire !

Emmanuelle était vexée. En outre, c'est tout juste si elle ne commençait pas à se sentir coupable. Mais de quoi ? Elle essaya d'y voir plus clair.

— Je me demande quelle mouche te pique. Qu'as-tu contre le fait que Bee et moi fassions l'amour ?

La sentence de Marie-Anne rendit un son définitif.

— On ne fait pas l'amour avec une femme, ditelle.

— Ah ? fit Emmanuelle.

— L'amour, cela se fait avec un homme.

Elle ajouta, sur un ton d'autorité lassée :

— Si tu ne le sais pas encore, je t'ai déjà dit que je connais quelqu'un qui est capable de te l'apprendre. Comme les discours n'ont pas l'air de te faire de l'effet, le mieux est que je te mette entre les mains de Mario sans tarder.

Elle eut l'air de consulter un calendrier.

— Nous sommes aujourd'hui le 16. Tu es invitée à l'ambassade le 18, je suppose ? Bon. Je profiterai de cette réception pour te présenter à lui. Si vous ne vous arrangez pas pour faire l'amour le soir même, il faudra que ce soit le lendemain.

Elle n'en pouvait plus d'attendre. Elle s'était agenouillée sur un fauteuil de rotin et se tenait accoudée au balcon de sa chambre, le menton au creux des mains, scrutant l'espace de rue que laissait apercevoir la frondaison du jardin. L'anxiété faisait trembler ses lèvres. Bee viendrait-elle ? Peut-être allait-elle trouver une excuse pour ne pas voir Emmanuelle : celle-ci redoutait que la sonnerie du téléphone retentît.

Ce fut elle, pourtant, qui prit l'initiative d'appeler, lorsque les heures eurent passé et que son impatience fut devenue trop douloureuse. Il était près de midi. Une voix d'homme répondit au numéro qu'avait donné Bee. Sans doute était-ce un serviteur. À ce moment seulement, Emmanuelle réalisa qu'elle ne savait comment s'informer, non seulement par ignorance des langues, mais parce qu'elle ne connaissait pas le véritable nom de son amie. Pouvait-elle la désigner sous un sobriquet à un domestique ? Elle s'y risqua, cependant, mais ne sut pas si elle avait été comprise. Elle renonça.

Si Bee n'avait pas répondu elle-même, cela pouvait vouloir dire qu'elle était en route ? Alors, elle allait arriver d'un moment à l'autre. Emmanuelle reprit sa faction. Et si Bee avait eu un accident ? Une autre idée vint à Emmanuelle : peut-être Bee ne retrouvait-elle pas la maison et errait-elle à sa recherche, depuis des heures, à travers le labyrinthe des quartiers résidentiels ? Toutes les rues se ressemblaient, les noms en étaient imprononçables, rédigés, de surcroît, en caractères siamois : rien d'étonnant à ce que Bee se fût perdue.

Tout de même, objectait une voix plus forte que l'espérance d'Emmanuelle, depuis un an que Bee habitait Bangkok, elle avait dû apprendre à en connaître le dédale : ne commençait-elle pas, elle-même, après seulement deux semaines, à passablement bien s'y repérer ? Il n'était pas vraisemblable que Bee puisse s'y égarer pour de bon. Tout au plus risquerait-elle de prendre quelque retard. Et il y avait plus de deux heures déjà qu'elle aurait dû être là. Qui l'empêchait, si elle avait oublié où habitait Emmanuelle, de téléphoner à celle-ci pour la prévenir, lui demander de partir à sa recherche ?

Au fait, pourquoi Emmanuelle n'allait-elle pas chez Bee ? Elle s'aperçut, à ce moment, qu'elle avait omis de demander son adresse à la jeune fille. Sœur de l'attaché naval américain, avait dit Marie-Anne. C'était un peu vague. De toute manière, Emmanuelle n'allait pas appeler l'ambassade des États-Unis pour se renseigner.

Et pourquoi pas, après tout ? Mais, une fois de plus, quel nom demander ? Il pouvait y avoir plusieurs attachés navals. Et en quelle langue s'informerait-elle ?

Le chauffeur, qui avait, hier, raccompagné Bee chez elle !... Emmanuelle, tremblant de nervosité, le fit appeler. On ne le trouva nulle part. Sans doute était-il allé déjeuner. Ou jouer aux dés.

Qu'elle était bête ! Comment n'y avait-elle pas pensé plus tôt ? Elle n'avait qu'à téléphoner à Marie-Anne. Mais, à peine Emmanuelle en a-t-elle conçu l'idée, qu'elle recule : va-t-elle laisser deviner à la petite fille, déjà trop prompte à ironiser, que Bee n'est pas exacte au rendez-vous, que peut-être l'amoureuse ferveur d'Emmanuelle n'est pas payée de retour et que déjà inconstante est la tendre maîtresse de la veille ?

Emmanuelle est sûre, maintenant, que Bee ne

viendra plus. Elle ne viendra pas plus tard dans l'après-midi, ni demain. Elle a cédé hier à un enchantement plus fort qu'elle, mais, hors de la présence d'Emmanuelle, elle s'est reprise, elle ne l'aime pas, elle n'aime pas les femmes, ce jeu lui semble absurde et l'ennuie, elle s'est jugée, après coup, pour employer ses propres mots, « ridicule ». Ou bien elle a honte de s'être laissé entraîner aux plaisirs de la chair. Sans doute a-t-elle des croyances religieuses, une conception de la morale qui la fait se repentir aujourd'hui de la luxure à laquelle elle s'est livrée. Après tout, Emmanuelle ne sait rien d'elle : elle vit seule, probablement sans amant, puisqu'elle habite chez son frère ; et sans amante, ce n'est que trop certain.

À moins que... L'hypothèse inverse prend son tour dans l'esprit d'Emmanuelle : Bee n'a-t-elle pas, en réalité, une autre maîtresse ? Peut-être a-t-elle menti, hier ? Mais non, cela, décidément, Emmanuelle n'y peut croire... Un amant, alors, à qui elle aura avoué sa « faute », et qui est jaloux, lui a fait une scène, a exigé d'elle qu'elle renonce à rejoindre sa complice ? C'est cela ! Désormais Emmanuelle en est convaincue.

L'instant d'après, elle sent que cette conviction s'effrite à son tour et elle en revient à sa présomption précédente, qui lui paraît plus naturelle — et qui lui plaît mieux : Bee est bel et bien retenue par une femme.

Maintenant qu'Emmanuelle a éclairci le mystère, elle n'a plus de raisons, reconnaît-elle, de s'inquiéter : quelle meilleure excuse peut-elle trouver à l'absente que la supposer occupée à faire l'amour avec une fille extraordinaire ? Si une bonne fortune de cette sorte s'était présentée à elle, Emmanuelle aurait-elle hésité le moins du monde à risquer un retard à son rendez-vous ? Opportunément excitée par cette évocation, plus encore que mue par une indulgence sans conditions à l'égard de Bee, elle se prépare déjà à accueillir tendrement la volage et à partager les découvertes que son escapade a rendues possibles : « Sans que j'aie besoin de rien lui demander, ma belle, ma douce belle me racontera tout ! »

À brûle-pourpoint, une idée plus précise lui vient : déconcertante, et pourtant si logique qu'Emmanuelle s'esclaffe de ne pas l'avoir eue plus tôt. « Ça y est ! Je sais avec qui elle est ! Eh bien ! Ces deux malignes m'auront joliment fait marcher, avec leur blabla archihétéro ! » Son visage s'illumine d'une tendresse sans limite, tandis qu'elle murmure, comme si elle parlait à l'oreille de la fugitive : « Mais oui ! C'est dans les bras de ma Marie-Anne que tu te trouves à présent, ma princesse des Amazones ! »

Du coup, elle se sent de plus en plus compréhensive. Puisqu'elle les aime, tout est permis à Bee et à Marie-Anne, même de la faire languir aussi perversement. Mais, ce qui surtout la soulage et l'enchante, c'est de pouvoir enfin se dire que le dédain des amours féminines affiché par l'une et l'autre n'était qu'une blague. « Que sont-elles en train de faire ensemble, aujourd'hui ? » Peut-être ont-elles commencé par reconstituer la scène de la douche — ne serait-ce que pour le plaisir de parler d'Emmanuelle ? « Et profiter de mes leçons ! » Si avancée que soit la science de ces clandestines, il leur reste certainement encore quelques autres petites choses à apprendre... Une fierté d'écolière qui en sait plus que la maîtresse fait saillir les lèvres que, peu de temps plus tôt, mordaient des dents anxieuses. Les yeux que la déception avait assombris luisent de reflets dorés, tandis qu'ils voient se dérouler devant eux les féeries dont, après cette

douche idéale, Marie-Anne et Bee sont les ordonna-
trices.

« Le plus merveilleux », exulte la spectatrice,
« c'est qu'à treize ans Marie-Anne ait plus de seins
que Bee à vingt-trois ! Je suis sûre qu'en ce moment
elle fait pénétrer un de ses seins dans la fente de
Bee. Il est tellement ferme et pointu qu'il s'y introduit aussi profond qu'une langue. Les miens sont
trop ronds : ils ne pourraient pas aller assez loin. Et
je jouirais, c'est certain, la première. Ce ne serait
pas juste. Tout de même, je m'y essaierai peut-être
avec Bee, quand elle arrivera ici, tout à l'heure. Elle
pourra comparer les sensations que je lui donnerai
avec celles qu'elle a avec Marie-Anne. »

La vision d'Emmanuelle s'enrichit de réminis-
cences : « Les bouts de seins de Marie-Anne
deviennent grenat quand elle se masturbe. Des grenats chauds dans la fente fraîche de Bee. »

Un souci de composition du tableau lui fait fron-
cer les sourcils. « La main avec laquelle Marie-
Anne ne caresse pas son clitoris, qu'en fait-elle ?
Presse-t-elle les plus petits grenats de Bee ? Non, je
devine ! Cette main libre, elle la garde dans sa
bouche. Elle la suce. Juste avant, elle l'a plongée
dans le sexe de Bee et elle l'en a retirée si bien
enduite de mucus qu'elle a de quoi s'en pourlécher
pendant une heure. Son autre main aussi, d'ailleurs,
elle l'a d'abord fait entrer, doigt après doigt, à
l'intérieur de Bee, pour pouvoir maintenant mouiller
son clitoris avec les sucs de son amante. Ainsi,
j'aurais dû m'en douter, ses deux mains sont
occupées sur elle-même. Si elle n'avait pas de seins
pour faire jouir Bee, elle aurait été obligée de
m'appeler à la rescousse. »

Que les deux filles n'aient pas songé à l'inviter à
se joindre à elle gâte un peu le plaisir qu'a Emmanuelle à se les figurer embrassées. Elle combat bra-

vement cette tentation de regret, par un redoublement d'invention conforme à l'axiome qu'elle a
forgé : « Seuls ceux qui sont capables d'imagination
savent aimer de façon heureuse. » Heureuse pour
elle, assurément, mais tout autant pour celui ou celle
qu'elle aime.

Dans la fusion à trois qu'elle évoque, de bonheur
ne naît-il pas de l'interchangeabilité des gestes des
amantes autant que de l'équivalence extatique des
sites de l'amour ? « Puisque le sexe de Bee est pris,
je lécherai sa bouche comme si c'était son sexe.
J'explorerai sa gorge avec ma langue comme si
c'était le fond croquant de son vagin. Je boirai la
salive de sa bouche comme j'ai bu celle de son
sexe. »

Emmanuelle entend les battements irréguliers de
son cœur. Leur rythme s'accélère. Elle lâche la rambarde à laquelle elle s'appuyait. Ses deux mains
glissent côte à côte le long de son ventre. Le soupir
qui lui échappe n'est plus celui d'énervement des
heures précédentes.

Mais les étreintes qu'elle rêve maintenant ne distinguent plus avec une absolue certitude le corps de
Marie-Anne de celui de Bee. « Je respirerai ton
haleine et humerai tes joues, ma beauté ! J'étoufferai
mes cris dans tes tresses aux couleurs de cavale et
mes bras se retiendront à ton cou. J'enfoncerai mes
narines dans l'odeur de ton ventre. Je mangerai la
chair de ton pubis nu. Je mordrai dans le sel de tes
poils et dans le sucre de ta nuque. Je presserai tes
fesses dans ma bouche. Je les ferai fondre sous mon
palais. Leur saveur de pêche coulera entre mes dents
entrouvertes. Je laperai les gouttelettes qui sourdent
de tes reins cambrés. Je frôlerai ton dos de mes
ongles et serrerai tes hanches entre mes poignets. Je
te chevaucherai. J'embrasserai tes jambes avec le
dedans de mes jambes. Je me frotterai à tes cuisses.

Ah! je frotterai si bien, si longtemps, l'un après l'autre, tous mes suçoirs aux muscles qui se tendent et m'attendent sous ta peau d'enfant que je te viderai de toi et t'emplirai de moi, jusqu'à ce que je ne comprenne plus qui je désire aimer et qui je désire être! »

Un éblouissement intérieur la laisse un moment étourdie; puis elle ouvre les yeux, sourit aux feuilles et aux fleurs qu'elle redécouvre. Elle a soif. Mais elle ne se contentera de rien d'autre que du seul breuvage qu'elle attend d'obtenir, d'accorder, d'échanger. D'abord, se dit-elle, elle doit réordonner plus lucidement sa vision, rendre à chacune son identité, sa position et son rôle initial, en sorte que la scène finale soit irréprochable : harmonieuse et logique.

« Lorsque j'aurai bu tout de Bee, je lui donnerai à boire à son tour ma bouche et mon sexe. Sa bouche tétera mon sexe comme son sexe tète le sein de Marie-Anne. Je jouirai dans sa bouche en même temps que Marie-Anne jouira dans son sexe. Elle avalera mon sperme imaginaire en même temps que coulera dans son vagin le lait de vierge de Marie-Anne. Les liqueurs confondues de nos corps composeront un cocktail surhumain. Nous ne nous désaltérerons plus que de ce mélange, entre nous et dans les fêtes où nous irons dorénavant ensemble, inséparables et contrastées. Nous en produirons assez pour que tous les hôtes puissent en analyser le mystère. Plus personne à Bangkok n'acceptera d'emplir publiquement son verre d'un autre alcool que celui tiré des baisers échangés par Ève, Lilith et Penthésilée. »

Elle ne veut pas que s'épuise ce pouvoir d'anticipation avant que ses doigts aient exaucé son désir d'orgasme, aussi parfaitement qu'ils l'ont déjà fait au début du matin. Pendant toute la durée du petit déjeuner, Christopher, comme le jour d'avant, sans prononcer une parole ni faire un geste, n'a pas quitté des yeux le pubis d'Emmanuelle. Ce regard l'a éveillée avec autant de douceur que des lèvres. Cependant, lorsqu'elle s'est assise, elle n'a pas osé ouvrir l'angle de ses jambes pour que le guetteur puisse voir ses lèvres intérieures et, malgré sa loyauté à Jean et sa timidité, veuille les baiser. Elle s'est rattrapée de la vertu de l'ami et de sa propre pudeur, après le départ des deux hommes, en se représentant plus encore d'images ardentes que d'ordinaire.

Elle a prolongé d'autant plus longtemps cette griserie qu'elle souhaitait être trouvée par Bee dans cette position : cambrée contre le grand dos flexible de son fauteuil tropical, ses mains déchiffrant son rêve sur le clavier noir et chair de son sexe, ses talons ancrés à la rampe de bois qui la protégeait d'une chute dans les plates-bandes, sous le nez du jeune jardinier assidu à arroser ses jasmins et ses *Bouddha-raksa*. Qu'aurait-il fait de toute cette nudité, égarée au sein d'une végétation aussi rangée ?

À défaut de Bee, se dit-elle maintenant, si au moins Christopher avait été présent à la place du jardinier ! Elle soupira : « Dommage !... Bah ! Il sera là une autre fois. » Ce jour-ci, elle resterait entre femmes...

Il était temps, à dire vrai, que Bee la rejoignît ! Emmanuelle était disposée, certes, à la laisser d'abord se rassasier de la saveur de Marie-Anne, mais quand même pas toute la journée !

Elle attendit, pourtant, longtemps encore, avec toute la force et la patience de l'amour. Puis, ce qui en elle avait refusé jusqu'alors de se rendre se défit par degrés et elle ne fut plus, à la fin, que faiblesse et souffrance. Une amertume inconnue la submergea. La confiance qui l'avait soutenue fit place à un abattement si total que sa pensée n'était plus que prémonition sinistre, gouffre, passion, vertige. « Bee ne viendra jamais plus. Elle ne veut pas me revoir. » Qu'importent les raisons ! Seuls comptent l'abandon et la solitude d'Emmanuelle. Elle l'aimait tant ! Elle avait l'impression d'être venue jusqu'à cette contrée du bout du monde rien que pour la trouver. Du premier coup, elle l'avait reconnue comme celle qu'elle attendait depuis toujours. Elle l'aurait suivie où il lui aurait plu de la mener. Elle aurait tout quitté pour elle, si telle avait été sa volonté. Mais Bee ne demandera rien. Et Emmanuelle, jamais plus, ne lui offrira ce qu'elle avait été prête à lui donner. Oui, elle l'effacera de son souvenir ! Elle oubliera le visage de vitrail et les cheveux de feu, elle oubliera la voix assourdie qui lui disait :

— Je vous aime bien, moi aussi.

Pour la première fois depuis qu'elle était toute petite, de vraies larmes, de longues larmes, coulent sur le visage d'Emmanuelle, elles mouillent ses lèvres et salent sa langue, elles tombent sur la balustrade de la terrasse, qu'elle ne peut se résoudre à quitter. Emmanuelle pleure comme on tend les bras — vainement tournée vers la trouée de feuillage où, dans un instant, ce soir, demain peut-être, n'importe quand, quand ce sera son plaisir, Bee apparaîtra et lui fera signe...

Le soir, Jean et Christopher l'emmenèrent au théâtre. Elle ne sut pas ce qu'elle voyait jouer. Son visage disait sa peine. Son mari ne lui posa pas de questions. Christopher, qui ne comprenait rien à ce qui se passait, faisait presque aussi triste mine qu'Emmanuelle. Lorsqu'elle se retrouva dans les bras de Jean, dans leur lit, elle pleura de nouveau tout son saoul. Elle se sentit un peu soulagée. Ce fut avec moins de déchirement qu'elle lui confessa son amour malheureux.

Jean fut d'avis qu'Emmanuelle prenait cette aventure trop au tragique. En premier lieu, rien ne prouvait que la défection de Bee, aujourd'hui, ne fût pas due à un empêchement insurmontable, dont Bee se justifierait dès le lendemain. Si, toutefois, il se vérifiait qu'elle ne voulait pas revoir Emmanuelle, eh bien ! c'était qu'elle n'était pas égale à l'idée élevée que celle-ci se faisait d'elle. Il était préférable que leur liaison cessât tout de suite, car elle n'aurait réservé à Emmanuelle, sûrement, que des déceptions et des chagrins plus graves. De toute façon, Emmanuelle devait penser à elle comme à quelqu'un qu'on courtise et non qui court après les autres. Si belle que pût être cette Bee, que Jean, d'ailleurs, n'avait jamais vue et dont il n'avait jamais entendu parler auparavant, il était bien certain qu'elle ne pouvait posséder le quart de la grâce et des qualités de sa femme. Il ne permettait donc pas que celle-ci s'humiliât devant elle. La seule réponse que méritait l'infidèle, si elle croyait pouvoir marchander ses faveurs à Emmanuelle, c'était que celle-ci prît sa revanche dans d'autres bras. Emmanuelle n'aurait pas de peine à trouver des partenaires plus dignes d'elle. Elle se devait de le prouver à Bee sans tarder.

Elle l'écoutait docilement. Il a raison, pensait-elle, sans que son mal en fût vraiment apaisé. Dans la mesure, pourtant, où elle acceptait, ne fût-ce que d'entendre un autre lui parler de se consoler ou de prendre une revanche charnelle Emmanuelle était un peu distraite de sa détresse. Déjà, celle-ci lui semblait plus confuse. Peut-être était-ce simplement l'effet du sommeil. Elle ne sut jamais si sa dernière pensée, avant de perdre conscience, avait été pour l'amante fugitive ou pour celles, encore sans visages, qui, un jour, la remplaceraient.

Aucune des robes qu'Emmanuelle s'était fait faire en France n'avait été trouvée par Jean assez décolletée pour son goût.

— Mais je suis la femme de Paris qui montre le plus ses seins! avait-elle protesté en riant.

— Ce que Paris appelle montrer ses seins est encore trop collet monté pour Bangkok, avait démontré son mari. Il faut que tous ces gens sachent bien que tu as la poitrine la plus belle du monde : le plus sûr moyen de leur faire apprécier cette perfection, c'est encore de la leur mettre sous les yeux.

La robe qu'Emmanuelle revêtit pour se rendre à la réception de l'ambassade remplissait parfaitement cet office. L'encolure, qui s'accrochait à la tombée des épaules, soulignant par sa large courbe la beauté du cou d'Emmanuelle, était asymétrique. Elle coupait le sein gauche en diagonale, par une ligne droite qui couvrait le mamelon, mais laissait à nu une partie de l'aréole. Du côté opposé, une concavité en croissant de lune laissait voir davantage de la plénitude du sein, sans plus ni moins révéler sa pointe. Évidemment, il suffisait qu'Emmanuelle se penchât si peu que ce fût en avant ou qu'elle s'assît pour que son buste apparût tout entier.

En outre, l'étoffe lamée était si mince et collait si étroitement à la peau que tout sous-vêtement eût transparu ou se fût dessiné en relief : Emmanuelle n'avait donc rien sous cette pelure si peu ingénue, pas même une des minuscules culottes, quasi invisibles et tout à fait polissonnes, qu'elle portait pendant la journée. Déjà à Paris, depuis son mariage, il était rare qu'elle mît un slip lorsqu'elle s'« habillait » pour sortir le soir : se sentir ainsi nue lui causait un plaisir aussi physique qu'une caresse. Cette sensation était plus vive encore si elle devait danser, ou si elle portait une jupe courte et très évasée.

Ce soir, sa robe était moulante et aussi étroitement ajustée qu'un gant depuis sa taille jusqu'à l'aine, mais elle bouffait brusquement vers le bas, s'ouvrant en une sorte de spirale taillée dans l'ampleur trompeusement décente du tissu. Emmanuelle se laissa choir dans un fauteuil pour montrer comment cette jupe se déroulait alors d'elle-même, dévoilant ses cuisses dorées. Le spectacle qu'elle offrait ainsi était si gracieusement, impudique que Jean se pencha tout d'un coup, cherchant sous son aisselle l'invisible fermeture de nylon, que, d'une main sûre, il fit glisser jusqu'au bas de la hanche. De l'autre, il s'efforçait de dégager le corps nu de sa femme de son écrin de soie.

— Jean, protestait-elle, que fais-tu ? Tu es fou ! Nous allons être en retard. Il faut que nous partions tout de suite.

Il renonça à la déshabiller, la souleva de terre, l'étendit sur la table de céladon de la salle à manger.

— Non ! Oh ! non. Ma robe va être toute froissée. Tu me fais mal ! Si Christopher descend ? Et les domestiques vont nous voir !

Il la disposa sur le dos, de manière que ses fesses effleurassent le bord de la table : elle-même tira sur l'étoffe, pour découvrir son ventre aussi haut que possible. Ses jambes, à demi repliées, pendaient dans le vide. Jean, debout, pénétra d'un seul coup en elle, jusqu'au fond. Tous deux riaient de cet impromptu. La hâte de Jean procurait à Emmanuelle un plaisir nouveau, qui avait dans sa gorge le goût de brûlure que l'on sent au bout d'une longue course. Elle pressait dans ses mains la pulpe de ses seins, comme pour en faire jaillir le nectar : sa propre caresse la faisait délirer, autant que les coups de boutoir de son mari. À ses premiers cris, le boy accourut, croyant qu'on l'avait appelé. Il s'arrêta à l'entrée de la pièce, les mains poliment croisées devant la poitrine. L'expression de son visage était aussi inscrutable que d'ordinaire. On devait entendre Emmanuelle de plus loin que les maisons voisines.

Lorsque Jean l'eut remise sur pied, le boy vint nettoyer la table, qu'ils avaient tachée. Ea, la petite camériste d'Emmanuelle, aida sa maîtresse à rétablir sa toilette. Ils n'arrivèrent à l'ambassade qu'avec un léger retard.

L'assistance, cependant, était déjà nombreuse. L'ambassadeur, parvenu au terme de son séjour, donnait cette réception pour prendre congé.

— Ravissante ! attesta-t-il, avant de baiser la main d'Emmanuelle. Mes compliments, mon cher ! ajouta-t-il, à l'intention de Jean. J'espère que vos travaux vous laissent quelque loisir ?

Une dame à cheveux blancs, à qui elle se souvenait d'avoir rendu visite, dévisageait l'arrivante d'un air de réprobation furibonde. Ariane de Saynes survint à point pour aggraver les choses.

— Mais, si je ne me trompe, s'écria-t-elle, tendant les deux mains, voilà notre vivant petit attentat public à la pudeur ! Vite, qu'on le fasse voir à tous nos bons bretteurs !

Elle attira l'attention d'un homme élégant qui conversait avec un évêque :

— Gilbert, regarde ! Comment la trouves-tu ?

Emmanuelle se mit en devoir d'affronter en même temps le jugement du conseiller et celui du prélat. Elle sentit qu'elle se tirait plus à son avantage de la première épreuve que de la seconde. Ellemême s'était plus ou moins attendue à ce que l'époux d'Ariane soit une sorte de dadais monoclard et pompeux. Au lieu de cela, les premiers mots du comte furent pour la faire rire aux éclats et elle le jugea, physiquement, très attirant.

Déjà, des messieurs d'âges divers l'entouraient, lui glissant madrigaux et regards appuyés. Mais son attention était distraite : elle scrutait, à distance, les visages inconnus, souhaitant et redoutant, tout à la fois, de découvrir celui de Bee. Le corps diplomatique tout entier devait être présent, et pouvait-on avoir invité son frère sans elle ? Peut-être que oui, après tout. Emmanuelle ne savait pas quelle serait son attitude si elle se trouvait subitement en face de la jeune Américaine. Elle se disait qu'elle espérait de toutes ses forces ne pas la rencontrer. Chaque groupe lui paraissait cacher un piège. Qu'était-elle venue faire ici ? Quand pourrait-elle s'échapper ou, du moins, retrouver la protection de son mari ?

Celui-ci, cependant, avait été englouti par la foule. Ariane s'empara derechef d'Emmanuelle, l'entraîna dans un tourbillon de présentations. L'admiration des hommes lui faisait cortège. Cette cour collective où chaque concurrent faisait échec à l'autre, ce tournoi frimé où personne ne s'attendait vraiment à ce qu'elle désignât un gagnant lui rendirent l'assurance. Son visage jouait l'indifférence, mais tous ces yeux qui la déshabillaient l'échauffaient au moins autant que les cocktails que la comtesse lui faisait boire. Celle-ci l'observa en silence, qui tenait tête à un carré d'aviateurs, avançant légèrement les épaules et penchant le buste. Brusquement, elle l'attira à l'écart.

— Tu es magnifique ! s'écria-t-elle. (Ses yeux étincelaient. Elle prit délicatement entre deux doigts le bout d'un des seins pigeonnants.) Viens avec moi, pressa-t-elle. Dans le salon, là, derrière : il n'y a personne !

— Non, non ! se cabra Emmanuelle.

Avant qu'Ariane pût l'arrêter, elle s'enfuit, rejoignit la masse des invités, ne se sentit en sécurité que lorsqu'un gentilhomme déclinant l'eut conduite au bord de la terrasse, sous prétexte de lui faire admirer les lampes chinoises en vessie de porc enluminée. Marie-Anne la découvrit livrée à ce tête-à-tête.

— Excusez-moi, commandeur, fit-elle avec son aplomb coutumier, j'ai à parler à mon amie.

Elle prit le bras d'Emmanuelle sans se soucier des protestations du barbon.

— Qu'est-ce que tu faisais avec ce vieux schnock ? s'indigna-t-elle, à peine se furent-elles éloignées de quelques pas. Je te cherche partout, Mario t'attend depuis une bonne demi-heure.

Emmanuelle avait oublié ce rendez-vous. Elle ne s'y sentait guère disposée. Pendant que le vieillard lui tournait son compliment, du moins pouvait-elle en toute quiétude penser à autre chose. Elle tenta de plaider pour sa liberté.

— Est-ce bien nécessaire ?...

— Oh ! écoute, Emmanuelle ! (La voix de la jeune fille rendait un son excédé.) Avant de faire la difficile, attends de voir. Et, surtout, d'entendre ce que cet homme a à te dire.

L'expression sonnait si comiquement pleine de promesses, qu'elle rendit à Emmanuelle sa bonne humeur. Avant qu'elle n'ait eu le temps de brocarder la confiance que sa petite amie avait dans les charmes de son héros, celui-ci se trouvait devant elle.

Il s'inclina légèrement devant les deux femmes, fixant tour à tour sur chacune d'elles un regard aigu. Puis il parla à Emmanuelle comme si c'était elle qui avait prononcé la dernière phrase de Marie-Anne. Une inflexion de doute — ou une suggestion de modestie — adoucissait la sonorité un peu rauque et les bourrasques de ferveur de sa voix.

— Un homme a-t-il, une femme a-t-elle à dire plus que les autres? Pour le savoir, il faudrait que nous connaissions tous ces autres. Souhait irréalisable, vous récriez-vous? Mais l'émergence de la pensée, qui a inspiré à notre espèce tant de desseins téméraires, nous a aussi dotés d'un pouvoir de communion merveilleux : un langage que certains d'entre nous parlent au nom de tous, afin que tous y puissent trouver le sens qu'eux-mêmes voudraient passionnément exprimer; un langage de sons et de formes, d'ouïe, de vue, de toucher, qu'on désigne d'un mot superbement court : l'art. Ce mot est si court que chacun doit, selon les ressources de son esprit et ses désirs, le prolonger. Ce sont ces additions infinies, secrètes ou proférées, qui, à force de milliers et de millions d'années, font de notre monde de hasard un monde créé.

Cette entrée en matière hors du commun déconcerte momentanément Emmanuelle, mais pas au point de lui rendre tout à fait son sérieux. Son attitude continue de refléter la gaieté espiègle que lui a apportée la présence de Marie-Anne. L'arrivant observe les yeux radieux, les lèvres heureuses. Puis il livre son jugement :

— Quel beau sourire! Comme je voudrais qu'il ait pu servir de modèle aux peintres de mon pays. Ne trouvez-vous pas que les sourires retenus, les sous-entendus florentins sont grimaçants, à la longue? Je réprouve tout ce qui se contient. Il y a moins d'art dans une statue qui nous marchande ses faveurs que dans un visage qui s'ouvre.

Emmanuelle tente de se raccrocher au concret.

— Marie-Anne tient à me faire peindre (elle réfléchit que la jeune fille ne s'est même pas donné la peine de les présenter). Êtes-vous l'artiste qu'elle a jugé digne de cette tâche ?

Mario sourit. Emmanuelle convient que ce sourire a, lui aussi, une grâce rare.

— Ne posséderais-je que le centième du talent que je me permets de contester à autrui, madame, je vous l'offrirais : le génie du modèle ferait le reste. Malheureusement, même ce peu, je ne l'ai pas. Je ne suis riche que de l'art des autres.

Marie-Anne intervient :

— C'est un collectionneur, tu verras ça ! Il n'a pas seulement chez lui des sculptures de par ici, mais des choses anciennes qu'il a rapportées du Mexique, d'Afrique, de Grèce. Des tableaux...

— Lesquels n'ont pas d'autre valeur que de servir de mémentos immobiles à l'art véritable, dont le risque et le mouvement défient les figures mortes. Marie-Anne *mia,* ajoute-t-il, ne crois pas à ces écorces tombées de l'arbre de la connaissance. Je ne les garde qu'en souvenir de ceux qui ont souffert et se sont détruits pour faire croître son tronc et sa ramure — jusqu'à la limite vertigineuse de ses plus frêles branches, jusqu'à ses pousses folles —, ceux qui se sont vidés de leur souffle et de leur raison, de leur honneur et de leur sang : parfois le peintre, mais, le plus souvent, ce qu'il peignait. L'art est fait de la déperdition de l'être. Ce qui compte, ce n'est pas le Portrait Ovale, c'est la femme du portraitiste.

— Une fois morte ? demande Emmanuelle.

— Non, pendant qu'elle meurt.

— Mais le tableau est devenu vivant ?

— Fadaise ! Une curiosité de pacotille, moins belle qu'une machine ou qu'un jeu d'esprit. Il n'y a eu d'art que dans ce qui se perdait : dans la femme qui se défaisait. L'art, c'était la chute de son corps. N'espérez pas trouver la beauté dans ce qui se garde ni dans ce qui subsiste. Tout objet conçu naît mort.

— On m'a appris le contraire, fit Emmanuelle : que l'« *art robuste seul a l'éternité* »...

— Et qui donc, je vous prie, se soucie d'éternité ? interrompt violemment Mario. L'éternité n'est pas artistique, elle est laide : son visage est celui des monuments aux morts. Le buste est le cadavre de la cité.

Il éponge avec un fin mouchoir des gouttes de sueur sur ses tempes, reprend, d'un ton plus doux :

— Vous connaissez le cri de Goethe : « *Arrête-toi, instant : tu es si beau !* » Mais, que l'instant s'immobilise et c'en est fini de sa beauté. Si vous tentez d'éterniser la beauté, la beauté meurt. Ce qui est beau n'est pas ce qui est nu, mais ce qui se dénude. Pas le son du rire mais la gorge qui rit. Pas la trace sur le papier, mais le moment où le cœur de l'artiste s'est déchiré.

— Vous disiez tout à l'heure que l'artiste importait moins que le modèle.

— Celui que j'appelle l'artiste n'est pas forcément le sculpteur ou le peintre. Celui-là peut prêter sa main à l'art quelquefois : s'il se saisit de son sujet et le *défait*. Mais, le plus souvent, le modèle accomplit ce destin lui-même, le peintre n'est qu'un témoin.

— Et où est le chef-d'œuvre ? interroge Emmanuelle, avec une anxiété soudaine.

— Le chef-d'œuvre est ce qui se passe. Mais non ! Je me fais mal entendre. Le chef-d'œuvre, c'est ce qui s'est passé.

Il prend dans sa main une main d'Emmanuelle :

— Vous me permettrez de répondre à la maxime que vous citiez par une autre. Elle est de Miguel de. Unamuno : « *La plus grande des œuvres d'art ne vaut pas la plus petite des vies humaines.* » Le seul art qui ne soit pas futile, c'est l'histoire de votre chair.

— Vous voulez dire que ce qui importe, c'est la façon dont on se réussit? Qu'il faut devenir une œuvre d'art, si l'on veut se survivre?

— Non, dit Mario, je ne crois à rien de tel. Quoi qu'on tente de *faire* de soi, si l'on prétend à construire en dur et non de fragile matière de rêve, on perd sa peine.

Il laissa retomber la main d'Emmanuelle, prononce, d'un ton de courtoisie un peu lassée :

— Si j'avais le moindre droit de vous donner un conseil, ce n'est pas à vous survivre, mais à vivre que je vous convierais.

Mario se détourna. Il semblait tenir la conversation pour terminée. Emmanuelle n'avait pas le sentiment que sa présence fût plus longtemps requise. C'était assez désagréable. Elle s'adressa à Marie-Anne avec un peu d'humeur :

— Tu n'as pas vu Jean, par hasard? Il a disparu depuis le moment de notre arrivée.

D'autres femmes accaparaient l'Italien. Emmanuelle en profita pour s'éclipser. Mais Marie-Anne l'eut vite rejointe.

— Alors, tu séquestres Bee? s'enquit-elle, sans donner l'impression d'attacher beaucoup d'importance à sa question. Chaque fois que j'essaie de la joindre au téléphone je m'entends répondre qu'elle est chez toi.

Elle laissa fuser un petit rire gentil :

— Et comme je ne veux pas troubler vos ébats...

Emmanuelle tombait des nues. Marie-Anne se moquait-elle d'elle? Mais non, elle avait l'air de croire à ce qu'elle disait. Quelle ironie! Emmanuelle ne devrait-elle plus, dorénavant, faire confiance à ses fantasmes pour connaître la réalité? Elle fut sur le point de s'en plaindre tout haut. Une fois encore, le respect humain la retint. Et puis, pouvait-elle avouer à Marie-Anne qu'elle-même avait été abandonnée par son amante d'un jour ? Mieux valait entretenir les illusions que la petite fille aux nattes se faisait sur le pouvoir de son aînée. Malheureusement, Emmanuelle, en se taisant, se privait d'un moyen de retrouver Bee. Elle décida qu'à la place, elle interrogerait Ariane. Mais elle ne voyait nulle part ses cheveux courts ni n'entendait ses éclats de rire. Avait-elle trouvé une autre sujette à qui faire connaître le petit salon ?

Marie-Anne parlait de nouveau de l'insaisissable Américaine.

— Je voulais lui dire au revoir. Tant pis pour elle : tu lui feras des adieux de ma part.

— Quoi ! Elle s'en va ?

— Non. Moi.

— Toi ? Tu ne me l'avais pas dit. Où pars-tu ?

— Oh ! rassure-toi, pas loin. Je vais passer un mois au bord de la mer. Maman a loué un bungalow à Pattaya. Il faudra que tu viennes nous voir. Ce n'est pas une affaire, même avec les routes encombrées : cent cinquante kilomètres. Tu dois voir ces plages : une merveille.

— Je sais : un de ces lieux bénis où les requins viennent vous manger dans la main. Je ne te reverrai plus.

— Où es-tu allée pêcher ces sornettes ?

— Tu vas t'ennuyer là-bas, toute seule.

Emmanuelle, à sa propre surprise, se sentait le cœur gros. Marie-Anne, tout insupportable qu'elle fût, allait lui manquer. Mais elle ne voulait pas lui laisser voir sa tristesse. Elle se força à rire.

— Je ne m'ennuie jamais nulle part, trancha son amie. Je prendrai des bains de soleil des heures durant ; je ferai du ski nautique. D'ailleurs, j'emporte une pleine valise de bouquins : je dois travailler pour la rentrée.

162

— C'est vrai, la taquina Emmanuelle, j'oubliais qu'il allait falloir te remettre à l'école.

— Tout le monde n'a pas ta science infuse.

— Tu n'auras pas d'amies avec toi, à Pattaya ?

— Non, merci. J'ai envie d'être tranquille.

— Tu es bien aimable ! Espérons que ta mère t'aura à l'œil et ne te laissera pas trop courir avec les fils de pêcheurs.

Les yeux verts se contentèrent de produire un sourire énigmatique.

— Et toi, reprit la jeune fille, qu'est-ce que tu vas faire, sans moi ? Tu vas retomber dans ta gourderie naturelle.

— Mais non, badina Emmanuelle. Tu sais bien que je vais me donner à Mario.

Marie-Anne sembla perdre instantanément tout goût de plaisanter.

— Tu ne peux plus revenir sur ça, avertit-elle. Tu as promis, n'oublie pas ! Tu n'es plus libre.

— Là, tu t'égares. Je ferai ce que je veux.

— D'accord, pourvu que tu veuilles Mario. Tu n'as pas l'intention de te défiler, maintenant ?

Marie-Anne avait l'air si écœurée qu'Emmanuelle eut presque honte d'elle-même. Elle ne voulait cependant pas se rendre.

— Il n'est pas aussi irrésistible que tu le prétendais. Je le trouve un peu pédant. Il fait des phrases et s'écoute parler : il n'a pas besoin d'auditoire de renfort.

— Au lieu de faire la petite bouche, tu devrais t'estimer heureuse qu'un homme comme lui s'intéresse à toi. Je peux te dire qu'il est plutôt difficile.

— Ah ! oui ? Et il s'intéresse à moi ? C'est bien de l'honneur qu'il me fait !

— Exactement. J'ai tout de même été contente de voir que tu lui faisais assez bonne impression. Je peux t'avouer que je n'étais pas tellement rassurée par avance.

— Encore merci. Et à quoi, s'il te plaît, juges-tu de l'effet que je lui ai produit ? J'ai plutôt eu la sensation, quant à moi, qu'il ne s'occupait que de se faire valoir.

— Je le connais un peu mieux que toi, tu admettras au moins ça, j'imagine ?

— Bien sûr ! Je présume, d'ailleurs, que tu lui as toi-même accordé depuis longtemps les dernières faveurs ? Tu pourrais me communiquer tes notes de travaux pratiques, cela m'aiderait à ne pas paraître trop empruntée, à l'heure du sacrifice.

— Tu feras mieux de faire un peu moins la sotte, si tu ne veux pas qu'il te laisse tomber. Il a horreur de la bêtise.

Brusquement conciliante, Marie-Anne ajouta :

— Mais je sais bien qu'en réalité, c'est seulement un genre que tu te donnes. Autrement, je ne t'aurais pas présentée à lui.

Puis, affectueuse et pressante :

— Je suis sûre que vous allez très bien vous entendre. Tu vas être heureuse. Et tu seras encore plus belle, lorsque je te reverrai. Je veux que tu sois toujours de plus en plus belle.

Le regard aux couleurs de feuillage était devenu d'une telle douceur qu'Emmanuelle en fut troublée.

— Marie-Anne, murmura-t-elle, c'est dommage que tu t'en ailles.

— Nous nous retrouverons bientôt. Je ne t'oublierai pas, va ! Sois tranquille.

Elles échangèrent un sourire d'amitié, presque intimidées. Puis, Marie-Anne revint à la charge, comme pour retrouver un terrain qui ne prêtât pas moins à attendrissement.

— Tu me repromets que tu te conduiras comme je te l'ai dit, avec Mario, n'est-ce pas ?

— Oh! bon. Oui, si ça te fait tellement plaisir.

Pour la première fois, Marie-Anne approcha son visage de celui d'Emmanuelle et déposa un baiser rapide sur la joue de son amie. Celle-ci fit un geste pour retenir contre elle la tête soyeuse, mais Lilith s'était déjà éloignée.

— À bientôt, hibou-chatte! Je te téléphonerai demain, avant de partir. Et tu viendras me voir à la mer.

— Oui, dit Emmanuelle d'une petite voix. Je volerai vers toi.

— Maintenant, allons retrouver les autres.

Elles s'étaient éloignées du gros de la foule, elles s'y mêlèrent de nouveau. Emmanuelle passa de groupe en groupe, sans se laisser accaparer. Elle cherchait Ariane. Ce fut celle-ci qui la découvrit la première.

— Vous revoilà, immaculée Virginie! s'écria-t-elle. Je vous croyais livrée aux macérations, dans quelque havre de pénitence.

— Tout au contraire, répondit Emmanuelle, sur le même ton. Un prince des ténèbres me conseillait de faire carrière dans l'art du strip-tease.

— Quel est ce connaisseur?

— On ne m'a dit que son prénom : Mario.

Ariane accentua son ton moqueur :

— *Il marchese* Serghini? Cet amour! Les galanteries ne l'engagent à rien. Votre vertu serait plus menacée si vous étiez joli garçon.

— Vous voulez dire qu'il est...

— J'aurais scrupule à médire s'il en faisait lui-même mystère. Ne vous a-t-il pas encore exposé ses théories favorites? Je vois qu'il ne vous honore pas encore vraiment de sa confiance : il a pour moi moins de secrets. D'ailleurs, c'est un homme exquis et je l'adore.

— Peut-être me cache-t-il ces goûts-là parce que

je lui en inspire d'autres, rétorqua Emmanuelle, dépitée.

Elle en voulait à Marie-Anne d'avoir passé sous silence ce trait de son héros. Était-il vraisemblable qu'elle l'ignorât — elle qui savait tout ?

— « *Lasciate ogni speranza, voi ch'entrate !* » déclama Ariane. Notre esthète est homme de principes : il ne se laissera pas détourner de ses vertus et de ses voies.

— Oh ! vous savez, j'en ai dépravé d'autres ! fanfaronna Emmanuelle.

Elle était furieuse. Son agressivité enchantait Ariane, qui s'amusa à l'attiser :

— Celui-là, j'ai peur qu'il ne se montre incorruptible.

— C'est ce qu'on verra.

— Bravo ! Celle qui convertira Mario méritera un priape d'or. (Elle baissa la voix.) Mais si j'étais à ta place, je ne perdrais pas mon temps au service des causes désespérées ; il y a tant de moyens plus commodes de prendre ses ébats. Je te redis que je connais cent hommes tout aussi séduisants que celui-ci et qui ne demandent pas mieux, eux, que de se laisser faire. Veux-tu que je t'en fasse avancer quelques-uns ?

— Non, dit Emmanuelle. J'aime les victoires difficiles.

— Eh bien, bonne chance ! conclut Ariane, narquoise.

Elle regarda Emmanuelle de la façon dont elle l'avait fait au club.

— Ces derniers jours, as-tu eu du plaisir ? questionna-t-elle dans un murmure.

— Oui, dit Emmanuelle.

Ariane la dévisagea un moment en silence.

— Avec qui ?

— Je ne le dis pas.

— Mais tu as fait l'amour avec quelqu'un, c'est vrai ?

— Oui.

Ariane lui sourit avec amitié.

— Ce soir, j'ai pour toi un cadeau.

— Qu'est-ce que c'est ? demanda Emmanuelle, curieuse, malgré elle.

— Je ne le dis pas.

Emmanuelle bouda. Ariane se laissa attendrir :

— Trois Parisiens, qui ne sont là que pour un jour. Je te les laisserai tous les trois pour toi toute seule, d'abord. Juste le bon nombre !

— Et toi ?

— Oh ! tu me garderas bien un petit reste de dessert.

Emmanuelle rit, gagnée par l'humeur. Ariane interrogea :

— Tu es nue sous ta robe ?

— Oui.

— Montre.

Cette fois, Emmanuelle était dans un état trop trouble pour résister. Elles s'étaient progressivement écartées de la masse des invités. Elle prit entre ses doigts le bas de sa jupe et le releva.

— Bien, dit Ariane, les yeux rivés au ventre noir et ocre.

Emmanuelle sentait doucir son sexe, comme si ces yeux la touchaient, comme s'ils étaient des doigts ou une langue. Elle se tendit, pour que le regard d'Ariane pût la lécher.

— Montre-toi plus ! ordonna Ariane.

Emmanuelle s'efforça d'obéir, mais la robe restait bloquée.

— Enlève-la, dit Ariane.

Emmanuelle hocha la tête affirmativement. Elle avait hâte d'être nue. Les pointes de ses seins exigeaient de s'offrir comme celle de son sexe. Elle fit

tomber les brides de ses épaules, tira sur la fermeture sous l'aisselle.

— Oh! s'exclama Ariane, des gêneurs!

Le charme cessa d'opérer : Emmanuelle se retrouva au sortir d'un rêve. Elle referma sa robe.
Ariane la prit par le bras et l'entraîna plus loin. Un
boy surgit, portant un plateau : l'une et l'autre
burent toute une coupe de champagne — d'un seul
trait.

Ariane rappela le serveur et elles échangèrent
leurs coupes vides contre des pleines. Elles ne
savaient plus très bien que se dire et fixaient, droit
devant elles, sans clairement les voir, ces gens qui
papotaient sur un ton criard, en se faisant des tas de
courbettes. Il leur semblait que la température avait
monté. Peut-être allait-il faire de l'orage. Voilà :

— Ne crois-tu pas qu'il va y avoir un orage?

— Sûrement.

— Quelle chaleur! J'ai de plus en plus soif.

« Cette robe est absurdement chaude », pensa
Emmanuelle.

Quelqu'un fit signe à Ariane. Brusquement,
Emmanuelle se rappela ce qu'elle voulait lui
demander.

— Écoute, fit-elle, la retenant par un pli de sa
jupe, as-tu entendu parler d'une Américaine rousse,
d'un roux sombre, très cuivré? Elle est la sœur d'un
attaché naval. Elle...

— Bee? interrompit Ariane.

Emmanuelle eut un battement de cœur. Elle
aurait trouvé plus normal que personne n'identifiât
l'étrangère et, bien qu'elle cherchât précisément à
se renseigner sur elle, elle fut, par une contradiction
qui révélait bien le désordre de ses pensées à ce
moment-là, contrariée d'entendre ce nom sur les
lèvres de la comtesse.

— Oui, admit-elle. Est-elle ici ce soir?

— Elle devrait y être, mais je ne l'ai pas vue.

— Pourquoi ne serait-elle pas venue, si elle est invitée ?

— Je ne sais pas.

Ariane parut subitement évasive et comme désireuse de changer de sujet. Ces manières ne lui ressemblaient guère. Emmanuelle persista :

— Quel genre de femme est-ce, selon toi ?

— Comment se fait-il que tu t'intéresses à elle ?

— Je l'ai connue à un thé, chez Marie-Anne.

— Ah ! oui ? Rien d'étonnant : c'est une de ses amies.

— Et toi, la vois-tu souvent ?

— Assez.

— Que fait-elle à Bangkok ?

— Comme toi et moi : elle fait envie !

— Pourquoi son frère l'entretient-il à ne rien faire ?

— Je ne crois pas qu'il l'entretienne. Elle a beaucoup d'argent. Elle n'a besoin de personne.

La phrase résonna lugubrement dans le cœur d'Emmanuelle. Besoin de personne ? Elle n'en doutait pas.

Elle ne sut que demander d'autre. Sans pouvoir se l'expliquer, elle n'osait s'enquérir de l'adresse de Bee, comme si cette question avait été inconvenante.

— Alors ? fit Ariane.

Emmanuelle savait à quoi elle pensait, mais elle joua l'incompréhension. Son interlocutrice précisa :

— Je t'emmène, ce soir ?

— Ce n'est pas possible : mon mari.

— Il te confiera bien à ma garde !

Mais la tentation était passée. Ariane en fut consciente.

— Bon, dit-elle. Les trois parts de gâteau seront pour moi !

Cependant, sa bonne humeur sonnait faux : elle aussi semblait avoir perdu le désir de se dévergonder. Emmanuelle eut l'intuition que, la réception achevée, Ariane irait dormir. Celle-ci s'exclama :

— Ton Mario ! Je le vois qui a l'air de chercher quelqu'un : toi, je suis sûre ! Ne le laisse pas languir.

Elle poussa Emmanuelle par le bras.

Mais l'Italien se dirigea vers un Siamois âgé, drapé dans un *chongkrabên* pourpre, qui lui manifesta une grande cordialité. Ariane pesta :

— Si ton marquis commence à disserter de faux Chieng Sên et de vrais Sukhothai avec le prince Dhana, ils en ont au bas mot pour une heure. Cherchons ailleurs... Je vais te ramener un drink.

Elle lâcha le poignet de sa compagne et la planta là. Emmanuelle se dit, une fois de plus, qu'elle ferait tout aussi bien de s'en aller. Où donc était Jean ? Elle tenta de le repérer, mais fut distraite de sa recherche par la vue d'une jeune fille qu'elle jugea sur-le-champ d'une beauté et d'une impudeur suprêmement provocantes. « Elle est encore plus nue que moi ! » (Mais cette comparaison ne la rendit pas jalouse : au contraire.) Elle pensa aussi : « Elle vient juste d'arriver, sinon je l'aurais remarquée plus tôt. » Elle s'en serait voulu d'avoir manqué par sa faute un sujet d'intérêt comme celui-là : il était capable à lui seul de racheter l'ennui de la *party*.

L'inconnue était aussi blonde que Marie-Anne, mais les boucles et les vagues de sa chevelure étaient longues, évasées, ordonnées en une symétrie exacte ; elles formaient autour de son visage, sur ses épaules, son dos et son buste un unique camail de cristal doré. Et cette capuche était à peu près la seule opacité que l'apparition portait sur elle, car la toile d'araignée qui lui servait de robe ne cachait

170

rien des parties de son corps que sa crinière de guer-
rière ou de sainte ne cuirassait pas.

Emmanuelle se rapprocha, pour mieux jouir de ce
tableau surprenant dans une réunion officielle. Elle
comprit vite pourquoi l'assistance ne prenait pas
exagérément ombrage de cette nudité : il s'agissait
d'une nudité fictive. Sous sa tunique impalpable, la
jeune fille était vêtue d'un collant couleur chair : un
maillot d'un seul tenant, très fin, certes, mais qui ne
laissait pas le moindre pan de peau à découvert. Ni
pointe de sein, ni nombril, ni toison pubienne
n'étaient visibles autrement que par leur relief
assagi sous ce trompe-l'œil.

Emmanuelle sentit son excitation retomber. Elle
n'aimait pas les faux-semblants, le maquillage ; elle
bâillait aux spectacles de ballet. Le pseudo-désha-
billé autant que les orgasmes de cygne des danseuses l'agaçaient. « Qu'elles soient parées de
belles plumes, critiquait-elle, ou alors qu'elles
soient vraiment nues ! » Elle se détourna, déçue, de
la tricheuse. Ou plutôt, sans en être consciente, elle
suivit le regard que celle-ci, indifférente à la dévotion de son entourage et n'y répondant pas, dirigeait
vers le centre d'un autre groupe. Là, parmi des
hommes et des femmes auxquels elle ne prêtait, de
son côté, aucune attention, une grande et svelte fille
brune lui rendait regard pour regard.

Emmanuelle s'émut de reconnaître entre ces deux
femmes un échange de désir et une connivence sensuelle qui lui étaient familiers. Du coup, elle par-
donna à la fille blonde la supercherie de sa tenue :
cette sirène s'habillait mal, mais elle choisissait bien
ses amoureuses ! Les yeux violets et les lèvres de
nacre de la brune plaisaient si violemment à Emmanuelle qu'elle fut sur le point d'aller le lui dire. Si
elle se retint, un moment de trop, ce fut seulement
parce qu'elle craignait que Marie-Anne ne surgît de

sa boîte pour la prendre sur le fait, ou qu'Ariane vînt la piquer d'un de ses traits moqueurs.

Cet accès de respect humain lui fit perdre l'occasion de déclarer à temps son admiration à la beauté brune : celle-ci s'était libérée, d'un coup, de la grappe de ses courtisans. À présent, elle glissait (c'est ainsi qu'Emmanuelle désigna en esprit sa progression fluide et rapide) vers la beauté blonde, la saisissait par la main, la tirait hors de son propre cercle et l'entraînait vers l'extérieur, avec une résolution qui souleva en nuée lumineuse la cape de cheveux d'or clair, où Emmanuelle, astronome éblouie, crut voir crépiter des amas d'étoiles.

Et tout cela sans qu'un seul mot fût échangé.

Un mutisme aussi efficace, allié à la joie fougueuse qui illuminait le visage de l'une et l'autre protagoniste, captiva Emmanuelle davantage que ne l'aurait fait le plus osé des dialogues érotiques. L'harmonie qui unissait ces deux femmes était-elle depuis longtemps installée ou, au contraire, leur séduction réciproque ne datait-elle que de l'instant ? L'observatrice préférait, bien sûr, croire à une irrésistible impulsion amoureuse ; mais, à la réflexion, elle se dit que le temps plus ou moins long mis par les passionnés à parvenir à une compréhension comme celle-ci n'importe pas vraiment. Dans tous les cas, la forme parfaite de communication dont elle venait d'être témoin relevait de cet art qu'avait défini Mario : un art plus expressif que toute parole articulée. Le langage des signes que pratiquait la main de la brune en avait assez dit, avait dit tout ce qu'il fallait, quand il s'était adressé à la main de la blonde — la seule région de son être, visage excepté, qui ne fût pas rendue factice par un exaspérant préservatif de latex. Les mots d'amour sont pauvres de sens, comparés au génie d'une main.

Emmanuelle refusait de perdre de vue ces acti-

172

vistes de la beauté. Cependant, lorsqu'elle les vit descendre, en sautant les marches, le grand escalier qui conduisait aux jardins, elle n'osa les accompagner. Ne voulant pas être prise en flagrant délit de filature, elle s'arrêta maussadement au bord de la terrasse. Elle se pencha quand même par-dessus la rampe de marbre, pour avoir un dernier aperçu de la grâce des fugitives.

Elle n'eut pas à les chercher loin. Elles se trouvaient en pleine lumière, juste au-dessous d'Emmanuelle. Selon toute apparence, leur élan avait été stoppé net par une rencontre inattendue. Elles examinaient maintenant avec une curiosité intense le jeune homme surgi sur leur chemin. Emmanuelle entendit l'une d'elles (elle ne sut pas laquelle) demander : « Qui êtes-vous ? » Elle ne distingua pas la réponse. Les deux filles prolongeaient leur manège intrigué. La blonde tendit un bras vers le front du garçon et en écarta une mèche de cheveux aux teintes d'automne.

« Il ressemble au demi-dieu qui m'a ravie dans l'avion », songea Emmanuelle. Elle s'avoua que, de la distance où elle se trouvait, elle l'imaginait sous ces traits plutôt qu'elle ne le voyait. Cette image continua néanmoins de l'émouvoir, tandis qu'elle s'efforçait de ne rien laisser échapper des faits qui se succédaient, bien réels, sous ses yeux.

À la différence, nota-t-elle, du héros de l'altitude, celui-ci ne prenait pas d'initiative. Il se contentait de regarder les jeunes filles qui lui faisaient face. Elles aussi, un long moment, n'entreprirent rien d'autre que de l'examiner d'un regard réfléchi, attentives à soupeser ses qualités et ses défauts. Personne ne parlait. Emmanuelle se dit que chacune des deux femmes depuis que leur main les reliait, savait continuellement ce que pensait et ressentait l'autre. Aucun son, pas même un clin d'œil, n'était nécessaire pour traduire la télépathie minérale de leurs circuits.

Mais un ordinateur embrasse-t-il jamais l'objet de son étude ? La blonde, elle, approcha son visage du visage de l'homme, posa ses lèvres sur les siennes et les garda là à loisir. Presque du même mouvement, elle ouvrit la mantille que lui dessinaient ses cheveux, alla s'emparer des mains que le garçon laissait oisives et les guida jusqu'à ses seins.

Emmanuelle remarqua que leur saillie était devenue plus acérée. Elle distinguait maintenant le contraste rose des mamelons, presque leurs plissures. Le collant adhérait-il plus intimement que ces pointes étaient inactivées et ne faisait-il que les mouler plus suggestivement, ou avaient-elles brusquement percé le tissu ? « À moins encore que ce maillot ne soit composé d'une substance fondante, un matériau sensible que le désir dissout au moment voulu. Heureusement, car j'étais inquiète de la suite ! » Il lui aurait déplu que la jeune fille soit forcée à une gesticulation disgracieuse pour s'extraire de sa gangue et, pire horreur, que le collant retarde l'accès à un aussi beau corps.

Elle était tout à coup si pressée d'assister à la pénétration de ce corps par celui du jeune homme que tout préliminaire lui paraissait nocif. « N'attends pas ! » s'impatientait-elle à mi-voix. « Entre vite en elle, comme je le ferais si j'étais un homme ! »

Elle prit également la résolution de faire, un jour, l'amour, *en homme,* à une femme : à celle-ci, plus précisément. Elle n'examina pas en détail la possibilité et les moyens de réaliser cette novation physique. La merveille blonde lui en inspirait la tentation, voilà tout ! Cela suffisait à l'intensité du moment.

Elle avait presque oublié la brune.

Elle ne fut pas contrariée, pourtant, lorsque celle-ci entreprit de dénouer la cravate du garçon, défit un par un les boutons de sa veste, puis ceux de sa chemise, découvrant sa poitrine, qu'elle explora. Après un certain temps, la blonde détacha ses lèvres de celles qu'elle caressait et les posa sur les lèvres de la brune. De l'avancée des nuques, de la torsion des cous, du balancement des hanches, Emmanuelle pouvait déduire le parcours des langues, leurs chevauchées, leurs retrouvailles tour à tour dans la bouche de l'une puis dans celle de l'autre, préfigurant la proche découverte d'autres ouvertures et d'autres réciprocités. C'était de l'homme, maintenant, qu'Emmanuelle ne se souciait plus.

L'amante blonde, elle, se souvint de lui. Elle s'arracha au baiser de la brune et, appuyant une main sur les cheveux de son amoureuse, elle lui fit tourner la tête et avancer les lèvres jusqu'à celles du garçon. Elle força ensuite celui-ci à abandonner ses seins, conduisit ses doigts, les serrant entre les siens, au niveau du sexe de la brune, les poussa pour qu'ils creusent de leurs ongles et fouissent les fissures que le tissu de la jupe recouvrait.

Lorsqu'elle jugea que ces doigts s'acquittaient avec conviction de leur tâche et quand ils ne furent plus qu'à demi visibles dans le lin froissé (Emmanuelle éprouva une excitation toute nouvelle à se représenter que l'étoffe avait été entraînée par ces doigts; perverse, elle les en gantait finement, se mouillait avec eux, à mesure qu'elle et eux progressaient entre les muqueuses de la brune), la blonde s'agenouilla, dégrafa posément la ceinture et ouvrit le pantalon de l'homme. Avec une élégance bien plus romanesque (se persuada Emmanuelle, partiale) que n'en montrerait une ballerine, sur l'adagio le plus tendre qui soit, elle s'introduisit dans la brèche qu'elle avait pratiquée et n'en retira les mains que lorsqu'elle put faire surgir au-dehors une verge ferme et vibrante comme celle, revécut Emmanuelle, qui l'avait transpercée debout dans la *Licorne envolée.*

Pour évaluer sous un meilleur angle l'œuvre de ses mains, la jeune fille recula le buste, en même temps que, d'un coup de nuque, elle rejetait en arrière la masse de ses cheveux, dont l'éclat était, à ce moment-là, égal à celui de la lune. Emmanuelle eut l'illusion que ces deux sources de rayonnement s'étaient concertées pour moduler, chacune selon son humeur fantastique et le pouvoir de sa caresse, la plastique de ce phallus levé vers le ciel. Leur pâleur ardente tantôt atténuait, tantôt accentuait sa brutalité, comme, dans une aquarelle de Leonor Fini, la flexibilité livide de certains nus accuse ou excuse l'impatience des corps mâles ou femelles à dégorger leurs laits amoureux.

La blonde n'avait pas relâché sa prise sur la verge. Elle en mettait à l'épreuve la résistance et la maîtrise de soi, en lui imprimant avec souplesse et avec force des mouvements d'une telle amplitude et d'une régularité si impérieuse qu'elle aurait déjà dû recevoir dans ses cheveux les longs jets de sperme que — ses yeux pensifs fixés sur ce prodige à venir — elle semblait attendre.

Se lassa-t-elle, à la longue, de cette incitation sans effet, ou bien, à l'inverse, voulut-elle récompenser le héros de son endurance ? Elle pencha soudain la tête en avant, aveuglant de sa chevelure comme d'une aube de mirage le sexe qu'elle avait fait émerger de sa nuit. Emmanuelle ne voyait plus rien de ce qui se passait sous ce voile d'infranchissable brillance.

Peut-être pour racheter l'inconvenance de ce secret, la brune, sans interrompre la dévotion que sa bouche n'avait cessé d'enseigner aux lèvres du *kou-*

ros, retira complètement à celui-ci les vêtements qu'elle avait entrouverts sur sa poitrine et les jeta sur l'herbe. De ses mains mystérieuses sous le manteau de ses cheveux, la blonde devait avoir, pour sa part, entre autres actions, délivré le jeune homme du reste de son costume, car, lorsque, d'un nouveau soubresaut, aussi abrupt que les précédents, une fois encore elle s'écarta de lui, il apparut nu comme la statue de pierre vivante au bord d'une eau ancienne qu'Emmanuelle voulait qu'il fût. Beau tout entier comme était beau son sexe érigé et luisant de baisers; sculpté d'ombres et de clartés sauvages, comme l'était la rivière proche, ici creusée par la plongée des rames, là soulevée par les nasses des bateliers.

La blonde était de nouveau debout. D'un geste incomparablement sûr et bref, elle enleva sa robe arachnéenne et la lança vers les bruits de l'eau. Le filet plana avant de retomber sur une proie inconnue. Des clameurs d'appréciation, qui venaient d'invisibles pêcheurs, saluèrent l'exploit.

Aucun des trois personnages qu'admirait Emmanuelle ne parut entendre ces voix. La brune entoura de ses bras les torses de ses partenaires et les attira contre elle, enfermant en partie leur nudité lunaire dans sa longue tunique plissée. Les trois visages s'effacèrent de même dans l'enveloppante chevelure de la blonde. L'homme et ses conquérantes restèrent ainsi un temps incalculable. Emmanuelle ne percevait qu'à force de vigilance l'oscillation orgiaque de leurs reins rythmant la pression du ventre des femmes sur le phallus qu'elles se partageaient.

Le seul défaut qu'Emmanuelle trouvait dans cette configuration, c'était que la brune ne fût pas nue. Pourquoi s'obstinait-elle à cacher ses formes sous ce *chiton* d'Amazone, dépaysé si loin de Troie?

Emmanuelle se sentit trouée par une pensée aussi

aiguë qu'une épée grecque, si soudaine et violente qu'elle faillit crier. Et si cette beauté inconnaissable, c'était Bee ?

La silhouette élancée, le buste sans relief, le maintien racé et serein étaient les mêmes. Pas la couleur des yeux, il est vrai, ni la coiffure. Mais ces iris violets étaient peut-être des lentilles. Et le haut crêpage qui élargissait en boule la chevelure sombre, selon un style emprunté à l'Afrique, pouvait être celui d'une perruque.

Emmanuelle se raisonna : « Il ne faudrait quand même pas que je me mette à la voir partout ! J'ai déjà été échaudée... »

Elle passa au crible l'absurdité de son hallucination : « Bee ne se déguiserait pas pour se rendre à une invitation d'ambassadeur. Elle n'aurait pas séduit cette blonde comme je viens de la voir le faire. Elle ne s'amouracherait pas tout à trac d'un homme de rencontre. Et l'amour à trois n'est pas dans les goûts que je lui connais. »

Connaissait-elle les goûts de Bee, au fait ? Elle dut s'avouer qu'elle ne savait rien, absolument rien d'elle. Comment pouvait-elle, alors, s'imaginer la reconnaître ? Ou, tout aussi follement, nier que n'importe quelle femme pût la représenter ?

Cet exercice de logique et d'obsession, dans lequel Emmanuelle tournait en rond, la fatigua plus que ne l'avait fait son guet prolongé. Elle prit le parti de renoncer à l'un et à l'autre. Elle allait faire demi-tour, quand le groupe s'anima à nouveau. Encore une fois, ce furent les femmes qui agirent. Elles se séparèrent brusquement l'une de l'autre et du héros nu, le laissèrent seul, à distance, le temps d'un doute. Toutes deux le regardaient, étonnées comme si elles venaient de le découvrir, Priape statufié dans ce jardin du bout du monde, en attente d'idolâtres ou d'iconoclastes. Elles paraissaient

joyeusement indécises : que feraient-elles de sa virilité ?

Leur choix fut le même. Elles saisirent ensemble
le moulage antique ; l'emmenèrent, captif, jusqu'à
un massif de fleurs rouges à très hautes tiges,
qu'illuminaient des projecteurs ; elles se frayèrent
un passage entre les hampes serrées, s'engloutissant
dans la luxuriance de leur bouquet. La brune avançait la première, tenant l'homme par le sexe. La
blonde fermait la marche, leur caressant le dos. Ils
disparurent dans la touffe.

Oubliant ses résolutions, Emmanuelle resta longtemps clouée à son pan de balcon. Elle découvrit un
nouveau langage de signes, dont elle n'avait jamais
auparavant pressenti la possibilité. L'indiscrétion de
cette langue végétale était plus lascive encore que
ne l'est celle des mains qui parlent. Emmanuelle
apprit ainsi à lire dans l'ondulation suggestive des
inflorescences les souffles de plaisir qui leur
venaient d'en bas. Les succions d'air et les goulées
qui faisaient dialoguer les corolles sur leurs longues
queues et qui vidaient les étamines de leur pollen
énonçaient avec une silencieuse impudeur l'audace
carnivore des amants cachés.

Tout le bosquet était devenu une seule grande
fleur géomètre mesurant la chance sexuelle des
corps humains qu'Emmanuelle voyait en esprit
s'abouter, se fendre, se diviser en parties égales et
indéfiniment se recomposer, dans un jeu d'inventions sans limites.

... C'était assez !... Elle allait partir. Pour laisser la
triade libre — libre aussi de ne pas l'initier à ses
amours isocèles — elle effacerait de sa mémoire
l'empreinte de ces mystères. Elle ne se souviendrait
pas des corps, ni des cheveux, ni du rouge, ni de la
poudre. Ses lèvres laisseraient les baisers s'en aller

avec le vent. Elle ne poserait pas de questions inutiles. Elle...

« Admettons que la brune n'est pas Bee. Mais qui est la blonde ? »

Mario la vit de loin, qui ne bougeait pas de son observatoire. Il la rejoignit.

— Marie-Anne m'a beaucoup parlé de vous, dit-il.

Cela n'était pas fait pour rassurer Emmanuelle.

— Qu'a-t-elle bien pu vous dire ?

— Assez pour que je souhaite vous connaître davantage. Nous ne pouvons parler à notre aise au milieu d'une cohue. Vous me feriez honneur en acceptant, un jour prochain, de dîner dans le calme de ma maison.

— Je vous remercie, dit Emmanuelle. Mais nous avons en ce moment un visiteur. Je peux difficilement...

— Pourquoi pas ? Laissez-le pour une soirée à la garde de votre époux. Vous avez la permission de sortir seule, j'espère ?

— Bien sûr, dit Emmanuelle.

Elle se demandait ce que Jean en penserait. Elle ajouta, avec quelque malice :

— Mais ne préféreriez-vous pas que j'amène mon mari ?

— Non, dit Mario. Je vous invite seule.

Voilà qui était franc. Emmanuelle, néanmoins, était un peu étonnée. Le ton de cette invitation cadrait mal avec la réputation qu'Ariane faisait à Mario. Elle aurait aimé en avoir le cœur net.

— Il n'est pas très convenable pour une femme mariée, dit-elle d'un ton qu'elle cherchait à rendre léger, de dîner chez un monsieur seul. Qu'en pensez-vous ?

— Convenable ? articula Mario, comme s'il entendait ce mot pour la première fois et le trouvait, à tout le moins, difficile à prononcer. Tenez-vous qu'il faut être convenable ? Est-ce là une de vos règles ?

— Non, non ! se défendit Emmanuelle, alarmée.

Elle tenta, cependant, une nouvelle reconnaissance :

— Mais il est plus piquant, pour une femme, d'être avertie par avance des risques qu'elle court.

— Tout dépend de ce que vous entendez par risques. Quelle est, en l'occurrence, votre conception du danger ?

Emmanuelle se retrouvait sur la sellette. Qu'elle se référât aux devoirs du mariage, aux usages du monde ou aux bonnes mœurs, la riposte de Mario était facile à prévoir. Elle n'avait pas, d'un autre côté, assez de courage ou d'habitude pour avouer en propres termes ce qui la préoccupait. Elle ne trouva à dire, assez piteusement, que :

— Je ne suis pas peureuse.

— Je ne vous demande rien de plus. Voulez-vous, demain soir ?

— Mais je ne sais pas où vous habitez.

— Donnez-moi votre adresse : un taxi ira vous prendre. (Il sourit avec charme.) Je n'ai pas de voiture.

— Je pourrais venir avec la mienne ?

— Non, vous vous perdriez. Le taxi sera chez vous à huit heures. C'est entendu ?

— C'est entendu.

Elle indiqua le quartier, le numéro et la rue.

Mario l'observa longuement. Il se prononça enfin :

— Vous êtes belle, dit-il sans y mettre d'emphase.

— C'est la moindre des choses, répondit poliment Emmanuelle.

5

LA LOI

*Come, my friends, 'tis not too late to
seek a newer world.*

TENNYSON, *Ulysses.*

*Thou didst create night and I mode the
[lamp,
Thou didst create clay and I mode the
[cup,
Thou didst create the deserts,
[mountains and forests,
I produced the orchards, gardens and
[groves;
It is I who turn stone into a mirror,
And it is I who turn poison into an
[l'antidote.*

Mohammed IQBAL.

Mario fit asseoir la visiteuse sur le divan de peau
rouge, souple comme un satin, entre les lampes
japonaises. Un boy, qui n'était vêtu que d'un short
collant bleu vif, ouvert sur le côté des cuisses,
apporta un plateau de verres et s'agenouilla pour le
déposer sur la longue et étroite table, de cuir, elle
aussi.

La maison de Mario était bâtie de rondins, en surplomb d'un canal noir et agité de reflets. Sans étage, elle offrait, de l'extérieur, l'apparence d'un rendez-vous forestier. Lorsqu'on y pénétrait, le luxe des meubles et des étoffes surprenait. Le salon s'ouvrait de toute sa longueur sur le *khlong*. De la place où elle se tenait, Emmanuelle pouvait voir des barques d'écorce, chargées de boissons sucrées, de dourians, de noix de coco et de bambous remplis de riz cuit, croiser dans la nuit des îlots de lianes et de feuilles qu'emportait le courant. L'homme ou la femme qui, debout à l'arrière, courbé sur l'unique rame, ahanait en balançant le pied, jetait à l'intérieur de la pièce, en passant, un regard placide. Au pignon d'un temple voisin, ces clochettes de cuivre dont le battant a la forme d'une feuille de figuier *bodhi*, qu'agite le vent, tintaient sur deux notes, l'une grêle, l'autre grave et comme blessée. On entendit un gong appeler, dans le lointain, les bonzes au sommeil. La voix d'une femme entama une aigre berceuse au chevet d'un enfant.

— Un ami va venir, dit Mario.

Sa diction assourdie s'assortit aux ombres des figures bouddhiques que trace sur le mur la laconique clarté des lampes. Emmanuelle éprouve une sorte d'appréhension physique, au point qu'elle boit d'un seul coup un demi-verre du cocktail très fort que le boy a servi. Mais le choc de l'alcool ne suffit pas à défaire le nœud qui s'est formé en elle. Qu'a-t-elle donc? Elle se fait honte de cette peur sans contours, tente de rompre l'absurde enchantement :

— Est-ce que je le connais? demande-t-elle.

C'est seulement après qu'elle a parlé que la déception l'atteint : ainsi, Mario ne se soucie même pas d'être seul avec elle! Elle avait cru qu'il voulait l'avoir à sa merci, il n'avait pas accepté son mari et

voilà qu'il a convié quelqu'un d'autre, un chaperon.
Mario répond :

— Non. Je ne l'ai moi-même rencontré qu'avant-hier, au cours d'une soirée. Il est anglais. Un être attachant. Et une peau étonnante ! Le soleil de ces pays lui a donné un teint égal et grillé... comment vous dire ?... une couleur qui sent bon. Vous l'aimerez.

La jalousie et l'humiliation griffent le cœur d'Emmanuelle. Mario lui parle de cet homme avec une gourmandise qui suspend sa phrase entre chaque mot, ne semblant faire son choix qu'après des débats de conscience, comme Emmanuelle l'imagine, plateau en main, penché sur la vitrine d'un pâtissier. Quel doute pourrait-elle désormais garder sur ses goûts ? Ariane avait bien eu raison de la prévenir ! En même temps, toutefois, l'impression déroutante gagne Emmanuelle que les mérites de l'hôte attendu ne sont pas seulement loués pour le régal de celui qui les décrit, mais comme s'ils étaient destinés à elle.

Elle perd pied. Si Mario veut la prendre, elle n'a rien à y redire. Elle s'y attend : c'est pour cela qu'elle est venue, résolue à cette inconduite pour plaire à Marie-Anne — ou simplement parce que la tentation est plus forte qu'elle ne veut le reconnaître et la certitude d'y céder lui cause un plaisir aussi physique, déjà, que celui qu'elle éprouvera tout à l'heure à dégrafer elle-même sa robe, à ouvrir ses jambes, à sentir un corps dont elle ne connaissait pas, jusqu'à ce moment, le toucher et la chaleur entrer en elle, que ce soit d'un seul coup, viol délectable, ou, au contraire, lentement, pouce par pouce, pour bientôt reculer — la laissant dans l'attente, ouverte, dépendante, quémandeuse, incertaine et liquide, ô suave suspens ! — et revenir encore, toujours, quelle merveille ! si dur, si gonflé, si aigu, caressant si impérieusement l'intérieur de son sexe, voluptueusement se vidant jusqu'à la dernière goutte en elle, ne la quittant qu'ensemencée — argile fouie, hersée, irriguée, appropriée... Elle se mord les lèvres, elle est prête, elle aime cette possession de sa chair, elle la désire. Mais qu'on lui épargne un jeu trop compliqué : l'idée l'en lasse par avance. Elle aurait dû se méfier du génie italien !

Elle est sur le point de dire à Mario : « Vous avez raison de profiter des chances qui s'offrent, mais contentez-vous de celle que je suis. Faites-moi l'amour, puis renvoyez-moi, pour que je dorme auprès de mon mari. Quand je serai partie, vous pourrez vous amuser comme vous voudrez avec votre Anglais. » Mais elle imagine ce que sera sa confusion, si Mario la regarde alors avec cette expression de courtoisie distante — de dédain — qu'elle lui a déjà vue et répond : « Ma chère, vous vous méprenez. Vous m'êtes, certes, très sympathique, très ! mais... »

La voix de Mario, avec le ton même qu'elle lui attribuait en pensée, interrompt ses chimères :

— Je tiens à ce que vous montriez vos jambes aussi haut que possible. Quentin viendra s'asseoir sur ce pouf. Voulez-vous vous tourner de ce côté, de sorte que vos genoux soient dirigés vers lui et qu'il puisse plonger son regard dans l'ombre de votre jupe ?

Vertige d'Emmanuelle. Mario a posé une main sur la peau nue de son épaule, assez avant pour que le bout de ses longs doigts appuie sur la naissance du sein. Il la fait doucement pivoter vers la droite, tandis que, de l'autre main, il saisit avec délicatesse les côtés de sa jupe noire et la relève de biais, découvrant inégalement les jambes : la gauche, à mi-cuisse ; la droite, presque jusqu'à l'aine.

— Non, ne les croisez pas, dit-il. C'est parfait, ainsi. Et ne bougez à aucun prix. Le voici.

La main de Mario se retira. Elle la sentit qui glissait d'elle comme une vague laisse la plage.

Mario installa l'arrivant, faisant en même temps à Emmanuelle le sourire d'encouragement d'un examinateur complice à une candidate qui a le trac. Mais c'était l'Anglais qui paraissait le plus intimidé.

« Il » ne regarde même pas mes jambes, constata Emmanuelle, avec moins de dépit qu'une joie vindicative devant l'échec des machinations de Mario : c'était bien fait pour lui ! Quentin lui parut, du coup, plus un allié qu'un ennemi. Elle lui accorda un air plaisant. C'était vrai, reconnut-elle, qu'il n'était pas mal du tout. Et fou, ce qu'il pouvait ne pas avoir le genre pédéraste !

Le nouveau venu, par malheur, ne semblait pas capable de prononcer un mot de français. « C'est décidément ma chance ! observa ironiquement Emmanuelle. Je dois être vouée à ne tomber que sur le type grand voyageur non doué pour les langues. » L'expression équivoque la divertit secrètement et la piqua d'un aiguillon libertin : elle essaya d'imaginer les sensations que lui procurerait la langue de Quentin cherchant la sienne, puis descendant jusqu'à son ventre. Elle se la représenta qui pénétrait en elle... se ressaisit et fit un effort méritoire pour placer les quelques phrases d'anglais qu'elle avait apprises depuis les trois semaines qu'elle était à Bangkok, mais cela ne la mena pas loin. Son interlocuteur parut néanmoins ravi.

Mario, d'évidence, n'était guère soucieux de jouer l'interprète. Il mélangeait des boissons, donnant à son serviteur des explications dans un idiome modulé où Emmanuelle ne reconnut pas les inflexions et sonorités du siamois, auxquelles commençait à se faire son oreille. Enfin, il vint s'asseoir sur le tapis, devant le sofa où se trouvait Emmanuelle. Il lui tournait aux trois quarts le dos et faisait face à son hôte. Ils parlèrent en anglais. De temps à autre, l'invité regardait Emmanuelle et tentait de l'associer à la conversation. Au bout d'un moment, elle jugea que ce manège avait assez duré.

— Je ne comprends pas, signala-t-elle.

Mario leva un sourcil surpris, déclara :

— Cela n'a pas d'importance.

Puis, avant qu'elle n'ait eu le temps de relever l'impertinence, il bondit sur ses pieds, s'assit près d'elle, entoura sa taille, la renversa un peu, s'écriant, à l'adresse du visiteur, avec un enthousiasme et une chaleur qui laissèrent Emmanuelle médusée :

— *Non è bella, caro ?*

Il la maintint dans cette position de déséquilibre, qui l'obligeait à soulever les jambes et (elle en fut consciente, avec, cette fois, une pointe d'amusement) à les découvrir davantage. Il lui agaça les lèvres des doigts, puis, gravement, fit glisser son encolure. Il mit d'abord à nu l'une de ses épaules et le haut du bras, puis la pointe d'un sein, qu'il contempla en arrondissant les lèvres.

— Elle est belle, vraiment, ne trouves-tu pas ? répéta-t-il.

L'Anglais approuva du chef. Mario recouvrit le sein.

— Aimes-tu ses jambes ? demanda-t-il.

Il avait posé la question en français et l'invité se borna à plisser les yeux. Mario insista :

— Elles sont *très* belles ! Et, surtout, elles sont, des orteils à la hanche, purement des organes de luxure.

Il effleura du bout des doigts la ligne des tibias dorés.

— Il est parfaitement clair que leur fonction n'est pas de servir à marcher.

Il se pencha sur Emmanuelle.

— J'aimerais, dit-il, que vous donniez vos jambes à Quentin. Acceptez-vous?

Elle ne comprenait pas très bien ce que Mario voulait dire et la tête lui tournait quelque peu. Mais elle ne voulait pas paraître reculer, quoi qu'on lui demandât. Elle prit le parti de rester impassible. Lui sembla s'en satisfaire.

Sa main, de nouveau, releva la jupe, mais beaucoup plus haut. Il dut, à cause de l'étroitesse, soulever, du bras qu'il avait libre, le corps d'Emmanuelle, pour dégager entièrement ses jambes et le bas de son ventre. Ce soir, pour la première fois de son séjour à Bangkok, Emmanuelle avait, malgré la chaleur, mis des bas. Dans le losange du porte-jarretelles et des plis de l'aine, le slip noir, transparent comme un tulle, ordonnait sagement les boucles soyeuses.

— Viens, dit Mario. Prends.

Elle perçut le mouvement que faisait Quentin pour s'approcher d'elle. Une main caressa ses chevilles, puis deux. Puis, derechef, une seule, tandis que la seconde montait le long d'un mollet, ensuite de l'autre, s'attardant au creux des genoux, à la naissance des cuisses, enfin les contournant et restant là, comme impressionnée par tout l'espace qui s'offrait à elle au-delà de ce dernier refuge de la décence.

Alors, la première main vint à la rescousse, se joignit à l'autre pour encercler les cuisses, assez minces près des genoux pour tenir toutes deux presque entièrement dans l'anneau des doigts qui les pressaient l'une contre l'autre.

Ensuite, les deux mains progressèrent de conserve, d'abord à l'extérieur des cuisses, puis au-dessus, puis au-dessous, jusqu'à toucher les fesses. Là, très fermes, elles obligèrent les jambes à s'écarter, afin d'en pouvoir frôler à loisir la face interne, si sensible qu'Emmanuelle sentit se gonfler ses lèvres.

Mario la contemplait. Mais elle-même ne le voyait pas. Lorsqu'elle ouvrit les yeux et chercha à lire dans les siens ce qu'il attendait d'elle, il se contenta de sourire, sans qu'elle pût rien déchiffrer. Alors, autant par défi que parce qu'elle avait envie de jouir, elle releva plus haut sa jupe, déjà roulée en bourrelet, saisit l'étoffe élastique de sa culotte et la fit glisser. Les mains de l'Anglais devinrent sur-le-champ plus hardies et plus secourables, aidèrent à la descente du slip, le tirèrent le long des jambes, jusqu'à terre.

Presque aussitôt, la voix de Mario, plus grave et sourde encore qu'auparavant, fit tressaillir Emmanuelle. Il parlait anglais. Après quelques phrases, il traduisit pour elle :

— Vous ne devez pas tout accorder à la même personne, dit-il, du ton d'enseigner une vérité difficile. Ce soupirant a eu vos jambes : qu'il s'en arrange, pour le moment. Gardez pour d'autres, à une autre occasion, le reste de votre corps. Une part de vous à chaque homme : jouez à vous donner d'abord en détail.

Emmanuelle n'osa crier : « Mais vous, vous, que voulez-vous ? Quelle partie de moi vous tente-t-elle ? » Elle se demandait, avec une bouffée de dérision, s'il suffisait à Mario du sein qu'il avait effleuré tout à l'heure. Pendant une seconde, elle le haït. Mais lui se redressa, allègre, plein d'entrain. Il frappa dans ses mains et cria :

— Et si nous allions dîner ? *Cara,* venez ! Je veux que vous goûtiez des plats qui rendent les corps fous.

Il la souleva du divan, glissant un bras sous ses épaules, l'autre sous ses jambes, toujours découvertes et qui semblaient plus longues encore d'être ainsi suspendues, sculptées d'ombres et de reliefs par le jeu inégal des lampes de papier. Lorsqu'il remit Emmanuelle sur ses pieds, la jupe noire retomba. Emmanuelle se pencha de côté d'un mouvement plein de grâce pour la défroisser. Elle regardait, sur le tapis, une mince tache de nylon sombre et ne savait que faire. Mario, agile, la piqua du bout des doigts et la serra sur ses lèvres.

— « *Rompre avec les choses réelles, ce n'est rien, mais avec les souvenirs !* déclama-t-il. *Le cœur se brise à la séparation des songes, tant il y a peu de réalité dans l'homme.* »

Puis il glissa le slip parfumé dans la poche de poitrine de son veston de soie grège et, prenant par la main Emmanuelle interloquée, l'entraîna vers la petite table ronde autour de laquelle avaient été placés trois sièges de vieux bois à haut dossier, de style quasi médiéval.

Emmanuelle n'osait regarder Quentin. Malgré elle, néanmoins, elle s'amusait maintenant de l'étrangeté de l'expérience et commençait à oublier ses griefs à l'égard de Mario. Elle se disait même, à la réflexion, qu'il avait sans doute eu raison de l'empêcher de se livrer à ce beau garçon inconnu, qui lui était indifférent. Elle n'allait tout de même pas se mettre à coucher avec n'importe qui, ouvrir son corps à tous ceux qui poseraient la main sur ses genoux ? C'était déjà bien assez qu'elle se fût conduite ainsi dans l'avion, elle qui, jusqu'alors, avait toujours su si gracieusement décourager les garçons de se servir avec elle d'autre chose que de leurs mains ! Et Mario, alors ?... Ce n'était pas pareil... Il n'y avait rien d'extravagant, elle en convenait, à ce qu'une femme mariée se partageât entre son mari et un amant. Et, maintenant que Marie-Anne lui en avait mis l'idée en tête, elle avait vraiment envie d'avoir un amant. Mais un seul ! Et que cet amant fût Mario... La pensée lui vint brusquement que peut-être celui-ci ne l'avait, quoi qu'il prétendît, disputée à Quentin que parce qu'il voulait se la réserver. Cette hypothèse lui rendit sa bonne humeur.

Elle ne voulait cependant pas faire à l'Italien la partie trop belle : elle entreprit donc de tourner en ridicule, moins parce qu'elle y attachait vraiment de l'importance que par badinage et pour lui montrer qu'elle n'était pas si naïve, les dogmes et les rites de sa philosophie.

— Je ne vois pas très bien comment votre amour « à tempérament » peut se concilier avec l'esthétique que vous professiez hier soir ? S'il importe de se prodiguer et de se défaire, pourquoi m'exhortez-vous aujourd'hui à me marchander, à me donner au compte-gouttes ?

— Donnez-vous donc d'un trait ! Et lorsque ce sera fini ? demanda Mario.

— Fini ?

— La femme qui servit de modèle au Portrait Ovale, après qu'elle eut donné son ultime couleur et se fut vidée de son souffle, quel *art* restait possible ? *Finita la commedia !* Quand le dernier cri de plaisir et le dernier chant de vie auront passé vos lèvres, l'œuvre sera abolie. Elle disparaîtra comme un songe, elle n'aura jamais existé. Le plus impérieux des devoirs, dans ce monde mortel, le seul devoir, à tout bien peser, n'est-il pas de *faire durer* ? Se défaire ? Certes ! Mais à n'en pas finir !

— Vous aussi tenez à me représenter ma fin prochaine ? Mais vous et votre disciple Marie-Anne feriez bien de vous mettre d'accord : elle me presse de me dépenser, vous de m'économiser. Et, l'un comme l'autre, au nom de la brièveté de la vie!

— Je vois que vous m'avez compris tout de travers, très chère! C'est que je me serai mal exprimé. Marie-Anne a mieux su dire ce que nous pensons, elle et moi. Les petites filles ont des talents d'exposition que l'on perd avec l'âge.

— Mais non! Vos leçons sont tout à fait contradictoires. La vôtre enseigne la continence...

— Voilà bien le reproche le plus injustement décerné, interrompit joyeusement Mario. Mais votre indignation ne risque-t-elle pas, de son côté, de nous condamner à l'abstinence?

— Comment?

— Cette croustade refroidit...

Emmanuelle rit, un peu penaude. Mario avait trop beau jeu d'éluder de la sorte les questions embarrassantes.

Pendant un moment, ils ne parlèrent que des plats et des vins. Quentin ne prenait à la conversation qu'une part modeste, bien que Mario voltigeât d'une langue à l'autre. Emmanuelle loua avec sincérité la recherche du repas. Elle dit qu'elle n'attachait d'ordinaire pas beaucoup d'importance à ce qu'elle mangeait, mais, ce soir, même l'ignorante qu'elle était se découvrait sensible à la qualité d'un rôti.

— Si ce n'est pas la gastronomie qui vous paraît la chose la plus importante, qu'est-ce donc? demanda Mario.

Emmanuelle comprit que la conversation était autorisée à gagner les hauteurs dont elle avait manqué l'ascension aux hors-d'œuvre. Elle réfléchit. Qu'allait-elle répondre pour rester dans le ton de la maison, sans trop concéder, néanmoins, aux manies du maître? Après tout, se dit-elle, le but de cette soirée était clair : elle était venue ici pour se dévergonder, non pour philosopher. Elle énonça donc d'une voix naturelle :

— Beaucoup jouir.

Mario ne se montra même pas appréciateur. Plutôt impatient.

— Sans doute, sans doute, dit-il. Mais faut-il jouir n'importe comment ? Est-ce la jouissance qui compte le plus, ou la manière d'y parvenir ?

— La jouissance, évidemment !

Elle ne le pensait pas vraiment, elle cherchait à provoquer Mario. Elle parut n'avoir réussi qu'à le consterner.

— Pauvre dieu ! soupira-t-il.

— Seriez-vous saisi par la religion ? s'étonna Emmanuelle.

— C'est un dieu esthétique que j'invoque, rectifia-t-il. Un dieu dont vous auriez avantage à connaître les lois. Je veux parler d'Éros.

— Croyez-vous que je ne sache pas le servir ? se rebiffa-t-elle. C'est le dieu de l'amour.

— Non. C'est le dieu de l'érotisme.

— Oh ! cela, c'est ce qu'on a fait de lui !

— Un dieu est-il jamais rien d'autre ? Vous ne me semblez pas nourrir une bien haute idée de l'érotisme ?

— Vous vous trompez : je suis pour.

— Ah ! oui ? Et comment le concevez-vous, au juste ?

— Eh bien ! l'érotisme, c'est... comment dire ?... le culte du plaisir des sens, affranchi de toute morale.

— En aucune façon, triompha Mario. C'est exactement le contraire.

— C'est le culte de la chasteté ?

— Ce n'est pas un culte, mais une victoire de la raison sur le mythe. Ce n'est pas un mouvement des sens, c'est un exercice de l'esprit. Ce n'est pas l'excès du plaisir, mais le plaisir de l'excès. Ce n'est pas une licence, mais une règle. Et c'est une morale.

— Très joli ! applaudit Emmanuelle.

— Je parle sérieusement, remontra Mario. L'érotisme n'est pas un manuel de recettes pour s'amuser en société. C'est une conception du destin de l'homme, une jauge, un canon, un code, un cérémonial, un art, une école. C'est aussi une science — ou, plutôt, le fruit d'élection, le fruit dernier de la science. Ses lois se fondent sur la raison, non sur la crédulité. Sur la confiance, au lieu de la peur. Et sur le goût de la vie, plutôt que sur la mystique de la mort.

Mario arrêta du geste sur les lèvres d'Emmanuelle la phrase qu'elle voulait dire et acheva :

— L'érotisme n'est pas un produit de décadence, mais un progrès. Parce qu'il aide à désacraliser les choses du sexe, c'est un instrument de salubrité mentale et sociale. Et je prétends qu'il est un élément de promotion spirituelle, car il suppose une éducation du caractère, le renoncement aux passions d'illusion au profit des passions de lucidité.

— Eh bien, c'est gai ! se moqua Emmanuelle. Vous trouvez ce portrait tentant, vous ? N'est-il pas plus agréable de se faire illusion ?

— La fureur de posséder pour soi seul ou d'appartenir à un seul ; la volonté de puissance ou de servitude ; la volupté de faire souffrir et de faire mourir ; la fascination, le désir et l'amour de la souffrance et de la mort et l'appétit d'éternité sont de ces passions que j'appelle d'illusion. Vous tentent-elles ?

— Pas vraiment, convint Emmanuelle. Mais dites-moi ce qui devrait me tenter.

— J'aimerais assez que la vertu suprême fût la passion de la beauté. Cela contient tout. Ce qui est beau est vrai, ce qui est beau est justifié, ce qui est beau fait échec à la mort. La beauté est citadine d'un ailleurs que n'auraient pu connaître, s'ils ne s'étaient donné un savoir aventureux et un souffle éternel, nos têtes poltronnes et nos cœurs mortels. L'amour de la beauté est ce qui nous fait autres, nous qui serions semblables à des bêtes. La pensée, que les sucs de la terre avaient fait se lever en nous, ses premières terreurs nous ont rabattus face contre cette même terre, rampant de nos trop faibles membres dans les humbles régions où nous parquaient nos dieux. Le miracle de la beauté, issu de nos curiosités rebelles et de nos orgueils, a été notre chance d'envol. Car la beauté est l'aile du monde : sans elle, l'esprit serait atterré.

Mario se tut un instant, mais l'expression du visage d'Emmanuelle l'encouragea à poursuivre. Il dit donc :

— Quel génie humain — plus vigilant qu'un ange — nous couvre de cette aile ! La beauté de la science est ce qui nous garde des disgrâces de la magie. Et la beauté de la raison nous fait horreur du fard des mythes. C'est pour l'amour de la beauté qu'au théâtre d'illusion où des masques des politiques et des révélations jouent leur jeu d'ombre avec une lenteur royale, à la fin, le monde refusera de s'asseoir. L'univers en mouvement se rira de leurs prétentions immobiles. Et l'homme se guérira de l'âme par le caractère, trouvant dans l'avancement continu de l'intelligence le remède à ses cauchemars et à ses chimères.

L'hôte se tourna vers Quentin comme pour le prendre à témoin, poursuivit en écartant les mains, en signe d'évidence :

— Car notre vie est étrangement simple : il n'y a pas d'autre devoir au monde que l'intelligence, pas d'autre destin que l'amour et pas d'autre signe du bien que la beauté.

Il fit de nouveau face à Emmanuelle, pointa vers elle un doigt exigeant :

— Mais ce n'est pas, souvenez-vous-en, dans l'œuvre achevée, que la beauté vous attend. Elle n'est pas une réussite. Pas le paradis promis au loyal ouvrier, ni la quiétude du crépuscule après la piété des travaux. Elle est le blasphème créateur jamais tu, la question que rien ne contente, la marche en avant qui ne se lasse pas. Elle est défi et elle est effort. Elle a l'urgence du défi et l'infinité de l'effort. Elle est ce qui défie en nous les noirs dons suicidaires de notre matière de hasard. Elle s'identifie à l'héroïsme de notre destin.

Emmanuelle lui sourit et il parut comprendre ce qui la touchait. Lui-même la regarda avec sympathie. Il continua néanmoins, comme s'il était surtout anxieux que son invitée ne gardât aucun doute sur l'objet ultime de son discours :

— Elle n'a pas été donnée à l'homme par un dieu : il l'a inventée. Il l'a *faite* : elle a le même nom séditieux que la poésie. La beauté n'est pas l'ordre de la nature, elle est son contraire. Elle est l'anxieux espoir des hommes et des femmes contre les lois des choses, la vertu née de notre dépaysement et de notre solitude, dans l'univers d'où nous avons chassé les anges et les diables ; elle est la victoire promise sur les herbes et sur les pluies. Elle est le clair de lune imaginé, le chant des sirènes par-dessus la hideur de la mer. Ainsi dirai-je que l'érotisme, ce triomphe du rêve sur la nature, est le haut refuge de l'esprit de poésie, parce qu'il nie l'impossible. Il est l'Homme, qui peut *tout*.

— Je ne me représente pas très bien ce pouvoir, objecta Emmanuelle.

— L'œuvre de chair entre femmes est une absurdité biologique, elle est impossible. L'érotisme, aussitôt, fait de cette invention du rêve une réalité.

Sodomiser est un défi à la nature : il sodomise. Faire l'amour à cinq n'est pas *naturel* : il l'imagine, il l'ordonne et il l'accomplit. Et chacune de ces victoires est *belle*. Certes, pour s'épanouir, l'érotisme n'a pas forcément besoin de ces formules d'exception : il ne réclame que la jeunesse et la liberté de l'esprit, l'amour du véridique, une pureté qui ne doit rien aux coutumes et aux conventions. L'érotisme est une passion de courage.

— À vous entendre, on se dit que cet érotisme-là doit être une espèce d'ascèse ! Est-ce bien la peine de se donner tout ce mal ?

— Mille fois ! Ne serait-ce que pour la volupté de narguer nos monstres. Et, d'abord, les plus hideux de tous : la bêtise et la lâcheté — ces deux hydres chéries des hommes ! Des hommes qui ne s'avouent jamais aussi bien que dans le cri de Hobbes, plus vrai chaque matin après trois siècles : « *L'unique passion de ma vie aura été la peur !* » Peur d'être différents. Peur de penser. Peur d'être heureux. Toutes ces peurs qui sont l'antipoésie et qui sont devenues les valeurs du monde : le conformisme, le respect des tabous et des rites, la haine de l'imagination, le refus de la nouveauté, le masochisme, la malveillance, l'envie, la mesquinerie, l'hypocrisie, le mensonge, la cruauté, la honte. En un mot, le mal ! Le véritable ennemi de l'érotisme, c'est l'esprit du mal.

— Vous êtes merveilleux ! acclama Emmanuelle. Et moi qui croyais que les uns appelaient érotisme ce que les autres appellent tout simplement vice.

— Vice, dites-vous ? Qu'entendez-vous par ce mot ? Vice veut dire défaut. L'érotisme, ni plus ni moins que les autres œuvres de l'homme, n'est exempt de défauts, d'erreurs, de rechutes. Si c'est cela, alors disons que le vice est la rançon de l'érotisme, son ombre, sa scorie. Mais il y a quelque chose qui ne peut exister ; c'est l'érotisme honteux. Les qualités qu'exige la naissance de l'acte érotique : logique et fermeté d'esprit, avant tout ; imagination, humour, audace, pour ne rien dire du pouvoir de conviction et du talent d'organisation, du bon goût, de l'intuition esthétique et du sens de la grandeur sans lesquels toutes ses tentatives seront manquées, ne peuvent faire de lui que quelque chose de fier, de généreux et de triomphant.

— C'est pour cela que vous le présentez comme une morale ?

— Non, c'est pour beaucoup plus que cela. L'érotisme exige avant tout l'esprit de système. Ses personnages ne peuvent être que des gens à principes, des faiseurs de théories : pas de joyeux noceurs ni des costauds de kermesse, annonçant le nombre de coups portés, après boire, aux petites bonnes aimant danser.

— En somme, l'érotisme, c'est le contraire de faire l'amour ?

— C'est aller trop loin : mais il est vrai que faire l'amour, ce n'est pas nécessairement faire acte d'érotisme. Il n'y a pas érotisme là où il y a plaisir sexuel d'impulsion, d'habitude, de devoir ; là où il y a pure et simple réponse à un instinct biologique, dessein physique plutôt que dessein esthétique, recherche du plaisir des sens plutôt que du plaisir de l'esprit, amour de soi-même ou amour d'autrui plutôt qu'amour de la beauté. Autrement dit, il n'y a pas érotisme là où il y a *nature*. L'érotisme est, comme toute morale, un effort de l'homme pour s'opposer à la nature, la surmonter, la dépasser. Vous savez bien que l'homme n'est homme que dans la mesure même où il fait de soi un animal *dénaturé*, et qu'il n'est davantage homme qu'autant qu'il se sépare davantage de la nature. L'érotisme, le plus humain talent des hommes, ce n'est pas le contraire de l'amour, c'est le contraire de la nature.

— Comme l'Art ?

— Bravo ! Morale et Art, c'est tout un. J'applaudis à vous entendre parler de l'art comme de l'anti-nature. Ne vous ai-je pas déjà dit que la beauté ne se découvrait que dans la défaite de la nature ? D'âge en âge, les faiseurs d'ombres sur le mur de nos vies tentent de convaincre l'humanité, le plus souvent à coups de bottes, qu'elle ne se guérira de la fatigue des machines et des architectures que par un « retour à la nature ». Écœurante panique, abominable déchéance de l'intelligence ! Retourner à la vermine de l'humus, est-ce là tout l'avenir que mérite l'inventeur des mathématiques et du maillot collant des ballerines ? Si cette espèce a hâte de finir, alors, quitte à faire, que ce soit en beauté, dans une gerbe d'atomes. Mieux vaudrait un vide entre les corps célestes et le souvenir d'un dernier chant d'orgueil qu'une terre peuplée d'une race de singes de plus. Je hais la nature !

Sa fougue fit rire Emmanuelle, mais il poursuivit sur sa lancée :

— Mais qu'ai-je à vous parler de détruire, quand c'est à créer que l'esprit nous invite ?

Il posa brusquement une main sur la sienne et la serra presque à l'en faire crier. Sa voix devint étrangement belle :

— Je volais au-dessus du golfe de Corinthe, vers ce pays dont aujourd'hui nous partageons la nuit. À ma droite, les sommets du Péloponnèse étaient couverts de neige. À ma gauche, les plages dorées de l'Attique réchauffaient la mer. Un journal qu'on m'apporta me détourna pour un instant de ce spectacle, mais non pour le trahir : car il proclamait, de toute la taille des lettres de son titre, le plus beau poème que l'homme ait jamais écrit — un poème

dont les antiques racines plongeaient dans cette terre
même qui me tendait ses adorables lèvres, entrouvertes sur la nacre des vagues et mordues de soleil,
pareilles en cette aube qu'elles étaient dans le matin
de l'Odyssée et, après tant d'années miraculeuses,
gonflées du même désir des sirènes, aussi téméraires et folles de savoir, défiantes et sages... Ce
poème, le voici :

> « *Le 3 janvier, à 3 h 57, une étoile blanche
> apparaîtra au centre d'un triangle formé par les
> étoiles Alpha du Bouvier, Alpha de la Balance et
> Alpha de la Vierge.* »

« L'étoile est apparue, minuscule caillou d'acier
lancé par l'homme comme d'une fronde au visage
de l'univers. Et l'âge nouveau qui a commencé est à
jamais le nôtre. Désormais, notre terre peut périr, et
la chair de notre race : éternellement, un astre de
plus, un astre fait de notre main, gravé de notre
chiffre et prononçant des paroles de notre langue,
tournera, ruinant de sa chanson la froide majesté des
espaces infinis. Ô vous, étoiles Alpha, qui avez
jalonné de votre veille notre conquête sans remords,
notre goût de la vie allonge ses jambes nues sur vos
plages de feu !
Mario ferma les yeux et ne reparla qu'après plusieurs minutes. Sa voix avait retrouvé sa lenteur
dédaigneuse :
— Art, avez-vous dit ? La création artistique la
plus parfaite, c'est celle qui s'éloigne le plus de
l'image de Dieu. Ah ! ce que Dieu a créé importe
bien peu, au regard de l'œuvre des hommes !
Comme elle est belle, notre planète, depuis que
nous en avons comblé les creux, depuis que nous la
hérissons de nos châteaux de verre et en faisons frissonner l'éther à la fréquence de nos cantates !

Comme elle est belle, tirée de la nuit de Dieu par les lumières des hommes ! Comme elle est belle, délivrée des broussailles et des serpents de Dieu par la croissance des cités des hommes ! Comme elle est belle, ébarbée de ses paysages et ornée des créatures de fer de ses Calder, des carrés d'or, de sang, de ciel et des traits de ténèbres de ses Mondrian — vous, musiciens, peintres, sculpteurs, architectes, qui avez fait de la terre et des cieux le royaume des hommes, trop beau pour qu'on s'y soucie encore du royaume de Dieu !

Mario regardait Emmanuelle comme s'il voyait sur son visage ces formes et ces feux de la terre qu'il aimait. Il lui sourit :

— L'Art, n'est-ce pas, voilà par quoi l'hominien quaternaire s'est séparé du fauve et s'est fait homme ? Seul dans l'univers, seul vivant qui y laissera plus qu'il n'y a trouvé. Mais, déjà, l'art des couleurs, des courbures et des sons ne suffit plus à assouvir sa passion créatrice. C'est sa propre chair et sa propre pensée qu'il veut façonner à l'image de son génie, comme il a naguère tiré de son rêve les apsaras et les *korê*. L'art de cet âge ne peut plus être un art de pierre froide, de bronze ou de pâte. Il ne peut être qu'un art de corps vivants, il ne peut que « *vivre de vie* ». Le seul art qui soit à la mesure de l'homme de l'espace, le seul capable de le conduire plus loin que les étoiles, comme les figures d'ocre et de fumée ouvrirent sur l'avenir les murs de ses cavernes, c'est l'érotisme.

Mario parlait avec tant de force qu'Emmanuelle avait l'impression de recevoir ses sentences comme des coups.

— Existe-t-il, je vous demande, d'art plus poignant que celui qui prend le corps humain et qui, de cette œuvre de la nature, fait sa propre œuvre dénaturée ? Il est aisé à l'ouvrier habile de tirer du marbre ou de l'équilibre des lignes un objet dont il n'a pas eu à disputer la paternité à l'univers. Mais l'homme ! Le saisir entre ses mains, non comme une glaise, non pour en sentir la texture, le contour, non pour l'approuver ni l'aimer, non pour en jouir, mais précisément pour en contester la forme et le fond, le dérober à l'imbécile tâtonnement de la cellule, en altérer l'étoffe même, arracher de lui l'abject naturel, comme on délivre l'animal de laboratoire de l'hérédité qui l'a fait limace ou rongeur. Refaire l'homme ! Le sauver de la matière, pour le rendre libre de se donner ses propres lois, des lois qui ne le confondent plus avec le météore et la molécule, qui l'affranchissent de la dégradation de l'énergie et de la chute des corps. Cela, en vérité, c'est plus que l'art, c'est la raison d'être de l'esprit même.

Il se leva et marcha vers l'ouverture qui donnait sur le *khlong*.

— Voyez ! dit-il. Le fossé n'est pas entre l'inanimé et le vivant : il est entre ce qui est conscient et le reste du monde. Ce margouillat, ce chien ne sont pas différents de l'arbre et de l'algue, qui ne sont pas différents de l'eau et de la pierre. Mais ceux-là, regardez-les qui rament et qui rêvent, parés de leurs haillons, avec leur entêtement, leurs doigts serrés, leurs cheveux courts... Voilà l'homme ! Ah ! il faut un amour forcené des hommes pour savoir si bien haïr la nature. Hommes, hommes, comme je vous aime ! Vous irez si loin !

Emmanuelle demanda, presque timidement :

— Pour vous, le seul amour possible, c'est donc l'amour contre nature ?

Elle accompagna sa question d'un rire affectueux, qui voulait faire comprendre qu'elle ne cherchait pas à désobliger Mario. Mais il n'y avait pas de risque : à son habitude, il mit en pièces l'idée avec les mots.

— C'est une lapalissade. Et un pléonasme. L'amour est toujours contre nature. Il est l'anti-nature absolue. Il est le crime, l'insurrection par excellence contre l'ordre de l'univers, la fausse note dans la musique des sphères. Il est l'homme, c'est-à-dire qu'il s'est échappé du paradis terrestre en pouffant de rire. Il est l'échec des plans de Dieu.

— Et vous appelez cela moral! blagua Emma-nuelle.

— La morale, c'est ce qui fait l'homme homme! Pas ce qui le fait objet aliéné, captif, esclave eunuque, pénitent ou bouffon. L'amour, cela n'a pas été inventé pour avilir, pour asservir ou pour faire grimacer. Ce n'est pas le cinéma du pauvre ni le tranquillisant de l'agité, pas une distraction, pas un jeu, pas un opium, pas un hochet. L'amour, l'art de l'amour charnel, c'est la réalité de l'homme, le rivage sans leurre, la terre ferme, la seule vraie patrie.

« *Tout ce qui n'est pas l'amour se passe pour moi dans un autre monde, le monde des fantômes. Tout ce qui n'est pas l'amour se passe pour moi en rêve et dans un rêve hideux... Je ne redeviens homme que lors des bras me serrent!* »

« Ce cri de clairvoyance de Don Juan, tant d'autres l'ont entendu et compris, si différente que fût la forme de leur génie. Vous parliez tout à l'heure d'ascétisme; c'est bien ce qu'est l'érotisme pour certaines sectes hindoues : un devoir. Mais n'est-il pas amusant que ce le soit aussi, plus tendre-ment conçu, sans doute, et avec quelle enchante-resse pudeur, par la petite hétaïre sacrée d'Ama-thonte :

« *Penses-tu que l'amour soit un délassement? Gyrinno, c'est une tâche, et de toutes la plus rude.* »

— Je ne suis pas de cet avis, dit Emmanuelle, et je préfère penser à l'amour comme à un plaisir. D'ailleurs, faire l'amour ne m'a jamais fatiguée.

Mario s'inclina courtoisement.

— Je n'en doute pas, dit-il.

— Est-ce immoral de prendre plaisir à l'amour ? le harcela-t-elle.

— C'est bien le contraire que j'essaye de vous démontrer, répondit-il patiemment. La morale de l'érotisme, c'est que le plaisir fait la morale.

— Un plaisir moral, je trouve que cela perd une bonne partie de sa saveur.

— Pourquoi ? Je ne comprends pas, s'étonna Mario. Est-ce parce que principe moral s'identifie pour vous avec privation, coercition ? Mais si ce principe vous prive de vous priver ? S'il vous oblige à profiter de la vie ? Ah ! je vois ! L'idée de morale vous rebute parce qu'elle se confond dans votre esprit avec celle d'interdit sexuel. Conduite morale, cela veut dire, n'est-ce pas :

« *Luxurieux point ne sera, de corps ni de consentement ; l'œuvre de chair ne désireras qu'en mariage seulement* » ?

« Ne laissez pas, je vous prie, ces mystifications compromettre à vos yeux l'honorable mot de morale. D'une supercherie historique depuis longtemps éventée, ne tirez pas prétexte pour réunir dans une même condamnation le bien et le mal, ou — ce qui serait plus grave encore — dire que le bien et le mal n'existent pas !

— Écoutez, Mario, vous devenez de plus en plus sibyllin. Comment voulez-vous que je sache à quoi vous voulez en venir ? Vous êtes parti de l'érotisme et vous finissez par parler comme un prédicateur en chaire ! Je ne sais plus où j'en suis. Qu'appelez-vous le bien et le mal ?

— Nous y reviendrons, soyez rassurée ! Ce que je veux d'abord régler, c'est le compte de ce que les autres appellent le bien et le mal. Et, en particulier, ces « vertus » qui, pour vous, semble-t-il, ne font qu'un avec la morale : la modestie, la chasteté, la continence, la fidélité conjugale...

— Pas pour moi seulement ! N'est-ce pas ce que tout le monde appelle la morale ?

— Je le sais. Mais j'en ris ! Car c'est par un abus de confiance d'une bouffonnerie rare que les tabous sexuels se sont fait admettre au royaume de la morale et ont fini par y faire régner leur injuste loi. Ils n'y appartenaient nullement de droit divin. Bien plus ! leur nature et leur dessein sont parfaitement immoraux — nés qu'ils sont d'un calcul terre à terre entre tous : le souci d'assurer au maître foncier la propriété des enfants, instruments de production et signes extérieurs de richesse à l'instar des pioches de silex et des pots.

Mario bondit sur ses pieds et se dirigea vers un rayon chargé de livres, dans la pénombre grenat. Il revint, tenant à la main un volume à dos de cuir et à ferrures.

— Oyez ! dit-il. Je ne choisis pas abusivement mes textes ni ne les sollicite. Je me borne au plus irréfutable des dogmes, au Décalogue, tel que rapporté du Sinaï par Moïse. Et, au dix-septième verset du chapitre XX de l'Exode, je lis, gravé dans la pierre, ce qui suit :

« *Tu ne convoiteras point la maison de ton prochain ; tu ne convoiteras point la femme de ton prochain, ni son serviteur, ni sa servante, ni son bœuf, ni son âne, ni rien de ce qui appartient à ton prochain.* »

« Voilà qui est sans équivoque et sans fard : femme, sachez la place où vous a rangée l'Éternel : entre la grange et le bétail, avec le reste de la main-d'œuvre. Et nullement au premier rang ! Maîtresse, vous le cédez à la brique et au chaume. Serve, vous avez moins de prix qu'un valet de ferme, juste un peu plus qu'une bête à cornes ou un baudet.

206

Mario referma sa Bible et posa la main droite dessus, pastoral :

— Le Moyen Âge a inventé l'amour, dit-on. Le Moyen Âge a bien plutôt quasiment réussi à nous en dégoûter ! Si, aujourd'hui, l'amour garde une chance de revivre, c'est que notre époque fait une hécatombe de mythes. En nous faisant le cadeau empoisonné de sa « morale », le clerc féodal avait cru nous couper pour les siècles des siècles l'envie de jouir. Voyez ce qui reste de ses complots et de ses machines ! Les ceintures de chasteté du bien et du mal, bouclées par les seigneurs de la terre autour des reins de leurs femmes et de leurs ânesses, tombent en morceaux rouillés des créneaux et des mâchicoulis qui les ont vus naître. Acceptons de leur faire l'honneur de les mettre au musée. Mais notons d'abord que leur fin est éminemment morale — si leur naissance ne le fut pas ! Et admirons que la vraie morale est ce qui subsiste lorsque l'œuvre du temps a fait justice de la fausse.

Un rire ironique fusa de sa gorge :

— L'édifiant à-peu-près des valeurs de la moralité sexuelle n'est-il pas tout entier résumé dans l'aventure du mot latin *pulla,* qui a donné, à la fois, *pucelle* et *poule* ? Vous voyez comme le choix entre bien et mal s'est fait au petit bonheur. L'inverse aurait aussi bien pu arriver : qu'être une poule devînt l'honneur et la vertu suprêmes et se garder pucelle un crime contre Dieu et contre l'Église !

Emmanuelle était songeuse. Elle approuvait le jugement de Mario sur la valeur toute contingente des impératifs de la morale traditionnelle, mais alors, justement, pourquoi perdre son temps à reconstruire une nouvelle éthique sur les ruines de l'ancienne ? Ne pouvait-on faire l'amour à sa guise, librement, sans se casser la tête à édicter un nouveau code et l'annoncer à la ronde ? Était-il vraiment indispensable de se donner des lois ? Il n'existait nulle part de morale, fût-elle « érotique », pensait Emmanuelle, qui pût valoir mieux que pas de morale du tout.

— L'on ne triomphe pas des mauvaises lois par l'anarchie, rétorqua Mario, lorsqu'elle lui eut confié ses doutes. Il ne s'agit pas de retourner à la jungle, mais de reconnaître que certains des pouvoirs de l'homme, que la société actuelle refoule et condamne à l'atrophie, sont justes et qu'ils donnent à notre espèce les moyens du bonheur. La loi nouvelle, la bonne loi, proclame simplement qu'il est bel et bon de faire l'amour et de le faire librement ; que la virginité n'est pas une vertu, le couple une limite ni le mariage une prison ; que l'art de jouir est ce qui importe et que ce n'est pas assez encore de ne jamais se refuser, qu'il faut constamment s'offrir, se donner, unir son corps à toujours plus de corps et tenir pour perdues les heures passées hors de leurs bras.

Il ajouta, l'index levé :

— Si, à cette grande loi, vous m'entendez plus tard en ajouter d'autres, souvenez-vous qu'elles ne constituent rien de plus que des dispositions secondaires destinées à aider à l'observation du principe que je viens de citer, en prévenant la timidité des âmes et la lassitude de la chair.

— Mais, dit Emmanuelle, si les tabous de la morale bourgeoise sont d'origine économique, l'avènement de votre morale érotique exige une véritable révolution. C'est quelque chose dans le genre du communisme ?

— En aucune façon ! C'est bien plus important et bien plus radical. C'est quelque chose comme la mutation pour laquelle le poisson las de la mer qui devait s'appeler un jour Emmanuelle a voulu savoir si le goût nouveau de la terre lui ferait pousser des

jambes et s'est mis à respirer en soulevant ses seins
à venir.

Elle sourit à l'évocation :

— L'homme érotique sera donc un nouvel animal ?

— Il sera plus que l'homme et il sera cependant
encore l'homme. Simplement plus adulte, plus
avancé sur l'échelle de l'évolution. C'est — je vous
le rappelais tout à l'heure — l'apparition de l'art sur
les parois de ses cavernes qui permet de reconnaître
le moment où le premier homme s'est distingué du
dernier singe. Le jour approche où, aussi sûrement
que les valeurs artistiques ont séparé l'homme de la
bête, les valeurs d'érotisme sépareront l'homme
glorieux de l'homme honteux qui se terre dans les
réduits de la société actuelle en cachant sa nudité et
en châtiant son sexe. Pauvres essais humains que
nous sommes, ébauches encore tout enrobées de la
boue des marécages pléistocènes ! Épris de nos inhibitions, amoureux de nos frustes souffrances, luttant
de tout notre aveuglement et de toutes nos forces de
brutes évangéliques contre les courants d'espérance
qui tentent de nous tirer de l'enfance !

— Mais qu'est-ce qui vous fait croire que ces
courants l'emporteront ? que votre morale triomphera finalement de celle que protègent les lois, les
coutumes et la religion ? Et si c'était le contraire qui
arrivait ?

— Cela ne sera pas ! Je ne peux pas le croire !
Parce que je ne peux croire que l'homme soit venu
de si loin, de si bas, pour s'arrêter là, renoncer tout
d'un coup à aller de l'avant, à être autre chose. Il
continuera ! À tâtons, certes, parcouru de frissons,
mais sans retour. Toujours plus singulier entre les
autres espèces. Si nous sommes déjà moins stupides
que le coelacanthe, c'est que nous le serons un jour
encore beaucoup moins.

Mario conclut, après avoir laissé à son invitée un bref instant pour réfléchir :

— Ce dont nous sommes capables, c'est de tenter d'ajouter à l'intelligence et de faire l'impossible pour être heureux.

Emmanuelle entrouvre les lèvres, mais il continue déjà :

— Certes, aucune promesse ne m'a été faite que je trouverai jamais ce rivage non reconnu que je ne sais appeler que bonheur. Et pourtant, Éluard avait raison de le proclamer :

« *Il n'est pas vrai qu'il faille de tout pour faire un monde. Il faut du bonheur, et rien d'autre.* »

« Mais, pour atteindre ce but, que de courage ! N'en a-t-il pas fallu, il est vrai, dès l'enfance, à l'animal humain, pour s'arracher à la nursery de ses dieux ? Et, aujourd'hui encore, plutôt que d'attendre dans la contemplation solitaire le royaume où seront récompensés les doux et les humbles de cœur, quel courage il faut pour courir avec les gens des rues le risque sans paradis de la vie et de la mort !

— Et le risque de se tromper, fit observer Emmanuelle. Celui de se faire illusion sur sa nature. Et des idées qu'on croit siennes sur ses pouvoirs et son importance.

Il la dévisagea avec un soupçon soudain :

— Êtes-vous du côté de ceux pour qui l'aventure de l'homme n'a pas de sens ? interrogea-t-il. Tenez-vous que notre espèce est vouée à l'échec, un échec à la mesure de sa naïveté ? Pensez-vous que nous sommes les jouets de notre propre langage et que notre perte est inscrite sur les souveraines tablettes ? Est-ce votre conviction dédaigneuse que nous avons été inventés, comme le dodo, à la seule fin de disparaître et que c'est bien là tout ce à quoi nous sommes bons ? Peut-être même, à votre sentiment, l'extinction de l'homme est-elle ce qui peut arriver de mieux au monde qu'il dérange, et l'attendez-vous, du haut de votre science inhumaine et glacée, avec cette impartialité masochiste qui est à la mode?

— Non, dit Emmanuelle, je ne pense pas ainsi. Mais reconnaissez que votre propre confiance est, elle aussi, une foi. Une sorte de religion.

— Ce n'est pas vrai, dit Mario. Si je suis sûr de l'homme, c'est parce que je le vois à l'œuvre. Son progrès, qui est le mien, consiste à croire de moins en moins et à voir de mieux en mieux. Les dieux ne naissent que derrière les paupières fermées.

— Peut-être ne regardez-vous que les Einsteins et pas assez les criminels. Sinon, vous aussi auriez quelquefois peur.

— Ce n'est pas un crime de ne pas être Einstein, dit Mario, mais c'est à coup sûr une faute. Et je n'ai pas le droit de me plaindre que les hommes me tuent, si moi-même je n'ai pas su les guérir de la mort. Je peux mourir, mais je saurai que c'est ma faiblesse et non mon bonheur.

— Vous savez bien que personne ne trouvera de remède à la mort.

— Je sais que c'est l'esprit qui meurt, quand nos mythologies, comme des tumeurs de chair, prennent en lui la place des cellules heureuses. Là où était la chance de notre réalité, s'installe le crève-cœur de leur désordre. Nous ne mourons que d'ignorance et de laideur. La mort n'est qu'une stupeur du savoir.

Mario se recueillit, reprit:

— L'expansion infinie de l'intelligence est asymptote à la mort. Infini, donc, est notre avenir. Nous ne sommes plus les patients du Docteur Éternel, notre patience est épuisée! Nous oublierons nos matins mortels, comme oublient leur mal ceux qui en sont guéris. Nous trouverons notre monde en quelque havre de l'espace-temps: il sera notre amour et notre raison. Et nous y passerons les longues veilles de notre vie sans leurre à écouter le tapage des quasars. Nous serons heureux...

Il se tut...

Emmanuelle laissa passer un moment suffisant, puis, avec une certaine précaution dans la voix, ramena Mario au sujet :

— Et l'érotisme est capable d'aider à la découverte de ce nouveau monde ?

— Plus que cela : il s'y identifie, il est le progrès même.

— N'exagérez-vous pas ?

— Mais comprenez donc ! Je vous l'ai dit : il ne s'agit pas de réformer la société ; ni même d'en concevoir une autre, d'édifier une république de la luxure ! Il s'agit d'un progrès biologique, d'une transformation, d'un déclic qui se produira un matin de l'avenir dans le cerveau de l'homme. Une lueur — et ça y est ! il pense différemment, il est un autre être. Il a franchi un pas. Les ignorances, les terreurs, les servitudes de son ancienne race ne le concernent plus. Il ne comprend même plus ce qu'elles veulent dire. S'il fait l'amour et comment il le fait, peu importe ! Ce qui est neuf, c'est qu'il le fait l'esprit libre. C'est que, pour lui, le bien est ce qui fait jouir, le mal ce qui fait souffrir. C'est aussi simple que cela. Voilà son bien et voilà son mal. Voilà sa morale. Et son bien, c'est ce qui est beau, c'est ce qui le tente, ce qui le met en érection. Son mal, c'est ce qui est laid, ce qui l'ennuie, ce qui le limite et ce qui le frustre. Les délices et les poisons de l'angoisse et des transes mystiques ne le toucheront plus. Il n'aura plus besoin de champignons hallucinogènes, de philosophes ni d'ermitages pour se guérir du désespoir. Le goût de soi-même et de ses semblables lui suffira. Cet homme, ne vous paraît-il pas un animal plus avancé que le porteur de cilice ? N'a-t-il pas accompli un progrès ?

— Si, je suis d'accord. Mais c'est un progrès individuel, cela n'a de conséquence que pour lui. Tout à l'heure, vous parliez de progrès comme s'il concernait le genre humain.

— Il le concerne. Ce n'est pas par masses, par sociétés entières que les espèces évoluent. Muter a toujours été le fait d'un petit nombre, d'une de ces minorités mal aimées, au cou dressé et aux yeux ouverts, à qui les grandes hardes molles refusaient le partage des pâtures. Mais, lorsque c'est de l'arbre humain que ce rameau mutant se détache, le monde entier en est changé. Qu'un homme demain surgisse pour qui les mots d'impudeur, d'inversion, d'adultère, d'inceste soient des signes privés de sens, un homme qui, même s'il l'essayait, ne pourrait les comprendre, et voilà nos vertus reléguées en vitrines, avec les dents de l'archéoptéryx et la crête du stégosaure.

— Mais alors, puisque cet homme-là n'est pas encore apparu, l'âge érotique n'est qu'une vision du futur. Vous et moi n'avons pas de chance : nous sommes nés trop tôt !

— Qui peut savoir ? dit Mario. Les lois de l'évolution nous demeurent en grande partie cachées. Ce n'est peut-être pas inutile d'essayer de nous mettre nous-mêmes au monde. Peut-être ne sommes-nous pas encore nés ?

— Que faire, pour naître ? s'écria Emmanuelle.

— Faire comme si l'on était maître de la vie. Faire comme si l'on vivait ! C'est le moment ou jamais d'emprunter sa recette à Pascal : mais, au lieu d'eau bénite, ce qui peut nous donner la lumière, c'est la pratique de l'érotisme comme règle de vie. Et ce n'est pas nous seuls qui en serons éclairés : qu'un nombre assez grand d'entre nous adopte sans réserve, en toute clarté, avec éclat, pour seule échelle de valeurs morales l'échelle des valeurs érotiques — tel ce quadrupède qui décida une fois pour toutes qu'il marcherait debout sur ses pattes de derrière, sans s'inquiéter de savoir si le reste de l'animalité préférait continuer de renifler la crotte — cela peut être, pour peu que la chance sourie une fois de plus à notre espèce, le pas décisif, la démarche nécessaire et suffisante pour passer de l'âge de la peur à l'âge de raison.

Il soupira :

— Ah ! certes, nous préférerions être nés dans un million d'années ! Faisons du moins de notre mieux pour rapprocher de nous cet âge de raison. Rien ne mérite d'être fait, d'être dit, écrit, aujourd'hui, si cela ne sert au « passage ». Il faut veiller à ses paroles, à ses moindres gestes : ne rien proférer qui puisse confirmer les hommes dans l'imbécile conviction qu'ils ont déjà trouvé ce qu'ils étaient venus chercher. Rien qui puisse retarder davantage leur puberté. Pour moi, je sais quel est mon devoir : leur répéter sans trêve que leur corps est juste, que ses pouvoirs sont infinis, que la douceur de vivre est aussi la raison d'être de la vie.

Le son de la voix de Quentin fit sursauter Emmanuelle : elle avait oublié sa présence. Elle l'écouta qui parlait à Mario, avec une chaleur et une loquacité imprévues. Leur hôte semblait fort intéressé par ce qu'il entendait. Il poussait de temps en temps des exclamations de plaisir. Finalement, il traduisit à Emmanuelle (laquelle se rendit compte que l'Anglais avait dû suivre l'essentiel de leur conversation plus aisément qu'elle ne l'aurait cru) :

— Ce que m'apprend Quentin permet tous les espoirs. Il semble que le « rameau mutant » — ou, à tout le moins, un bourgeon de ce rameau — existe déjà et, qui mieux est, existe depuis mille ans !

Notre ami a, pendant plusieurs mois, en compagnie d'un sociologue connu — un nommé Verrier Elwin —, été l'hôte d'une tribu de l'Inde, que les Hindous « civilisés » qualifient de primitive, mais dont il y a tout lieu de penser, au contraire, qu'elle représente une avant-garde de l'intelligence. Ces gens s'appellent les Muria. Leur société est entièrement construite autour d'une morale sexuelle qui se situe exactement aux antipodes de la nôtre. Une morale qui n'est pas interdictive, mais formatrice. La pierre angulaire de leur système d'éducation est un dortoir communautaire où les enfants des deux sexes sont admis dès l'âge le plus tendre, pour y faire l'apprentissage de l'art d'aimer. Cette institution s'appelle... *How do you call it ?*

— *Gothul.*

— C'est ça : le Gothul. Là, bien avant la puberté, les petites filles sont initiées à l'amour physique par les grands garçons et les petits garçons par les grandes filles. Et nullement de manière instinctive ou bestiale : les techniques érotiques qui leur sont inculquées ont, paraît-il, après dix siècles de pratique, atteint un niveau d'incomparable raffinement. Ce stage, que tout enfant doit obligatoirement suivre plusieurs années, sert en même temps à sa formation artistique, les pensionnaires du Gothul occupant leurs loisirs — entre deux étreintes — à orner les parois de leur dortoir. Dessins, peintures et sculptures sont invariablement d'inspiration érotique. Quentin me dit qu'ils sont si réussis qu'on ne peut visiter pareille galerie sans être aussitôt transporté par les plus vives sensations. Et, lorsqu'on voit des fillettes et des garçons de onze ans — imitant les figures les plus hardies de ce musée d'amour — exécuter sans se cacher, sans gêne, portes grandes ouvertes, sous le regard de fierté de leurs parents, des tableaux vivants qui, en Europe, les conduiraient droit à la maison de redressement, après avoir fait, sous forme de scandale à la une, la fortune des journaux bien-pensants, l'idée vient vite que ces Muria ne vivent probablement pas avec mille ans de retard, mais avec mille ans d'avance.

Mario s'étant tu, Quentin apporta des précisions qui furent, à leur tour, traduites à Emmanuelle :

— Le plus remarquable, c'est que ces « travaux pratiques » sexuels assignés à tous les enfants de la tribu sont bien l'effet d'un système, d'une règle élaborée et rigoureuse, et non pas d'un relâchement des mœurs ou d'une cécité morale dont cette race souffrirait de façon congénitale. Il n'y a pas licence, mais éthique. La discipline communautaire du Gothul est très stricte, les anciens sont responsables des plus jeunes. La « loi » y interdit rigoureusement tout attachement durable entre garçon et fille. Personne n'a le droit de dire de telle ou telle fille qu'elle est *la sienne,* et l'on punit celui auquel il arrive de passer avec l'une d'elles plus de trois nuits de suite. Tout est organisé pour empêcher les attachements intenses qui traînent en longueur et pour éliminer la jalousie. « Tous appartiennent à tous. » Si un garçon fait montre d'un instinct de propriété et d'exclusive à l'égard d'une fille, si son visage se défait lorsqu'il la voit accomplir l'acte sexuel avec un autre, la communauté se charge de le ramener dans le droit chemin en l'aidant à mater sa nature. Il doit lui-même s'employer activement à faire aimer par tous les autres garçons celle qu'il aime, il doit guider en elle de sa propre main la virilité de ses compagnons jusqu'à ce qu'il ait appris, non seulement à ne plus en souffrir, mais à le souhaiter et à s'en réjouir. Chez les Muria, le plus grand crime n'est pas le vol, ni le meurtre, *qui n'existent pas,* mais la jalousie. Ainsi, les filles et garçons s'enrichissent-ils d'une science sexuelle unique au monde. Ils appartiennent à un autre âge de la terre : les ombrages, les griefs et les désespoirs de notre civilisation leur sont étrangers. Ils sont du côté du bonheur[1].

Emmanuelle paraissait impressionnée. Elle protesta, pourtant :

— Mario, une morale de ce genre ne peut pas se développer dans un peuple à la suite d'un effort de conscience et de réflexion. Elle a certainement régné de tout temps chez ceux-là. Ce doit être une grâce innée. Rappelez-vous, vous assimiliez tout à l'heure le don d'érotisme au don de poésie. Cela veut bien dire qu'on ne peut pas l'acquérir par la volonté ni l'application. Si on ne l'a reçu de la nature en venant au monde, l'on n'arrivera à rien, quelque morale qu'on se donne.

— Que voilà une illusion commune ! Dois-je vous redire qu'il n'existe pas d'autre poésie dans la nature que celle que l'homme y met ? Pas d'autre harmonie, pas d'autre beauté. Et, à cet homme qui fait tout, rien ne vient, y compris la poésie, y compris le génie, qu'à l'âge de raison. L'exemple des Muria nous démontre, simplement, qu'on peut parvenir à cet âge plus ou moins jeune. L'on ne naît pas poète. L'on ne naît pas peuple élu. L'on ne naît rien. Il faut apprendre. Notre manière, à nous, les vivants, de devenir des hommes, de nous muer en hommes, c'est de rejeter nos ignorances et nos mythes comme le bernard-l'ermite sa vieille coquille et entrer dans la vérité comme dans un costume neuf. Ainsi pouvons-nous indéfiniment naître

1. La description des mœurs des Muria n'est pas imaginaire. L'on peut consulter, pour s'en assurer, l'ouvrage d'Elwin : *Maison de jeunes chez les Muria,* dont la version française est parue chez Gallimard en 1958.

et renaître : à chaque « mutation brusque », davantage *hommes,* fabriquant notre monde mieux à notre plaisir. Apprendre, c'est apprendre à jouir. Ovide déjà le disait, souvenez-vous : « *Ignoti nulla cupido !* »

Emmanuelle ne se souvenait pas et traduisit mentalement de travers. Mario, sans se soucier de l'éclairer, poursuivit :

— Et que n'avons-nous pas à apprendre ! L'art, la morale, la science : le beau, le bien, le vrai — c'est-à-dire tout (car il n'existe rien d'autre : le temps du sacré est fini). Heureusement, pour nous faciliter la tâche, ce tout s'est fait à soi-même un enfant : Éros. En sorte qu'il suffit de la réflexion, de l'expérience et de la clairvoyance érotiques pour accéder à la poésie, à la morale et à la connaissance — celles-ci n'étant, en définitive, que les reflets divers d'une unique leçon : la *leçon d'homme,* dans le sens où l'on vous parlait à l'école de leçon de choses.

— Votre démonstration devient de plus en plus abstraite, Mario ! Donnez-moi plutôt des exemples de ce qu'on peut faire.

— Imaginer, voir et, au besoin, provoquer ces attitudes, ces rencontres et ces associations inattendues sans lesquelles il n'est pas de situation poétique, voilà, par exemple, une des sources de l'érotisme.

— Vous dites « inattendues » : est-ce que cela signifie que l'on ne peut pas trouver plaisir à quelque chose à quoi l'on s'attend ? N'y a-t-il d'érotique que ce qui déconcerte ?

— À tout le moins, ce qui rompt avec l'habitude. Un plaisir cesse d'avoir qualité artistique si c'est un plaisir usuel. Seul a de prix le non-banal, l'exceptionnel, l'inusité : « ce que jamais l'on ne verra deux fois ». Il n'est de véritablement érotique que l'*insolite.*

— Mais alors, lorsque la morale érotique se sera imposée, l'érotisme n'aura plus d'attrait ? Peut-être, pour les Muria, faire l'amour n'est-il pas plus amusant que de faire la cuisine ?

— Ce n'est pas l'impression que je retire de ce que me rapporte Quentin. Il semble bien, au contraire, qu'experts en art amoureux depuis l'enfance, ils ne mettent, tout au long de leur vie, rien au-dessus des jeux sexuels. Ils sont connus dans l'Inde comme de fervents propagandistes de l'amour physique, des inspirés de Ganesha. Mais je vous concède que leur expérience n'est pas forcément valable pour nous, dont l'esprit reste marqué, estropié pour toujours peut-être, par des traditions d'hypocrisie sexuelle plus fortes que les évidences de la raison. Espérons, certes, que la nature, pour nous, fera un saut. Mais, en tout cas, ne nous flattons pas d'être capables de deviner et de décrire utilement par avance ce que sera la psychologie de notre descendant, le mutant. Ne nous soucions donc que de notre propre anecdote, nous qui n'avons pas encore « franchi le pas ». Et reconnaissons que, pour les prisonniers que nous sommes, le miracle libérateur de l'émotion érotique ne se produit le plus souvent que s'il y a défi aux usages. Il est donc bien vrai, et c'est notre revanche, que, loin de nous nuire, la survivance actuelle de fausses règles morales — ou simplement de conventions sociales (que l'on songe à l'absurde code de décence de la longueur des robes : tourment pour les unes, délectation ô combien adorablement perverse pour les autres) — ajoute à nos plaisirs, en nous donnant, à nous qui les refusons, le pouvoir de choquer — et le stimulant d'être choqués ! N'est pas érotique la femme que son époux féconde dans son lit, avant le sommeil.

L'est celle qui, à l'heure du goûter, appelle son fils pour qu'il prépare à sa petite sœur une tartine de sperme. Cela est érotique parce que ce menu n'est pas encore entré dans les mœurs. Lorsque la bourgeoisie l'aura adopté, il faudra trouver autre chose.

— Donc, Mario, j'avais raison de dire que si l'érotisme a besoin d'extraordinaire, d'inédit, ses progrès mêmes le mettent en danger. Un beau jour, toutes les formules auront servi.

— Vous pouvez même, chère amie, affirmer sans risque que, depuis longtemps, l'on n'invente plus rien. Néanmoins, vos craintes sont vaines, parce que l'érotisme n'est pas un héritage, il est aventure personnelle. Certes, réjouissons-nous et profitons sans scrupule de ce qu'aujourd'hui la société nous fasse la partie belle en tenant cachées les recettes : que le plaisir de les lui dérober s'ajoute donc à celui de les mettre en pratique. Mais nous pouvons être tranquilles : l'érotisme gardera sa valeur de conquête individuelle même dans une humanité libérée des tabous sexuels. La publicité des lois de la versification a-t-elle jamais dispensé le poète de redécouvrir par lui-même le secret de la poésie ?

Emmanuelle en convint d'un hochement de tête. Mario poursuivit :

— Ce que la société *interdit* s'exprime par des *lois :* lois civiques, lois religieuses, lois morales (qu'il ne faut pas confondre, prenez-y garde, avec les lois logiques qui décrivent, entre autres objets de la science, l'érotisme). Ce que la société *permet* s'exprime par des *modes.* Mais non ! le mot « permet » est impropre : dans la discipline de la cité, aussi bien que dans la physique quantique, tout ce qui n'est pas interdit est obligatoire. Les modes ne vous permettent pas de vous comporter de telle ou telle façon, elles vous y *obligent.* Et elles ne règnent pas que dans la couture : elles sont maîtresses absolues de toutes vos insatisfactions, de tous vos désirs, de toutes vos craintes, de toutes vos vilenies et de toutes vos amours. Vous comprenez, dès lors, pourquoi il ne suffira jamais de raccourcir vos jupes pour déjouer les radars bien-pensants et sauter le mur de la liberté. Certes, lorsque vous marcherez demi-nue dans les rues et que vous vous montrerez tout à fait nue sur les plages, la qualité esthétique de la vie aura fait des progrès. Mais, aussi longtemps que le qu'en-dira-t-on aura le dernier mot, aussi longtemps que des normes collectives intolérantes continueront de vous droguer de leur idéologie de la faute et de leur préparation à la mort, aussi longtemps que, par résignation ou par désespoir plus que par authentique volonté de plaire, vous obéirez à leur hiérarchie d'illusion, votre cerveau restera un cerveau d'esclave. Car c'est la pensée qui ligote, non le corps. C'est dans votre tête, dans vos idées, vos sentiments, vos jugements, c'est dans votre attitude vis-à-vis de ceux que vous aimez que vous devez devenir différente de ce que la mode du moment vous commande d'être. Ne demandez donc pas par quelle grâce divine vous pourrez vous éveiller, un jour, dans un paradis de liberté : commencez plutôt par affranchir l'homme (ou la femme) que vous tenez prisonnier. Si vous ne le faites pas par générosité ou justice, faites-le par égoïsme : pour vous épargner des malheurs évitables. Il n'y a pas de gardien heureux. Vous serez libre la nuit où la liberté de l'autre vous excitera davantage que sa sujétion. Vous saurez que vous aimez un homme quand vous serez contente que d'autres le contentent. Vous serez sûre que cet homme vous aime quand il ne vous fera pas tort d'autres amoureux, mais aimera ceux qui vous aiment, s'instruira par leur intelligence, fera parade de leur passion, jouira quand ils vous font jouir. S'il n'est pas capable de cette prodigalité, s'il ne croit pouvoir vous posséder qu'en dépossédant les autres, c'est vous aussi qui êtes perdante, car vous êtes une autre. Personne n'est pour personne une part réservée, ni une part exclue. L'unicité n'est pas plus sûre que l'éternité.

Emmanuelle se sentait étourdie. Elle plaida pour un répit.

— Ne pensez-vous pas qu'il vaudrait mieux avancer par paliers ? Respirer un peu entre chaque marche ?

Mario ne se laissa pas fléchir.

— Craignez que le temps où vous pourrez vous retourner et admirer le chemin parcouru ne vienne jamais. Le combat contre la possessivité ne sera gagné ni en ce siècle ni en aucun autre. Ce à quoi je vous invite, c'est à vous battre, non pour vaincre seule contre tous les hommes et toutes les femmes, mais pour que vous-même et ceux que vous aimez soyez moins misérables, l'espace d'une vie. Et pour que ceux qui admirent votre beauté aient envie de la partager inventivement avec d'autres : pour votre plaisir, pour le leur. Je puis vous assurer que cela ne sera jamais à la mode.

Emmanuelle, entêtée, revint au sujet de départ.

— Finalement, montrer mes jambes n'a aucune importance ?

— Aucune, si leur nudité est un état physique. Mais toute l'importance du monde, si c'est un état d'esprit. Un état qui échauffe l'esprit. L'esprit a besoin qu'on le tienne au feu comme un fer.

— Ainsi, la ronde de mon corps ne suffit pas à me justifier ?

— Votre rôle n'est pas de faire tourner la planète en rond, mais de l'agiter.

Emmanuelle retrouva toute sa langue :

— Si les milliards de jambes qui ont remué sur cette terre avant que ne poussent les miennes n'ont pas réussi à dégourdir l'air d'une planète que fait courir le sexe, n'est-il pas naïf de compter aujourd'hui sur l'effet subversif que peuvent avoir mes genoux sur un nombre infime de voyeurs ?

Mario prit le ton d'un éducateur de bonne volonté, disposé, puisqu'il le fallait, à se répéter.

— Ce qui justifie l'entreprise de l'artiste, ce n'est pas le fait d'innover pour l'histoire, mais pour soi. À la différence des inventions de la science, les inventions de l'art ne perdent rien à avoir été déjà faites. Que m'importe si ce cheval, l'homme de Lascaux, les Chinois l'ont déjà dessiné ? Pour moi, la première fois que mes doigts le tirent de la tendresse de ma vision, il m'emporte de ses quatre pattes aussi loin que l'univers m'intéresse. C'est-à-dire, notons-le en passant, aussi loin que nous pouvons, lui et moi, être vus ensemble, aussi loin que je puis le montrer. Il y a un instant, nous nous amusions d'avoir la société pour nous cacher, maintenant nous avons besoin d'elle pour nous regarder. Il n'y a pas d'art heureux là où manque le spectateur.

Mario scruta Emmanuelle dans l'attente d'une réaction. Elle ne broncha pas.

— Les enfants Muria, reprit-il, font l'amour devant leurs camarades, devant l'hôte de passage. Seuls à deux dans une chambre, il y a fort à parier qu'ils finiraient par s'ennuyer. Vous craignez que l'accoutumance n'émousse le plaisir. Vous avez raison. Mais le regard d'autrui n'est-il pas là pour vous découvrir des horizons nouveaux ?

La voix de Mario se para de préciosité :

— Vous rencontrez à ce point une seconde loi de l'érotisme : qu'il a besoin d'*asymétrie.*

— Que voulez-vous dire ? D'ailleurs, quelle était la première loi ?

— Celle de l'*insolite*. Mais ce ne sont, l'une et l'autre, comme je vous en ai avertie, que de « petites lois ». La grande loi, la seule nécessaire et suffisante, vous vous en souvenez, est d'une simplicité souveraine...

— Que tout instant passé à autre chose qu'à jouir « avec art », entre des bras toujours renouvelés, est un temps gaspillé. Est-ce cela ?

— À peu près. Quoique l'expression « toujours renouvelés » ne me paraisse pas heureuse. Elle semble impliquer que vous devez rejeter vos anciens partenaires à mesure que vous en acquérez de nouveaux. Ce serait la pire faute ! C'est de leur multiplication et non de leur succession que naîtra la qualité de votre plaisir. Aux cœurs volages, Éros cèle ses secrets ! À quoi sert de vous donner, si c'est pour vous reprendre ? Le monde pour vous n'en serait pas agrandi.

Emmanuelle fronçait les sourcils, elle mordit son pouce, image même de la concentration, cherchant comment améliorer son texte. Cet exercice de style la ravissait et Mario s'en apercevait bien. Il continua :

— En outre, bien que je sache combien l'idée vous est chère, je ne mettrai pas, quant à moi, l'accent principal sur la *jouissance,* mais, ainsi que je m'en suis déjà expliqué, sur l'*art :* vous me le pardonnerez ?

— Bon ! fit Emmanuelle, conciliante. Disons donc « l'art de jouir », au lieu de « jouir avec art ». Serez-vous satisfait par ceci :

« *Tout temps passé à autre chose qu'à l'art de jouir, entre des bras toujours plus nombreux, est un temps perdu.* »

— Très bien ! approuva Mario. Vous avez le sens des formules, un don de synthèse. Il faudra que vous l'exerciez. Un de ces jours, je vous commanderai un ouvrage de maximes.

Mario n'avait pas l'air de plaisanter, mais Emmanuelle rit de bon cœur. Elle ne se souciait guère de la portée de son oracle. Mario se chargea de la lui préciser :

— Bien entendu, dans cette sentence, il ne convient pas de donner à l'expression « entre des bras » un sens étroit. Il va de soi qu'elle s'étend à une très large gamme de relations érotiques, allant de vos propres bras à toute autre chose que les bras d'autrui : son regard, son oreille (fût-elle invisible : derrière une porte, ou au bout du fil téléphonique), sa correspondance, voire simplement son image secrète au fond de votre cœur. Et naturellement, les bras n'ont pas davantage de genre que de nombre... Mais ne nous égarons pas plus avant dans la grammaire.

— Et peut-être aussi qu'« art d'aimer » serait plus gracieux qu'« art de jouir » ?

— Plus gracieux, sans doute, mais moins précis. En outre, vous m'avez accordé l'art, je vous ai concédé la jouissance : ne revenons pas sur ce marché. Et ne brûlez pas vos dieux... D'ailleurs, « aimer » est équivoque. Trop limité, aussi : pour aimer, il faut être au moins deux. Tandis qu'on peut jouir seul.

— Naturellement, dit Emmanuelle.

— Et même, il *faut* jouir seul, renchérit Mario. Le royaume de l'érotisme sera toujours fermé à celui qui ne sait pas en ouvrir les portes à sa solitude.

Il dévisagea son invitée avec sévérité :

— Vous savez vous faire l'amour à vous-même, je suppose ?

Elle inclina affirmativement la tête. Il insista :

— Et cela vous plaît ?

— Oui, beaucoup.

— Vous y recourez souvent?

— Très souvent.

Elle n'éprouvait aucune honte à le proclamer, au contraire. À cela aussi, son mari l'avait encouragée. Il ne lui serait pas davantage venu à l'idée de se cacher de lui pour se masturber que pour prendre son bain; et même, trouvant très compréhensible qu'il aimât la regarder, elle faisait de son mieux pour faire l'une et l'autre chose à un moment où il pût la voir. Cela lui paraissait constituer un devoir conjugal au moins aussi important que les autres, et elle savait que Jean pensait de même et l'appréciait.

— Vous n'aurez donc pas de peine à comprendre ce que signifie la loi d'asymétrie, enchaîna Mario.

— Ah! c'est vrai, je l'avais oubliée! Je vous avoue que je ne vois pas très bien en quoi elle consiste. L'insolite, oui. Mais pourquoi l'asymétrie?

— Recourant une fois de plus à l'imagerie de la science, je vous dirai : l'érotisme requiert pour voir le jour, et c'est normal, que soient réunies les mêmes conditions qu'exige l'apparition de toute vie. L'on a dû vous apprendre que la création de la cellule vivante supposait l'existence de grosses molécules protéiques. Or, ces molécules ont ceci de particulier que leur structure, l'arrangement de leurs composants, présente un très haut degré d'asymétrie. Pas d'organisation supérieure de la matière, pas de vie possible, pas de progrès donc, sans un certain déséquilibre au départ. Plus tard, l'*inadaptation* se révélera de même un facteur décisif de l'évolution biologique. L'érotisme, phase avancée de cette évolution, est naturellement régi par les mêmes lois. La vie, donc l'érotisme, ont horreur de l'équilibre.

La longue main de Mario décrivit un orbe devant ses yeux :

— Si, toutefois, nous préférons regarder à nouveau l'érotisme comme un art, nous constatons que, pour que cet art ait son public, il faut encore qu'il y ait asymétrie. Par exemple, que le nombre de ceux qui font l'amour soit impair.

— Oh! fit Emmanuelle, plus amusée que choquée.

— À coup sûr. Par exemple, un est impair : celui qui se masturbe est acteur et spectateur à la fois. C'est pourquoi la masturbation est éminemment érotique : une œuvre d'art. Le seul amour auquel on puisse permettre d'être exclusif :

« ... *Une vierge à soi-même enlacée,*
Jalouse... Mais de qui, jalouse et menacée ? »

Mario sembla rêver un instant, puis reprit :

— Érotique, encore, l'adultère. Le triangle, rachetant la banalité de la paire. Il n'y a pas d'érotisme possible pour le couple, hormis par l'addition d'un tiers. Il est vrai que celui-ci est rarement absent! Si ce n'est en personne, du moins dans la pensée d'un des partenaires. Tandis que vous faisiez l'amour, l'image d'un autre que celui dont vous savouriez les caresses ne vous a-t-elle jamais visitée ? Combien plus douce, n'est-ce pas, est la dure chair de l'époux, lorsque, au même moment, vos paupières closes vous donnent en rêve à l'ami du foyer, au mari de l'amie, au passant croisé dans la rue, au héros de l'écran, à l'amant de votre enfance ! Répondez. Aimez-vous cela ? Le faites-vous ?

Emmanuelle, sans plus hésiter que tout à l'heure, fit oui de la tête. Le simple souvenir de tant de fois qu'elle avait connu de cette façon l'étreinte d'autres hommes dans les bras de Jean lui causait un trouble physique si vif qu'elle pensait que Mario devait le voir : la nuit précédente, c'était à lui-même qu'elle s'était ainsi donnée... Comme, le soir de son arrivée, à Christopher. Aux amis d'Ariane, sans même les connaître. Au frère de Jean, depuis qu'elle le connaissait. Et si souvent, ces dernières semaines, aux inconnus de l'avion — au héros grec, surtout. Tous ces visages lui revenaient avec une telle chaleur qu'elle se sentait défaillir, n'osait, de peur de ne pouvoir retenir sa main, faire le moindre geste. Mario continuait, avec un sourire moqueur :

— Vous ne manquerez pas de remarquer que le cachet érotique ferait défaut si les deux partenaires, chacun de leur côté, se conduisaient de même : il faut que, lorsque l'un des deux s'évade, l'autre, au contraire, soit présent de toute la force de son désir, de sa ferveur, de sa jouissance immédiate et physique, toute imagination bouchée par la violence de son exclusive passion, de sa fidélité absurde ! Sinon, il n'y a plus dissymétrie, mais absence simultanée, équilibre, équité : voilà ce qu'il faut éviter.

Mario fit un geste des deux bras, démontrant l'évidence.

— Bien sûr, la réalité, en pareille matière, vaut encore mieux que la fiction : un spectateur de chair est préférable à tout spectateur imaginé. La place naturelle de l'amant est au milieu du couple.

Cette fois, Emmanuelle trouva que les aphorismes de Mario offensaient quelque peu le bon sens. Ne rien répondre était la façon la plus élégante de le lui faire comprendre. Mais il ne se laissa nullement impressionner. Il renchérit, au contraire, sur sa première proposition :

— Encore qu'à vrai dire, un véritable artiste aimera toujours mieux *plusieurs* spectateurs qu'un seul.

Emmanuelle se sentit plus à l'aise sur un terrain où le libertinage pouvait garder le ton de la farce.

— Comme nous l'avons déjà établi et comme, au

228

besoin, nous le démontrerons encore, affecta-t-elle de pontifier, il n'y a pas d'érotisme sans exhibitionnisme?

— Heu! fit Mario, je ne sais pas très bien ce que cette étiquette-là veut dire. Mais je sais, par exemple, que faire l'amour, debout, la nuit, dans la rue où flânent de rares promeneurs dans leurs fourrures et leurs capes de soie, est fait pour stimuler l'esprit.

— Pourquoi pas en plein jour, sur une place remplie de monde? ironisa-t-elle.

— Parce que l'érotisme — l'érotisme de qualité —, comme tout art, est éloigné des foules. Il fuit la bousculade, le bruit, les lampions de foire, la vulgarité. Il a besoin de subtilité, de nonchalance, de luxe, de décor. Il a ses conventions, à l'instar du théâtre.

Emmanuelle réfléchit. Elle s'enthousiasma de se trouver capable de dire subitement, avec sincérité — alors qu'elle ne l'aurait pas été, inexplicablement, quelques secondes plus tôt :

— Je crois que je pourrais le faire.

— L'amour dans la rue, devant quelques passants attentifs?

— Oui.

— Pour le plaisir de faire l'amour ou pour celui d'être vue le faisant?

— Les deux, je suppose.

— Et si l'on vous demandait de simuler? Si un homme faisait semblant de vous prendre, le seul plaisir de scandaliser vous suffirait-il?

— Non, dit-elle résolument. Dans ce cas-là, à quoi bon?

Elle ajouta, se rendant compte qu'elle parlait également pour le moment présent, car elle avait envie de faire l'amour tout de suite, elle avait envie de Mario, ou de se masturber, elle ne savait pas lequel des deux, au juste : le choix de l'un plutôt que l'autre recours ne lui importait pas essentiellement, pourvu que son sexe fût caressé.

— Je veux aussi un plaisir physique.

— « Beaucoup jouir » ? C'est cela, n'est-ce pas ?

— Mais oui, pourquoi pas ? admit Emmanuelle, agressive. Y a-t-il du mal à cela ?

L'imperceptible dérision qu'elle avait perçue dans la réminiscence de Mario lui paraissait insupportable.

Lui hocha la tête gravement :

— Il peut y en avoir.

Il laissa passer un temps, puis énonça :

— L'écueil, en matière d'érotisme, c'est la sensualité.

— Oh, Mario ! Vous êtes fatigant.

— Je vous lasse ?

— Non. Mais vous aimez trop les paradoxes.

— Cela n'en est pas un. Vous savez, naturellement, ce qu'est l'entropie ?

— Oui, dit-elle, essayant, sans succès, de s'en remémorer la formule.

— Eh bien ! l'entropie, c'est-à-dire, en gros, l'usure, la décadence de l'énergie, guette l'érotisme comme l'univers tout entier. Et la forme d'entropie qui est propre à l'érotisme, c'est moins l'accoutumance de la société que l'assouvissement des sens. Une sexualité assouvie est une sexualité qui va vers la mort. Souvenez-vous du mot profond de Don Juan : « *Tout ce qui ne me transporte pas me tue !* » C'est ce que je vous disais déjà, il y a un moment, lorsque je vous parlais d'équilibre. À chaque instant, dans chaque individu, la satiété menace le désir. Elle le menace d'un bonheur étale, d'une paix qui est celle du sommeil éternel. Sur les seins de la mariée, le mot « Fin », large de toutes les dimensions d'illusions de l'écran. Sinistre perspective derrière « the happy end ». La seule défense consiste à refuser la tentation de l'assouvissement, à ne jamais accepter de jouir si l'on n'est pas assuré de pouvoir jouir encore, ou plutôt si l'on n'est pas certain que, l'orgasme achevé, l'on pourra s'exciter encore.

— Mario...

Il leva un doigt doctoral :

— Ce qui est érotique, ce n'est pas l'éjaculation, c'est l'érection.

Emmanuelle ne voulut pas être en reste d'audace.

— Cette remarque, dit-elle, concerne moins, il me semble, les femmes que les hommes. Elles ont là-dessus l'avantage sur la plupart de leurs partenaires masculins.

Il condescendit à sourire :

— « *Psyché est toujours à prendre* », cita-t-il.

Emmanuelle, cependant, n'était pas d'accord avec Mario :

— En somme, selon vous, sous prétexte d'érotisme, il faudrait se priver de faire l'amour, de peur que cela ne vous fasse jouir ! Je vous l'avais prédit, vos théories finissent par rejoindre celles du catéchisme : cultivez votre esprit et mortifiez vos sens ! Je crois bien que je vais m'en tenir à mon premier point de vue : que je me fiche de la morale. Et, tout autant, de l'érotisme, s'il exige tant de vertu ! J'aime mieux jouir autant que je veux. Et tant que je peux. Donner à mon corps tout le plaisir qu'il aime. Je n'ai pas envie de me « doser », même si mon esprit devait y trouver je ne sais quelle excitation perverse.

— Fort bien ! Fort bien ! Si vous pouviez savoir à quel point je vous approuve ! Quelle joie de trouver une femme prête à se consacrer uniquement à la volupté ! Tout ce que je viens de vous recommander n'a jamais eu d'autre objet que de vous aider à y mieux réussir. Je ne vous dis pas : mesurez votre plaisir. Je vous demande : si vous voulez jouir le plus possible et le mieux possible, non seulement dans votre chair, mais dans votre cerveau, que croyez-vous qu'il faille faire ? Et je ne vous engage à rien d'autre qu'à respecter ces lois élémentaires : gardez-vous de l'étreinte isolée, qui ne conduit qu'au sommeil ; à peine avez-vous joui, ne vous tenez pas pour contente : cherchez à jouir encore ; ne laissez pas la facilité de l'assouvissement l'emporter sur l'exigence de l'érotisme ; n'imitez pas la béatitude sans pensée qui conclut le triste accouplement des bêtes ; et ne confondez pas l'idée de coït avec celle de couple : qu'y aurait-il, dans la notion de couple, dont l'homme eût des raisons de s'enorgueillir ? Une si piètre invention ne lui a mérité que d'être embarqué sur l'arche de Noé, en compagnie de l'okapi, du raton et des poux. Rien de bien excitant.

Il partit tout d'un coup d'un grand rire franc :

— Venir me dire, à moi, que je vous exhorte à vous rationner ! Alors que je vous ouvre les portes du sans-limite ! Mais sachez bien que votre horizon sera toujours affreusement borné, si vous n'attendez l'amour que d'un homme. Ce n'est pas l'amour d'un seul, ni de quelques-uns, que je vous enseigne, mais l'amour du plus grand nombre.

Emmanuelle avança les lèvres, en une mimique de persistance dans le doute et le refus qui transporta Mario.

— Que vous êtes belle ! s'écria-t-il.

Il resta un instant silencieux et elle-même n'osait plus bouger. Il murmura :

— « *Si tu veux, nous nous aimerons*
    « *Avec tes lèvres, sans le dire !* »

Elle secoua ses longs cheveux, comme pour chasser le charme, et sourit à Mario. Celui-ci lui rendit son sourire, avec une expression d'estime qu'elle ne lui avait pas encore connue. Elle se força à parler, pour déjouer l'émotion :

232

— Que faut-il donc faire ?

Il répondit par une nouvelle citation :

— « *Reste couché, ô mon corps, selon ta mission voluptueuse ! Savoure la jouissance quotidienne et les passions sans lendemain. Ne laisse pas une joie inconnue aux regrets de ta mort.* »

— Eh bien ! c'est ce que je disais ! triompha Emmanuelle.

— Moi aussi.

Elle rit, incapable d'argumenter. Il fallait qu'il eût toujours raison !

— Mais je le disais avec plus de détails, reprit-il.

— Avec trop ! se plaignit-elle. Toutes vos lois... Je me souviens des deux premières...

— Je viens d'en énoncer une troisième : celle du *nombre*. La multiplicité est, à elle seule, un élément d'érotisme. Et, inversement, il n'y a pas d'érotisme là où il y a limitation. Par exemple, limitation à deux. Je ne clamerai jamais assez haut tout le mal que je pense du couple.

— Mettons-le donc hors-la-loi, consentit Emmanuelle. Mais où cela nous mène-t-il ? Faut-il refuser de faire l'amour avec un seul homme ? Ne le faire que par trio, quintette, septuor ?

— Si l'on veut, concéda Mario. Mais pas nécessairement. Le nombre ne règne pas que dans l'espace, il existe aussi dans le temps. Et l'on peut faire autre chose que l'additionner ou le multiplier. Par exemple, le diviser ou le soustraire. Au début de cette soirée, je vous ai fâchée, amie, en vous indiquant une façon, entre maintes autres, de vous diviser.

Ce souvenir lui devint presque agréable : une lueur malicieuse éclaira son visage ; elle faillit dire quelque chose, mais se ravisa. Mario continua :

— Quant à vous soustraire : jouez parfois à vous disputer à vos propres sens. Faites reculer devant eux, avant de leur céder (bien sûr !) le château de la fée au bout de la route enchantée. Faites durer le plaisir et durer le désir. Et ne rendez pas ivre de vos charmes inaccessibles que vous-même :

« *Vierge, je fus dans l'ombre une adorable offrande ! »*

« Donnez, donnez à pleines mains aux uns ce que vous mesurez aux autres, sans qu'aucun l'ait davantage mérité. À celui qui croit devoir languir des mois et lutter pour vous conquérir ainsi qu'un chevalier du Graal, livrez votre corps d'un seul coup, et tout entier, le premier jour. Tandis qu'à tel autre, à qui vous aurez souvent et longuement permis les caresses les plus intimes, vous refuserez par pur caprice « les derniers dons ». Vous exigerez d'un inconnu qu'il vous prenne sans précautions, mais, à l'ami qui rêve depuis l'enfance de pénétrer doucement en vous, vous ne permettrez de jouir que dans la coupe de vos mains.

— Vous êtes horrible ! Croyez-vous que je me livrerai jamais à toutes ces débauches ? Heureusement que vous dites cela pour rire...

— Oui. L'on ne doit jamais dire quoi que ce soit autrement que pour rire. Seule la pudeur est triste. Mais qu'est-ce donc qui, dans ce que je viens de vous suggérer, vous fait horreur ? Est-ce de vous servir de vos mains ?

— Ne soyez pas stupide ! Ce n'est pas cela...

— Vous savez, j'espère, faire bon usage de ces merveilleux instruments de luxure ?

— Mais oui !

— Soyez louée ! Tant de femmes semblent croire que seuls leur ventre, leurs seins ou leur bouche sont doués de pouvoirs. Les mains sont pourtant ce qui nous fait humains ! Pour nous, mâles, qu'existe-t-il qui puisse nous faire hommes plus que des mains de femmes? Nous pourrions forniquer une biche ou une lionne, caresser ses mamelles et frissonner sur sa langue. Mais seule une femme saura nous faire éjaculer entre ses doigts. Au nom de l'humanisme, cette manière de faire l'amour vaudrait qu'on la préférât à toute autre.

Emmanuelle fit un geste d'équanimité, comme pour signifier qu'elle reconnaissait à tous les goûts un droit égal à l'existence. En fait, elle avait renoncé à disputer à Mario le plaisir évident qu'il éprouvait à prendre le contre-pied de l'opinion commune. Elle se disait que la soirée était bien plus amusante comme cela. Mais une idée la tracassait, sans qu'elle se rendît exactement compte des mobiles obscurs qui lui faisaient accorder à cette « loi » de Mario plus d'importance qu'à toutes les autres. Elle relança le sujet :

— Sous le prétexte de me diviser ou de me soustraire, vous avez l'air de suggérer, en réalité, que je devrais me donner à pas mal de monde ! À l'un ci, à l'autre ça. Si vous ne m'encouragez pas à être une femme facile, vous ne me détournez pas, pour autant, d'avoir un corps innombrable ! C'est pour cela que je vous traitais de corrupteur.

— Et pourquoi ne partageriez-vous pas entre beaucoup, entre énormément d'amants, un corps capable de jouir de tous ? Qu'y voyez-vous à redire ?

— Vous le savez bien, Mario !

Cette protestation, espérait-elle, suffirait à lui faire entendre raison. Mais il se refusa à coopérer. Elle ne sut donc que lui retourner la question :

— Et pourquoi le ferais-je ?

— Je vous l'ai dit : par érotisme. Parce que l'érotisme a besoin du nombre. Il n'est pas de volupté plus grande pour une femme que celle de dresser le compte de ses amants : enfant, sur les doigts de ses mains ; jeune fille, au rythme des mois de collège et des mois de vacances ; mariée, dans le secret de l'agenda, marquant d'un signe mystérieux les jours où la liste s'est augmentée d'un nom : tiens ! presque un mois, depuis le dernier ? Ou le faux remords : c'est terrible ! deux dans la même semaine... jusqu'au triomphe accepté, au péan d'orgueil : ça y est ! cette semaine, un chaque jour ! Et, serrée contre l'amie intime, à voix très basse, tout près de son oreille : « Toi, plus de cent ? » — « Pas encore. Et toi ? » — « Oui. » Oh ! plaisir, plaisir ! C'est mille corps, dix mille, que votre corps peut contenir ! Vous ne regretterez que les amants que vous n'avez pas eus. Souvenez-vous de la définition que je vous ai donnée de l'érotisme : c'est le plaisir de l'excès.

Emmanuelle secoua la tête.

— Pourtant ! protesta Mario. La loi du nombre n'est elle-même, si l'on y regarde de près, qu'un corollaire de cette autre, que vous ne contestez plus, j'en suis sûr : qu'il faut se garder de l'assouvissement ? Il est facile de comprendre pourquoi une pluralité de ressources amoureuses est indispensable au plaisir : de peur que vos sens ne transigent et s'avouent repus, ne vous donnez pas à un homme à moins d'être sûre qu'après lui un autre se tient prêt à vous prendre.

— Mais il n'y a pas de raison que cela finisse ! s'exclama Emmanuelle. Après le second, il faudrait qu'il y en ait encore un, puis un autre en réserve ?

— Pourquoi pas ? dit Mario. C'est bien, en effet, à quoi il faut tendre.

Emmanuelle rit de bon cœur :

— Il y a des limites à la résistance humaine, dit-elle.

— Malheureusement, admit Mario, sombre.

Mais l'esprit peut les franchir. L'important, c'est que l'esprit ne se satisfasse, ne se rassasie jamais.

— Le plus sûr, si je comprends bien, pour le tenir en éveil, ce serait de faire l'amour sans discontinuer ?

— Pas forcément, s'impatienta Mario. Ce qui compte, ce n'est pas de faire l'amour, mais comment on le fait. L'acte physique à lui seul, serait-il répété à l'infini, ne peut suffire à créer la qualité érotique. Si vous vous livrez à dix, vingt hommes à la file, peut-être sera-ce pour vous un jour d'ineffable félicité — mais peut-être aussi vous consumerez-vous d'ennui. Tout dépend du moment, de ce qui l'a précédé et de ce que vous attendez à la suite. C'est pourquoi, s'il existe des lois, il n'y a pas de règles : pour atteindre à la limite de la perfection érotique, un jour, à ces vingt, vous vous donnerez de façon identique, reproduisant leur chair en vous comme en un manège, les laissant se succéder dans votre corps sans chercher à les distinguer les uns des autres ; un autre jour, par chacun des vingt, vous exigerez d'être comblée de façon différente.

— Les trente-deux positions ? railla Emmanuelle.

— Quoi de plus vulgaire que cet érotisme de pacotille ! Puissiez-vous être protégée de lui par sa vogue même ! L'art érotique digne de vous n'est pas affaire de postures. Il naît de *situations*. Les seules positions qui importent, ce sont celles des circonvolutions de votre cerveau. Faites l'amour avec votre tête. Peuplez-la de plus d'organes et de plus de sensations voluptueuses que ne pourraient vous en procurer tous les mâles de la terre. Que chacun de vos embrassements contienne et présage tous les autres : c'est la présence au sein de l'acte des actes sexuels passés et futurs, des actes commis par d'autres ou avec d'autres, qui lui conférera sa valeur érotique.

De même, lorsqu'un homme vous prend, que ce ne soit pas lui qui donne sa grâce au moment, mais celui à côté de vous qui tient votre main ou vous fait lecture d'une page d'Homère.

Emmanuelle s'esclaffa, mais elle était plus impressionnée qu'elle ne voulait l'admettre.

— Lorsque mon mari voudra me faire l'amour, devrai-je lui dire : « Impossible, nous ne sommes que deux ! »

— Il y aurait de la sagesse dans cette attitude, répliqua Mario, sérieux. Mais, ainsi que je vous l'ai dit, lorsque le troisième ne peut être là physiquement, il appartient à votre cerveau de le conjurer.

Cela plaisait à Emmanuelle. Oui, vraiment, pensait-elle, c'était — jusqu'à présent — le plus grand plaisir qu'elle connût : ce transfert chimérique entre les bras d'un autre, choisi à sa guise, lorsque Jean pénétrait en elle. Elle songea que c'était la première trouvaille érotique qu'elle avait faite d'elle-même, et cela dès les premiers temps de leurs amours, peut-être la quatrième ou la cinquième fois qu'il l'avait prise. Au début, elle s'était accordé cet « extra » parcimonieusement, à intervalles espacés, comme une récompense exceptionnelle. Puis, plus souvent. C'était bon ! Cette fréquence était en soi un facteur de jouissance. Désormais, elle avait hâte que son mari lui fît l'amour, non seulement par désir physique, mais parce qu'un autre homme, celui dont elle avait envie sur le moment, apparaissait sur-le-champ et qu'elle n'avait besoin de surmonter aucune gêne, aucune pudeur, aucun principe, aucun usage, pour lui accorder les faveurs les plus intimes et les plus dissolues, faire avec lui en rêve ce que peut-être elle n'aurait pas osé faire en réalité. Et comme son plaisir en était décuplé, ainsi en était-il de celui de Jean, qu'elle ne trompait donc pas, au contraire : chaque jour, elle était pour lui une maîtresse plus ardente et plus sensuelle. Elle se promit que, désormais, elle ferait systématiquement l'amour de cette manière, elle évoquerait chaque fois le « tiers partenaire » requis pour que la loi d'asymétrie fût observée. Elle était si impatiente, à la pensée de cette volupté très raffinée, qu'elle aurait voulu que son mari la prît à l'instant, pour qu'elle pût faire l'amour avec un autre.

Avec qui ? se demanda-t-elle. Évidemment, pas Mario, ce ne serait pas drôle. Avec Quentin.

— Il faudra que je fasse attention à ne pas appeler dans mon lit deux fantômes d'un coup, se moqua-t-elle. Alors, la compagnie deviendrait paire et crac ! tout serait par terre.

Mario sourit :

— Non, car il y aurait asymétrie tout de même, puisque le nombre pair serait inégalement réparti. Certes, je ne vous encouragerai jamais à faire l'amour à quatre, si cela devait consister à vous étreindre deux par deux, fût-ce sur la même couche. Rien n'est plus plat, plus pot-au-feu. Et il convient de laisser ce jeu aux bourgeois méritants qui en sont friands après vêpres. Mais il serait fâcheux d'en conclure qu'il faut jeter l'interdit sur le nombre quatre. Il offre des possibilités intéressantes, pour peu qu'on le rédime de la banalité du carré et qu'on le scinde, par exemple, en trois et un. Ainsi en va-t-il de huit, tout pair qu'il soit, parce qu'il peut signifier six hommes et deux femmes, combinaison des plus élégantes, qui assure trois servants à chaque femme, pour commencer, et l'articulation des deux groupes ainsi formés, pour finir.

Emmanuelle essaya de se représenter le tableau.

— Je conviens, dit Mario, avec un rire de bon-homie, que la simplicité a aussi bien des charmes et que la manière la plus délectable de faire l'amour restera toujours pour une femme, je le crois — ainsi que vous le notiez tout à l'heure —, de se donner simultanément à deux hommes. (Emmanuelle haussa les sourcils, éberluée de s'entendre attribuer une telle idée.) Il est peu d'expériences qui soient plus parfaites et plus harmonieuses, et l'on comprend que ce soit le régal préféré de toute femme de goût. Entre être prise par un seul homme et l'être par deux, il existe le même abîme qu'entre un alcool de riz et un marc de champagne.

Il souleva le magnum et en servit à Emmanuelle. Elle dégusta avec trouble une goutte de la liqueur mordorée. Mario ne la quittait pas du regard. Il insista :

— Dans les bras d'un seul homme, une femme est déjà à demi délaissée. S'il est vrai qu'un cortège d'amants est la réponse nécessaire aux exigences de votre esprit, c'est le dû non moins légitime de votre chair qu'il ne soit pas fait de discrimination entre ses ressources androgynes et ses candides penchants. Il ne serait pas tolérable qu'à aucun moment une partie de vous fût plus qu'une autre négligée ; que vous fussiez laissée vacante pour moitié, à moitié découverte... Tous les accès de vos sens ont les mêmes titres à l'amour et d'égales vertus. Et puisqu'un seul homme ne peut être à la fois à votre commencement et à votre fin, il convient qu'au moins deux s'ingénient à résoudre en commun le dilemme de votre corps. Seulement lorsqu'ils entonnent en même temps leur volupté gémelle en vos bouches ambiguës, vous connaissez dans sa plénitude la raison d'être femme et sa beauté.

Il s'enquit avec courtoisie :

— Vous aimez ?

Emmanuelle baissa les yeux sur la sphère miroitante, toussota. Il poursuivit, impitoyable :

— Je veux dire : faire l'amour avec deux hommes. Pas seulement en rêve...

240

Elle choisit la solution de franchise.

— Je ne sais pas, dit-elle.

— Comment cela? s'étonna Mario, d'une voix composée.

— Je ne l'ai jamais fait.

— Vraiment? Et pour quelle raison?

Elle haussa les épaules.

— Vous objectez à cette façon de faire? questionna-t-il, à peine caustique.

Le visage d'Emmanuelle revêtit une série d'expressions auxquelles il était difficile de donner un sens précis. Mario laissa se prolonger le silence, qui augmentait l'embarras de son invitée. Elle se sentait en accusation, coupable d'elle ne savait trop quel inexpiable péché contre l'esprit.

— Pourquoi vous êtes-vous mariée? demanda-t-il abruptement.

Elle ne sut que répondre. Elle avait l'impression qu'on venait de la prendre par les épaules et de la faire tourner sur elle-même, comme à colin-maillard, pour lui faire perdre l'orientation. Les yeux bandés, les mains en avant, elle n'osait avancer d'aucun côté, de peur de tomber dans un piège. Elle ne voulait pas avouer à Mario qu'elle s'était mariée par amour pour Jean — ou même pour le plaisir de faire l'amour avec Jean. Heureusement, une idée lui vint, qui lui parut à la hauteur des circonstances.

— Je suis lesbienne, dit-elle.

Mario eut un battement de paupières.

— Bien! apprécia-t-il.

Puis, soupçonneux:

— Mais l'êtes-vous vraiment toujours — ou l'avez-vous seulement été dans votre enfance?

— Je le suis toujours, dit Emmanuelle.

En même temps, une vague de détresse, à laquelle elle ne s'était pas attendue, la submergea. Disait-elle vrai? Pourrait-elle à nouveau serrer un corps de femme dans ses bras ? En perdant Bee, elle avait tout perdu...

— Votre mari connaît-il vos goûts ?

— Naturellement. D'ailleurs, tout le monde les connaît. Ce n'est pas un secret. Je suis fière d'aimer les jolies filles et que les jolies filles m'aiment.

Elle éprouvait maintenant le besoin de claironner des mots de défi ; pourtant, ils ne faisaient de mal qu'à elle.

Mario se leva, arpenta la pièce. Il semblait transporté. Il revint prendre Emmanuelle par la main, l'installa sur le divan, s'agenouilla à ses pieds. À sa surprise, il lui baisa légèrement les genoux, puis entoura ses jambes de ses bras.

— « *Les femmes sont toutes belles,* murmura-t-il, avec une ferveur que sa voix profonde rendait saisissante. *Les femmes seules savent aimer. Reste avec nous. Bilitis ! reste. Et si tu as une âme ardente, tu verras la beauté comme dans un miroir sur le corps de tes amoureuses.* »

Emmanuelle songea, avec une mélancolique ironie, qu'elle n'avait pas de chance : c'était bien d'elle, vraiment, de s'être éprise à la fois d'une femme qui n'était pas assez lesbienne et d'un homme qui l'était trop !

Lui, cependant, avait déjà retrouvé sa nonchalance et poursuivait son interrogatoire :

— Avez-vous eu beaucoup d'amantes ?

— Mais oui !

Elle ne laisserait pas le souvenir de Bee lui gâter cette soirée. Elle affirma :

— J'aime en changer souvent.

— En trouvez-vous autant que vous voulez ?

— Ce n'est pas difficile. Il suffit de le leur proposer.

— N'y en a-t-il pas qui refusent ?

— Peu ! minimisa Emmanuelle qui, en même

242

temps, commença à en avoir assez de crâner. (Il lui hâtait de retrouver sa simplicité et sa franchise.) Bien sûr, corrigea-t-elle avec un rire heureux, il y a des filles qui ne sont pas conquises. Mais c'est tant pis pour elles !

— Exactement, opina Mario. Et vous ? Êtes-vous aisée à conquérir ?

— Oh ! oui. J'aime me laisser faire !

Elle sourit de son aveu, ajouta :

— Mais à condition que mes soupirantes soient vraiment jolies. J'ai horreur de toute fille qui n'est pas très belle.

— Excellente mentalité, complimenta à nouveau Mario.

Il revint sur un point qui, selon toute apparence, le passionnait :

— Votre mari, me dites-vous, est au courant de vos amours féminines. Mais les approuve-t-il ?

— Il les encourage, même. Jamais je n'ai eu autant d'amies que depuis que je suis mariée.

— Il n'a pas peur que les caresses vous détournent de lui ?

— Quelle idée ! Faire l'amour avec une femme, c'est autre chose que de le faire avec un homme. L'un ne remplace pas l'autre ; il faut les deux. C'est aussi dommage d'être purement lesbienne que de ne pas l'être du tout.

Pour le coup, l'opinion d'Emmanuelle semblait catégorique et son assurance parut en imposer à Mario même.

— Je présume que votre mari profite, lui aussi, des charmes de vos maîtresses ? s'enquit-il avec égards.

Emmanuelle eut un sourire mutin :

— Ce sont surtout elles qui ne rêvent que de cela, badina-t-elle.

— Vous n'êtes pas jalouse ?

— Ce serait trop ridicule !

— Vous avez raison : le partage est fait pour ajouter à votre plaisir.

Il hocha la tête, semblant évoquer des images délectables. Emmanuelle, de son côté, revoyait les corps nus de ses amies, si nues, si douces à toucher, si belles ! Il n'est pas certain qu'elle avait entendu le dernier commentaire de Mario.

— Et lui ? demanda-t-il, après un instant de silence.

Emmanuelle ouvrit grands les yeux.

— Lui ?

— Oui, votre mari. Vous procure-t-il beaucoup d'hommes ?

— Quoi ? fit-elle, choquée au fond du cœur. Mais non !

Elle se sentit rougir.

— Pas même depuis votre mariage ? poursuivit Mario, imperturbable.

Elle ne put retenir un mouvement d'indignation.

— Dans ces conditions, déclara Mario, glacial, je ne vois pas très bien en quoi consiste, pour vous comme pour lui, l'intérêt d'être mariés.

Il prit une gorgée de marc, la savoura, interrogea ensuite, avec une intonation de dédain :

— Vous interdirait-il de faire l'amour avec d'autres hommes ?

Emmanuelle se hâta d'affirmer :

— Non, pas du tout.

Elle n'était pas très sûre, au fond d'elle-même, de ne pas enjoliver.

— Vous a-t-il dit que vous pouviez le faire ?

Elle se retrouvait au supplice :

— Pas explicitement, bien sûr. Mais il ne me l'a jamais défendu. Et il ne me demande pas si je le fais ou non. Il me laisse libre.

Mario esquissa un mouvement de regret :

— C'est bien ce que vous devriez lui reprocher. Ce n'est pas de cette liberté-là qu'a besoin l'érotisme.

Emmanuelle essaya de comprendre ce que Mario avait voulu dire.

Elle rappela :

— Pourtant, tout à l'heure, vous affirmiez qu'il n'y a pas de gardien heureux ?

— Je vous avertissais aussi qu'il n'y a pas d'amour heureux sans participation aux amours de l'aimée.

Elle baissa la tête, à nouveau prise de doutes.

— Lorsque vous étiez seule à Paris et que vous écriviez à votre mari, reprit-il, lui faisiez-vous la chronique de vos amants ?

Emmanuelle était écrasée par la conscience de sa « banalité ». Elle secoua la tête, puis essaya d'éluder la question.

— Je lui parlais de mes amoureuses, dit-elle.

Mario fit un geste qui pouvait signifier : c'est déjà mieux que rien. De nouveau, ils se turent. Emmanuelle regarda Quentin. Il souriait avec une remarquable persévérance. Elle se demanda s'il comprenait vraiment ce qui se disait ou si ce sourire cherchait simplement à cacher qu'il s'ennuyait.

— Ne croyez surtout pas que Jean soit jaloux, relança-t-elle, voulant racheter la mauvaise impression qu'elle avait conscience d'avoir produite sur Mario. Il ne l'est pas plus que moi. Tenez, c'est lui-même qui m'encourage à montrer mes jambes. C'est pour lui faire plaisir que je porte des robes étroites : de façon que, lorsque je descends de voiture, ma jupe remonte le plus haut possible. Et vous pouvez vous rendre compte que même dans le salon le plus convenable, je m'assieds très impudiquement.

Elle riait.

— Vous voyez que cela ne me choque pas. N'est-ce pas une preuve que lui et moi avons des dispositions pour l'érotisme ?

— Si.

— Et c'est lui qui règle mes décolletés. Connaissez-vous beaucoup de maris qui découvrent aussi généreusement les seins de leur femme ?

— Vous-même, trouvez-vous agréable de montrer vos seins ? Physiquement agréable ?

— Oui, dit Emmanuelle. Mais surtout depuis que Jean me l'a appris. Avant de le connaître, j'aimais qu'on me touche, je veux dire : que des filles me touchent, mais cela m'était égal d'être vue ou non. Je n'en tirais pas de plaisir. Maintenant, si.

Elle ajouta, bravement :

— Je ne suis pas née exhibitionniste ; je le suis devenue ! Grâce à lui.

Et elle répéta :

— Vous voyez !

— Vous êtes-vous demandé pourquoi votre mari s'amusait ainsi à vous rendre aussi publiquement désirable ? s'enquit Mario. Si c'est seulement pour faire de vous une allumeuse, ce n'est guère louable. Et si c'est par simple orgueil, pour faire étalage de la beauté de sa femme comme d'une richesse et narguer son prochain qui n'en a pas autant, cela ne vaut guère mieux.

— Oh ! non, protesta Emmanuelle, qui ne pouvait souffrir qu'on parlât mal de son mari. Ce n'est pas du tout son genre. S'il m'incite à montrer mon corps, c'est plutôt pour en faire profiter les autres...

— Alors, c'est bien ce que je disais ! triompha Mario. Si votre mari s'ingénie à vous faire éveiller la convoitise des hommes, s'il vous présente de la sorte à leur érection, c'est qu'il veut que vous fassiez l'amour avec eux.

— Mais... tenta d'objecter Emmanuelle.

Cette idée ne lui était jamais venue et elle ne trouvait rien qui l'aidât à la réfuter. Pourtant, elle restait perplexe : était-il concevable que Jean attendît cela d'elle ? Elle le dit :

— Enfin, pourquoi Jean souhaiterait-il que je le trompe ? Quelle sorte de plaisir un homme peut-il trouver à ce que d'autres possèdent sa femme ?

— Voyons, fit Mario, et sa voix était sévère, ma chère, en êtes-vous là ? Voulez-vous dire que vous ne comprenez pas qu'un homme évolué puisse vouloir, par raffinement érotique, que sa femme séduise d'autres hommes ? L'Ecclésiaste, en tout cas, en savait plus long que vous, qui disait : « *La grâce d'une femme fait la joie de son mari.* » Soyez logique : si le vôtre se réjouit de savoir que vous faites l'amour avec des femmes, pourquoi devrait-il penser différemment des hommes ? Y a-t-il vraiment, entre amour hétéro et homosexuel, une distinction de nature aussi essentielle que vous semblez le croire ? Je tiens, quant à moi, qu'il n'existe qu'un seul amour, et que le faire avec homme ou femme, avec époux, amant, frère, sœur, enfant, est la même chose.

— Mais Jean a toujours su que j'avais un faible pour les filles, avant même qu'il me déflore : c'est moi qui le lui ai dit, le premier jour que je l'ai connu.

Elle ajouta brusquement, saisissant au vol une allusion de Mario :

— Et naturellement, si j'avais eu un frère, j'aurais fait l'amour avec lui. Mais je suis fille unique.

— Et alors ?

— Alors ?... Alors, je veux dire qu'en caressant une femme je ne trompe pas mon mari.

L'hôte parut amusé.

— Lui, enquêta-t-il, aime-t-il les hommes ?

— Non !

Emmanuelle trouva absurde l'idée que son mari pût être homophile.

— Vous n'êtes pas juste, fit observer Mario, qui avait deviné ses pensées.

— Ce n'est pas pareil !

Mario sourit et elle ne fut plus sûre que ce ne fût pas pareil...

— Préférez-vous, reprit Mario, qu'il couche avec d'autres femmes ?

— Je ne sais pas... Je suppose que oui.

— Alors, triompha-t-il, pourquoi ne penserait-il pas de la même façon, pour ce qui est de vous et des hommes ?

« C'est vrai », songea-t-elle.

— Autre exemple, poursuivit Mario, sans attendre de réponse : vous exposez, avez-vous reconnu, vos jambes et vos seins, non par simple habitude, non par jeu mondain, mais parce que cela vous excite de vous offrir. Nous sommes bien d'accord ?

— M'offrir !...

Le ton mis par Emmanuelle à reprendre ce mot indiquait qu'elle le trouvait mal choisi... En tout cas, excessif... Mario n'en tint pas compte. Il poursuivit :

— Votre plaisir est-il plus grand si votre mari est présent ?

Elle réfléchit :

— Je crois que oui.

— Sagement assise auprès de votre mari, lorsque son meilleur ami tente de pousser ses regards sous votre robe, ne rêvez-vous pas quelquefois qu'il y glisse aussi les mains, pour ne rien dire du reste ?

— Bien sûr, admit-elle de bonne grâce.

Cela, toutefois, ne la convainquait pas que Jean dût lui-même se délecter à imaginer la même scène.

À la seule fin d'embêter Mario, elle se réfugia délibérément dans un conformisme de tout repos :

— J'ai toujours entendu dire et lu dans les livres que l'on ne doit pas faire l'amour avec la femme d'un ami. Cette morale est-elle, elle aussi, périmée ?

Matio ne s'émut pas de la provocation. Il répondit posément :

— Si mon ami a choisi une femme que je ne peux pas désirer, c'est que j'ai mal choisi mon ami.

— Je parlais de devoir, dit Emmanuelle. Pas de pouvoir.

— Et moi, je veux vous faire entendre que notre premier devoir est de faire tout ce dont nous sommes capables.

— Donc, si vous n'êtes pas capable de prendre sa femme à votre ami, c'est vous qui êtes coupable ? questionna-t-elle, d'une voix trop studieuse pour être honnête.

— Je ne prends jamais personne, rectifia patiemment Mario. Comment prendrais-je quelqu'un à quelqu'un ? Les êtres humains ne sont pas des objets d'appropriation. Si je fais l'amour, ce n'est pas pour augmenter mes biens, mais pour échanger un plaisir. Pensez-vous qu'on ne doive pas échanger un plaisir avec un ami ?

Emmanuelle se cramponna aux faibles chances de diversion que lui offrait la sémantique, terrain de dissertation moins personnel que les intentions prêtées à Jean par Mario :

— Une femme qui dit à un homme : « Prends-moi », un homme qui *a* une femme, *sa* femme ; un autre qui se réjouit de *posséder* un corps désiré, sont-ils donc immoraux ?

— Ils sont anachroniques. Ils utilisent un langage en solde. Ils tirent le monde en arrière. Penser, parler, vivre comme l'année passée n'aide les gens d'aucune époque à se comprendre. Encore moins, à s'aimer.

Le silence d'Emmanuelle n'équivalait pas forcément à une reddition. Mario s'en douta et soupira.

— Vous avez encore beaucoup à apprendre. Tout ce qui sépare la simple sexualité de l'art érotique.

Il revint à la charge, ajoutant un accent d'ironie au mot qu'avait utilisé Emmanuelle :

— Si votre mari ne voulait pas que vous le « trompiez », pourquoi vous aurait-il laissée venir seule ici ce soir ? A-t-il fait des objections ?

— Non. Mais peut-être s'est-il dit que dîner chez un homme ne signifiait pas forcément que j'allais me donner à lui.

Emmanuelle jouait avec grâce le naturel. Elle ne sut pas si la pointe avait porté. Mario parut s'abîmer dans la méditation. Au moment où elle commençait à laisser filer ses pensées vers d'autres rives, il demanda :

— Êtes-vous prête à vous donner, ce soir, Emmanuelle ?

C'était la première fois qu'il l'appelait par son nom. Elle fit de son mieux pour cacher la commotion qu'elle éprouvait à s'entendre poser pareille question aussi négligemment. Elle tenta, pour prouver sa liberté, de donner à sa voix le même ton de désinvolture :

— Oui.

— Pourquoi ?

L'embarras la reprit aussitôt.

— Cédez-vous aux hommes facilement ? demanda Mario.

Elle se sentit couverte de honte. Cette conversation ne visait-elle qu'à la mortifier ? Elle éprouva le besoin de se revaloriser :

— C'est tout le contraire, attesta-t-elle, avec une véhémence qui ne lui était pas habituelle. Je vous ai dit que j'avais eu beaucoup d'*amantes,* je ne vous ai pas dit que j'avais eu beaucoup d'amants. Pour tout vous révéler, ajouta-t-elle, mue par une impulsion soudaine (et à son étonnement, car elle n'aimait pas mentir et le faisait le moins possible), je n'en ai jamais eu aucun. Maintenant, vous comprenez pourquoi je n'ai rien eu à avouer à ce sujet à mon mari — jusqu'à présent ? acheva-t-elle, avec un sourire facile à interpréter.

En même temps qu'elle s'attribuait cette vertu, elle pensa qu'en vérité elle n'avait pas tellement tort : car, pouvait-on sérieusement les appeler des amants, ces inconnus qui l'avaient séduite tour à tour dans l'avion ? Marie-Anne était bien d'avis qu'ils ne comptaient pas. Et elle-même en était venue peu à peu à douter de la matérialité de cette aventure et à considérer qu'en cédant à cette sorte de rêve éveillé qui lui avait été donné entre ciel et terre, elle n'avait pas été plus infidèle qu'en goûtant aux étreintes imaginaires des hommes à qui elle se livrait en intention pendant que son mari jouissait chaque nuit dans son corps.

Pour la première fois, elle pensa que peut-être elle était enceinte de l'un des voyageurs : elle le saurait bientôt. Mais cela non plus n'avait pas beaucoup d'importance.

Mario, cependant, semblait éprouver tout à coup un intérêt accru pour son invitée :

— Vous ne vous moquez pas de moi ? J'avais cru, pourtant, vous entendre dire que vous aimiez « aussi » les hommes ?

— Mais oui. Ne me suis-je pas mariée ? Et je viens de vous répondre que j'étais prête à me donner à un autre homme que mon mari, ce soir même.

— Pour la première fois, alors ?

Emmanuelle confirma d'un signe de tête son demi-mensonge.

(Pourvu, pensa-t-elle avec une brusque angoisse, que Marie-Anne n'eût pas trahi son secret! Mais non, il était clair que Mario ne savait rien.)

— Peut-être y ai-je été disposée d'autres fois, mais personne n'en a profité *alors,* ajouta-t-elle, avec un grain de sel que son hôte dut sentir, car il la regarda avec un sourire qu'elle n'aima guère.

Il contre-attaqua :

— Pourquoi désirez-vous « tromper » votre mari? Est-ce parce qu'il vous laisse physiquement insatisfaite?

— Oh! non, s'écria Emmanuelle, bouleversée et soudain malheureuse, Oh! non. Il est un amant merveilleux. Je ne suis pas du tout frustrée, je vous assure. Ce n'est pas pour cela, au contraire...

— Ah! dit Mario, « au contraire »? Voilà qui est intéressant. Pourriez-vous me dire ce que vous entendez, par cet « au contraire »?

Elle était furieuse contre lui. Il lui avait fait un beau discours pour démontrer que Jean lui-même voulait qu'elle eût des amants, et il ne semblait déjà plus s'en souvenir...

Mais pourquoi, en fait, se demandait-elle, acceptait-elle si aisément, aujourd'hui, l'idée d'être infidèle? Pourquoi avait-elle, pour la première fois de sa vie, et si soudainement, tant envie d'être une femme mariée qui a un amant? Parce que c'était bien cela qu'elle voulait : être *adultère.* Elle le voulait, sans pourtant aimer Jean avec moins de passion — *au contraire...* Que lui arrivait-il donc? Elle s'entendit dire, avant même qu'elle ait eu le temps de réfléchir au sens de ses paroles :

— C'est parce que je suis heureuse. C'est... c'est parce que *je l'aime*!

Mario se pencha vers elle. Il articula :

— En d'autres termes, si vous voulez tromper votre mari, ce n'est pas parce qu'il vous ennuie, ou par faiblesse, ou pour vous venger de lui, mais c'est, *au contraire,* parce qu'il vous rend heureuse. C'est parce qu'il vous a appris à aimer ce qui est beau. À aimer la merveille du plaisir physique donné par la pénétration d'un corps d'homme au plus profond du vôtre. Il vous a appris que l'amour, c'était cet éblouissement des sens lorsque la nudité de l'homme écrase la vôtre. Que ce qui donne sa splendeur sans cesse renaissante à la vie, c'était ce geste de vos mains vers vos épaules pour faire tomber votre robe à votre taille et découvrir vos seins, et ce geste de vos mains vers vos hanches pour faire tomber votre robe à vos pieds et vous faire statue plus adorable que le rêve. Il vous a appris que la beauté, ce n'était pas la solitude de votre corps, mais son foisonnement. Que la beauté, ce n'était pas d'attendre que d'autres mains vous dénudent, mais la hâte et la simplicité de vos doigts vous libérant eux-mêmes de ce qui vous obscurcit et vous tendant comme une clarté à la chair qui vous est destinée. Il vous a appris qu'il n'y avait pas d'autre beauté, qu'il n'y avait pas d'autre bonheur. Que cet élan voulu de votre corps, cette organisation de vos pouvoirs, étaient porteurs d'une intelligence infinie — que seulement l'infini de leur répétition pouvait accomplir. Et qu'aucun acte de conscience n'avait plus de sens, pour les êtres conquis sur l'instinct que nous sommes, que la quête réfléchie et l'étreinte savante de ce seul instant — de cette seconde lucide où la femme se fait la semence de l'homme et son regain. Prodige créateur plus étonnant que celui par quoi le marbre devient torse et la modulation symphonie ! Cette réalité plus humaine que l'héritage de la matière, ce miracle de notre liberté, cette spiritualité physique, cette œuvre d'art faite de vie !

Emmanuelle écoutait, ne sachant si elle devait se laisser envelopper par la ramure des mots, les laisser décider de ce qu'elle était... Elle reprit à Mario le verre gonflé de reflets, leva vers l'homme un regard ferme.

— C'est ainsi que vous vous donnerez ? s'assura-t-il.

Elle inclina la tête.

— Et vous direz à votre maître qu'il peut être fier de vous ?

Elle perdit sa sérénité, fit entendre un son d'alarme :

— Oh ! non.

Puis, après une hésitation :

— Pas tout de suite...

Mario eut une expression d'indulgence.

— Je vois, dit-il. Mais il faudra que vous appreniez.

— Que devrais-je encore apprendre ? protesta-t-elle.

— Le plaisir de raconter : plus subtil, plus raffiné encore que celui du secret. Le jour viendra où la saveur même de vos aventures aura moins de prix que la volupté d'en faire, longuement, en le pimentant de détails qui vous feront jouir plus que des caresses, le récit à l'homme qui est à la fois vous-même et le plus attentif de vos spectateurs. L'homme qui, autant et davantage encore que vous-même, sera heureux de vous savoir multiple.

Il eut un geste de clémence :

— Mais rien ne presse et si, pour le moment, vous cacher est le plus facile, gardez votre mari dans l'ignorance provisoire des progrès de son élève. D'ailleurs — et son sourire se chargea d'une pointe de raillerie — peut-être est-il préférable d'attendre que ces progrès soient tout à fait probants, n'est-ce pas ? La surprise pour lui n'en sera que meilleure. Mais il faut que, pendant ce temps d'épreuve, si ce n'est lui, un autre se fasse votre guide. Car la voie de l'érotisme est parfois abrupte, *ad augusta per angusta,* et, livrée à vous-même, peut-être risqueriez-vous de vous décourager ou de vous égarer. Qu'en pensez-vous ?

Emmanuelle estima que son avis n'était sollicité que pour la forme et jugea donc plus digne de se taire. Mario enchaîna :

— Mais vous savez que la persévérance du disciple doit être sans borne. Nul guide au monde ne peut se substituer à votre volonté : il vous montrera le chemin, mais c'est vous qui devrez marcher d'un pas hardi, sachant où ce pas vous mène. L'initiation à tout art est un temps de labeur plus que de plaisir. Celui dont le cœur fléchit avant que la grâce ne vienne récompenser sa patience mérite-t-il qu'on s'apitoie s'il a laissé passer l'occasion du bonheur ? Un jour, le souvenir de ces durs travaux mêmes vous sera doux. Aujourd'hui, il vous appartient d'en décider librement. Êtes-vous prête à tout essayer ?

— Tout ? s'enquit-elle, circonspecte.

Elle se souvint que cela avait été, peu de temps auparavant, le mot de Marie-Anne.

— C'est cela : tout ! fit Mario, subitement concis.

Emmanuelle essaya de se représenter ce que ce tout pourrait être — et ne réussit à imaginer rien d'autre que l'abandon de son corps aux caprices de Mario. Puisque, de toute façon, elle avait décidé de se donner à lui, la manière dont il la prendrait (elle n'avait pas encore, nota-t-elle sans contrition, mis à jour son vocabulaire !) avait-elle beaucoup d'importance ? Elle se disait même, avec un peu d'ironie, que son mentor s'exagérait quelque peu les vertus de ses méthodes amoureuses s'il pensait que l'expérience qu'il lui préparait aurait pour effet de la faire « muter ». Elle n'avait guère la pratique des hommes, elle en convenait, mais elle était tout de même persuadée qu'il fallait qu'une femme fît davantage que de se soumettre aux singularités d'un amant pour devenir capable de progrès. Cette suffisance du mâle l'amusa. Mais elle ne l'irrita pas assez pour lui donner envie de décourager un passage à l'acte.

Ce qui lui causait, cependant, quelque trouble de conscience, c'était de ne pouvoir expliquer pourquoi, en dépit des assurances de Mario, elle préférait que cette liaison restât inconnue de son mari. Ce n'était pas réellement par crainte que Mario ne se fût mépris sur les mobiles de Jean, réfléchit-elle. C'était bien plutôt pour la raison qu'elle avait entrevue tout à l'heure et qu'elle n'avait pas su clairement traduire : « tromper » un mari que l'on aime était une volupté spéciale, très tendre, à laquelle elle n'avait pas pensé jusqu'à ce moment, mais dont la tentation lui faisait désormais battre les tempes d'impatience. Il était bien possible, se disait-elle, que, dans le monde de l'érotisme, la complicité du mari, la confidence de l'adultère, constituât un libertinage plus avancé. Mais elle n'en était pas là encore. Le secret de ses aventures était capable à ses yeux d'ajouter, plus que de retrancher, au plaisir qu'elle attendait. Avant d'apprendre l'art compliqué dont Mario lui avait esquissé les règles, elle voulait se contenter du plus simple. L'adultère à lui seul n'offrait-il pas déjà la possibilité de découvertes merveilleuses ?

En réalité, presque à son insu, un érotisme abstrait l'inspirait plus que la sensualité élémentaire à laquelle elle s'imaginait céder, car c'était moins l'anticipation des voluptés que son amant lui donnerait qui l'incitait à s'abandonner et déjà la faisait défaillir, que le désir de principe de tromper Jean, le tromper autant qu'elle l'aimait, le tromper d'urgence, beaucoup, de tout son corps, de toute sa nudité, de toute la suavité de son ventre, où coulerait la semence d'un étranger.

Mario la regardait et ce regard la gênait. Elle changea de position, sur le divan de cuir, montrant ses jambes comme elle avait expliqué qu'elle savait le faire. Elle pensa que Mario lui avait parlé de faire l'amour avec deux hommes sans doute parce qu'il voulait la partager avec son mari. « Soit ! se dit-elle. J'apprendrai. » Elle aurait préféré n'avoir affaire qu'à Mario, ou, s'il n'y avait pas moyen d'éviter Quentin, que celui-ci se contentât du rôle de spectateur, dont Mario prisait si fort l'importance. Mais elle était décidée à ne pas s'opposer aux exigences de son hôte. Peut-être même, reconnut-elle, avait-elle obscurément envie d'être appréciée aussi par Quentin ? Et puisque Mario prétendait que l'amour avec deux hommes était si enchanteur...

— Avez-vous déjà, au moins, fait l'amour avec plusieurs femmes ? demanda son héros.

Elle s'extasia une fois de plus qu'il pût lire en elle si aisément. Il devait savoir, alors, combien elle le désirait. Il admirait ostensiblement ses jambes. Elle en oublia de répondre.

Mario scanda, sur le ton particulier, frémissant, qu'il avait lorsqu'il citait des vers :

— *« Moi si pure ! mes genoux*
« Pressentent les terreurs de genoux sans défense ! »

Elle fut heureuse qu'il fût sensible à l'éloquence de son corps. Mais il ne se laissait pas si aisément distraire de sa curiosité. Il revint à la charge :

— Avec plusieurs femmes à la fois, j'entends.

— Oui, dit Emmanuelle.

Il parut charmé.

— Eh ! fit-il, vous n'êtes pas si innocente !

— Mais pourquoi le serais-je ? s'insurgea-t-elle. Je n'ai jamais rien prétendu de tel.

La soupçonner de bonnes mœurs était devenu la pire injure qu'on pût lui faire. Si montrer ses jambes ne suffisait pas à la faire respecter, elle allait se lever toute droite sur le divan et se mettre nue. L'impulsion fut si forte qu'elle replia ses chevilles sous elle et s'agenouilla. Et si cette démonstration ne convainquait pas encore son hôte, elle se masturberait devant lui ! Ses seins brûlaient d'ardeur : peut-être était-ce aussi le marc de Mario qui lui donnait soudain tant d'audace. Mais l'Italien, lui, restait nonchalant. Il semblait plus avide d'érotisme verbal que d'action... Il poursuivit son enquête :

— Et comment vous y prenez-vous, lorsque vous échangez des caresses avec deux filles en même temps ?

Emmanuelle s'impatientait. Pour hâter la fin de cet « oral », elle décrivit des scènes où la part de l'imaginaire l'emportait sur celle du réalisme. Elle ne se souciait pas de fouiller en détail ses souvenirs, et un grain d'invention, pensait-elle, fût-il çà et là naïf, devait plaire à Mario plus que la fidélité historique. Il ne fut pas dupe.

— Tout cela me paraît jeu de petite fille, coupat-il avec bonhomie. Il est temps de grandir, ma jolie amie.

Vexée, elle voulut porter à l'adversaire un coup qui la vengeât. Lorsqu'elle se rendit compte qu'elle risquait, en laissant échapper ainsi une allusion peu opportune, de nuire à ses propres desseins, elle eut beau se mordre la langue, il était trop tard.

— Et vous, avait-elle dit, savez-vous mieux vous y prendre avec les garçons ?

À la surprise d'Emmanuelle, cependant, Mario ne parut pas le moins du monde embarrassé. Au contraire, sa voix se colora de bonne humeur :

— Nous allons vous montrer cela, chère !

Il adressa une phrase en anglais à Quentin. Emmanuelle se demanda avec émoi si les deux hommes allaient lui faire sur place une démonstration.

6

LE SAM-LO

La ville qui est à moi, j'en dispose.

L'Ecclésiaste, VIII, 12.

Dès le matin, sème ta semence,
Et, le soir, ne laisse pas reposer ta
[*main.*

Id. XI, 6.

L'arbre de la science l'enveloppait de
son feuillage, qui était mes bras.

Montherlant, *Don Juan.*

Le quartier que découvre Emmanuelle ne ressemble guère aux avenues bordées d'immeubles de
béton ou de villas dissimulées dans la verdure des
jardins et l'embrasement des flamboyants qu'elle a
connues depuis son arrivée à Bangkok. Peut-être
rêve-t-elle? La pleine lune donne au décor une
pâleur et un relief animé qui conviennent trop bien à
l'espèce de ballet qu'elle exécute pour que tout cela
soit réel. Décor est bien le mot, avec ce qu'il évoque
de perspective truquée, d'estrades, de murs de cartons, d'assemblages instables, d'échafaudages. Sui-

vant Mario et suivie de Quentin, elle pose avec appréhension, l'un derrière l'autre, ses escarpins aux talons effilés sur une passerelle faite d'une planche longue d'une dizaine de mètres et large d'un pied, jetée entre deux tréteaux que lèche l'eau immobile et grasse d'un canal qui semble être surtout un égout. Le poids des promeneurs infléchit le bois et le fait battre comme un tremplin : Emmanuelle ne doute pas qu'elle sera, tôt ou tard, projetée dans la vase.

Lorsqu'on parvient au tréteau, il faut, pour aller plus loin, passer, d'une enjambée oblique, sur la planche qui suit et qui semble plus vermoulue et branlante encore que celle qu'on vient de quitter. Ainsi fait le trio depuis plusieurs centaines de mètres et rien n'indique que cet étrange cheminement soit proche d'aboutir. À mesure qu'elle avance, Emmanuelle a l'impression de s'éloigner pour toujours du monde connu. L'air même que l'on respire ici a une consistance différente et une autre odeur. La nuit offre un silence si total que l'étrangère se retient de respirer et, davantage encore, de parler, comme par crainte d'un sacrilège. Elle s'aperçoit, à un moment donné, que ce silence est fait, en réalité, du cri uniforme, ininterrompu et strident des grillons.

Emmanuelle et ses guides, une demi-heure plus tôt, ont quitté la maison de rondins sur une barque étroite, qu'à l'appel de Mario un batelier est venu ranger le long de l'embarcadère flottant. Ils ont remonté pendant quelque temps le *khlong*. Puis, sans que la jeune femme eût compris si Mario se décidait au hasard ou si, au contraire, il avait pris repère, ils sont passés de l'embarcation à ce trottoir de bois, orienté perpendiculairement à l'axe du grand canal, au-dessus d'un bief plus étroit et, sans doute, très peu profond, puisque même les légères pirogues siamoises ne peuvent s'y engager.

Ce chenal est bordé, de part et d'autre, de huttes basses, aux murs de tôle rouillée ou de bambou noirci et au toit de palmes, reliées à la passerelle par des ponts-levis plus précaires encore : une mauvaise poutre, voire une branche non équarrie. Portes et fenêtres sont soigneusement barricadées, closes comme pour la peste. Comment respirent-ils ? se demande Emmanuelle. Elle comprend mieux le mode de vie de ceux qui habitent les sampans et dont elle a tout à l'heure croisé la demeure flottante, le long des berges du canal : profitant de la nuit sans pluie, hommes, femmes et enfants dormaient à l'avant, sous les étoiles, corps serrés, la bouche ronde et, parfois, l'œil ouvert. Mais ici, quel mystère cloître ces gens, les pousse à se garder du moindre souffle d'air, dans ces geôles moites ?

Le fantastique s'accentue à mesure que le paysage se prolonge. Il est à peine croyable que cette insociable rue d'eau croupie et de bois mort, où l'on progresse en danseur de corde, puisse tant durer et ne conduire nulle part. Et, en plein jour, lorsque ses riverains sortent de leur antre, comment se croisent-ils, sur cette unique voie d'accès à leur territoire ? Déjà, Emmanuelle redoute les acrobaties qu'il faudra faire si, d'aventure, d'autres noctambules rencontrent leur groupe. À vrai dire, elle doute que le cas se présente, car le pays où l'entraînent ses compagnons est trop lunaire pour que des êtres vivants aient une chance d'y figurer.

Pourtant, l'instant d'après, un homme surgit d'une des masures. Très grand, le torse musclé couleur de braise. Une pièce d'étoffe rouge lui cache les reins. Il la dénoue pensivement, en regardant les trois Farang qui approchent. Maintenant, il est entièrement nu. Et il urine dans l'eau. Emmanuelle n'a jamais vu, même en image, un membre viril au repos qui soit aussi long que celui-ci : la taille, ainsi détendu, qu'aurait en érection celui de son mari. C'est beau ! se dit-elle. Et l'homme tout entier est beau. Lorsqu'ils arrivent à sa hauteur, il la dévisage, à moins d'un mètre d'elle. Elle ne pense qu'à une chose : ce pénis. S'il se redresse... Mais le Siamois reste de glace. Il regarde les seins demi-nus d'Emmanuelle et son membre ne bouge pas. Les étrangers passent et s'éloignent.

Pendant les minutes qui suivent, Emmanuelle perd de vue les hasards qui l'environnent. Ou peut-être cette absence ne dure-t-elle que quelques secondes, car ses pensées de funambule sautent de noir en lune, de tremplin en vide, à un autre rythme que dans la vie ordinaire : elles surgissent plus vite, se succèdent par grand écart, se dissolvent avec la fugacité des lueurs — yeux de chat, luciole, étoile filante, reflet dans le caniveau — qui, à peine apparues, s'éclipsent.

Le temps de ce jeu de lumière, des marionnettes couleur de chair paradent devant elle, sur une scène ordonnée et imaginaire. Mais elle ne reconnaît parmi elles aucune des figures habituelles de *la commedia* : Polichinelle, Arlequin, Pierrot, Colombine. Un seul type de personnage s'offre à son jugement critique de spectatrice : des phallus.

Ils se conduisent bien comme des acteurs, rivalisant de véracité, de métier ; prêts à tout pour se faire aimer. Ils sont en plus grand nombre qu'Emmanuelle n'en a jamais vu. Parce que, tout compte fait, réfléchit-elle, elle en a vu très peu ! Elle s'efforce de recenser les phallus qu'elle a connus. Connus de près... Avec une rapidité de réponse qui ne l'étonne pas, l'écran immatériel qui la précède les affiche aussitôt en grandeur réelle. Leurs traits nets, impos-

sibles à confondre, se substituent aux profils conve-
nus des phallus théâtreux.

Il y a là, d'abord, bien sûr, le phallus de Jean, tel
qu'elle l'a mis en mémoire, le jour où il l'a déflorée
— et tel qu'il est toujours, se félicite-t-elle. « Ma
vedette incomparable ! Même si je m'emballe, un
jour, pour d'autres stars, jamais elles ne me détour-
neront de mon penchant pour le premier phallus qui
m'a ouvert à la vraie vie : la vie où l'on joue. Il
continue de tenir son rôle comme j'aime qu'on
joue : sans gesticulation ni grimaces. La déclama-
tion, le mélo, les clichés, les redites m'endorment.
Ce phallus est acteur, oui, mais pas comédien pour
un sou. Ni tragédien. Ni mime. Il n'a pas besoin
d'user de trucs pour me toucher. Il ne tire pas vanité
de me faire momentanément oublier le monde extérieur — pour me le faire, après coup, mieux
comprendre. Et je ne me lasse pas de le regarder. Il
est beau ! Pourquoi, alors, est-il gêné et rougit-il si
je fais l'éloge de sa forme ? C'est un artiste qui fuit
la publicité. Sa modestie me plaît aussi, je suppose.
Je l'approuverais pourtant de se gonfler d'orgueil
quand ses entrées me coupent le souffle. Et je ne
demande pas à être son seul public. Je serais même
plus fière de lui s'il ne réservait pas qu'à moi la
représentation des jetés battus, des piqués, des glis-
sés, des fouettés, des sauts, des pointes, des entre-
jambes, des entrechats dont le rend capable son physique de ballerin. Je ne sais pas si ce masculin
existe, j'espère que non : ce serait du gaspillage.
Une queue ballerine, c'est plus joli et tout aussi
clair. Du moins, pour une chatte chorégraphe. »

Juste à côté, plastronne le phallus du voisin de
cabine d'Emmanuelle, sur la *Licorne envolée*. Assez
cabotin, celui-ci ! admet-elle. Mais il est de ceux à
qui l'on pardonne, avec une candeur complaisante,
ce petit travers : les cascadeurs baraqués, les cava-

liers qui tirent plus vite que leur ombre et autres survivants des époques de haute conquête. Ils ont quelques bonnes raisons, après tout, d'avoir l'air content d'eux : ne serait-ce que celle de faire partager ce contentement à leur compagne de chevauchée.

La sculpture classique, la colonne vivante où s'enroule un lierre, la chaleur de marbre du sexe qu'Emmanuelle retrouve aussi sur cette scène accélèrent subitement les battements de son cœur. Elle ne s'attendait pas à se découvrir encore si éprise de la déité du temple en ruine qui, dans ce même envol, l'avait métamorphosée en nymphe à une distance infinie de la terre, l'espace d'une étreinte. Son retour est-il inscrit en langue future dans les boucles du temps ?

Elle n'est pas surprise que son regard identifie sans difficulté un quatrième sexe, qui a pourtant moins de titres à figurer dans ce spectacle. Elle le relie visuellement à l'éphèbe enlevé par les amoureuses errantes des priapées de l'ambassade. Il faut croire que la pulpe presque féminine de ce membre, dont la rigidité agressive choque comme un paradoxe, sa peau végétale sous le satin des lampes, sa verticalité, la taille massive, disproportionnée, de son gland, loin au-dessus de la toison épineuse (comme se perche au bout de sa scandaleuse hampe et s'entoure de pointes noires pénétrantes la fleur d'agave), toutes ces anomalies d'une soirée diplomatique ont impressionné très fortement Emmanuelle, puisqu'elle s'en souvient si bien. A-t-il eu, ce phallus, l'intuition qu'elle regrettait de l'avoir seulement entrevu ? Est-ce pour cela qu'il est revenu ? Mais à quoi bon ? Elle ne peut toujours pas le toucher.

Du sexe de Christopher, dont elle n'a rien vu ni touché, rien, c'est logique, n'apparaît sur l'écran. Rien, non plus, de celui de Mario. Rien de Quentin.

Quant aux reliefs sous des pantalons bêtes, aux bosselages qui fanfaronnaient contre son pubis quand elle dansait à Paris, ils n'ont pas de place dans ce cortège de fidélité. Emmanuelle n'ajoute foi et ne s'attache qu'à ce qui s'avance à visage découvert.

Le sexe du Siamois qu'elle vient de regarder, lui, même s'il l'a dédaignée, ne fait pas de doute. Elle ne peut simplement le ranger avec les images de livres, les photographies clandestines ou les abstractions pornographiques qu'elle commentait naguère avec ses petites amies. « Car, si j'ai vu peu de phallus "en chair et en os", s'amuse-t-elle, j'ai, en revanche, beaucoup entendu parler du sujet ! » Elle se remémore ce que les filles, à l'école, à la fac, à la piscine, au tennis, en disaient. Du mal, généralement. Elles trouvaient cet organe inadapté, laid, barbare, prétentieux. Les hommes, assuraient-elles, sont obsédés par ses dimensions et complexés par ses limites. Ils ont bien tort ! Les femmes ne s'intéressent pas autant qu'ils le croient à cet aspect des choses. Elles rêvent de baisers plus que d'être baisées.

Emmanuelle prend mentalement à témoin de son approche différente du problème ses équipiers équilibristes sur le ponton branlant (ils l'intimident encore trop pour qu'elle ose professer tout haut ses convictions) : « Je ne peux pas être d'accord, n'est-ce pas ? avec ces gamines insensibles à la beauté d'un sexe qui bande. La dureté, la douceur, la saveur de ce sexe sont des inconnues que je veux connaître. Sa hauteur, sa couleur, sa cambrure, sa mobilité, sa grosseur motivent ma passion autant que des lèvres qui s'humectent ou qu'un chant d'amour. Moi qui pourrais encore être vierge, je rends grâce à la faiblesse et à la force qui remodèlent, par une mue merveilleuse, le corps des hommes qui me désirent. Je devine ce qu'ils ressentent quand leur volonté d'être en moi devient âme et art. J'aime qu'ils soient plus grands que le passage que je leur offre. Je n'appelle pas sauvage leur excès ni barbare leur démesure. Je ne leur en veux pas que leur longueur interminable en moi me traverse comme une pensée et ressorte en cri par ma bouche. »

Un soupçon, cependant, lui vient : « Ou est-ce moi qui change, comme un phallus qui couve un nouvel orgasme ? Est-ce déjà l'effet des discours qu'on m'a tenus pendant la moitié de la nuit ? »

Elle bute contre un piège du parcours, fait une embardée aveugle et se retient au dos de Mario. Il ne se retourne pas pour s'inquiéter ni l'aider. Elle-même ne songe, en ce moment, qu'au sexe du Siamois. Elle s'exerce à en émouvoir l'image, puisqu'elle n'en a pas ému la réalité ! Voilà ! Elle y réussit. L'angle obtus que la verge sombre faisait avec le ventre laqué d'indigo par la nuit devient, par la volonté de l'observatrice, angle aigu. Le bout du pénis, qui n'était, dans l'espace réel, que la continuation amincie de son corps cylindrique, n'a plus la même mollesse ni ne dessine plus de courbe descendante. La ligne originelle était élusive et inerte. Elle est reconçue ironique et heureuse, expansive et tendre. À force de s'appliquer à cette création, Emmanuelle se fait elle-même phallus. Elle se sent fourmiller de possibilités et impatiente d'éprouver sa puissance. Dès qu'elle le voudra, dès que les deux sexes en présence jugeront que le moment en est venu, Emmanuelle phallus s'introduira dans Emmanuelle vulve. Sa décalque dure occupera le creux doux dont elle rêve. Elle y durera. Elle y vieillira. Elle n'y mourra jamais.

Revoir le sexe de l'homme qui rêvait nu au bord de l'eau morte ! Le revoir — maintenant qu'Emmanuelle l'a rendu conscient de son rêve, qui est de passer avec elle de l'autre côté... Emmanuelle s'arrête net. Elle a décidé de rebrousser chemin.

Devant elle, Mario continue sa progression. Muette, l'ombre de Quentin attend. Mais, comme si une brume s'était insidieusement levée du lit du canal et refroidissait les rayons de lune, le souhait précis que, l'instant d'avant, formait l'exploratrice perd peu à peu de sa clarté, se défait par degrés. Les apparitions nées de son désir commencent à se confondre avec le flou de l'air, puis s'évanouissent à la manière d'amantes surannées et, à la fin, lui échappent. Emmanuelle ne sait plus au juste ce qu'elle admirait tellement. Ses certitudes nocturnes s'oublient dans un éveil d'après fête, lui laissant le vague regret de phosphènes éteints.

Un carrefour. La piste fantomatique se ramifie. Mario hésite. Il consulte Quentin, choisit finalement l'une des branches. Emmanuelle a peur que ce ne soit pas la bonne, car ils marchent encore longtemps. Mais elle n'ose faire de remarque. Elle n'a pas prononcé un mot depuis qu'ils ont quitté la barque. Soudain, pourtant, un cri lui échappe. Le chemin de planches a fait un coude et débouche subitement dans une sorte de cour (Emmanuelle a failli penser : une clairière, tant elle est tentée de se croire perdue dans la jungle !). En face d'eux, haute de vingt mètres, fabuleuse, une silhouette se dresse, qu'elle avait bien aperçue de loin, par-dessus les toits, mais elle l'avait prise pour un arbre. De près, c'est Genghis Khan, moustache drue, yeux sans pitié, poignards à la ceinture et mains aux poignards, muscles saillants et adoucis de clair de lune. Le cœur d'Emmanuelle bat en désordre. Sans nul doute, ce sont les sortilèges qui commencent. Dans un instant, des Mongols grimaçants vont jaillir de leur repaire : Emmanuelle sera livrée aux rites d'une magie sanguinaire. En même temps que son imagination, plus rapide que sa raison, bâtit un monde de chimères, un rire nerveux atteste qu'elle n'a pas perdu tout sang-froid : basculant à demi contre la hanche du conquérant, une ballerine en tutu, qui semble, à côté du géant, une miniature, adresse aux étoiles un sourire réservé. D'autres personnages de carton bariolé s'entassent pêle-mêle, les uns debout, la plupart renversés.

— Cela fait une bizarre impression, ces réclames de cinéma dans un endroit pareil, observa-t-elle, pour que le son de sa voix la rassure. Je me demande comment on a pu les amener là : y a-t-il donc un autre moyen d'accès que cette passerelle invraisemblable ?

(Elle soupçonne un peu son guide de lui avoir infligé une épreuve inutile.)

— Non, dit Mario.

Il ne juge bon d'ajouter aucun commentaire.

Ils traversent le dépôt de pancartes, passant entre les jambes du grand khan, contournent une palissade de tôle ondulée, se retrouvent dans une courette, où une porte entrouverte laisse filer une lumière jaune. Mario s'arrête sur le seuil, lance un appel, puis pénètre sans attendre de réponse. Emmanuelle se sent de moins en moins tranquille. L'endroit est hostile. Une odeur difficile à définir l'imprègne. Quelque chose comme un mélange de poussière, de fumée, de réglisse et de thé. Dans la pièce sans fenêtre où ils sont entrés, une banquette recouverte de cretonne déchirée est le seul meuble. Un rideau sale, d'un bleu affreux, en barre le fond. Presque aussitôt, une main l'écarte ; une femme apparaît.

Sa vue soulage un peu Emmanuelle. C'est une vieille Chinoise (elle a sûrement cent ans, se dit la visiteuse), dont le visage, d'un ovale parfait, est si ridé qu'il ressemble à un crêpe. La teinte en est d'ivoire ancien, presque orangé. Les cheveux blancs brillants sont soigneusement tirés sur les tempes et noués en chignon. Si minces sont les fentes des yeux et des lèvres qu'on les discerne à peine entre les plis de la peau. Ce n'est que lorsque, d'une voix égorgée, la vieille commence à parler, découvrant des dents laquées de noir, qu'Emmanuelle repère avec certitude l'emplacement de sa bouche. Les mains sont cachées dans les manches de la tunique empesée, que la soie luisante des larges pantalons noirs fait paraître plus laiteuse encore, par contraste.

Ayant achevé un assez long discours, auquel Mario n'a paru prêter aucune attention, l'hôtesse se plie en deux, avec une souplesse qui surprend, tant on est tenté de la croire faite de bois mort, pivote sur elle-même et s'enfonce dans les entrailles de la baraque. Ils la suivent sans mot dire. Le réduit qu'ils traversent d'abord est parfaitement obscur. Emmanuelle a l'impression que des ombres s'y meuvent. Elle a franchement peur. Ils pénètrent ensuite dans une toute petite chambre, où elle découvre avec malaise que deux hommes très vieux et comme moisis sont allongés tout nus sur un bat-flanc de bois vernis. Ses yeux cillent, elle a le temps d'apercevoir leurs côtes en relief sous la peau brune tachetée de blanc, leurs pupilles agrandies et songeuses, qui n'ont pas l'air de la voir. En hâte, aussi, elle a jeté un regard sur les pénis ridés et les testicules secs, mais, déjà, le groupe passe dans une autre pièce, peu différente de la précédente, à cela près qu'elle est inoccupée. La vieille Chinoise s'arrête, c'est ici qu'elle les amène. Elle fait un nouveau sermon, puis s'éclipse, comme par une trappe.

— Qu'est-ce qui se passe? s'inquiète Emmanuelle. Qu'est-ce qu'elle radote? Et que faisons-nous dans ce coupe-gorge ? Ce que tout y a l'air dégoûtant !

— C'est une idée que vous vous faites, dit Mario. Cela est vétuste, j'en conviens, mais astiqué.

Une autre femme apparaît, beaucoup plus jeune que la première, mais beaucoup plus laide. Elle porte, sur un plateau rond, une lampe à alcool, que surmonte un verre allongé, épais d'un pouce (Emmanuelle n'a jamais vu de verre aussi massif, même sur une loupe), de minuscules petites boîtes rondes en étain, de longues aiguilles d'acier, assez semblables à celles utilisées pour tricoter les bas, des feuilles de palmier séchées et coupées en rectangle, et un instrument qu'Emmanuelle ne parvient pas, d'abord, à identifier : un tuyau de bambou brun, très poli, à peu près de la longueur d'un bras et comparable, par le diamètre, à une flûte. Il semble, à première vue, que ce tube est fermé aux deux bouts par de très beaux bouchons de jade, mais elle s'aperçoit que l'un de ceux-ci est, en réalité, percé d'un trou à peine aussi gros qu'une allumette. Des motifs de vermeil sont incrustés sur toute sa longueur. Aux deux tiers de celle-ci à partir de l'extrémité perforée, une sorte de polyèdre de bois à huit faces, si poli que la flamme de la lampe y danse en changeant de couleur, et assez aplati, de la taille à peu près du poing d'Emmanuelle, semble en équilibre sur le tuyau, auquel il ne tient que par un point de contact étroit : un creuset d'argent, de la taille d'une moitié de noix, faisant corps avec une plaque d'ivoire ouvragée, ambrée par l'âge, où se rengorgent des dragons chryséléphantins et des tigres réjouis. La surface supérieure de l'octaèdre, seule à être bombée, est forée en son centre d'une cavité de la dimension d'une perle, au fond de laquelle on distingue un très petit orifice.

Mario devança les questions de son élève :

— Vous voyez là une pipe à opium, chère. N'est-ce pas un bel objet ?

— Une pipe, ça ! s'esclaffa-t-elle. Ça n'en a pas l'air. Où met-on le tabac ? Dans ce petit trou ridicule ? Ce doit être vite fini.

— L'on ne met pas de tabac, mais une boulette d'opium. Et l'on n'en tire qu'une seule bouffée. Puis on recharge le fourneau. Mais il vaut mieux que vous vous rendiez compte par vous-même.

— Vous n'avez pas l'intention de me faire fumer cette drogue ?

— Pourquoi pas ? Je veux que vous sachiez en quoi ce jeu — ou cet art — consiste. Car il ne faut rien ignorer.

— Et... si j'y prenais goût ?

— Où serait le mal ?

Mario rit :

— Mais soyez rassurée : ce n'est pas pour vous convertir à l'opium que je vous ai conduite ici. Il ne sera qu'un prélude.

— Et que se passera-t-il, ensuite ?

— Vous le saurez à temps. Ne soyez pas impatiente, *cara*. La cérémonie de l'opium requiert une parfaite égalité d'âme.

Emmanuelle fit une complète volte-face :

— Si j'aime, je pourrai revenir ?

— Certainement, dit Mario.

Les questions d'Emmanuelle semblaient l'amuser. Il la contemplait avec indulgence, presque attentivement.

— Je croyais qu'il était interdit de fumer l'opium ? demanda-t-elle encore.

— Bien sûr. Et aussi de faire l'amour en dehors du mariage.

— Si la police venait par ici, que ferions-nous ?

— Nous irions en prison.

Mario fit la moue, ajouta :

— Mais non sans avoir tenté d'abord d'acheter les gendarmes en négociant vos charmes.

Emmanuelle sourit avec scepticisme. Elle le taquina :

— Puisque je suis mariée, je ne suis négociable qu'au prix d'un autre crime ?

— Ce crime-là, vous et les représentants de la loi, avec l'aide de Dieu, le commettriez.

Il répéta le geste qu'il avait fait chez lui, découvrit une épaule d'Emmanuelle et tout un sein. Et, tenant ce sein dans la main, la questionna :

— N'est-ce pas ?

Le visage d'Emmanuelle exprima le doute, mais aussi le contentement, car elle était heureuse que Mario la dévêtît et la touchât.

— Vous n'accepteriez pas de nous rendre à tous trois ce service ? interrogea-t-il, scandalisé.

Elle le rassura :

— Si. Vous le savez bien...

Puis, avec une hésitation :

— Et... les policiers, combien sont-ils pour opérer ce genre de rafles ?

— Oh ! pas plus d'une vingtaine.

Elle rit de nouveau.

La servante avait disposé son attirail au centre du bat-flanc. Mario lâcha le sein d'Emmanuelle (qu'elle laissa découvert), lui entoura la taille d'un bras et la fit avancer d'un pas :

— Étendez-vous ici, dit-il.

— Moi ? Mais est-ce propre ? Et cela n'a pas l'air très rembourré !

— Pourquoi l'établissement ferait-il la dépense d'un matelas, quand cette fumée suffit à adoucir tout angle, à rendre moelleuse la couche la plus ingrate ? Au surplus, ne vous en plaignez pas : un matelas se laverait moins facilement que le bois. Que cette pensée apaise vos inquiétudes.

Emmanuelle s'assit avec répugnance à l'extrême bord de la plate-forme vernissée, tandis que ses deux compagnons s'y installaient à l'aise, allongés de chaque côté d'elle, de sorte que les trois faisaient cercle autour de la lampe. Au bout d'un moment, elle triompha de son dégoût et les imita, s'appuyant à leur exemple, sur un coude, la tête dans le creux de sa main. Elle ne pouvait détacher les yeux de la flamme oblongue qui montait, sans vaciller, à l'intérieur de l'épaisse cheminée de verre. Une fascination en émanait.

La Chinoise s'était agenouillée au pied du bat-flanc et avait ouvert une des petites boîtes. Un miel opaque, sombre, presque solide, l'emplissait. La femme en cueillit, de la pointe d'une des longues aiguilles, une goutte grosse comme un grain de blé, la maintint un instant au-dessus de la lampe, la roula sur l'un des fragments de feuille fibreuse qu'elle tenait de l'autre main, puis l'exposa de nouveau à la flamme. La goutte hâlée grésilla, se gonfla, doubla de taille, se teinta de reflets admirables, devint si pure et si brillante que les objets avoisinants s'y miraient, parés de feux; elle foisonnait de vie.

— C'est beau, murmura Emmanuelle.

Elle pensait, maintenant, que ce spectacle valait bien, à lui seul, d'être venue ici. « Je ne me lasserais pas de regarder cette petite boule. C'est comme une pierre précieuse qui voudrait dire quelque chose. Mais aucune pierre n'est aussi belle. »

Vingt policiers, réfléchit-elle. C'était beaucoup... Mais, pour sauver Mario de la prison, sûrement elle le ferait.

Elle ressentit un regret lorsque l'officiante, qui avait fini par donner à la goutte d'opium la forme d'un minuscule cylindre translucide, exactement proportionné à la cavité de la pipe, l'introduisit dans celle-ci d'un geste vif et retira l'aiguille qui la traversait. Sans perdre de temps, elle retourna la pipe, le fourneau en bas, au-dessus de la lampe, presque à toucher l'orifice du verre brûlant. Elle tendit l'embouchure à Mario, qui y appliqua les lèvres et aspira. La flamme monta, calcinant la perle d'ambre. Le souffle de Mario, qui tirait la bouffée mystérieuse, parut à Emmanuelle inépuisable.

— À votre tour, dit-il. Ne laissez pas la fumée ressortir par votre nez, ne vous étouffez pas, ne toussez pas, aspirez lentement et de manière continue.

— Jamais je n'y arriverai !

— Cela n'a pas d'importance : il s'agit de vous amuser.

L'acolyte prépara une autre pipe : de nouveau, le soleil brun flamboya au bout de la baguette magique, se boursouflant et pantelant comme sous le désir. Emmanuelle y voyait une image de sexe, appelant de ses lèvres gonflées le bélier de feu qui le traverserait, le laisserait meurtri, brûlé, repu. C'était agréable, pensait-elle, de sentir sa vulve devenir plus humide à mesure que la gouttelette chatoyante s'enflait de volupté au-dessus de la flamme. Ce rite lui plaisait, comme si, en le suivant, elle se préparait publiquement, cérémonialement, à faire l'amour. Elle tenait son sein nu dans la coupe de sa main ; elle était heureuse. Il ne manquait qu'une chose au tableau pour être parfait : que l'assistante fût une beauté, très jeune et très docile, au visage d'innocence et au corps offert, que Mario, Quentin et elle déshabilleraient par degré, et avec qui ils joueraient, ensemble ou tour à tour, chacun selon ses goûts et à l'extrême de son plaisir. Quel dommage que son mentor n'eût pas prévu cela ! Elle fut sur le point de le lui reprocher, puis n'osa pas. Pourtant, pendant un instant, elle eut tant envie de jambes de filles mêlées à ses jambes et d'un sexe de fille où faire entrer ses doigts que la Chinoise lui parut presque belle.

Lorsque le tuyau lui fut tendu, elle laissa brûler l'opium sans aspirer. Du coup, le tirage ne se faisait pas : il fallut que la femme perçât à nouveau de son aiguille d'acier la perle mordorée. À la seconde tentative, la débutante parvint à absorber une maigre bouffée. Elle riait de bon cœur.

— J'aime le goût, dit-elle, et encore plus l'odeur. C'est un peu comme du caramel. Mais ça râpe la gorge.

— Il faut boire du thé.

Mario donna un ordre à la servante, qui se leva, revint bientôt avec de très petites tasses évasées et sans anse, une théière de terre cuite pas plus grande que les tasses et un samovar d'eau bouillante. La théière lilliputienne était emplie jusqu'au bord de thé vert. Elle y fit entrer avec précision un jet d'eau fumante, en versa immédiatement le contenu dans une tasse : le philtre avait déjà pris une couleur cuivrée. Le parfum qui s'en élevait était pénétrant : davantage celui du jasmin que du thé. Emmanuelle se brûla la langue et poussa un cri.

— Vous devez aspirer une gorgée d'air avec les lèvres, en même temps que vous buvez, pour rafraîchir votre thé, dit Mario. Ou, plus exactement, pour pouvoir le boire brûlant sans que cela vous fasse mal. Comme cela.

Il fit un bruit de gargouille.

— Mais c'est mal élevé comme tout ! s'indigna sa commensale.

— En Chine, c'est poli.

C'était maintenant Quentin qui tirait sur la pipe. Il n'y réussissait pas aussi bien que son ami.

— Je veux recommencer, s'impatienta Emmanuelle, très excitée par la nouveauté de l'expérience.

Je suis sûre que, cette fois, j'aurai des sensations formidables. À quoi est-ce que je vais rêver?

— À rien du tout. Premièrement, l'opium ne fait pas rêver, il rend lucide et vous débarrasse des misères corporelles et des entraves mentales. Deuxièmement, avant de ressentir quelque effet que ce soit, il vous faudrait fumer plusieurs pipes.

— Eh bien! je vais les fumer!

— Vous en aurez encore une, c'est tout. Si vous alliez au-delà, ce soir, tout le plaisir que vous en tireriez serait que je vous tienne la tête pendant que votre estomac se retournerait.

Emmanuelle ne fut pas trop marrie de l'interdiction de Mario, car la nouvelle pipe lui valut une quinte de toux et elle ne lui trouva pas autant de saveur qu'à la première. Quant à Mario et à Quentin, ni l'un ni l'autre n'accepta même une seconde expérience.

— Avez-vous donc si peur de vous intoxiquer? persifla leur compagne.

— Ma chère, rétorqua Mario, je vais vous confier un secret fort grave. C'est que l'opium, pris en excès, retire à ses fidèles une bonne partie de leurs ardeurs de mâles. Et nous ne sommes pas venus ici, comme vous le savez, pour les plaisirs de l'esprit, mais pour ceux de la chair.

— Ah, oui! fit Emmanuelle, de nouveau mal à l'aise.

Elle trouvait que ce cadre minable se prêtait assez mal aux jeux de l'amour (maintenant que son propre désir était passé!). Elle se demandait aussi quel rôle elle devrait y tenir.

— Vous n'oubliez pas, reprit son conseiller, que vous nous avez demandé comment nous nous y prenions avec les jeunes garçons? Eh bien! l'excellente personne qui règne, avec la majesté que vous avez vue, sur cette fumerie clandestine, y élève également, pour le repos du pacifique, des jouvenceaux bien tournés, dont nous allons lui demander de nous présenter un assortiment.

Il dit quelques mots à la servante, qui détala. Elle reparut au bout d'un instant avec la Chinoise au masque plissé, laquelle fit ses courbettes... Mario parla brièvement. La vieille s'inclina derechef, puis poussa un glapissement aigu. La laideronne qui avait préparé les pipes s'empressa.

— La douairière ne parle que chinois. Et encore ! un chinois que personne ne connaît, expliqua Mario. Elle a rappelé l'autre pour servir d'interprète.

— Et vous, en quelle langue leur parlez-vous donc ?

— En siamois.

Il s'adressa de nouveau à leurs hôtesses. Les phrases suivirent le circuit compliqué et subirent les métamorphoses que la situation commandait. Après quelques minutes de cet échange, Mario rapporta :

— Elle répond à ma requête en m'offrant autre chose. C'est conforme aux règles du genre.

— Qu'offre-t-elle ?

— Des filles, bien entendu. Je lui ai fait les remontrances qui s'imposaient. Alors, elle suggère de nous montrer des films galants.

— Eh ! fit Emmanuelle. Pourquoi pas ?

— Nous ne sommes pas venus ici pour si peu. Elle propose également de nous organiser un spectacle vivant : deux filles, devant nous, s'aimant d'amour tendre. Il n'y a rien là qui puisse vous intéresser, n'est-ce pas, Emmanuelle ?

Elle se contenta de faire une moue que l'on pouvait interpréter comme on voulait.

Mario reprit ses négociations, puis en rendit compte :

— Je l'ai sommée de nous produire des garçons de douze à quinze ans, dont la langue soit déliée, la fesse attique, la moelle vivace et le membre bien attaché.

Emmanuelle recouvrit son sein. La vieille la regardait avec insistance ; elle parla de nouveau, de ce ton déchirant qui donnait, chaque fois, un choc à la jeune Française. La servante traduisit et Mario répliqua d'un seul mot.

— Pourquoi a-t-elle glapi si fort ? enquête Emmanuelle.

— Pour savoir si les garçons sont destinés à moi ou à vous.

— Et... qu'avez-vous répondu ?

— Aux deux.

Emmanuelle eut l'impression que les murs tournaient un peu : était-ce déjà l'opium ? Mais non, Mario avait dit...

L'aïeule psalmodiait encore. Elle semblait se lamenter avec l'ampleur de souffle d'un Jérémie, multipliait les révérences et acheva enfin sur une note perçante, en levant les bras au ciel.

— Je sens que ça ne s'arrange pas, fit Mario, avant même que la comparse eût commencé de transposer.

— En effet, confirma-t-il plus tard : cette vieille folle s'entête à prétendre qu'elle n'a aucun poulain disponible cette nuit. De nobles étrangers seraient déjà venus décimer ses haras. Elle veut sans doute simplement qu'on la paye un peu plus.

Il relança la discussion. De nouvelles gesticulations de désespoir s'ensuivirent. Mario insistait. Au bout d'un moment, il déclara cependant :

— Elle ne veut pas démordre de sa fable. Il va falloir aller chercher fortune ailleurs.

Il palabra longuement avec Quentin.

— Lui persiste à rester ici, rapporta-t-il à Emmanuelle. Il se dit sûr de finir par obtenir ce qu'il demande. J'en doute, mais c'est son affaire. Je propose que nous le laissions et reprenions notre promenade. Qu'en pensez-vous ?

Emmanuelle ne demandait pas mieux. L'atmosphère de cette baraque commençait à lui peser. Néanmoins, elle éprouva une peine inattendue, presque une pointe de remords, au moment de se séparer de Quentin. « Voilà qui est un peu fort ! se chapitra-t-elle. J'ai accueilli celui-là comme un intrus, comme un gêneur. J'ai passé la soirée à lui en vouloir de sa présence, sauf lorsque je l'oubliais pour de bon ! Nous ne nous sommes pas dit deux mots en tout. Et voilà, maintenant, que je me sens toute remuée et toute faible à son égard. C'est un comble ! Je ne dois pas avoir toute ma tête... »

Il n'empêche qu'elle avait le cœur gros en le quittant là.

Ils repassèrent devant les squelettes aux yeux en allés.

— Ces deux-là ne vous disent rien ? offrit-elle, aigre-douce.

Elle en voulait à Mario et à son ami de leur insistance à se procurer des hommes. Ne pouvaient-ils pas, pour une nuit, s'accommoder d'elle ? S'ils n'aimaient vraiment pas les femmes, alors pourquoi feignaient-ils, aussi bien l'un que l'autre, de lui porter tant d'intérêt ? Et cette idiote de Marie-Anne ! comment pouvait-elle manquer de jugeote au point de la recommander aux bons offices de pédérastes ? Lorsqu'elle remettrait la main sur elle, elle lui ferait avaler ses nattes !

— Qu'est-ce que Quentin trouve donc de si passionnant aux garçons ? attaqua-t-elle. Ce n'est pas très chic de sa part de nous laisser tomber comme ça.

Elle allait ajouter (elle y tenait) qu'il n'avait pas eu l'air si dégoûté des filles au moment où il lui avait caressé les jambes. Mais Mario ne lui en laissa pas le temps :

— L'amour des garçons aura toujours pour l'homme de goût une qualité que celui des femmes ne possède que par exception, dit-il : la qualité d'être *anormal.* Autrement dit, il répond à la définition de l'œuvre d'art telle que je vous la rappelais au début de cette soirée. Faire l'amour avec un garçon est pour moi érotique dans la mesure où c'est, comme le proclament à juste titre les imbéciles, contre nature.

— Vous êtes sûr que ce n'est pas, au contraire, tout simplement dans *votre* nature ?

— J'en suis sûr, dit Mario. J'aime les femmes. Coucher avec un homme m'a longtemps paru difficile à concevoir. Je me suis raisonné. J'en ai fait l'essai pour la première fois l'an dernier. Inutile d'ajouter que je n'ai eu qu'à m'en louer. Vous voyez que, à moi aussi, l'esprit a mis du temps à venir !

Emmanuelle souffrait d'émotions contradictoires. Elle se demandait, en particulier, ce qu'elle devait croire des allégations de Mario.

— Et, après cette première expérience, vous avez pratiqué souvent cet... art ?

— J'ai toujours soin de garder aux choses leur rareté : *bis repetita*... Comme vous le savez, c'est le contraire !

— Mais, insista Emmanuelle, depuis un an, avez-vous fait l'amour avec des femmes ?

Mario éclata de rire :

— Quelle question ! Ai-je l'air d'un parangon de chasteté ?

— Avec beaucoup ? voulut-elle savoir.

— Avec moins, à coup sûr, que je n'aurais eu d'amants si j'avais eu la chance d'être une jolie femme.

Il ajouta, avec un sourire d'hommage à l'adresse de sa compagne :

— D'amants — et d'amantes !

Cette réponse ne satisfit pas Emmanuelle, qui s'énervait :

— Qu'aimez-vous le mieux ? demanda-t-elle, presque avec colère.

Mario s'arrêta : ils étaient arrivés à l'endroit où la clairière faisait place au pont de planches. Il prit Emmanuelle par les épaules et l'attira vers lui ; elle crut qu'il allait l'embrasser.

— J'aime *ce qui est beau* ! dit-il avec force. Et, ce qui est beau, ce n'est jamais quelque chose de déjà fait, et ce n'est jamais quelque chose de facile. C'est ce que, pour la première fois, on fabrique de sa vie, avec un geste de soi et le geste de quelqu'un d'autre, et qu'on jette vers l'infini avant que ce n'ait eu le temps de prendre sa forme morte.

> *L'homme et la femme — un autre monde au milieu du monde créé.*

« Ce qui est beau, c'est ce qui n'existait pas avant vous et n'aurait pas existé sans vous et ne sera plus en votre pouvoir quand l'injustice de la mort vous aura abattue sur cette terre que vous aimiez.

> *Orgueilleux de leur solitaire savoir. Forts de leurs exemplaires desseins.*

« Ce qui est beau, c'est le moment qui n'était rien et que vous avez rendu inoubliable. C'est l'être qui n'était rien et dont vous avez dressé la forme singulière contre la multitude et le destin amorphes.

> *Égarés égareurs, abolissant la carte des chemins tout faits.*

« Ce qui est beau, c'est de surmonter vos piétés envers votre nation et votre siècle, la peur de leur scandale et de votre décri, afin qu'une espèce nouvelle naisse de votre refus de ressembler à vos pères sans hardiesse, vos mères sans visage, vos frères hypocrites et vos sœurs avachies.

Différents — mais de quelle laideur ?
Dévoyés — mais de quelle sottise ?
Étrangers — mais à quel troupeau ?
Battus — mais pour quelle revanche ?
Exilés — mais vers quel futur !

« Ce qui est beau, c'est de vous hâter de découvrir, de prendre votre élan sans peser les dangers et sans vous souvenir des douceurs passées ; c'est de faire ce que vous n'avez pas tenté encore et que vous n'éprouverez pas de nouveau, car les jours et les nuits de votre vie seront seulement ceux et celles que vous aurez enrichis d'un acte extraordinaire. Et qui donc, au ciel ou sur la terre, vous rendra les jours et les nuits que vous aurez perdus ?

Le clair de lune les pétrifie : la statue de Mario tient dans ses mains une image de femme.

« Ce qui est beau, dit la pierre, c'est de tout tenter et de ne refuser rien, c'est d'être capable de tout connaître. Corps innombrables à notre ressemblance, hommes ou femmes, "enfer ou ciel, qu'importe... au fond de l'inconnu pour trouver du nouveau" !

Aux quatre coins du carrefour, des passerelles vides, droites, irréelles, toutes semblables.

« Ce qui est beau, c'est ce qui n'a jamais le même goût et n'a le goût de rien d'autre.

Les cheveux noirs sur les épaules nues entre les doigts du condottiere.

« Ce qui est beau, c'est d'être le contraire de la bête grégaire, effarouchable et paresseuse que l'on est né.

La carrure du héros tatare cache la lune.

« Ce qui est beau, c'est de ne pas vous arrêter, de ne pas vous asseoir ni vous endormir et de ne pas vous retourner.

Les heures de la nuit ont tourné, les astres d'acier gravitent hors de vue dans le ciel éclairé.

« Ce qui est beau, c'est de dire non à la tentation qui vous immobilise, qui vous attache ou qui vous limite. Et de dire oui, toujours oui, si lasse que vous soyez, à celle qui vous multiplie et vous pousse en avant et vous force à faire plus qu'il n'est suffisant ou nécessaire, et plus que les autres se contentent de faire.

L'huis entrouvert sur la lumière jaune : des ombres entrent, des ombres sortent. Nuit sans sommeil.

« Ce qui est beau, c'est de trouver chaque jour un sujet d'étonnement nouveau, une raison de s'émerveiller, un prétexte à effort et à victoire sur la tentation de l'acquis et sur l'assouvissement et la tristesse de l'âge.

Mon cœur s'ouvre à ta voix...

« Ce qui est beau, c'est, inlassablement, de changer. Car tout changement est un progrès, toute permanence une tombe. Contentement et résignation ne sont qu'un seul et même désespoir, et celui qui s'arrête et renonce à devenir autre chose a déjà opté pour la mort.

Le gong d'un temple, qu'assourdit le bruit des insectes.

« Certes, il vous est à tout moment loisible de préférer la paix des stèles, de vous embaumer dans la médiocrité d'une existence sans désirs comme une vierge de cire dans sa châsse de gemmes.

Surgis de l'ombre, deux enfants passent, main dans la main.

« Mais moi, qui tente de vous gagner non à la mort mais à la vie, je dis qu'alors mieux eût valu que vous ne fussiez jamais née. Car chaque vie humaine qui se fige est un poids mort sur notre planète et la marche en avant de notre espèce en est freinée.

Ils sont frère et sœur. Ils vont faire l'amour.

« Sachez ceci, Emmanuelle : les lendemains de la terre seront ce que les fera le pouvoir d'invention de votre corps. S'il arrive à votre rêve de s'obscurcir et que vos ailes se referment, si le malheur veut que votre curiosité se fatigue, que faillissent votre clairvoyance et votre constance et chancelle votre volonté de découverte et de renouveau — c'en sera fait des espérances et des chances des hommes : l'avenir sera éternellement pareil au passé.

La ballerine blanche entre les jambes du guerrier.

« L'amour d'aimer est ce qui fait de vous la fiancée du monde. En sorte que le destin de tous dépend de votre passion et de votre courage, et que si vous renonciez à conquérir un seul homme ou une seule femme, ô leur amante fiancée, ce serait assez pour que leur race renonce à conquérir les années-lumière et les nébuleuses.

La voix de Mario fait taire le chant des grillons.

« Le comprenez-vous ? Ce n'est pas le plaisir de l'instant que je vous apporte, mais le plaisir du plus lointain. Le bonheur n'est pas à la place où vous êtes, il est où vous rêvez d'atteindre.

Entre des bras toujours plus nombreux.

« Ah ! oui, Emmanuelle ! Ce n'est pas d'illusions que je vous désaltère, mais de réalité que je vous brûle !

Au centre du triangle formé par les étoiles

Alpha du Bouvier, Alpha de la Balance et Alpha de la Vierge.

« Je ne vous enseigne pas le plus commode, je vous enseigne le plus téméraire.

Emmanuelle dit :

— Prenez-moi. Vous ne me connaissez pas encore. J'aurai pour vous une saveur nouvelle.

Elle fut surprise de trouver dans le regard de Mario tant d'estime. Il hocha la tête :

— Ce serait trop facile. Je veux mieux que cela : laissez-moi vous conduire.

Il la poussa devant lui.

— Allez, refaites l'acrobate !

Docile, elle marcha la première. Lorsqu'ils parvinrent au carrefour, Mario décida qu'ils prendraient une autre voie que celle par laquelle ils étaient venus.

— Je vais vous montrer quelque chose hors du commun, promit-il.

Ils arrivèrent bientôt au bord d'un large *khlong* — ou était-ce un ruisseau naturel ? Il semblait serpenter. Ses rives étaient couvertes d'herbes

— Sommes-nous encore dans Bangkok ?

— En plein. Mais cet endroit n'est pas connu des étrangers.

Ils marchaient maintenant dans une prairie et, comme les talons d'Emmanuelle s'enfonçaient dans la terre meuble, elle ôta ses chaussures.

— Vous allez déchirer vos bas, dit Mario. Ne préférez-vous pas les retirer ?

Elle fut sensible à cette attention. Elle s'assit sur un tronc d'arbre coupé qui se trouvait là. Elle releva sa jupe. L'air frais lui rappela que son slip était dans la poche de Mario. La clarté de la lune était si vive qu'on voyait avec netteté son ventre, tandis qu'elle défaisait son porte-jarretelles.

— Je ne me lasse pas de la beauté de vos jambes, dit Mario. De vos cuisses longues et souples...

— Je croyais que tout vous lassait vite ?

Il se contenta de sourire. Elle n'avait pas envie de bouger.

— Pourquoi n'enlevez-vous pas aussi votre jupe ? suggéra Mario. Vous seriez plus à l'aise pour marcher. Et j'aurais plaisir à vous voir ainsi.

Elle n'hésita pas un instant. Elle se releva et dénoua sa ceinture.

— Que vais-je en faire ? demanda-t-elle, en tendant la jupe à bout de bras.

— Laissez-la sur l'arbre, nous la prendrons au retour. Il nous faut de toute manière passer de nouveau par ici.

— Et si quelqu'un la volait ?

— Quelle importance ? Vous n'auriez pas d'objection à rentrer chez vous sans elle, je suppose ?

Emmanuelle se garda d'en discuter. Ils reprirent leur marche. Au-dessous du pull de soie noire, ses fesses et ses jambes, en dépit de leur hâle, paraissaient étrangement claires dans cette nuit. Mario se tenait à ses côtés ; il lui prit la main.

— Nous y voici, dit-il au bout d'un moment.

Un mur bas, à demi écroulé, se dressait devant eux. Mario aida sa compagne à grimper sur les briques et à sauter de l'autre côté. Lorsqu'elle releva la tête, elle tressaillit. Une forme humaine se tenait accroupie près de là. La main d'Emmanuelle se crispa dans celle de Mario.

— Ne craignez rien. Ce sont des gens paisibles.

Elle voulut dire : mais mon costume ! Une fois de plus, la crainte des sarcasmes de Mario la retint. Mais elle était si honteuse qu'elle se sentait incapable de faire un pas. Elle eût été moins gênée d'être entièrement nue. Mario l'entraîna inexorablement : ils passèrent tout contre l'homme, qui les regarda avec des yeux brûlants. Emmanuelle ne pouvait se retenir de frissonner.

— Regardez, dit Mario, en tendant le doigt, avez-vous jamais vu rien de pareil ?

Elle suivit la direction de son geste. D'un arbre au tronc énorme, veiné d'innombrables racines et de lianes adventices, pendaient d'étranges fruits. En ajustant son regard, Emmanuelle vit que c'étaient des phallus. Elle eut une exclamation plutôt admirative. Était-ce sa vision de l'heure précédente qui se matérialisait ? Ou, plus probablement, rêvait-elle à nouveau debout ? Mario expliqua :

— Les uns sont des ex-voto ; d'autres, des offrandes en vue d'obtenir puissance sexuelle ou fécondité. Leur grosseur est fonction de la richesse du fidèle — ou de l'urgence de sa prière. Nous sommes ici, je tiens à vous le signaler, dans un temple.

L'idée rappela à Emmanuelle l'indécence de sa tenue.

— Si un prêtre me trouvait dans cet appareil...

— Vous ne me semblez pas déplacée ainsi, dans un sanctuaire dédié à Priape, dit Mario en riant. Tout ce qui se rattache à son culte est licite en ce lieu, voire recommandé.

— Est-ce cela qu'on appelle des *lingam* ? s'enquit Emmanuelle, dont la curiosité était plus forte que la confusion.

— Pas exactement. Le *lingam* est hindou, son dessin est généralement stylisé : on le trouve surtout sous forme de pilier fiché verticalement en terre et il faut, la plupart du temps, les yeux de la foi pour identifier de quoi il s'agit. Ici, comme vous pouvez le voir, la facture de l'objet ne laisse rien à l'imagination. Ce sont des répliques de la nature plutôt que des œuvres d'art : les saint-sulpiceries de la Cité des

Anges. Tel est, a-t-on dû vous dire, le véritable nom de Bangkok. C'est, plus précisément, son nom abrégé. Pour être parfaitement protocolaire, il faut appeler cette ville : *Krungthep Phra-Maha-Nakhorn Amorn Ratanakosindr Mahinthara Boromaradja-thani... Boromnivet... Maha Sathan Burirom, là.* Ce qui n'est aussi qu'un résumé voulant dire : « Vénérable Cité Capitale des Anges (ou des Dieux, pour être tout à fait étymologique ; et s'exposer à une polémique inutilement métaphysique), Trésor de joyaux d'Indra, Grandeur du dieu Indra, Suprême Mégapole royale, Auguste site, Souverains parages, Haut lieu, Ville de joie ». Ou à peu près. Le *là* final qui interrompt gaminement ces effusions signifie tout simplement « et caetera », car l'état civil authentique et complet de l'Urbs occupe, en réalité, trois ou quatre pages. Du moins, c'est ce qu'on raconte.

Les phallus suspendus aux branches allaient de la taille de la banane à celle d'un bazooka, mais le réalisme des détails était le même dans tous les cas. Tous étaient faits de bois sculpté et enluminé. Une petite tache incarnate en ornait le méat. Le prépuce était figuré par des plis profonds en retrait du gland. La cambrure du membre en érection était rendue avec une vitalité saisissante.

Il en pendait ainsi de plusieurs arbres : des centaines. Des cierges de cire étaient piqués çà et là sur des chandeliers de bois à travers ce verger de verges : la plupart étaient éteints, mais, en revanche, de nombreux bâtonnets d'encens, identiques à ceux que l'on allume devant l'image du Bouddha ou sur l'autel des ancêtres et dont l'odeur entêtante ne vous quitte plus, brûlaient dans le jardin. L'extrémité qui se consumait piquait la nuit d'un point rouge.

Emmanuelle s'aperçut avec angoisse que plusieurs de ces lumignons bougeaient. Il ne lui fallut pas faire grand effort, tant la nuit était claire, pour distinguer que des mains humaines les tenaient. Ce n'était pas un, mais quatre, cinq, six, dix hommes au moins qui étaient là. Assis sur leurs talons, comme le premier qu'elle avait rencontré. Un se leva. Elle le vit approcher. Parvenu à quelques pas, il s'accroupit de nouveau. Son regard exprimait un intérêt soutenu et tranquille. Presque aussitôt, deux, puis quatre autres le rejoignirent, s'installèrent à ses côtés. L'un des nouveaux venus paraissait très jeune, presque un enfant. Les autres étaient plus âgés. L'un d'eux, presque un vieillard. Aucun ne disait mot. Ils continuaient de tenir les baguettes odoriférantes entre leurs doigts joints.

— Voilà un parterre sympathique, plaisanta Mario. Qu'allons-nous leur jouer ?

Il décrocha un des phallus, de proportions relativement modestes.

— Je ne sais pas si je commets un sacrilège, dit-il, mais je le commets hardiment. En tout cas, ils n'ont pas l'air de s'en offusquer.

Il tendit le morceau de bois à Emmanuelle.

— N'est-ce pas agréable au toucher ?

Elle le palpa.

— Montrez-leur sur ce simulacre la façon dont vous vous serviriez de vos mains pour lui faire honneur, s'il était vivant.

Emmanuelle s'exécuta sans protester, et même avec un certain soulagement, car elle avait, un instant, eu peur que Mario ne lui demandât d'introduire l'olisbos en elle. L'idée de sa rugosité et de sa saleté la révoltait.

Ses doigts caressèrent l'article de piété comme s'ils espéraient vraiment le faire jouir. Elle finit par se prendre elle-même à cette parodie. Bientôt, elle regrettait presque de ne pouvoir se servir de ses lèvres : mais, réellement, l'instrument était trop poussiéreux !

Elle fut consciente que les regards des hommes s'étaient embrasés. Leurs visages semblaient passablement tendus. Mario fit un mouvement. Presque aussitôt, elle vit son sexe dressé, plus gros et plus rouge que le pénis de bois.

— Il convient maintenant que l'illusion cède a la réalité, dit Mario. Que vos mains se montrent aussi tendres à la chair qu'elles l'ont été à la matière inanimée.

Emmanuelle déposa l'objet du culte dans un creux de branche (elle n'avait pas osé le laisser tomber à terre) et se saisit avec obéissance du membre de Mario. Lui se tourna face aux hommes accroupis pour qu'ils pussent mieux voir.

Le temps s'arrêta. Nul ne laissa entendre un son. Emmanuelle se souvenait de l'« humanisme » dont Mario lui avait énoncé les principes dans le salon au bord du *khlong* et elle s'appliquait au point d'en avoir le vertige. Elle ne savait plus si les pulsations dans sa main étaient celles de Mario ou celles de son propre cœur. Elle se rappelait aussi son précepte : *à n'en plus finir !* Et elle s'ingéniait jusqu'au miracle à *faire durer*. Néanmoins, finalement vaincu par les raffinements de cette caresse qu'Emmanuelle, à chaque instant, réinventait, Mario lui demanda de l'achever par un plus puissant va-et-vient, une secousse ultime qu'elle sut rendre très aimante, très irrésistible et très longue, et qui le fit se convulser de volupté. Même alors, pour qu'elle ne relâchât pas son effort d'arrachée, il murmura, dominant le grondement de sa gorge :

— Allez !

En même temps, il se retourna vers l'arbre d'où pendaient les fruits priapiques. Un jet d'une longueur et d'une densité peu communes traversa la nuit, aspergeant les phallus de bois, qui oscillèrent sous le choc et pivotèrent au bout de leur liane.

— Maintenant, il faut faire quelque chose pour nos spectateurs, dit aussitôt Mario. Lequel d'entre eux vous tente le plus ?

L'épouvante rendit Emmanuelle muette. Non, non ! Elle ne pouvait pas toucher ces hommes, elle ne voulait pas qu'ils la touchent...

— Le bambino n'est-il pas adorable ? dit Mario. J'aurais volontiers pour lui, moi-même, des faiblesses. Mais, cette nuit, je veux vous le laisser.

Sans consulter plus amplement Emmanuelle, il fit signe au jeune garçon et lui adressa une phrase. Celui-ci se leva lentement et dignement, vint près d'eux, nullement intimidé : il semblait, même, assez dédaigneux.

Mario dit encore quelque chose et l'enfant retira son short. Nu, il était plus beau : Emmanuelle, au milieu de son trouble, en fut réconfortée. Une verge encore juvénile se tenait tendue horizontalement devant elle.

— Sucez et buvez, ordonna Mario, sur le ton de la banalité.

Emmanuelle ne songea pas à s'y soustraire. Elle était, au demeurant, dans un tel état de confusion et de désarroi que les gestes eux-mêmes ne lui paraissaient plus avoir grande importance. Elle se dit seulement qu'elle aurait mieux aimé que ce fût avec l'homme nu qu'ils avaient rencontré tout à l'heure sur le chemin de planches...

Elle se laissa tomber sur les genoux, dans le gazon serré et doux, et prit le membre entre ses doigts, repoussant la peau qui en recouvrait à demi la pointe. Celle-ci augmenta de volume aussitôt. Emmanuelle la mit entre ses lèvres, comme si elle avait voulu d'abord la goûter. Elle la garda ainsi un instant, pendant que sa main glissait le long de la hampe. Puis, avec une résolution soudaine, elle fit entrer la verge jusqu'au fond de sa bouche, si loin que les lèvres touchaient le ventre nu et que son nez s'enfonçait dans le duvet clairsemé. Elle resta un moment ainsi, puis, consciencieusement, avec art, sans chercher à tricher ni à abréger, elle commença de faire aller et venir sa bouche.

Cette épreuve, pourtant, lui était un supplice et, pendant la première minute de sa fellation, elle dut lutter contre une nausée qui montait dans sa gorge. Ce n'était pas qu'elle estimât dégradant, en soi, le fait de se livrer aux gestes de l'amour avec un jeune garçon inconnu. Le même jeu, si Mario l'y avait poussée avec un blondinet pimpant, fleurant l'eau de Cologne, dans le salon bourgeois d'une amie parisienne, lui aurait sans doute secrètement plu. Il s'en était, d'ailleurs, fallu de peu qu'elle ne trompât pour la première fois son mari (sans avoir l'impression de le tromper, parce que, justement, avec un enfant, ç'aurait eu l'air d'être pour rire), avant de quitter Paris, en cédant aux avances du petit frère, fort déluré, d'une de ses propres amantes ! Ils avaient été dérangés une minute trop tôt : le consentement d'Emmanuelle, en tout cas, était déjà acquis, non seulement en esprit, mais très physiquement... L'occasion ne s'en était plus présentée. Elle y pensait, en ce moment, en se disant que, tout bien considéré, elle était assez naturellement dévergondée. Ce petit garçon qui avait connu d'elle un sexe offert et humide et avait commencé d'y entrer, elle avait fait dix fois l'amour en imagination avec lui, depuis lors. Mais, avec celui-ci, ce n'était pas la même chose. Il ne l'excitait nullement. Au contraire, il lui faisait peur. En outre, elle avait d'abord été révulsée à la pensée qu'il pouvait ne pas être propre : heureusement, elle était maintenant rassurée et se rappelait, après coup, avec soulagement, les ablutions minutieuses auxquelles les Siamois se livrent plusieurs fois par jour. Quoi qu'il en soit, cette expérience ne lui causait aucun plaisir. Elle s'y livrait par complaisance à l'égard de Mario, mais ses sens et son goût la refusaient...

Que, du moins, se disait-elle, presque avec violence, elle fît bien son travail ! Une sorte de fierté la poussait à traiter ce garçon d'une façon qui lui laissât un souvenir ineffaçable. Son mari ne lui avait-il pas dit qu'aucune femme au monde ne savait comme elle faire servir sa bouche à l'amour ?

Peu à peu, elle se laissa prendre à son propre jeu, oublia à qui appartenait ce pénis dont elle commençait à aimer la force et la chaleur, et dont elle permettait au gland de fouiller sa gorge et de chercher à son gré la place où il allait achever sa jouissance. Elle sentit ses lèvres, son clitoris, devenir sensibles ; elle finit par fermer les yeux et laisser les sensations se saisir d'elle. Au moment où ses caresses atteignirent leur but, le jaillissement du sperme sur sa langue lui procura autant de plaisir que si ç'avait été celui de Jean. Le goût en était différent ; elle le trouva très bon. Peu importait que tous ces hommes la regardassent : elle avait envie de jouir à son tour. Avant que la verge ne se fût retirée de sa bouche, elle effleura du bout de ses doigts le bourgeon de son sexe et s'abandonna à l'orgasme dans les bras de Mario qui embrassait ses lèvres pour la première fois.

— N'avais-je pas promis de vous donner en détail ? dit-il, après qu'ils eurent franchi en sens inverse le mur en ruine. Êtes-vous contente ?

Elle l'était. Mais elle n'était pas pour autant délivrée de sa gêne. Elle resta silencieuse. Il commenta rêveusement :

— Il est très important, pour une femme, de

boire beaucoup de sperme et aux sources les plus diverses.

Sa voix devint soudain ardente :

— Vous *devez* faire cela parce que vous êtes belle, pressa-t-il.

— N'est-il pas possible d'être jolie et de rester honnête ? soupira-t-elle.

— On le peut, certes, mais à ses propres dépens. Est-il pardonnable de ne pas utiliser le pouvoir de sa beauté pour obtenir ce que tant de femmes sans grâce appellent toute leur vie vainement de leurs vœux ?

— Vous semblez penser que toutes les femmes n'aspirent qu'à la luxure.

— Existe-t-il d'autre bien ?

Personne n'avait dérobé la jupe. Elle la passa et regretta son confort précédent. Ils prirent de nouveau une direction différente de celle qu'elle connaissait. Elle se demandait s'ils allaient marcher longtemps encore. Au moment où elle s'apprêtait à se plaindre, ils débouchèrent sur une véritable rue.

— Nous allons prendre un *sam-lo,* si nous en trouvons un, dit Mario.

Emmanuelle n'avait jamais utilisé ce moyen de transport, devenu rare, et l'idée de l'essayer lui plut. Il était plus tentant de se laisser conduire au rythme indolent d'un cyclo-pousse sous le ciel lumineux que de risquer la mort à chaque virage dans un taxi. Ils longèrent la rue pendant quelques centaines de mètres avant de rencontrer un véhicule libre. Son conducteur (que l'on appelle, lui aussi, *sam-lo,* « trois roues », le confondant avec sa monture, exposa Mario) était assis par terre, méditatif. Dès qu'il les aperçut, il leur désigna d'un geste d'invite l'étroite banquette couverte de moleskine rouge.

Mario dialogua un moment, convenant probablement du montant de la course, puis fit signe à Emmanuelle de s'installer; lui-même s'assit auprès d'elle. Bien qu'ils fussent tous deux remarquablement sveltes, ils étaient écrasés l'un contre l'autre. Le tricycle s'ébranla. Mario passa un bras autour des épaules de sa compagne et elle se serra contre lui, heureuse. En s'asseyant, elle avait remonté sa jupe jusqu'au haut de ses jambes, puisqu'il lui avait dit qu'il les aimait. Subitement, une idée lui vint, qu'elle jugea elle-même fantastique et folle. Jamais encore elle n'avait, de son propre chef, fait chose pareille et, qui pis est, ainsi, en pleine rue! Mais elle allait le faire. Elle rassembla tout son courage.

Elle se tourna un peu de côté, vers Mario. D'une main, qu'elle s'efforçait de rendre ferme, elle défit un bouton. Puis, hâtivement, les autres, en descendant. Elle glissa la main et prit entre ses doigts le sexe endormi. Alors seulement, elle respira.

— C'est bien, cela, Emmanuelle! dit Mario. Je suis très fier de vous.

— Vraiment?

— Oui. Votre geste a droit de cité au royaume de l'érotisme, parce que l'usage veut que les hommes aient l'initiative et les femmes se laissent faire. Une femme qui prend les devants, à un moment où un homme s'y attend le moins, crée une situation érotique du plus haut prix. Bravo! Ou, plus justement dit, dans ma langue natale : *brava!*

Elle sentait dans sa main que l'approbation de Mario n'était pas purement morale.

— Souvenez-vous de cette formule en d'autres circonstances, continua-t-il, et vous vous en trouverez bien. Il va sans dire qu'elle reste, selon la règle, soumise à la clause de nouveauté.

— Comment cela? interrogea-t-elle.

Elle commençait de caresser doucement Mario.

— Si vous êtes la maîtresse attitrée d'un monsieur et que vous ôtez vos vêtements devant lui, même sans qu'il vous y invite, où est l'imprévu ? Et donc, où est l'érotisme ? Mais que votre ambassadeur, à l'heure du déjeuner, vous ait présenté un diplomate de passage, pour que vous lui fassiez visiter le temple du Bouddha Couché, et que vous, l'ayant convié à prendre le thé dans votre petit salon, pour se remettre des fatigues de ce tour de ville, et, vous étant assise à son côté sur votre meilleur sofa de soie blanche, retiriez tout simplement votre corsage en secouant avec naturel votre chevelure, ce geste spontané laissera dans la mémoire de votre hôte une marque impérissable. À son lit de mort, ce sera votre image qui viendra, la dernière, le hanter et le consoler. Après ce début, naturellement, toute une gamme de possibilités vous est offerte. Ou bien vous limitez provisoirement là votre initiative et, les seins nus, lui versez cérémonieusement son thé sans omettre de lui demander s'il le prend d'ordinaire avec un ou deux sucres. Il y a de fortes chances qu'il soit à ce moment incapable de s'en souvenir. C'est d'ailleurs à ce trait que vous reconnaîtrez quelle mesure ultérieure est la plus appropriée : s'il est troublé au point de dire : huit, ou quatorze, ou un mètre, n'attendez point de lui qu'il fasse le pas suivant ; optez pour deux morceaux et rapprochez-vous. Opérez alors comme vous venez de le faire avec moi et demandez-lui ce qu'il préfère : jouir avant ou après avoir bu son thé et de quelle façon, dans votre main, dans votre bouche ou dans votre vagin. À partir de ce moment, le reste a peu d'importance. Le climat est créé. Et le chef-d'œuvre, comme vous aimez à dire, en bonne voie. Si, par contre, votre visiteur a conservé un semblant de sang-froid, laissez-le faire lui-même ce qu'il convient, c'est-à-dire se jeter sur vous et se conduire comme le faune que vous avez déchaîné en lui : vous n'y trouverez que votre avantage. Une autre fois, pour varier, vous n'ôterez pas seulement votre blouse, vous vous mettrez entièrement nue, sans cesser une minute d'être femme du monde et sans manifester la plus fugitive émotion. Lorsque, retenant votre jupe de la main gauche, vous en aurez de vos longues jambes de danseuse enjambé le cercle et l'aurez avec décence laissée choir sur un pouf, lorsque vous aurez, si vous en portez un, retiré votre slip et l'aurez mis en lieu sûr dans le vase d'orchidées, vous vous assiérez de nouveau à la gauche du voyageur et vous vous renverserez légèrement sur les coussins du sofa, avec un sourire de bonne compagnie. Si votre invité se révèle paralysé par la surprise, racontez-lui, pour le mettre à l'aise, comment, la veille, vous avez été violée par deux Noirs armés de coupe-coupe et le plaisir que vous y avez pris. Décrivez longuement le sexe de vos tourmenteurs et les libertés qu'ils ont prises avec votre corps. S'il ne bouge toujours pas, masturbez-vous devant lui. Enfin, lors d'une troisième expérience, avec un autre invité de marque, vous ne vous dévêtirez pas, mais, après avoir soulevé la théière, et avant de l'interroger sur le sujet du sucre, vous lui demanderez très simplement : « Lorsque nous aurons pris le thé, désirez-vous que nous fassions l'amour ? Mon mari ne sera pas de retour avant une heure. » Si, d'aventure, l'individu se dérobait, prétextant une blessure ancienne, un vœu prononcé au chevet de sa marraine carmélite, ou une disposition du Code d'Hammourabi interdisant de jouir avant le coucher du soleil, vous diriez, sur le ton juste et sans manifester de dépit : « Vous avez raison : où avais-je la tête ? Moi-même, en me mariant, ai promis d'être fidèle et, puisque je n'ai jamais trompé mon époux, il est plus convenable que je ne commence pas aujourd'hui. » L'imbécile ne se consolera pas d'avoir laissé échapper la perle rare que vous êtes. S'il se ravise, soyez désormais intraitable. Qu'il tente d'abuser de votre innocence et vous appelez la police, le faites condamner au maximum de la peine. Aucun jury n'ajoutera foi aux allégations insensées qu'il avancera pour sa défense : la vérité !

Emmanuelle était enchantée de la dimension qu'avait prise, par ses soins, le membre de Mario. Elle ne lui dit pas moins, sans chercher à atténuer le sarcasme :

— Monsieur le professeur, les paroles que vous me recommandez de prononcer sont très exactement, si j'ai bonne mémoire, celles que je vous ai adressées il y a moins d'une heure. Puisque vous m'avez injurieusement repoussée, je vais vous livrer au premier gendarme de passage.

Mario sourit avec bonhomie.

— J'adore votre main, dit-il, ne changez pas votre manière. Ma chère, n'essayez pas de vous faire passer pour plus sotte que vous n'êtes. Vous savez très bien qu'il n'y a aucun point commun entre la situation que je vous décris et nos relations.

Emmanuelle ne voyait absolument pas où résidait la différence, à moins que ce ne fût dans l'absence de thé. Néanmoins, elle n'était pas en humeur ni en état d'argumenter : la caresse qu'elle donnait enflammait ses propres sens ; même les trépidations du tricycle mal suspendu sur le sol rugueux ajoutaient à son plaisir.

— Ce *sam-lo* ne sait pas le spectacle qu'il est en train de manquer, remarqua Mario.

Il siffla. Aussitôt, l'homme tourna la tête : ses yeux allèrent de l'un à l'autre de ses passagers, s'éclairèrent d'un large sourire.

— Nous lui plaisons, constata Emmanuelle.

— Oui, nous avons trouvé un complice, dit

Mario. Rien d'étonnant à cela, car il est beau. Il existe une franc-maçonnerie internationale de la beauté. Un certain nombre de choses ne sont permises qu'à ceux qui sont beaux. Montherlant, écrivant à Pierre Brasseur, remarquait fort justement, un jour, que « polissonnerie n'est pas du tout vulgarité : c'est la pruderie qui est vulgarité ».

— Courteline avait dit avant lui, cita Emmanuelle, pour ne pas être en reste : « La vraie pudeur consiste à cacher ce qui n'est pas beau. »

— Avez-vous donc honte de vos seins ?

— Oh ! non.

De la main qui ne caressait pas Mario, elle tira son pull hors de sa jupe et tenta de le faire passer par-dessus sa tête. Mario l'y aida. Elle dut bien, un moment, lâcher le sexe érigé, mais ce ne fut qu'un bref interlude.

— Maintenant, j'aimerais que nous fassions quelque rencontre, dit Mario.

— Le *sam-lo* ne suffit-il pas, comme témoin ? plaida Emmanuelle, malgré elle.

— Il n'est plus témoin, il est juge et partie.

Mario le héla de nouveau et le Siamois se retourna sur sa selle. Il sembla vivement impressionné par la quasi-nudité de sa passagère et le tricycle fit une embardée. Tous trois rirent bruyamment. Emmanuelle avait l'impression d'être un peu ivre. Il était bien tard pour que ce fût l'effet du chianti.

Le vœu de Mario fut exaucé. Une auto les dépassa, freina brusquement. Emmanuelle crut qu'elle allait s'arrêter et le cœur lui manqua. La voiture, cependant, repartit. Il avait été impossible de distinguer les visages de ses occupants.

— Peut-être quelqu'un de vos amis ? suggéra cruellement Mario.

Elle ne répliqua rien, la gorge serrée. Elle préférait ne penser qu'à le caresser bien. Un autre *sam-lo,* où s'entassaient deux marins américains, venait à leur rencontre : ceux-ci poussèrent des cris de paon en découvrant le spectacle. Mario et Emmanuelle feignirent de ne les voir ni les entendre. Les autres gesticulèrent désespérément, tentant de faire stopper les deux véhicules, mais leurs conducteurs ne bronchèrent pas, continuant l'un et l'autre à peser d'un rythme égal sur les pédales.

— Où préférez-vous jouir ? demanda Emmanuelle : dans ma main, dans ma bouche ou dans mon vagin ?

Il ne répondit pas sur-le-champ. Elle, courbant la taille, le prit entre ses lèvres, le fit entrer profondément dans sa bouche. Elle l'entendit qui récitait :

> *Jusqu'à tant que je te dis :*
> *Las, je n'en puis plus, ma vie !*
> *Las, mon Dieu, je n'en puis plus !*
> *Lors ta bouchelette retire,*
> *Afin que mort je soupire,*
> *Puis me donne le surplus.*

La curiosité lui fit interrompre son œuvre ; elle se redressa et demanda :

— C'est de vous, ce poème galant ?

— Absolument pas, protesta Mario. Il est extrait de *La Première Journée de la Bergerie,* d'un de vos compatriotes du XVIe siècle, Rémy Belleau.

— Eh bien ! s'esclaffa-t-elle.

Avant qu'elle n'ait eu le temps de reprendre position, ils se trouvèrent devant la grille du jardin de Mario.

Celui-ci, échappant aux mains de sa compagne, sauta du tricycle et réajusta sa toilette. Emmanuelle descendit à son tour, mais ne jugea pas nécessaire de remettre son pull-over, qu'elle balançait au bout de son bras, en même temps que son sac. Ses seins prenaient une courbure admirable sous la lune.

Mario ouvrit la grille. Le *sam-lo* avait mis pied à terre et, sans émotion visible, attendait apparemment son dû. L'Italien bondit si soudainement sur la selle que l'homme n'eut pas le temps d'esquisser un geste : déjà son véhicule était dans le jardin, Mario pédalant à toute allure. Le Siamois et Emmanuelle restèrent face à face. Ils partirent en même temps d'un grand éclat de rire. Le jeune homme prenait du bon côté la facétie de son client. Pour le moment, à vrai dire, il semblait davantage préoccupé d'admirer les contours d'Emmanuelle que de récupérer son bien. Ce fut elle qui se mit la première à la poursuite du fuyard. Elle le retrouva devant le perron de troncs d'arbres, exultant. Il était debout et tenait l'engin par le guidon.

— Quel fou vous êtes ! réprimanda tendrement la jeune femme.

— J'aime également vos seins, annonça-t-il, comme une décision longuement mûrie.

— J'ai de la chance !

Elle était plus flattée qu'elle ne voulait l'admettre. Le *sam-lo* les rejoignit, hilare et sans hâte. Mario lui parla : un véritable discours, avec des intonations, des silences, des effets d'éloquence. Emmanuelle se demandait ce qu'il pouvait bien dire. Le visage du Siamois ne reflétait rien qui permît d'étayer des hypothèses. Subitement, il répliqua, regardant en même temps Emmanuelle. Mario reprit son exposé. Le garçon hocha affirmativement la tête.

— Voilà qui est conclu et mon héros est tout trouvé ! dit Mario. Comme quoi l'on va chercher bien loin ce qu'il est aisé d'obtenir à sa porte !

— Quoi ? Vous voulez dire...

— Mais oui. Ne l'estimez-vous pas digne de mes faveurs ?

Cette fois, Emmanuelle se sentit presque sur le point de pleurer. Les gentillesses de Mario tout le long du parcours lui avaient fait oublier ses rebuffades antérieures. Elle s'attendait, plus ou moins consciemment, à ce que, une fois dans sa maison, il la prît dans ses bras. Elle était prête à y passer le reste de la nuit, s'il le désirait, et ne pensait même plus à rentrer chez elle. Il aurait pu faire d'elle ce qu'il voulait. Et voilà ! Il ne voulait rien. La seule chose qu'il eût en tête, c'était de trouver pour son lit un garçon ! Emmanuelle posa sur celui-ci des yeux embués de larmes : elle ne le voyait plus distinctement. Était-il donc vraiment si beau ? Elle se souvenait de lui avoir trouvé un faciès de boxer...

— *Cara !* Ne recommencez pas à vous tourmenter par avance, fit gaiement Mario, interrompant à son ordinaire les sombres réflexions d'Emmanuelle. Vous allez voir, j'ai une idée mirobolante. Une fois de plus, vous me rendrez grâce. Entrez vite.

Il ouvrit la porte, l'attira, la tenant par la taille. Elle se laissait faire sans cesser de bouder. Elle en avait assez des idées de Mario. Elle fut tout de même heureuse de retrouver le salon aux zones d'ombres et de clarté, le divan de cuir rouge et l'odeur épicée du *khlong*. Il ne semblait pas que beaucoup de barques y passassent encore. Il était si tard — ou si tôt ! Elle sentit soudain l'atteinte du sommeil. Quelle nuit !

Mario apporta des verres énormes où des cristaux scintillaient dans une liqueur verte.

— Menthe poivrée « on the rocks », annonça-t-il : voilà qui redonnera cœur à ma bien-aimée !

Sa bien-aimée ? Emmanuelle ébaucha un sourire amer. Le *sam-lo* se tenait au milieu de la pièce, quelque peu emprunté. Il prit avec une gêne évidente la boisson que Mario lui tendait. Tous trois burent en silence. Elle avait si soif qu'elle vida son verre d'un coup. Mario avait raison : elle se sentit requinquée. Il s'assit brusquement près d'elle, l'entoura de ses bras, posa ses lèvres sur son sein gauche.

— Je vais vous prendre, dit-il.

Il attendit pour juger de l'effet produit.

Emmanuelle était trop abasourdie pour manifester quoi que ce fût. En outre, elle n'était pas convaincue.

— Je vais vous prendre à travers ce beau pâtre, continua Mario. À travers, au sens propre du mot. C'est-à-dire que je vais le traverser pour vous atteindre. Je vous posséderai comme vous ne l'avez jamais été et comme je n'ai jamais possédé une femme. Vous serez davantage à moi qu'aucun être n'a encore appartenu à un autre.

Il incurva une main devant elle, comme pour la protéger ; expliqua :

— Mais vous savez bien que je n'emploie ces mots : « prendre », « posséder », « appartenir », que pour le plaisir d'aussitôt m'en dédire ! Car ce n'est pas vous prendre que je veux, mais vous donner. Je vous prodiguerai, vous dilapiderai comme un trésor trouvé, qu'un chanceux honnête ne songe pas à garder pour lui seul. Je ne suis pas devant vous pour vous détenir ; je suis venu limer les barreaux d'un cachot où vous et moi sommes reclus depuis des millénaires. Vous n'êtes pas ni ne serez jamais pour moi une possession. Après que nous aurons fait l'amour ensemble, vous ne m'appartiendrez pas davantage que vous n'appartenez sur terre à quelque homme, à quelque famille, à quelque secte, à quelque règle que ce soit. Vous n'appartenez qu'à votre propre rêve, un rêve que vous avez choisi de ne pas rêver seule. Ce rêve, le *sam-lo* et moi allons le rêver

305

avec vous. L'espace d'une nuit, le temps d'une étreinte, nous vivrons à trois la vie que nous aurons nous-mêmes créée : là sera notre amour; là sera notre vie éternelle.

Ses yeux plongeaient dans ceux d'Emmanuelle comme dans cette mer d'infini où il l'invitait à la découverte. Sa voix semblait venir déjà du large.

Elle répondit, mais c'était comme si elle se parlait à elle-même :

— C'est seulement la nuit qu'on peut connaître de nouvelles étoiles.

Mario leva la tête vers le ciel visible à travers l'auvent de roseaux.

— Peut-être l'une d'elles, la plus inconnue, la plus lointaine, attend-elle de porter votre nom, dit-il.

Elle décida :

— Allons ensemble à sa recherche !

Une seconde fois, il l'embrassa sur les lèvres. Pour Emmanuelle, cette nuit était plus que jamais lumineuse. Elle était prête; et impatiente...

— Votre premier amant ! s'exalta Mario. Vous allez l'avoir à présent.

Elle ressentit une brève honte de l'avoir trompé, de ne pas lui avoir avoué ses aventures de l'avion. Mais était-ce important ? En un sens, parce que c'était la première fois qu'elle y apportait son entier consentement, qu'en toute lucidité et en toute connaissance de cause, avec préméditation, elle *voulait* être adultère, l'enlacement multiple qui se préparait serait bien celui qui la fiancerait à son premier amant...

— Le premier de beaucoup d'autres ? interrogea-t-il, comme pour s'assurer qu'elle avait assimilé sa leçon.

— Oui, dit Emmanuelle.

Quelle merveille c'était de s'abandonner aussi complètement au désir ! La femme qui s'unit à un

306

seul ne peut savoir quel pas franchit celle qui, en une fois, se promet tout entière à plusieurs, à un nombre illimité d'hommes. Aucune femme, jamais, ne serait aussi adultère qu'elle l'était en ce moment. Qui d'autre pouvait réussir le miracle, trompant pour la première fois son mari, de le tromper avec tous ceux qui désormais voudraient d'elle ?

— Vous ne vous refuserez plus ? insista Mario.

Elle secoua la tête pour attester que non. Elle pensait : « Si l'idée nous vient, à lui et à moi, que je me donne cette nuit à dix hommes, je le ferai. »

Il ne lui demanda de se donner qu'au *sam-lo*. Elle se débarrassa de sa jupe et resta sur le divan, adossée à l'épaisseur des coussins, dont la douceur l'enchantait. Ses talons se calèrent dans la laine bourrue du tapis et elle entoura de ses bras les reins de l'homme lorsqu'il commença de s'introduire précautionneusement en elle. Quand il y fut complètement parvenu, Mario, qui jusque-là était resté au côté d'Emmanuelle, la tenant embrassée, se leva et alla se placer derrière le *sam-lo*. Ses mains le saisirent aux flancs et Emmanuelle les sentit qui touchaient les siennes.

Elle l'entendit qui laissait échapper des gémissements de plaisir. À certains moments, ce furent presque des cris.

— Maintenant, je suis en vous, dit Mario. Je vous perce d'un glaive deux fois plus aigu que ne l'est celui du commun des hommes. Le sentezvous ?

— Oui. Je suis heureuse, dit Emmanuelle.

Le dur pénis du Siamois se retira aux trois quarts d'elle, revint inexorablement, recommença en accélérant sa course. Elle ne chercha pas à savoir si Mario lui permettait de jouir : elle hurla tout de suite ; son corps se convulsait sur le cuir satiné. Les deux hommes joignaient leurs plaintes aux siennes.

Leur appel confondu déchirait la nuit et des chiens, à distance, y répondirent par un concert interminable d'abois. Mais eux n'en avaient cure. Ils existaient dans un autre monde. Une harmonie intérieure semblait régler leur trio comme les rouages d'une montre. Ils avaient réussi à constituer une unité profonde, sans fissure, plus parfaite qu'un couple n'en peut former. Les mains du Siamois pressaient les seins d'Emmanuelle et elle sanglotait de plaisir, cambrant les reins pour qu'il entrât plus loin en elle, haletant qu'elle était plus heureuse qu'elle ne pouvait le supporter et suppliant qu'on la déchirât — de ne pas l'épargner et de jouir en elle.

Mario sentait que les forces du *sam-lo* étaient inépuisables, mais lui n'en pouvait plus. Il enfonça ses ongles dans la chair de son partenaire, comme pour un signal. Les deux hommes éjaculèrent simultanément, le *sam-lo* au fond du corps d'Emmanuelle, lui-même défaillant sous une autre poussée. Emmanuelle cria plus fort encore qu'elle n'avait crié jusqu'à présent, sentant monter dans sa gorge le goût âpre de la semence qui l'inondait. Sa voix ricochait sur l'eau noire, sans qu'aucun pût dire à qui ce cri s'adressait :

— J'aime ! J'aime ! J'aime !

Livre II
L'Antivierge

J'appelle vierge la femme qui n'a fait l'amour qu'avec un seul homme.

M.R.A.

Le monde n'est réel que si je le dérange.

Alain Bosquet, *Deuxième Testament.*

1

L'AMOUR D'AIMER EST CE QUI FAIT DE VOUS LA FIANCÉE DU MONDE

Nous qui mourrons peut-être un jour, disons l'homme immortel au foyer de l'instant.

SAINT-JOHN PERSE, *Amers.*

— Anna Maria Serguine.

Mario avait fait chanter à n'en plus finir le « i » du prénom, sur une note haute, isolée, qui donnait au reste des syllabes un ton de confidence, calfeutré et tendre.

La jeune fille restait assise au volant de sa voiture. Mario lui prit la main, présenta à Emmanuelle les longs doigts sans bagues, à plat sur sa paume.

« Anna Maria », répète un écho au-dedans d'Emmanuelle, qui s'efforce de ressaisir la sensation de caresse, après la vibration florentine du « r ». Des bribes de plain-chant lui reviennent, imprégnées d'encens et de cire chaude. *Panis angelicus.* Les genoux des filles sous la décence des jupes. Les rêveries délectables. *O les mirabilis !* Les gorges qui prolongent les « i », les langues qui les mouillent de leur salive, les lèvres qui s'entrouvrent sur les dents offertes... *O salutaris hostia...* Emmanuelle dore d'une lumière de vitrail, venue de l'autre bout du monde, le visage inconnu, se reprochant de ne trouver, pour en annoncer la beauté, que des vocables d'écolière.

« Une pure merveille ! célèbre-t-elle en secret. D'une pureté sûre de soi, jubilante, heureuse. » Elle en a le cœur serré. Tant de grâce ne peut être qu'un songe !

— Ce sera à vous de la rendre réelle, dit Mario, et elle se demanda si elle ne venait pas de penser tout haut.

Le rire d'Anna Maria éclata, si libre de gêne qu'Emmanuelle en fut soulagée. Elle se décida à prendre la main de la visiteuse.

— Pas tout de suite, plaisanta celle-ci. Je dois être à l'heure pour le thé des dames.

Elle se retourna vers Mario, qu'elle regardait de bas en haut, comme si elle ne se l'était pas rappelé si grand. L'auto était presque à ras de terre.

— Tu trouveras bien une bonne âme pour te reconduire ?

— *Via, cara, via !*

Les roues patinèrent sur les pierres. Sans pare-brise, sans garde-boue, sans capote ! s'inquiéta Emmanuelle, levant les yeux vers le ciel noir. Déjà malheureuse, elle regardait s'éloigner le rêve.

— Moi qui croyais connaître ce que la terre a fait de plus beau ! Où avez-vous trouvé cet archange ?

— Quelqu'un de ma parenté, dit Mario. Elle me sert quelquefois de chauffeur.

Il s'enquit :

— Elle vous intéresse ?

Emmanuelle ne fit pas un signe.

— Elle viendra demain, annonça-t-il.

Il laissa passer un moment.

— Je vous en préviens : il vous faudra plus que

l'émouvoir. Mais je ne doute pas que vous réussissiez à lui faire entendre raison.

— Moi ! protesta Emmanuelle. Comment ferai-je pareille chose ? J'ai encore tout à apprendre.

Elle sentait une morsure de dépit. Estimait-il, pour son compte, l'expérience terminée, après une seule leçon ?

Ils avaient traversé le jardin d'Emmanuelle et la terrasse. Ils restèrent debout dans le salon, face au grand mobile de fer noir, dont le souffle de Mario faisait tourner les feuilles.

Elle observa :

— Vous avez certainement dû entreprendre son éducation vous-même. Que pourrais-je y ajouter ?

— L'enjeu n'est pas Anna Maria, mais vous.

Il attendit qu'elle répliquât, mais elle se contenta d'une moue sceptique. Il expliqua donc :

— L'acte qui vous crée le mieux est celui que vous faites accomplir. Aucune forme n'est autant vôtre que cette autre que vous refaites. Mais peut-être êtes-vous satisfaite de ce que vous êtes ?

Emmanuelle secoua sa crinière noire.

— Non, dit-elle, fermement.

— Alors, mutez ! conclut Mario, d'un ton fatigué.

Il ajouta néanmoins :

— Parce que vous êtes femme, l'amour de vous-même, certes, est dans votre rôle. Mais, parce que vous êtes déesse, le salut d'autrui aussi est votre destin.

Elle sourit, se souvenant du chemin de planches, du temple de la nuit. Il scruta son visage :

— Avez-vous commencé d'instruire votre mari ?

Elle fit une grimace négative, mi-crâne, mi-honteuse.

— Ne s'est-il pas étonné de la durée de votre absence ?

— Si.

— Que lui avez-vous dit ?

— Que vous m'aviez emmenée fumer de l'opium.

— Et il ne vous a pas fait la morale ?

— Il m'a fait l'amour.

Elle lut la question que posaient les yeux de son confesseur.

— Oui, dit-elle, j'y ai pensé tout le temps.

— Et vous avez aimé cela ?

L'expression d'Emmanuelle répondit pour elle. Elle revécut en esprit l'exaltation nouvelle qu'elle avait connue, lorsque la semence de son mari s'était mêlée au-dedans d'elle à celle du *sam-lo*.

— Maintenant, vous aurez envie de le faire à nouveau, constata Mario.

— Ne vous ai-je pas dit que j'acceptais votre loi ?

C'était vrai. Et elle ne voyait même plus, à ce moment-là, de quoi elle aurait pu douter. Pour en convaincre Mario, elle répéta la maxime qu'il l'avait induite à formuler la veille :

— *Tout temps passé à autre chose qu'à l'art de jouir, entre des bras toujours plus nombreux, est un temps perdu.*

Puis elle s'informa :

— À quoi Anna Maria croit-elle qu'il faille passer son temps ?

— À préparer d'autres temps ; à se châtier en ce monde pour être comblée dans un autre.

La voix d'Emmanuelle se fit impartiale :

— C'est qu'il existe pour elle d'autres valeurs que celles de l'érotisme. Elle aussi a ses dieux et ses lois.

Il la regarda avec intérêt :

— J'attends de voir, dit-il, si le rêve du ciel fera

se perdre une fille des hommes ou si l'amour du réel gagnera une âme à la terre.

Emmanuelle lui prend le bras :

— Quelle mauvaise maîtresse de maison je fais : je ne vous donne pas à boire. Ni à fumer.

Elle veut l'entraîner vers le bar, mais il la retient.

— J'espère, au moins, que vous ne portez rien sous ce short ? enquête-t-il, soupçonneux.

— Quelle question !

Il est si court qu'il dépasse à peine du jersey corail. Par l'entrejambe, on aperçoit les boucles noires du pubis d'Emmanuelle.

Mario trouve à redire, néanmoins, à ce qu'il voit :

— Je n'aime pas ce costume. Une jupe se relève : elle est un accès. Un short est une clôture. Je me désintéresserai de vos jambes, si elles continuent d'émerger de ce sachet.

— Je l'enlèverai, concède-t-elle avec bonne humeur. Mais dites-moi d'abord ce que vous voulez boire.

Il a autre chose en tête :

— Pourquoi restons-nous à l'intérieur ? Vos arbres me plaisent.

— Mais il va pleuvoir !

— Il ne pleut pas encore.

C'est lui qui mène Emmanuelle où il veut : jusqu'au large rebord de pierre qui fait le tour de la terrasse. Un éclair verdit le vide entre les fleurs immobiles du flamboyant.

— Oh, Mario, regardez ce joli garçon qui passe dans la rue.

— Oui, il est très bien.

— Pourquoi ne l'appelez-vous pas et ne lui faites-vous pas l'amour ?

— Il y a un temps pour toute chose sous le ciel, a dit l'Ecclésiaste, un temps pour courir les garçons et un temps pour les laisser courir.

— Je suis sûre qu'il n'a jamais rien dit de tel. Mario, j'ai soif!

Il croise les mains, fait étalage de patience. Elle sait ce qu'il attend, hausse les épaules, baisse le nez, la mâchoire têtue, regarde ses cuisses nues : nues jusqu'à l'aine. Là, le tissu tire un trait rouge : être vue nue plus haut que cette ligne, c'est l'indignité.

— Eh bien? insiste-t-il.

— Voyons, Mario, pas ici! On peut nous épier de la maison voisine. Tenez!

Elle montre du doigt des stores qui bougent.

— Vous connaissez les Siamois : il y a toujours quelqu'un aux aguets, ici ou là.

— Idéal! s'exclame-t-il. Ne m'avez-vous pas dit que vous aimiez que l'on admire votre corps?

La mine penaude d'Emmanuelle fait sourire Mario. Il retrouve souffle :

— Rappelez-vous : rien de ce qui est discret n'est érotique. L'héroïne érotique est à l'instar de l'élue de Dieu : elle est celle par qui le scandale arrive. Le scandale du monde est ce qui fait le chef-d'œuvre. Est-ce être nue que se cacher pour être nue? Votre luxure a peu de sens, si vous fermez sur elle les rideaux de votre chambre : votre prochain n'en sera pas libéré d'une ignorance, d'une honte ni d'une peur. L'important, ce n'est pas que vous soyez nue, mais qu'il vous voie nue; pas que vous criiez de plaisir, mais qu'il vous entende jouir, pas que vous comptiez vos amants, mais que lui les compte, pas que vous ayez ouvert les yeux sur la vérité de l'amour d'aimer, mais que cet autre, qui tâtonne encore dans ses chimères et dans sa nuit, découvre dans votre regard qu'il n'existe pas d'autre lumière et voie vos gestes témoigner qu'il n'y a pas d'autre beauté.

Sa voix se fait plus pressante :

— Toute rechute de votre pudeur démoraliserait

une multitude. Chaque fois que l'appréhension du scandale vous trouble, songez à ceux qui vivent secrètement dans l'attente de votre exemple. Ne les décevez pas. Ne ridiculisez pas l'espoir que, formulé ou informe, conscient ou aveugle à soi-même, ils mettent en vous ! Si vous deviez empêcher, ne fût-ce qu'une fois, par votre timidité ou par votre doute, qu'un acte érotique fût accompli, nulle audace, nul mérite à venir ne rachèterait jamais cette dérobade.

Il se tait un instant, puis, avec un imperceptible ton de dédain :

— Ou me parlerez-vous de convenances ? S'agit-il pour vous de faire comme les autres — ou que les autres fassent comme vous ? Voulez-vous être Emmanuelle... ou n'importe qui ?

— Je peux respecter les croyances de mes voisins, se défend-elle : cela ne veut pas dire que je les partage. Et si eux n'aiment pas ce qui me plaît, pourquoi mettrais-je un malin plaisir à les choquer, à faire de l'esclandre ? Il ne me coûte rien qu'ils se conduisent selon leurs goûts. Pourrait-on vivre sans un peu de discrétion, de tolérance, de politesse ? À supposer même que je laisse ces gens se persuader que je pense et agis comme eux, la société est faite de ces conventions, de ces compromis.

— Si on se conduit comme ceux d'en face, on est ceux d'en face. Au lieu de changer le monde, on ne réussira que le reflet de celui qu'on veut détruire.

Emmanuelle semble impressionnée. Mario s'excuse :

— Ce n'est pas de moi, c'est de Jean Genêt.

Il reprend, d'une voix adoucie :

— En fait d'amour, disait un autre dramaturge, trop n'est même pas assez. Si vous avez déjà bien agi, il faut constamment faire mieux. Mieux que ce que vous avez déjà fait. Et mieux que ce que font les autres. Ne supportez pas que qui que ce soit vous dépasse ou même réussisse aussi bien que vous. Ce n'est pas assez que vous soyez exemplaire, vous devez être exemplaire en avant.

Emmanuelle regarde au loin, sans rien dire. Elle s'assied sur la murette, enlace ses jambes repliées, pose le menton sur le double pommeau de ses genoux. Puis elle interroge, avec une tension presque hostile :

— Et pourquoi faut-il que je fasse tout cela ? Pourquoi moi ?

— Pourquoi vous ? Parce que vous en êtes capable. Comme d'autres sont capables d'équations ou de symphonies, vous l'êtes d'amour physique et de beauté. Or, ce que vous pouvez faire, vous le devez. Vous ne voudriez pas être passée sur cette terre sans qu'il en restât rien ?

— J'ai dix-neuf ans ! Je n'ai pas achevé ma vie...

— Devez-vous attendre encore pour la commencer ? Êtes-vous trop enfant ? C'est vrai, je vous enseigne l'héroïsme : mais la terre en a besoin. Votre espèce vous le demande.

— Mon espèce ?

— Oui : cet ancien acide aminé, cette ancienne amibe, cet ancien tarsier, cet *incroyable qu'il faut croire* — acharné à être autre chose. Animal ? Vertébré ? Mammifère ? Primate ? Hominien ? *Homo* ? *Homo sapiens* ? Autant d'étiquettes périmées ! Celles qu'il prépare : homme de l'espace-temps, homme de la pensée sans parois, homme aux corps multiples et à l'esprit un, homme créateur et modificateur d'hommes, mais, toujours, menacé par ses créatures et saignant, comme d'un stigmate, de ses erreurs et de ses énigmes. Ne voulez-vous pas l'aider ?

— Cela l'aidera, si j'ôte ma culotte ?

— Serait-ce servir l'homme que de perpétuer

l'illusion, la supercherie, la phobie ? Que de perpétuer la pudeur ?

— Et vous, pensez-vous vraiment que cela a de l'importance, pour le passé et pour l'avenir, qu'on montre son pubis ou qu'on ne le montre pas ?

— L'avenir dépend de votre imagination et de votre hardiesse. Non de votre fidélité à des coutumes. Ce qui fut la sagesse des cavernes a pu devenir notre sottise. Nous parlons en ce moment de la pudeur : s'agit-il d'une vertu innée, d'une valeur humaine bonne ou mauvaise pour tous les temps ? En vérité, elle n'a rien de si respectable : à l'origine, trait de bon sens, trouvaille habile, juste, salutaire ; aujourd'hui, simagrée, sophisme, contre-sens, fausse perle de l'absurde, refuge d'iniquité, vase de perversion...

— Vous savez bien que je ne suis pas pudibonde : vos litanies me ravissent. Mais faut-il prendre tout cela si sérieusement ?

— L'homme se déchirait aux ronces, restait pris aux lianes des arbres. Il craignait les ongles et les dents de la faune rivale, et passait plus de temps à grimper, sauter, rouler à terre parmi les épines et les silex qu'à caresser ses femmes dans l'humidité saline de ses grottes. Le premier qui eut la ruse de protéger l'organe dont dépendait la venue et le nombre de sa descendance a rendu service à l'espèce. Et s'il n'avait imaginé de faire de cette précaution une loi éthique, un rite, une élégance, un *charme,* qui sait si l'homme eût réussi à imposer son règne ? Ce qui devait devenir bigoterie fut d'abord clairvoyance biologique : une initiative dans le sens de l'évolution. Donc, au regard de la vraie morale, un bien.

Mario s'assied vis-à-vis d'Emmanuelle :

— Plus tard, sans l'invention des vêtements, l'espèce serait morte de froid.

Il pince avec ennui le pli de sa chemise mouche-tée de sueur :

— Aujourd'hui, voyez ! l'âge du renne est loin ; et les grands glaciers ont fondu. Mais nous conti-nuons de nous déguiser, parce qu'il serait *mal* d'aller nus !

Il pousse un soupir accablé.

— Nos sièges sont de velours et nos jardins, de pelouse. Nos bêtes familières n'ont plus d'armures ni de crocs. Mais nous avons toujours peur pour nos sexes. Sa fonction accomplie, et sa signification per-due, le slip est devenu sacré. Vous me demandez pourquoi il faut l'arracher de soi comme s'il était la tunique de Déjanire ? L'attachement à un mythe qui a survécu à son objet abêtit l'homme. L'énergie dépensée au service d'une cause magique est volée à la pensée créatrice.

Mario retrouve soudain son alacrité, expose :

— La tâche que les Grecs ont jugée la plus pres-sante, lorsque la fantaisie les a pris de nous civiliser, ç'a été de se déshabiller. Au commencement, se souvenant de l'âge de pierre, ils dissimulaient leur verge : la nudité ne s'est imposée à la palestre qu'à l'ère de la raison et de la culture. Si ces guerriers et ces philosophes n'avaient appris à temps à se moquer de leurs cache-sexe, peut-être serions-nous toujours des barbares.

Une lueur narquoise traverse les yeux de l'Ita-lien :

— Et ne croyez surtout pas que les éphèbes doriens choisirent d'être nus au pentathle pour la simple aisance des gestes. Leur intention première était bien d'offrir leur beauté en spectacle aux érastes qui ont, depuis, immortalisé leur mémoire. À côté de celle d'Athéna, la statue d'Éros présidait au gymnase. C'était à ses pieds, déjà, que l'homme accomplissait ses premiers progrès de sagesse.

Il paraît, un instant, rêver à une époque à laquelle Emmanuelle sent qu'il lui aurait plu d'appartenir. Puis il continue, s'accompagnant d'une volte de la main :

— Ce que je vous rappelle de l'histoire de la pudeur vaut pour les autres tabous sexuels : à quel opprobre vous exposerez-vous si vous avouez, dans la société de vos pairs, que vous aimez à sentir un membre viril entrer dans votre bouche et y prendre jusqu'au bout son plaisir ! que vous vous délectez des caresses que, chaque jour, vous accordent vos propres doigts ! et que votre lit se plaît à connaître d'autres corps que celui de l'époux ! Ces interdits ont eu un sens. Quand le devoir de l'homme était de peupler la planète, il eût été peu raisonnable de laisser gaspiller le sperme : ce fut donc une bonne idée que de faire de l'onanisme un péché. Maintenant que la prolifération humaine est devenue un péril, c'est de jouir dans le vagin des femmes qui devrait être condamné ; et la vertu serait de ne répandre sa semence que là où elle ne risque pas de fructifier. Du coup, l'antique crainte de l'époux que sa femme soit fécondée par d'autres que par lui n'a plus sa raison d'être — et moins encore depuis que les techniques contraceptives se sont ajoutées à l'art des attouchements et des lèvres pour achever de distinguer les genres. Il est donc caduc, en ce siècle, et une menace pour la pensée, de tenir pour blâmable la recherche du plaisir des sens hors des mécanismes reproducteurs, de même qu'il est temps de reconnaître inoffensif et légitime le goût de nos femmes pour des pénis nouveaux.

Mario semble attendre une réplique d'Emmanuelle, mais elle ne dit rien. Il poursuit donc :

— Si nous voulons que nos enfants aient d'autres pouvoirs mentaux que les nôtres, il faut qu'ils trouvent une terre délivrée par notre courage des interdits absurdes et des vaines angoisses. Un savant prude, un savant dévot est un savant entravé : que n'eussent pas découvert de plus, et de plus grand, s'ils avaient eu l'esprit libre, Pascal ou Pasteur ? Et que dire de l'artiste, s'il tolère qu'on lui impose les œillères et la longe ? Nul ne peut prétendre au nom d'homme, cet honneur de demain, s'il croit ou feint de croire que damné sera le corps qui se montre. Ces étamines, ces pistils, le don au regard de ces grâces nues, dont on loue la nature qu'elle les ait voulus pour la gloire des fleurs, un dieu pervers ne les aurait donc donnés à sa créature préférée que pour sa contrainte et pour sa chute ? Mais que l'on se rassure ! c'est assez de l'étrange infibulation de ce short pour que les faveurs de l'éternité vous soient rendues... Ah ! pardonnez-moi cette irritation, mais est-il supportable que tout ce grand peuple des hommes, capable de tant d'intelligence et de scepticisme, trempé par tant de millénaires d'insolence et de risque, fort de tant de rire et beau de tant de poésie, soit aujourd'hui cet Achille apeuré cherchant son salut dans la friperie, la cachette et la vergogne des vierges ? La tâche de l'érotisme, la voilà : désaffubler les vivants des camisoles qui les forcent et des vertugadins qui les ridiculisent.

Emmanuelle a un regard indulgent pour le mince jersey que tend la pointe de ses seins. Mais Mario n'en a cure et la rappelle à son devoir :

— J'ignore si l'érotisme est un bien en soi. Ce que je sais, c'est qu'il donne le dégoût de la bêtise et de l'hypocrisie, le désir d'être libre et la force de le devenir. Quand la terre se fait geôle, il est la lime, il est l'échelle, il est le mot. Je ne connais pas de secret qui puisse, mieux que cette *lucidité,* libérer l'homme de ses plus stériles terreurs, lui apporter la chance de s'arracher à la pesanteur hercynienne pour déboucher sur l'espace sans postulat des étoiles. Et, parce que je ne veux pas qu'à l'âge des ailes, les mutilations, les prudences et les artifices des archanthropiens continuent de déterminer vos gestes, je vous adjure de faire parade de votre beauté et de vos sens, afin que ceux qui vous regardent engendrent une lignée moins laide, moins impuissante, moins crédule, moins serve et moins obsédée de simulacres qu'eux-mêmes.

Il s'étend sur le dos, la tête aux pieds d'Emmanuelle.

— Aux humains que les lois trop jeunes de la nature et les lois trop vieilles de la cité menacent de déshumaniser, le défi de votre sexe nu sur cette pierre rendra peut-être l'indocilité et l'amour du danger.

Il se relève :

— Si le rôle de l'intelligence est de connaître la vérité, celui de la morale est de la reconnaître : avec une seule méthode, ouvrir les yeux ; et une seule règle, ne pas mentir. Tâche aisée, semblerait-il. Et pourtant !

Il hausse les épaules :

— Mais patience ! Vous savez ce que disait l'un de vos confrères en mathématiques : La vérité ne triomphe jamais, mais ses adversaires finissent par mourir.

Une vision intérieure paraît soudain l'égayer :

— Qui sait, dit-il avec un sourire, s'il serait quand même prudent de trop attendre ? En un temps où les robots commencent à être mieux vus que les hommes, il nous faut nous hâter de mettre notre corps à l'épreuve et d'en glorifier les pouvoirs, si nous tenons à ce qu'on nous conserve. L'on a déjà observé que boire sans soif et faire l'amour en tout temps était ce qui nous différenciait le mieux des autres bêtes. Je ne serais pas surpris que, d'ici peu, la seule manière de distinguer un être humain d'une machine soit le goût que le premier aura gardé de défier l'ordre sexuel par le désordre de l'érotisme. Ne doutez pas que les androïdes à transistors qui piloteront nos vaisseaux-fusées sauront, un jour, se reproduire par le coït et, vous verrez! y prendront plaisir. Mais tant qu'ils ne mettront pas en question les lois naturelles et le bon sens en préférant se masturber, tant que leurs femelles n'auront pas appris à aimer la saveur de l'orgasme sur le sexe de leurs amantes, nous garderons de l'intérêt.

Emmanuelle en paraît enchantée. Mario se détend avec elle, mais c'est pour peu de temps. Son sujet bientôt le ressaisit :

— L'homme n'a pas seulement besoin de nombres transfinis et de synchrotrons, de cortisone et de cœurs greffés. Certes, il est bon qu'il désarme la malice des métabolismes et mette à son service les mésons et les molécules. Mais, dans un monde où il connaît son facteur rhésus et sait mesurer par quelque solénoïde né de ses techniques la longueur d'onde de ses désirs, il lui reste plus que jamais à découvrir la valeur de vivre.

Une nuance de passion s'ajoute à ses paroles :

— Témoins que la forme de barbarie qui met sa fierté à se nourrir de viande cuite sous sa selle peut coexister, si indécent qu'en soit le spectacle, avec l'embryon dont on change les chromosomes et l'atome dont on altère la structure, veillons à ce que n'échappe pas de nos mains ce précieux fil d'Ariane qui nous garde de nous buter à la cécité des murs et de perdre courage, au milieu de tant de confusion et de délire : la passion de la beauté. Et, donc, l'amour de l'amour puisque l'amour est, en même temps que le pouvoir d'aller de l'avant dans la carrière de l'univers, l'œuvre belle entre les œuvres : l'art fait d'homme, l'art faiseur d'homme, mais aussi l'homme fait art. Qu'art soit l'amour de notre chair prodige éterniseur ! Afin que nous soyons perpétués comme la pierre, comme ces alluvions de l'infini, faites de milliards de gemmes, que charrie à travers les plaines de l'espace la crue des grands fleuves quantiques. Je vous le dis : il n'est pas d'avenir plus grandiose pour les périssables génies solitaires que nous sommes, frappés comme d'une plaie angélique par la fragilité de nos pulsations et de nos cellules, que cette chance que nous avons de léguer, dans le vide indestructible de la matière, ces figures aux bras levés et aux yeux d'astres, que nous aurons sculptées pour notre plaisir et qui seront notre honneur. Ah ! oui, la seule véridique survie de l'homme, sa descendance reconnue, son défi vainqueur de la mort, son *œuvre !* Craignez donc de mourir si vous ne deviez rien laisser qui ne fût plus que vous n'étiez. Mais de quelle hauteur vous vous dressez au-dessus des piétés et des agonies séculaires, si, ce corps menacé de cilices et de suaires, le ciseau de votre vie l'éternise sous les traits du bonheur dans le marbre de la beauté.

Mario ouvre les mains, lève le visage vers le ciel. Sa voix s'étouffe.

— *Avant que s'obscurcisse le soleil,*
Et la lumière et la lune et les étoiles...

Emmanuelle renonce à garder ses genoux prisonniers de ses bras serrés. Elle regarde Mario comme lorsqu'il parlait au bord du khlong. Il continue :

— Oui, à un moment donné, tout a servi. Même le christianisme. Un jour, aux mortels hagards de sacrifices et de magies, à leurs tribus affolées de méfiances et de mépris, un homme est venu dire : aimez-vous ! Vous êtes une unique espèce fraternelle. Il n'y a pas de race élue ; ni d'esclaves ; ni de damnés. Je vous réveille de vos fictions et de vos carnages. Je vous délivre de vos idoles et du chimérique fardeau de vos fautes originelles. Vos prêtres, leurs temples et leurs livres n'ont plus réponse à tout : c'est à vous-mêmes que vous devrez poser des questions, sans ignorer que vous n'aurez jamais de réponse. C'est votre quête sans fin ni cesse qui fonde votre existence et votre liberté. Vous ne serez jugés que sur ce que vous aurez fait... Ce jour-là, le monde a fait un pas en avant. Puis le sens de l'évangile s'est perdu ; et la doctrine de progrès est devenue un grand système de contrainte, où tout élan de vie est péché. Le messie avait servi l'évolution ; son église lui fait obstacle. L'amour, c'est à vous, aujourd'hui, d'en apporter la bonne nouvelle. Un amour qui ne soit pas une offense. Un amour qui libère de la honte, et devant le sacrilège duquel les pharisiens, une fois encore, se voilent la face. Un amour qui démystifie, et cependant gonflé comme une voile du sortilège et du mystère des grands commencements. Un amour qui soit une victoire sur la faiblesse et sur la peur une victoire de la vie. « *Jouis de la vie avec une femme que tu aimes* », s'écrie l'Ecclésiaste. « *Tout ce que ta main peut faire, fais-le avec force, car il n'y a plus ni œuvre, ni intelligence, ni science, ni sagesse dans le séjour des morts où tu iras.* » Le corps est ce qui vaut qu'on pleure d'amour : « *Non, pas le ciel !* conjurait la mourante. *Non, pas le ciel, mais mon amant !* » À l'amour de la mort que clame le dément, la pensée répond qu'elle ne veut croire qu'à la bonté de la vie, à la fête charnelle des vivants : « *Mieux vaut un chien vivant qu'un lion mort...* » Seul le mépris du corps fait le corps périssable, et c'est d'avoir tenu ses lois pour viles qui les a avilies. S'il existe au monde quelque chose de sacré, c'est bien le sexe qui l'incarne. Heureux celui qui, le temps venu de mourir, pourra dire : j'ai misé sur un corps, je n'ai pas perdu ma vie. Emmanuelle, je ne crains pas, je n'ai pas honte de jouer les lendemains du monde sur votre corps.

Mario se recueille. Il repart, d'un ton plus serein :

— Un prêtre ne pouvait oser avancer assez loin, jusqu'à l'Érosphère, vers laquelle la Noosphère n'était qu'une étape. L'érotisme, nom secret de l'évolution, n'est autre que la spiritualisation croissante de la matière. Le cerveau à lui seul ne nous rendrait capables d'atteindre que ce qui est ; il a besoin d'un boute-feu : l'organe créateur de visions plus lointaines que la nature, celui qui nous projette au-dessus, à l'ailleurs de la terre, c'est le sexe. Privé de lui, l'homme serait cloué. Si le cerveau des hommes est tellement plus que le cerveau des anges, et s'il est aussi plus qu'une trame cybernétique, c'est parce qu'il y coule des fleuves de sperme. Le phallus est notre chance : sans lui nous ne serions que des machines aux reins glacés.

Mario redevient, pour un instant, hautain :

— J'espère, toutefois, que, lorsque je vous parle d'organe sexuel et de cerveau, vous savez désormais rendre à chacun d'eux son dû, et ne confondez plus l'art érotique et le simple appétit des sens. Pour le plus grand nombre des hommes, le pouvoir des sens est une richesse gaspillée : l'usage qu'ils en font, un singe un peu doué. en pourrait faire autant. L'érotisme, ce doit être d'abord une organisation de la pensée qui rende les sens dignes de l'homme. Ne vous en laissez pas conter : le vrai visage de l'érotisme, ce n'est pas celui de la lascivité : c'est celui de l'amour.

La voix de Mario sonne soudain comme blessée :

— M'aviez-vous pris pour un maniaque privé de cœur ? C'est la souffrance des hommes qui me fait tant crier ! Je crois que le bonheur est leur raison d'être. Et qu'il est possible. Que vous le trouverez, à moins que votre curiosité et votre courage ne se lassent. Je crois que les hommes peuvent apprendre à vivre en apprenant à changer, dans un univers dont la règle est le changement. Il faut qu'ils se délivrent de l'obsession du passé et renouvellent à temps leurs modes de pensée et leurs lois. Et les plus arriérées, les plus bornées, les plus injustes de toutes sont celles que leur impose l'arithmétique de la pseudo-morale sexuelle, avec ses binômes et ses unités dérisoires, à une époque de la science où l'étude des valeurs isolées fait place à celle des ensembles, ainsi que vous le savez bien, vous qui êtes mathématicienne. Ah! qu'il faut d'héroïsme pour se dépouiller d'habitudes qui ne servent qu'à souffrir! Nous nous disons des êtres moraux et nous ne sommes pas encore convaincus du devoir que nous avons de vivre heureux! Ce n'est pas vrai qu'« il n'y a pas d'amour heureux » : l'amour que je vous enseigne redonne sa chance au bonheur. Il n'est pas un produit de la lassitude ou de la décadence, mais le signe de santé de ceux dont la jeunesse est en avant d'eux. Il est leur expérience d'un monde qui n'est pas encore fait. Ne pleurez pas, Emmanuelle : la joie de demain tend vers votre réalité charnelle ses bras déchirés. La solitude ne peut pas être la vocation éternelle de l'homme : elle n'est sans doute pour lui qu'un stade élémentaire de la connaissance, une maladie infantile de l'esprit, dont il guérira en devenant adulte. Je crois que l'avenir de l'espèce est à l'union plus qu'à l'isolement : union à deux d'abord, puis à trois, à quatre, par groupes qui soient de vraies unités, des ensembles à variables complexes, des esprits à corps multiples. Peut-être ainsi sera surmontée, dans cent millions d'années, cette condition qui, aujourd'hui, ne nous permet de commencer de vivre que « de l'autre côté du désespoir ». La vertu que j'accorde à l'érotisme, c'est bien cela : crever le mur de la solitude. Donner enfin à l'homme le goût de l'homme. Et je suis certain qu'il peut y réussir, qu'il y réussira mieux qu'aucune autre discipline, mieux que toutes les ascèses, que tous les sacrements et que toutes les drogues. Vous comprenez donc que l'exclusive, la jalousie soient pour moi les crimes absolus, des attentats contre l'évolution, nés de l'hypocrite malice des sectes suicidaires que navraient les pouvoirs prodigues de l'espèce. Car s'aimer à plus de deux, ce n'est pas faire injure à l'amour, ni le trahir, ni ce n'est son échec : c'est la porte d'une vie foisonnante, où l'amour multipliera celui qui aime et l'empêchera d'amputer ce qu'il aime. Cet amour dont nous serons un jour capables, ce sera la fin de l'hébétude et de l'ignorance, la fin de l'enfance; le temps de l'humain qui commencera d'être. Un temps de joie non feinte, peut-être. L'amour-propre de nos sexes et de nos seins dorés, la ronde de nos bras dansants, nos folles ailes, les écarts et les sauts de nos jambes sans honte démoderont les tangos lugubres de nos vacances résignées. Une jeunesse sera possible, entre les tombes. Ah! je n'ai pas besoin de me forcer pour croire à cela : c'est ma seule foi!

Les yeux de Mario émeuvent Emmanuelle. Elle le laisse lui dire encore :

— Le monde sera ce que le fera le génie d'invention et la témérité de votre corps. Ma part, à moi, est de vous crier votre chance. Ce sera à ceux qui viendront après de veiller à ce qu'on ne vous déifie ni ne vous adore. Lorsque l'érotisme sera devenu, lui aussi, une religion, avec ses cultes, ses églises, ses évêques et ses diables, son latin et ses tabernacles, ses excommunications, ses indulgences, ses curies et ses justes guerres, quand, à son tour, il prétendra avoir réponse à tout et si la terre, sous sa loi et sous ses bûchers, redevient triste, alors l'homme en saura assez pour être capable d'autres révoltes. Pour l'instant, c'est à vous de renverser les faux dieux, leurs temples désolés et leurs rites sans foi. Emmanuelle, délivrez-nous de notre mal !

Elle le regarde encore un moment, attend. Ses paupières ont un ou deux battements ; elle les baisse enfin, reste sans bouger. Puis, après des minutes qui lui ont paru longues, elle redresse le buste, soulève, avec des gestes ralentis, le bas de son jersey, dégrafe son short, l'aide à glisser vers ses genoux jusqu'à ses chevilles, le repousse du pied, le fait choir dans l'herbe, derrière le mur. Le contact de la pierre, ni froide ni chaude, lisse, dure, contracte ses fesses.

Elle n'objecte rien, lorsque Mario lui demande de s'allonger sur le dos et de faire en sorte que tout le bas de son ventre soit découvert. Pour être mieux offerte, elle laisse retomber ses jambes de chaque côté du parapet : son pubis saille et ses cuisses s'ouvrent, belles du relief de leurs longs fuseaux de muscles à fleur de peau, qu'ambre et ombre tour à tour la fortune changeante du soleil de mousson.

2

L'INVITATION

> *Elle va entrer dans cette petite société de maudits et de bienheureux qui est la seule aristocratie que l'on puisse encore considérer avec un certain respect. Car il n'est pas si facile d'y pénétrer, quoi qu'on pense, dans la « café-société ».*

André Pieyre de Mandiargues,
Le Belvédère.
Les fers, le feu, la nuit de l'âme.

On ne peut la voir commodément de la rue, à cause des arbres. Mais, derrière les fenêtres qui, par-dessus la haie, donnent sur son jardin, elle ne doute pas que ses voisins l'observent. Qui sont-ils ? Elle n'en sait rien, elle ne les a jamais vus. Que doivent-ils ressentir ? Peut-être se masturbent-ils ? Elle se représente leurs mains fiévreuses, — et son clitoris s'érige, durcit, émet jusqu'à ses tempes des ondes pressantes...

La voix de Mario la fait tressaillir.

— Vous arrive-t-il de vous caresser devant vos serviteurs ? l'interroge-t-il.

— Mais oui.

En réalité, Ea seule est sa confidente muette, lorsque Emmanuelle se fait l'amour, le matin, dans son lit ou sous sa douche, ou, après le déjeuner de midi sur une chaise longue, lisant ou écoutant des disques. Ses autres domestiques, du moins à sa connaissance, ne montrent pas autant de curiosité.

— Alors, enchaîne l'invité, soyez gentille : appelez votre boy. Oui, maintenant. Il est si beau !

Emmanuelle sent le cœur lui manquer. Non, cela, elle ne le peut pas ! Il faut que Mario le comprenne... Mais le regard du juge pèse sur elle. On dirait, remarque-t-elle, qu'il fait le compte du temps perdu ! Pour un peu, elle croirait entendre les « tops » fatidiques qui mesurent sa culpabilité. Encore un, un autre : combien de minutes d'éternité, déjà, ont-elles été portées à son débit ? Puisqu'elle sait que, tôt ou tard, elle se conduira comme il le prédit (car ce ne sont pas des ordres qu'il donne, mais en elle qu'il lit, avec à peine un peu d'avance sur sa propre conscience), à quoi bon atermoyer ?

Sans poussez de soupir, elle prononce le nom du boy, peu distinctement, d'abord ; puis le répète, plus fort.

Lorsque apparaît le serviteur aux yeux de chat et à la démarche de jungle, Mario lui fait signe d'approcher, de s'agenouiller tout près d'eux.

— Désirez-vous qu'il vous fasse jouir ? demande-t-il à Emmanuelle.

Elle se mord les lèvres, voudrait avertir que le jeune homme comprend le français, mais Mario, soudain, se met à parler, dans une langue qu'elle n'a jamais entendue. Le garçon lui répond à mi-voix, les yeux baissés, aussi mal à l'aise, semble-t-il, que l'est Emmanuelle. Mario a l'air de lui faire la leçon : elle reconnaît le ton ! Quel beau son rend un cours d'érotologie, en thaï dialectal ! Emmanuelle s'en amuse, malgré la situation. Mais elle sursaute et rechigne lorsque Mario, sans la prévenir, guide jusqu'à sa vulve la main du boy, lui imprimant les mouvements qu'il faut, l'empêchant de se dérober et corrigeant sa gaucherie. Au bout de quelques instants, les doigts intimidés se sont assez désengourdis pour que Mario les laisse poursuivre leur tâche sans son aide.

— Il m'a confessé qu'il vous désirait, dit Mario. Est-il juste que vous le fassiez souffrir ?

Comme elle ne répond pas, il s'enquiert :

— Ou bien craindriez-vous de déroger ?

— Certainement pas ! s'indigne Emmanuelle, furieuse au milieu de son trouble, au point qu'elle trouve encore la force de professer : un homme est un homme !

— Celui-ci a faim et soif de vos seins et de votre ventre, de votre bouche et de votre sexe, de toucher votre corps et d'y pénétrer. Depuis le jour de votre arrivée, il rêvait du moment où il aurait le courage de vous séduire. Mais n'est-ce pas à vous que devait revenir, en cela comme en tout, l'honneur de l'initiative et de la hardiesse ? Auriez-vous toléré que ce cadet se révélât plus conquérant que vous ?

Puis, il suggère, sans rapport apparent :

— Pensez à Anna Maria.

Emmanuelle s'y efforce. Elle ferme les yeux. Mais, avant qu'elle n'ait eu le temps de s'en défendre, c'est la mémoire de Bee qui l'emporte. Peut-être est-ce à cause du parfum des rosiers.

Elle se souvient de la lettre qu'elle a composée la veille pour son amie perdue. Des fragments lui en reviennent : des mots qu'elle sait inutiles, puisque leur destinataire ne les connaîtra jamais.

« *La nouvelle que je viens t'apporter, c'est que le jour du Siam encore une fois pour toi et moi seulement s'est levé. Ce soleil qui lorsqu'il t'éclaire vient m'éveiller, comme un sonneur d'horloge heureux de sa ponctuelle passion. Assez proches l'une de l'autre pour que le ciel nous soit partagé.*

« *Je tends vers toi, qui t'ouvres derrière tant de murs un rêve qui fourmille de ton absence. Je te serre contre moi, ma tendre attendue toute givrée de sommeil, afin que mon souffle mouille tes lèvres.*

« *Mes doigts te rendent des yeux qui voient, des cheveux sans vent, le ressort de tes jambes de soie ; et je recouvre ton visage de son masque d'émail. Je t'ai refaite qui tu es.*

« *Au rythme de ton ombre sur le cadran de ma mémoire, plus fidèle que les saisons, je règle le mouvement de ma vie. Je tourne autour de toi du clair de l'aurore, du bout de l'espace, au pas des heures sur ta trace de pierre ; pourtant je suis une planète sans soleil.*

« *Chaque réveil, je te parlerai, du fond de l'absence, si fragile soit la chance que tu m'entendes. Ces jours privés de toi, je les graverai un à un comme une amoureuse l'écorce des chênes. En sorte que si jamais voyageur s'égare à travers cette forêt des sommeils et des veilles que nous aurons vécus séparées, nos noms entrelacés lui racontent notre légende.*

« *Et d'arbre en arbre je m'acheminerai jusqu'à toi, ma fontaine dans la clairière où je sais qu'à la fin je me reposerai. Je m'allongerai au bord de toi et je me pencherai pour voir mon visage. Je le rafraîchirai de ton eau vive, ma source, après ma longue marche ! Je me désalterai de toi sans que rien ne puisse plus t'écarter de mes lèvres. Le matin, tu me laveras de ma nuit ; le soir, tu seras l'oubli des oublis du jour.*

« *Je tiendrai pour toi la promesse du noir pont qui nous sépare et nous relie, chaque nuit, par-dessus l'eau de l'oubli... »*

En elle s'ordonnent des désirs, des tendresses, des

ovations... Maintenant, peu importe quelle main la plaque, écartelée, sur le rebord de granit, quels yeux la contemplent et quelles oreilles l'entendent de derrière les persiennes : elle n'est plus capable que de fierté.

Le moment suivant, Emmanuelle et Mario sont à nouveau dans le salon.

— Comment voulez-vous votre thé, s'enquiert-elle, avec huit ou quatorze sucres ? Ou en préférez-vous un mètre[1] ?

— Si vous n'en prenez pas ombrage, dit-il, je connais plus humaine ambroisie.

Il la dévisage avec sérénité :

— Venez près de moi, enjoint-il.

Elle s'assied et veut le caresser. Il la retient. Elle reste donc à son côté, heureuse de le regarder, appliquée, aussi, à s'instruire. Qui, mieux que lui-même, sait ce qu'il faut faire pour se diviniser ? Le plaisir glorieux qu'elle-même, en ce moment, sent dans son propre corps est-il différent, se demande-t-elle, du plaisir que connaissent les hommes ? Pourquoi le serait-il ? Une verge imaginée gonfle et pulse à la racine de son ventre, durcit, s'épanouit entre ses doigts. Elle défaille de suivre la sève qui, sous l'impulsion de sa main virile, monte le long de son sexe dressé et se prépare à jaillir d'elle. Pressée contre cet autre, en qui elle aime en cet instant son propre sexe, elle jouit en même temps que lui, se vide de nuits et de nuits de semence ignorée.

Ses lèvres s'entrouvrent. Qui, d'elle ou de lui, les désaltérera ?

1. Voir *Emmanuelle,* 1re partie, « La Leçon d'Homme ».

Mario lui tend un verre à long pied fin. Communion savoureuse! Découverte de soi dans la substance venue de l'autre. Douces gorgées gourmandes de leur propre matière, amoureuses d'un corps plus que par soi consommé...

— Maintenant, soyez femme! dit-il.

Elle proteste. Elle veut être homme pour lui, comme elle est femme pour les femmes. Elle le lui dit, lui demande s'il peut l'aimer comme un garçon.

— Quel garçon jamais pourra se caresser devant moi comme une femme, même s'il brûle de me plaire? remontre-t-il. Ne m'offrez pas ce que je peux recevoir d'autres que vous.

Emmanuelle cesse de contester, retire son jersey, sourit à sa nudité superbe. Ses mains glissent sur toute la longueur de ce corps qu'elle aime, montent vers ses seins, les soulèvent, en pressent les pointes, les font saillir, les rendent sensibles comme des clitoris, puis, brusquement, les délaissent, longent la courbure de sa poitrine, comme pour calmer le spasme amorcé, glissent vers ses hanches, repartent très lentement, jusqu'au creux des aisselles, retrouvent, au retour, ses seins implorants et les récompensent de leur attente.

Ses lèvres quêtent, dans le vide, des lèvres, des seins ou un sexe à aimer. Mais c'est son sexe, à elle, que sa main trouve: et le caprice de l'instant guide ses doigts vers une ouverture minuscule, de la taille d'une piqûre dans un satin de chair rose. Ils tournent sur ce point faible, le vrillent, le pressent sans relâche, l'irritent de frôlements, de tremblements, d'imperceptibles coups d'ongles.

Les yeux maintenant clos, les reins durs, les jambes en V ancrées par les plantes de ses pieds nus, elle offre le tableau d'une surprenante crucifixion, noir, ocre et rose dans le crépuscule commençant.

Sa propre douceur la comble, lui tire des sanglots de tendresse et des plaintes. Elle pleure de se faire languir et puise de nouvelles forces dans cette mortification délectable. Vainement tente-t-elle de prolonger le sursis et faire grâce à cette partie d'elle où elle s'est fondue tout entière. Mais elle ne peut pas ; elle doit continuer, aller jusqu'au bout, jusqu'à cette limite que, chaque fois, elle croit être la dernière, ne pouvoir être dépassée ni, même, ne devoir plus jamais être atteinte...

Sa main se creuse en coquillage autour de son sexe, comme pour le protéger et en contenir la violence, lorsque la tourmente du plaisir emporte Emmanuelle, dans un grand déchirement de ciel et de terre, et l'abat, comme un grand oiseau nu, sur la poitrine de son spectateur.

Les mains de Mario se joignent aux siennes et elle ne sait plus, désormais, si c'est à elle-même ou à lui qu'elle doit ce bonheur infini.

Pourtant, il l'écarte de lui et la dispose à plat ventre, le visage écrasé sur la soie rèche de la banquette. La marée nocturne de ses cheveux noie ses épaules, déferle plus bas que la cambrure de ses reins. Ses fesses saillent, creusées par le frisson des muscles.

— Je suis venu en messager royal, dit Mario. Il est temps que j'accomplisse ma mission.

Puis il énonce, sur le ton qui convient au formalisme de l'occasion :

— Son Altesse Sérénissime le prince Orme Séna Orméaséna souhaite que vous lui fassiez l'honneur de votre présence à une soirée qu'il offre après-demain en son palais de Maligâth. Si vous le voulez bien, je vous y conduirai.

— Ce prince me connaît-il donc ? tente de s'intéresser Emmanuelle, passablement désorientée.

— Il ne vous a pas encore été présenté et c'est

pourquoi il ne s'est pas permis de vous apporter cette invitation en personne. Toutefois, je me suis fait fort d'obtenir de vous la grâce d'une acceptation.

— Et Jean ?

— Votre mari ? On ne s'attend pas à ce qu'il vous accompagne.

— Alors... s'insurge-t-elle.

Mais Mario l'interrompt :

— Chère, il ne convient pas que je vous laisse plus longtemps dans l'ignorance de ce que sera la réunion à laquelle vous êtes priée. Vous y mangerez et vous y boirez. Vous y danserez. Mais, surtout, vous aurez l'occasion d'y offrir votre corps à tous ceux qui se montreront dignes de lui faire honneur. Ce que vous accomplirez là vous aidera à prendre la mesure de vos pouvoirs, pourvu, comme je n'en doute pas, que la qualité de vos commensaux soit à la hauteur de votre génie.

— En termes plus simples, c'est à une orgie que vous voulez m'entraîner ?

— Ce mot d'orgie me déplaît, avec ce qu'il évoque aujourd'hui de désordre et de grossièreté. Je préfère imaginer qu'il s'agira d'un festival de la volupté. Sachez aussi qu'à moins que vous ne l'exigiez, aucune violence ne vous sera faite. Au risque de décevoir certaines écoles de pensée, notre hôte ne goûte chez la femme que l'érotisme volontaire.

Emmanuelle ne réfléchit qu'un bref instant.

— Après cette nuit-là, je pense que je serai plus proche de votre idéal, n'est-ce pas ?

Et, avant qu'il ait pu répondre, elle ajoute :

— Je suis prête à tenter l'expérience.

Elle ne se sent, malgré tout, pas très rassurée.

— Que vais-je expliquer à Jean ?

— Je croyais que vous préfériez ne rien lui dire ?

— Il ne va tout de même pas me laisser passer

toutes ces nuits dehors sans s'inquiéter de savoir où je vais et comment je me distrais.

— Il finira bien par le deviner.

— Et alors?...

— Alors, vous saurez si vous avez parié juste.

— Moi? Ai-je parié? Sur quoi?

— Sur son amour.

— Je ne l'ai jamais mis en doute!

— Mais l'amour que je vous ai dit...

Emmanuelle se souvenait des thèses de Mario, dans sa maison baignée d'eau noire. Elle ne savait toujours pas si elle devait y croire.

— Faites donc l'épreuve! propose Mario.

— Et si je découvre que Jean ne m'aime pas de la manière que vous pensez?

— Alors, vous aurez tout perdu : les chances de l'intelligence et celles de l'amour.

— Moi, je l'aime, pensa-t-elle à voix haute. Je ne veux ni perdre Jean ni qu'il me perde.

— Vous paraît-il plus sûr de reculer?

— Ni sûr ni possible, admit-elle. Et ce n'est pas seulement Jean et moi que je veux, c'est davantage.

— Vous n'êtes pas ni ne serez jamais, dorénavant, une possession, une terre clôturée. Vous n'avez plus d'autre choix que d'être pour votre mari une personne.

— Et pour les autres hommes qui me font l'amour; que suis-je?

— Cherchez d'abord ce qu'ils sont pour vous, et vous saurez ce que vous leur êtes. Croyez-vous qu'ils soient différents de vous?

— Je voudrais qu'ils ne le soient pas.

— Lorsque vous vous donnez à eux, ne pensez-vous qu'à votre plaisir?

— J'aime aussi beaucoup les faire jouir.

— Que les hommes aient envie de vous ne

contrevient donc pas à votre liberté. Leur désir vous offense-t-il ?

— Il me rend heureuse.

— Cessez-vous de l'être, s'ils vous demandent de contenter ce désir ?

— Vous connaissez la réponse.

— C'est à eux que vous devez la donner. Eux ne sont jamais sûrs. Ils ne sauront ce que vous êtes pour eux que lorsqu'ils cesseront de vous craindre. Alors seulement, votre vœu sera exaucé : vos amants seront indiscernables de vous. C'est ce qu'ils souhaitent eux-mêmes sans le savoir, depuis l'aurore des âges.

— Je dois donc n'en décevoir aucun ?

— Aucun. Un homme n'a de sens que lorsqu'il est en vous.

Elle sourit. Il ajoute :

— Et puisque votre propre sens dépend de celui de tous...

Emmanuelle reste un moment secrète. Puis elle pose une dernière question :

— Et si... je deviens enceinte ? Je ne saurai même pas de qui sera mon enfant !

Mario le confirme :

— C'est certain. De cela aussi, vous devriez comprendre la portée réelle.

Emmanuelle ne le dit pas à Mario, mais elle ne trouvait pas que cette perspective fût la plus difficile à admettre. Jean et elle avaient été d'accord pour ne pas avoir d'enfant, jusqu'au moment où il l'avait laissée seule à Paris. Mais elle ne prenait plus de précautions depuis qu'elle était à Bangkok. Elle n'en avait pas pris, non plus, dans l'avion, ni avec le *sam-lo*. Chose curieuse, elle n'éprouvait pas d'appréhension sérieuse à l'idée de devoir, un jour, annoncer à Jean qu'elle lui donnerait peut-être l'enfant d'un autre. Sans pouvoir s'expliquer pourquoi, elle était convaincue qu'il accueillerait la nouvelle avec compréhension et apprécierait l'événement à sa juste valeur.

— Que faites-vous de votre séjour chez nous? demanda-t-elle, ce soir-là, à Christopher. Jean, pourquoi ne présentes-tu pas ton ami à de jolies Siamoises? Ou ne l'emmènes-tu pas dans des endroits amusants?

— Bonne idée, dit Jean. Allons voir un striptease chinois.

— Quelle horreur! se récria Christopher.

Le respect humain du jeune homme enchanta Emmanuelle:

— Comment fait Christopher pour être si vertueux? questionna-t-elle.

— Il ne l'est pas. Il est seulement hypocrite.

L'Anglais grogna. Son ami insista:

— Tu devrais voir dans quel état il se met quand il rencontre des petites filles.

— Des petites filles! s'enthousiasma Emmanuelle. Petites comment?

— Comme ça.

La main de Jean se fixa à un mètre du sol. Sa femme fit la moue:

— Trop petit, trancha-t-elle.

Christopher se décida à rire avec eux.

Après dîner, ils allèrent, par le labyrinthe des quartiers chinois, jusqu'à un théâtre qui avait l'aspect d'une gare de marchandises. Des centaines de spectateurs, luisant de sueur et d'excitation, s'égosillaient, la plupart debout, tournés vers une estrade où paradait une rangée d'adolescentes nues. Pas tout à fait nues, pourtant, observèrent les arrivants, en s'installant sur les chaises de fer, libres parce que chères, qu'on leur offrit au premier rang : une cordelette qui leur faisait le tour des hanches tenait suspendu, d'un pli de l'aine à l'autre, un carré de toile cirée ou d'une matière plastique minable, grand comme une carte à jouer. De deux doigts, les artistes soulevaient en cadence cet accessoire pour découvrir des bas-ventres duveteux dont l'apparition fugitive arrachait au public des clameurs de joie. Le spectacle se prolongea une bonne demi-heure, sans variante et sans que les aficionados parussent s'en lasser. Les trois visiteurs européens se distrayaient en discutant les charmes respectifs des sujets.

Emmanuelle déclara préférer « la grande fille sans seins ». Elle fut seule de son avis. Jean et elle décrivirent ensuite avec force détails le goût commun qu'ils éprouvaient pour la fente longue et profonde, bordée de lèvres charnues et douces d'apparence, que révélait par éclipses le pubis de la jouvencelle placée juste devant eux.

— Je n'avais encore jamais entendu un mari et une femme avoir une conversation pareille, confia Christopher, moins sévère qu'épaté.

— Je voudrais bien faire l'amour avec elle, soupira Emmanuelle pour achever de le désarçonner.

« Elle tient à mettre ma décence à l'épreuve, réfléchit-il. Elle va voir ! » Les jambes d'Emmanuelle, nues contre les siennes, le remuaient davantage que les appas des Chinoises.

— Moi, dit-il, je préférerais le faire avec vous.

« Pourvu qu'elle pense que je blague ! s'inquiéta-t-il aussitôt, à part soi. J'espère que je n'ai pas été trop loin. »

— Christopher se dessale, commenta Jean.

L'Anglais eut le souffle coupé. Il ne s'était pas attendu à ce que sa voix portât jusqu'à son hôte,

346

dans le vacarme de la salle. Il se sentit goujat, contrit et misérable.

D'un seul coup, Emmanuelle eut une folle envie de se donner à lui. « Je le ferai cette nuit même », s'emballa-t-elle. Avant de pouvoir contrôler son impulsion, elle se pencha vers son mari, lui parla dans l'oreille, d'une voix câline :

— Chéri ! Est-ce que je peux me donner à Christopher ?

— Oui, dit Jean.

Elle se serra avec passion contre lui, chercha ses lèvres, plus heureuse qu'elle ne l'avait jamais été depuis qu'elle l'aimait.

3

COMBAT D'ÈVE

Ô mon âme, n'aspire pas à la vie immortelle, mais épuise le champ du possible.

PINDARE.

Notre Père qui êtes aux cieux
Restez-y
Et nous nous resterons sur la terre
Qui est quelquefois si jolie
Avec les saisons
Avec les années
Avec les jolies filles...

Jacques PRÉVERT, *Paroles.*

Ariane appelle Emmanuelle au téléphone, le lendemain, pour la prier de venir chez elle. L'objet de ce rendez-vous est aisé à deviner. Emmanuelle refuse, prétextant des courses urgentes dont Jean l'a chargée. Lorsqu'elle a raccroché, elle se demande pourquoi elle s'est ainsi dérobée. Est-ce qu'Ariane vraiment ne la tente pas ? Au seul souvenir de l'ascendant que la jeune comtesse a exercé sur elle, Emmanuelle sent pourtant son corps s'amollir. Sans aucun doute, elle aime ses caresses. Alors, est-ce fidélité à Bee ? Elle n'en est plus aussi sûre... Son chagrin déjà commence à prendre forme mythique et le cœur lui fait moins mal que l'orgueil. Emmanuelle en conclut, un peu facilement, que son indifférence du moment à l'endroit d'Ariane doit être la contrepartie de la curiosité et de l'attirance qu'elle éprouve depuis la veille pour la jeune fille entrevue à la porte de son jardin, et dont Mario n'a pas daigné éclaircir réellement le mystère.

« Anna Maria Serguine », avait-il dit. Mais qui était-elle ? Si différente... Et il avait promis qu'elle viendrait rendre visite à Emmanuelle cet après-midi. Elle arriva, en effet, vers trois heures, dans sa voiture invraisemblable.

Emmanuelle fronce les sourcils de contrariété : impossible de voir les jambes de l'« archange », par la faute de ce pantalon... Ses seins non plus, à cause de ce chemisier, qui est loin de s'ouvrir aussi bas que celui d'Emmanuelle. Pour une fois, elle reconnaît cependant qu'une silhouette tout habillée peut être aussi séduisante qu'un nu.

Elle restait à contempler sa visiteuse, sans chercher à déguiser son intérêt : Anna Maria ne put se retenir de rire. Emmanuelle, confuse, baissa la tête.

— Je suis mal élevée ? questionna-t-elle.

— Non, franche.

Qu'est-ce qu'Anna Maria savait d'elle ? Après tout, il n'y avait qu'à le lui demander :

— Pourquoi ? releva-t-elle. Mario vous a-t-il dit que j'aimais les filles ?

Pourtant, en ce moment, elle ne désirait pas celle-ci. Elle était intimidée, elle d'ordinaire si à l'aise, si entreprenante avec les plus jolies. L'invitée, heureusement, répondit à sa question avec un naturel qui lui rendit le sourire.

— Mais oui. Et aussi le reste. Vous êtes à croquer !

— Qu'a-t-il pu vous raconter, je me le demande bien ?

— Ce ne sont pas les sujets qui manquent, non ? Vos polissonneries dans les bouges secrets de la ville, vos exhibitions folâtres, vos ébats à trois, que sais-je encore, moi ? J'en ai sûrement déjà oublié les trois quarts.

Emmanuelle ne s'attendait tout de même pas à ce que Mario pût être aussi indiscret. Elle lui en voulut.

— Et que pensez-vous de tout cela ? questionna-t-elle, le visage refermé.

— Il y a longtemps que je sais à quoi m'en tenir sur mon beau cousin.

Emmanuelle nota que sa visiteuse avait éludé avec tact de faire connaître son jugement sur sa conduite à elle. Mais elle n'avait pas l'intention de profiter de cette délicatesse : peut-être par un rien de masochisme.

— Et moi, est-ce que vous trouvez convenable que je... par exemple, que je trompe mon mari ?

— Pas convenable du tout.

Le ton enjoué et le sourire affectueux d'Anna Maria humanisaient cette condamnation.

— J'espère que vous en avez fait honte à Mario, ironisa Emmanuelle.

— Non. Ce n'est pas à cause de lui que vous vous dévergondez.

— Ah ? Alors, à cause de qui ?

— À cause de vous-même, bien sûr. Parce que vous aimez ça.

Emmanuelle marqua le coup. Elle plaida, quand même, pour le principe :

— Mario et ses théories y sont aussi un peu pour quelque chose.

Anna Maria rit encore, d'un rire plein de clarté,

qui faisait plaisir. Elles s'étaient assises à califourchon sur un petit banc de bois sous un gigantesque tamarinier, contre la force fraîche duquel la rage du soleil d'août ne pouvait rien. Elles se faisaient face, toutes deux penchées en avant, prenant appui sur leurs bras tendus, Anna Maria vêtue de bleu, Emmanuelle n'ayant rien qu'un minuscule slip, qu'on entrevoyait lorsqu'elle soulevait une jambe, sous le mince pull-over couleur citron, où se dessinaient, en relief et sombres, les bouts de ses seins. Des mèches épaisses tombaient sur ses yeux et ses joues : elle les secouait avec des soubresauts de pouliche, ou bien les accrochait d'un coup de dent et pendant quelques secondes, les suçotait pensivement, les sourcils froncés, les lèvres humides. Elle détaillait de nouveau Anna Maria du regard, sans y mettre plus de façons que tout à l'heure. Elle la trouvait inimaginablement belle : plus qu'Ariane et son parterre de jolies filles quasi nues du cercle sportif ; plus que Marie-Anne, ses nattes de lynx et ses yeux de fée. Plus que Bee... La conscience d'Emmanuelle souffrit d'une brève piqûre. Elle tenta de se justifier à ses propres yeux : toutes celles-ci, même Bee, s'expliqua-t-elle, étaient terrestres ; Anna Maria, pas. C'était clair ! Venue d'une autre planète, sans qu'on le sache... Son imagination vagabonda un moment à travers les galaxies : à la pensée de ce que l'univers devait garder pour soi d'autre beauté, par-delà l'abîme noir des nébuleuses, elle eut mal au cœur. La voix amusée d'Anna Maria la ramena sur terre — où les occasions, après tout, se dit-elle, ne manquaient déjà pas !

— Les théories de Mario, déclarait la jeune fille, en réponse à la dernière phrase d'Emmanuelle, je les connais et, qui plus est, je les approuve.

Elle savoura la surprise d'Emmanuelle et poursuivit avec entrain :

— Je crois, tout comme lui, que l'homme doit se « dénaturer » : s'opposer à la nature, la dépasser, ne plus en être. La voix de la nature, c'est la voix du péché.

— Voilà une expression que je n'ai jamais entendue dans la bouche de Mario, s'esclaffa Emmanuelle.

Anna Maria eut une moue de tolérance.

— Ce garçon a très peur des mots, n'avez-vous pas remarqué ? Il souffre de toutes sortes de pudeurs. C'est un aristocrate, vous comprenez.

Elles rirent toutes deux d'un cœur égal.

— Mais, vous-même, vous êtes tout aussi titrée, je suppose ? observa Emmanuelle.

— Les bancs des Beaux-Arts en ont décomplexé de plus nobles que moi !

— Ah ! Où étiez-vous : à Rome ?

— Mais non ! À Paris.

— Et Mario qui essayait de me faire croire que vous étiez une prude.

— Prude ? Ça aussi, si je l'avais été, on me l'aurait vite fait passer, dans les ateliers de la chère école.

— Je vous imaginais même capable des pires horreurs : virginité, chasteté, moralité, religion !

— Hé ! hé ! se divertit Anna Maria. Pas si mal deviné : je suis en effet pucelle, continente, plutôt pointilleuse en matière de morale et tout ce qu'il y a de plus faraude de ma condition d'enfant de Dieu et de l'Église.

Elle se régala de la mine dégoûtée d'Emmanuelle.

— Je vous ai dit que vos débordements ne m'effarouchaient pas, je ne vous ai pas dit que j'étais de votre bord, expliqua-t-elle. Je trouve même, au contraire, que c'est tout à fait triste de vivre de pareille manière. Cela me fait le même effet que la nature : elle ne me choque pas, mais je suis contre.

— Quelle genre de fille êtes-vous ? interrogea Emmanuelle, pas très aimable. Ce qui est bête, c'est que vous soyez si belle.

Anna Maria sourit gentiment.

— Merci, dit-elle. Vous n'êtes pas mal non plus.

Emmanuelle soupira. Elle se sentait loin de la situation à laquelle elle était accoutumée, où l'admiration réciproque conduisait logiquement à l'enlacement des corps, lèvres contre lèvres, seins contre seins, jambes mêlées. Anna Maria eut l'air de compatir :

— Cela ne vous paraît pas bienséant qu'une belle fille croie en Dieu ? s'enquit-elle.

— En effet, cela me paraît plutôt obscène. Contre nature.

— C'est ce que je disais ! applaudit Anna Maria. Fabuleusement contre nature ! Et c'est ce qui est bien. Même quand cela m'embête. Parce que, moi aussi, j'aimerais assez, comme tout le monde, m'offrir de temps en temps une petite récréation de plaisir nature. Je ne suis pas née pur esprit.

— Vous voulez dire que vous êtes sensuelle ?

— Est-ce que j'ai l'air frigide ?

Emmanuelle ne se laissa pas influencer.

— Je ne sais pas.

Elle hésita, ajouta :

— Mais alors, comment faites-vous ?

— Je me retiens.

Emmanuelle fit la grimace.

— Vous ne vous faites même pas l'amour à vous-même ?

Anna Maria ne montra aucune gêne :

— Cela m'arrive ! Mais ça me consterne.

— Pourquoi ?

Emmanuelle était indignée.

— Parce que c'est mal. Et chaque fois que je cède à la tentation, je le regrette de toutes mes forces. En comparaison de mes remords, le plaisir que j'ai eu ne vaut pas le coup. C'est justement ce qui est odieux, dans la nature : elle vous prend au piège, vous appâte avec du chiqué. Un éblouissement, une illusion, un soupir : peut-on jouir de ce qu'on doit si tôt perdre ? Peut-on vraiment s'y attacher ? Et est-ce la peine de sacrifier pour cela tout le reste ?

— Quel reste ?

— Ce qui fait de l'homme autre chose qu'un animal. Appelez-le comme vous voudrez : l'esprit, l'âme, l'espérance.

— Mais ce n'est pas la même chose ! protesta Emmanuelle. Je n'ai pas du tout envie de sacrifier mon esprit. Par contre, mon âme !... Quant à l'espérance, j'en ai plein.

— Quelle espérance mérite ce nom, à part celle de voir Dieu ? Si vous ne croyez pas à la vie éternelle, alors vous êtes désespérée.

— Je crois à la vie tout court. C'est déjà assez bien. Et je ne suis pas du tout désespérée. Je suis juste le contraire, même : je suis heureuse. Aucun remords, à moi, ne me gâte mes journées. Je ne refuse pas de songer à mon âme parce que j'aime jouir. Je jouis de ma vie parce qu'elle est tout ce que je suis.

— Pourquoi vous entêtez-vous à confondre la vie avec les sensations de votre corps ? Je m'émerveille autant que vous du bonheur et de la beauté, mais, le vrai plaisir, ce n'est pas celui du corps. C'est autre chose que ces battements accélérés d'un cœur animal. Et notre vie, à nous, ce n'est pas la même chose que la vie des fleurs. C'est tellement plus beau. Notre vie a déjà quitté la nature, elle en a décollé, elle vole loin de la terre. Elle est ce qui nous sauve de l'univers, où il n'y a partout que la mort. Notre sort est de durer plus que la matière. L'évolution qui a fait l'homme, ç'a été le passage de la douceur de la chair à la douceur de l'âme.

— Je veux bien, dit Emmanuelle, mais il suffit d'appeler cela conscience, raison, poésie. Et ce n'est pas le contraire du corps. Quand je jouis, c'est mon esprit qui jouit de mon corps : ce n'est pas mon corps qui retourne à la bête. Vous voulez qu'il ne jouisse que de lui-même : pourquoi ? La vie est douce tout entière, esprit et chair. D'ailleurs, est-ce deux choses différentes ? Et vous, ne voulez pas que l'on jouisse en ce monde : alors où ? Sera-ce mieux ailleurs ? Cela n'a pas de sens, d'aller chercher un autre monde pour loger une « âme » qui, justement, nous rend maîtres de celui-ci.

— Ce n'est pas un autre monde, dit Anna Maria.

Emmanuelle la toisa, n'en croyant pas ses oreilles.

— Vivre éternellement, reprit l'invitée, cela ne vous tente donc pas ?

— Oh ! si. Je voudrais que la vie soit éternelle ! Mais pas comme vous voulez dire. Pas dans votre paradis. Je ne voudrais pas vivre d'une vie qui se soit envolée de la terre. La seule immortalité que je voudrais connaître, ce serait de vivre toujours comme je suis. Ne pas vieillir. Ne pas enlaidir. Ne pas mourir. Vivre est si beau : c'est le seul miracle. La terre qui nous a faits vivants, elle qui aurait pu nous laisser froids comme des pierres, c'est affreux de devoir la quitter. Que du moins ce soit malgré nous, que ce ne soit pas de notre faute ! Pourquoi rêvez-vous de la fuir ?

— Je ne suis pas sûre que la terre soit aussi belle que vous la voyez. On y trompe, on y tue, on y a froid, faim, mal... Il y a plus de souffrance et de laideur que de beauté et de joie.

— Oh ! je ne suis pas si sotte : je le sais aussi. Mais c'est pourquoi je voudrais que les hommes mettent toutes leurs forces, tout leur savoir, tous leurs rêves, à aider la terre, plutôt que de se résigner à son malheur en se racontant qu'ils seront consolés ailleurs. Le mal qu'ils se donnent à inventer Dieu, et l'amour, le courage qu'il leur faut pour observer ses lois, s'ils les employaient à aimer la terre, à la faire si belle, si heureuse que nul ne voudrait plus la perdre, alors, peut-être, la vie pourrait y être bonne pour tous.

Il lui semblait qu'elle n'avait jamais fait un si long discours. Les yeux d'Anna Maria la brûlaient.

— Emmanuelle, dit la jeune fille, vous qui savez si bien que faire de votre vie, que ferez-vous de votre mort ?

Emmanuelle resta un moment muette, comme si elle avait reçu un coup. Puis, elle cria presque :

— Ah ! rien. Mais pourquoi vous en souciez-vous ? Je sais : les chrétiens ne rêvent que de mourir.

— Mais non ! Ce qu'ils veulent, c'est donner un sens à la mort.

Emmanuelle haussa les épaules. Mourir était l'absurdité suprême, l'incompréhensible injustice, le malheur sans recours. La mort n'avait pas de sens. Elle détestait Anna Maria pour l'intérêt qu'elle portait à ce qui serait un jour l'abolition absolue d'Emmanuelle, le non-Emmanuelle ; pire même : l'anti-Emmanuelle, le contraire de ce qui est. Elle dit d'une voix hachée, qu'elle-même reconnaissait à peine dans sa gorge serrée et sur ses lèvres, les yeux soudain brillants de larmes :

— Inquiétez-vous plutôt de ma vie. Quand quelque chose sera arrivé après quoi tout sera fini, que je ne pourrai plus, jamais plus, voir ce monde rempli de couleurs et d'étoiles ; que je ne saurai plus ce que les autres y trouveront ; quand tout ce qui sera beau après moi ne le sera plus pour moi, alors ce sera trop tard pour vous intéresser à moi, m'aimer, vouloir me connaître. Moi, moi, qui ne serai plus vivante, je ne saurai plus que l'on m'aime, je ne verrai plus rien, je n'entendrai plus, je ne sentirai plus. Je vous en supplie, n'attendez pas que je sois morte ! Je ne veux pas être quelqu'un dont on découvre après coup qu'il était né pour vivre, je ne veux pas qu'on fasse de moi une légende ! J'ai déjà bien assez de peine quand je pense qu'il y aura plus tard tant de jours si beaux, plus beaux encore que les nôtres, quand des siècles et des siècles seront passés et que l'on sera réveillé par d'autres soleils, moi qui peut-être serai morte avant d'être vieille, en pleurant de tout mon cœur parce que, ce monde que j'espérais, j'aurai été forcée de le quitter avant même qu'il soit venu... Je suis si sûre !... Je voudrais tant partager avec tous ce monde où toutes les merveilles seront possibles. Mais c'est vrai : je mourrai. Je ne connaîtrai jamais ce que j'aurai attendu. Je serai dépouillée de la seule chose qui compte. Les choses existeront sans moi. Rien ne me consolera : même s'il y avait un Dieu, un autre monde, je ne les voudrais pas ! Je ne veux rien en échange de ma terre et de ma vie : je perdrai tout, je le sais bien. Mais, du moins, je ne l'aurai pas troqué contre une pension, je n'aurai pas offert ma terre en gage pour une extase et un asile ! Je ne veux pas de sécurité, pas de retraite. Quand on me volera ma vie, oui, je n'aurai plus rien, et je sangloterai, je crierai de chagrin, que tout le monde le sache bien ! Mais du chagrin de ne devoir plus vivre. Pas du regret d'avoir vécu. Ni du remords de n'avoir vécu que pour ma terre, qu'il me faudra cesser de voir au moment où je l'aimais le plus... Ma terre que je voudrais toucher encore. Rester ici. Nulle part ailleurs. Avec les hommes. Pas avec Dieu !

Emmanuelle ne regardait plus Anna Maria, mais un point à travers les branches, loin d'elle. Elle se retourna tout d'un coup vers sa visiteuse, la fixa au fond des yeux, et sa voix eut une amertume qui ne lui était pas habituelle :

— La mort ? Votre Dieu ne peut savoir ce qu'elle est, lui qui ne meurt pas. Ni les morts, qui ne peuvent plus rien savoir. Il n'y a que nous, les vivants, qui sachions ce que c'est que la mort.

— Votre cousine m'ennuie, se plaint Emmanuelle à Mario, ce soir-là, au téléphone. Je n'ai pas envie de passer mon temps en discussions théologiques.

— Vous avez, en effet, mieux à faire.

— Elle n'a de passion que pour l'au-delà.

— Rappelez-lui ce que Goethe savait : que l'esprit du réel est le véritable idéal.

— Vous devriez le lui dire vous-même. Pourquoi ne lui réservez-vous pas quelques-uns de vos adages, au lieu de me les prodiguer ?

— Auriez-vous, d'aventure, déjà oublié que la rédemption d'Anna Maria est *votre* devoir ?

— Comment voulez-vous que je m'y prenne ? Je n'ai jamais séduit de visitandine.

— Cela a son piquant.

— Pas pour moi. Je suis une fille toute simple. J'aime ce qui est facile.

— Mais vous aimez aussi Anna Maria.

Emmanuelle ne répond pas. En toute sincérité, elle n'en sait rien. Elle pousse un soupir qui se transmet par l'appareil.

— Vous serez payée de votre force d'âme, prophétise Mario, d'un ton réconfortant.

— Son nom... commence Emmanuelle.

— Ne vous l'ai-je pas dit ?

— Si. Justement, il m'intrigue. Il a l'air d'une version slave du vôtre. N'est-elle pas italienne ?

— Elle l'est. Toutefois, mes ancêtres ont buissonné sans tenir grand compte des frontières. Le bourgeon Anna Maria est éclos en terre toscane sur un rameau grand-russien poussé sur une tige alexandrine issue d'une bouture crétoise greffée à Byzance.

— Bon, bon ! Je m'en rapporte.

— L'histoire ne connaîtra que la jardinière.

— Je n'ai pas envie de tomber une fois de plus amoureuse.

— Alors, distrayez-vous. Faites des frasques.

— J'ai essayé hier soir.

— Racontez.

Emmanuelle décrit la danse des carrés de plastique.

— Après cela, une assez laide créature s'est livrée à des exercices savants. Elle a introduit dans son vagin un œuf dur et il en est ressorti en tranches. Une banane a été traitée de même. Après quoi, elle a placé un cigare allumé entre les lèvres de son sexe, et elle en a ressoufflé la fumée, en faisant des ronds. Enfin, elle a enfoncé là un pinceau chinois et a écrit, de haut en bas, tout un poème sur un rouleau de soie, en beaux caractères bien léchés.

— Banal, dit Mario. On en peut voir faire autant même à Rome.

— Un Hindou en turban est venu ensuite, avec un immense pénis qui pointait hors de son *dhoti*. Il y a accroché toutes sortes de choses lourdes, sans qu'il plie.

— Tout mâle bien né devrait faire aussi bien.

Quelle récompense a-t-il offerte au membre inflexible ?

— Je ne sais pas : il l'a remmené dans l'état où il l'avait présenté.

— Suspect. L'organe était peut-être de prothèse. Ensuite ?

— Une jeune fille est apparue, dans des voiles transparents. Nous sommes restés ébahis par sa beauté. Elle a tiré d'un panier un serpent long de deux mètres, aux écailles couleur d'ivoire, aussi splendide qu'elle. On n'en découvre aux Indes qu'un par siècle, paraît-il. Elle a dansé avec lui, l'enroulant autour de ses bras, de son cou, de sa taille. Elle s'est déshabillée pièce par pièce ; le serpent s'est lové entre ses seins, les a entourés de ses anneaux, en a excité les pointes de sa langue. Il l'a embrassée sur la bouche, sur les yeux : elle semblait si amoureuse que j'en étais presque jalouse. Elle a fait pénétrer la tête du serpent dans sa bouche, lentement, en la suçant, et elle l'a gardée ainsi un grand moment, les yeux fermés. On aurait dit qu'elle le buvait. Puis elle a dégrafé la ceinture dorée qui retenait son dernier voile sur ses hanches et elle est apparue toute nue. Le python, aussitôt, a descendu le long de son ventre, a passé entre ses jambes, remonté entre ses fesses, est revenu autour de sa taille, a replongé vers son sexe. Sa langue fourchue a léché son clitoris à coups si rapides qu'on n'en voyait que la trace dans l'air, comme celle d'une hélice d'avion. Sa maîtresse gémissait de plaisir. On lui a apporté des coussins et elle s'est couchée sur le dos, ses jambes ouvertes juste devant nous : je pouvais voir ses lèvres toutes roses, jolies comme un coquillage.

— Et le serpent ?

— Il est entré en elle : il s'est servi de sa tête

comme d'un phallus, il l'a faite disparaître tout entière : je me demande comment il respirait.

— Il n'a introduit que sa tête ?

— Non. Un grand morceau de son corps a suivi. On voyait bouger ses écailles, une onde courait tout le long. Peut-être qu'il la léchait à l'intérieur, avec sa langue qui vibre.

— Était-il gros ?

— Plus gros qu'un sexe d'homme. À peu près comme mon poignet. Mais sa tête était pointue : elle n'a pas eu de peine à s'enfoncer.

— Que s'est-il passé ?

— La fille a pris le corps du python blanc dans ses mains, elle l'a tiré jusqu'à ce que sa tête réapparaisse, puis elle l'a replongé en elle, et elle a continué ainsi je ne sais combien de temps. Elle jouissait sans arrêt, se tordait sur les coussins comme si elle avait été un serpent elle-même. Elle haletait et criait.

— Vous aussi ?

— Ah ! ce que je voudrais avoir un serpent qui m'aime comme celui-là.

— Je vous en donnerai un.

— Elle l'a serré dans ses bras, après qu'il est sorti d'elle.

— Et elle est repartie ?

— Oui. Jean m'a dit que beaucoup d'hommes lui rendent visite dans sa loge, chaque soir.

— Vous auriez dû essayer, tenter votre chance avec elle.

— J'aurais bien voulu. Mais l'idée de faire queue à sa porte avec toute cette foule m'intimidait.

— Cela aussi, pourtant, aurait été une expérience.

— Je me suis rattrapée en rêve !

— Que vous êtes-vous conté ?

— Comme d'habitude : je lui ai fait l'amour en

me le faisant. Mais je n'avais que mes doigts, en guise de serpent !

— Maintenant, vous n'avez plus envie d'elle ?

— Si, justement ! Encore plus qu'avant.

— À cause de son ophidien ami ?

— Non. Autre chose : un désir que je n'avais jamais eu...

— Le désir de ?

— Faire l'amour avec une femme que je payerai pour lui faire l'amour.

Mario laisse passer quelques secondes :

— De qui avez-vous le plus envie : d'Anna Maria ou de la fille au python ?

— De la fille au python !

Elle réfléchit, ajoute :

— Je suis sûre qu'Anna Maria ne saurait rien faire d'un serpent.

Mario doit méditer, il ne répond pas. Emmanuelle le relance :

— Vous m'en trouverez un ?

— Je vous l'ai promis.

— Blanc ?

— Dont les écailles auront une douceur de lèvres.

— Il saura me faire l'amour ?

— Je me chargerai moi-même de son éducation.

Emmanuelle rit de leurs enfantillages.

— Dites-moi la suite, presse Mario.

— Les danseuses sont revenues. Nous, nous sommes partis.

— Si tôt lassés ?

— Il n'y avait plus rien à voir, soupire Emmanuelle, désenchantée.

— Il restait à vous donner une représentation à vous-même.

— Ça n'a pas été un succès.

— Comment cela ?

Emmanuelle révéla à Mario son désir subit de Christopher, la permission qu'elle avait demandée à son mari et comment il la lui avait accordée.

— J'espère que vous êtes content de moi?

Mario l'était et il le dit. L'événement, ne manqua-t-il pas de représenter, était aussi important pour le progrès spirituel d'Emmanuelle que l'avait été en son temps pour le quadrupède humain l'adoption de la station debout. La nuit d'amour avec l'invité avait-elle été satisfaisante?

— Il n'y a pas eu de nuit d'amour avec l'invité, confessa Emmanuelle, d'un ton qui ne trahissait cependant ni remords ni regret.

— Quoi?

— Lorsque nous sommes arrivés à la maison, je n'en avais plus envie. J'avais sommeil. Devant la porte de sa chambre, j'ai embrassé Christopher sur les deux joues, puis sur le nez, et puis un petit peu sur la bouche. Là-dessus, je l'ai laissé à lui-même, très agité!

— *Che peccato!* se lamenta Mario.

— Je n'ai quand même pas tout perdu. Une fois dans mon lit, je n'ai plus eu sommeil. C'est avec Jean que j'ai fait l'amour. Encore bien mieux que d'habitude. Et chaque fois que je criais, je pensais à Christopher. Le bruit a dû le garder éveillé longtemps, de l'autre côté de la cloison. Cependant, nous n'avons pas parlé de lui, Jean et moi. Nous n'avons parlé que du plaisir que nous prenions. Jamais je crois bien, je n'avais osé dire à mon mari des choses aussi scabreuses. Jean m'a prise de toutes les façons possibles. Il a fini par tomber de sommeil, mais moi, même après cela, je n'ai pas pu dormir tout de suite. J'étais de nouveau tourmentée du désir d'aller rejoindre Christopher, de m'offrir à lui toute chaude de l'amour de Jean. Je n'ai pas osé. J'ai eu trop peur de le choquer. Je me suis tant caressée que je ne me souviens plus de la fin de ma nuit. Je n'ai rien entendu lorsque les deux hommes ont pris leur petit déjeuner. Je ne me suis levée qu'à midi. Et j'ai mangé toute nue avec eux, pour me venger de Christopher.

— *Ottimo,* commenta Mario. Ce soir, mettez-vous dans son lit, qu'il vous y trouve en rentrant.

— Pas possible. Il est parti.

— Parti ?

— Pour quelques jours, avec Jean. Celui-ci m'a annoncé à déjeuner qu'un télégramme était arrivé du barrage. Il a dû prendre l'avion sur-le-champ et, naturellement, son ami ne l'a pas laissé y aller seul.

— Dommage. Avez-vous, au moins, eu le temps de parler à votre mari de l'invitation du prince Orméaséna ?

— Non.

— Vous n'en avez pas eu le courage ?

— Ce n'est pas cela. Après cette nuit, je n'avais pas peur de lui demander cette permission de plus. Mais... je ne sais comment dire...

— Son acquiescement vous aurait retiré une partie du plaisir que vous allez avoir de vous donner à d'autres ?

— Je voudrais le tromper pendant que je le peux encore. Plus tard, lorsqu'il me permettra tout, je n'en aurai plus l'occasion.

— Vous aurez mieux...

Il reprit :

— Vous préparez-vous comme il convient, pour le grand moment ?

— Quel grand moment ?

— La nuit de Maligâth.

— Ah ! Sera-ce vraiment si mémorable ?

— Vous voilà tout à coup bien dédaigneuse.

— Non. Mais il me semble déjà en avoir tant fait ! Que vais-je découvrir de plus ?

— Les joies du nombre. Beaucoup s'apprêtent à jouir de vous. Le bruit s'est répandu que vous seriez là. À la pensée que celle qu'on avait crue inaccessible entre toutes allait devenir accessible à tous, le délire semble s'être emparé des hommes de ce pays.

— Quoi ! Est-ce vous qui avez trahi le secret ?

— Fallait-il priver ceux qui vous désirent des tortures et des délices de deux jours d'imagination et d'espoir ? L'attente de vous posséder, n'est-ce pas là une forme de bonheur qui s'égale presque à ce que sera l'accomplissement de l'étreinte ? Vous-même, n'êtes-vous pas tremblante de rêve ?

— Après ce que vous venez de me dire, ce que j'ai surtout, c'est peur. Je n'ai pas envie qu'une horde en rut se dispute mon corps. Et l'idée que tous ces gens, déjà maintenant, répètent mon nom... Ce qu'ils doivent dire...

Emmanuelle entendit le rire de Mario. Elle se révolta, blessée à en pleurer :

— Cela vous amuse, n'est-ce pas, de vous moquer de moi avec vos amis ? Je conçois votre succès, quand vous leur avez annoncé : « La petite, vous savez, qui vient d'arriver de France ? Je me suis distrait à la former : c'était une oiselle ! Maintenant que j'ai eu ce que je voulais d'elle, je vous la repasse. Elle est encore passablement fraîche. Bien entendu, à charge de revanche : vous penserez à moi, lorsque vous déniaiserez la prochaine ! »

— Ai-je donc eu ce que je voulais de vous ? fit observer doucement Mario.

Il n'obtint pas de réponse, reprit :

— Hormis ce point, et le ton, et aussi que je n'ai pas réclamé de compensation, vous avez deviné assez juste. J'ai longuement décrit la fraîcheur de votre chair, que si peu d'hommes encore ont éprouvée. Un jour, vous serez, parée d'un autre prestige, plus désirable d'avoir eu cent amants, mais, pour le moment, votre innocence échauffe encore l'esprit. Et il faut que vous aussi sachiez vous délecter par avance du chef-d'œuvre que vous allez rendre possible. Votre corps d'adolescente, qui n'a connu que l'époux et quelques insignifiantes expériences d'apprentissage, demain sera pour la première fois percé et épuisé par les hommes nombreux à qui il a été promis comme chose due et plaisir précieux.

Mario change soudain de ton :

— Vous êtes vierge, Emmanuelle ! Par moi, demain, vous ne le serez plus. Quelle veillée des armes c'est aujourd'hui pour vous ! Ce que vous allez connaître est plus que le Graal ! Et vous voudriez que je n'en parle pas ? Que ceux qui vont vous consacrer ne s'y préparent pas, avant le jour ? Ah ! vous vous trompez bien, si vous vous figurez que nous rions de vous, ou que nous parlons de votre corps de manière basse. Il est peu de grandes choses offertes aux hommes : aussi, croyez qu'ils savent les reconnaître. Et vous devriez avoir compris de moi, après ce que vous avez entendu, que ce n'est pas à une société de l'indignité et de la dérision que je m'apprête à vous initier, mais à un honneur. Et je ne vous livre à personne ! C'est à vous que j'offre un sacre, avec ses assemblées, ses cortèges, son étiquette, ses solennités et ses libations. Mais est-il possible que vous ne le sachiez pas ? Ai-je été devant vous tous ces jours sans vous avoir rien appris ?

Emmanuelle est repentante. Que Mario se rassure : elle ne doutera plus ! Et elle n'est pas menacée de rechute dans l'ignorance. Elle le lui prouvera la nuit prochaine, à Maligâth. D'ici là, qu'il dise autant qu'il lui plaît à ses amis qu'ils pourront jouir d'elle. Elle y consent. Son corps attend les leurs. Elle les désire. Elle les veut.

La longue conversation achevée, Emmanuelle

s'est couchée. Mais le grand lit lui paraît vide. Les visions que Mario lui a évoquées passent et repassent derrière ses paupières closes. Quoi qu'elle en ait dit, son anxiété subsiste. Ses nerfs restent tendus. Elle cherche le sommeil : il sera temps de songer à ces épreuves demain. Pour l'instant, elle ne voudrait que répit et oubli. En vain : l'appréhension la garde éveillée.

Elle sait ce qui l'apaisera. Elle se caresse. Mais à son étonnement, l'orgasme se dérobe. Aussi loin que sa mémoire la reporte, jamais pareille chose ne lui est arrivée. Ses doigts s'impatientent, mais son esprit est ailleurs : une tentation nouvelle, d'un goût inconnu, à la fois doux et âpre, monte en elle, échauffant sa gorge. Elle s'y refuse. Elle résiste. Longtemps. Jusqu'à ce que cette lutte l'énerve et la lasse. Enfin ! avec un abandon courbatu, un amollissement voluptueux, le cœur battant du désir accepté, elle éteint la lumière, lentement se rapproche du bord du lit, laisse pendre au-dehors sa jambe gauche. Son sexe est tourné vers la porte. Sa main cherche, au chevet, un bouton de sonnerie. Ses doigts se détendent, son corps se dénoue et sa poitrine se gonfle de nouveau sans contrainte, lorsqu'elle entend le boy ouvrir la porte de grillage qui donne accès à la chambre.

4

LA NUIT DE MALIGÂTH

> *Le corps est un grand système de raison, une multiplicité avec un seul sens, une guerre et une paix, un troupeau et un berger.*
>
> Nietzsche, *Ainsi parlait Zarathoustra.*

La longue tunique ionienne à plis très fins que porte Emmanuelle est d'un vert de jade si pâle qu'elle paraît presque blanche. Une épaule est nue : sur l'autre, une chouette d'or retient la draperie, qu'une chaîne aux larges mailles plates serre, plus haut que la taille. Aucune broderie, aucune autre recherche que le foisonnement du plissé, mais, entre les seins, l'étoffe est plaquée au corps par un très pesant pendentif d'or vieilli, percé d'une ouverture carrée et orné de dessins d'animaux, qui a dû servir de monnaie dans un royaume disparu. Et, un peu au-dessus du coude, un bracelet d'esclave clouté d'émeraudes encercle le bras droit.

— Puisque je suis vouée à l'holocauste, j'ai choisi la parure d'Iphigénie.

— Vous êtes très belle, juge Mario. Mais trop bienséante...

Sans mot dire, elle se rapproche d'une lampe basse : la lumière, pourtant faible, suffit à faire transparaître ses jambes, aussi clairement que si le tissu était de verre. Mario ne semble pas encore satisfait. Emmanuelle sourit, avance la cuisse : la robe s'ouvre d'elle-même, se fend de la ceinture jusqu'à terre. Ainsi, lorsqu'elle dansera, chacune de ses jambes sera dénudée tour à tour. On pourra la toucher commodément. La chair ambrée de son ventre, et, plus bas, l'ouverture de son corps, seront à tout moment accessibles.

— Et regardez !

Son triangle noir est semé d'un réseau de perles minuscules : il a fallu quatre heures à la patiente Ea pour les attacher une à une à la crinière rebelle.

— Jamais je n'ai vu plus noble bijou, approuve Mario.

— Il y a aussi l'emmanchure !

Le drapé concentrique l'ouvre, sous l'aisselle gauche, jusqu'au niveau de la hanche. Si l'on observe Emmanuelle de profil, lorsqu'elle lève le bras ou se penche en avant, l'on a vue sur le relief nu de ses seins. Et il sera facile aux danseurs de passer la main par cette large échancrure.

Mario s'étonne que la garde-robe d'Emmanuelle possède de telles ressources ; ou est-ce une acquisition de ces deux derniers jours ? La couturière en a dû être divinement troublée... Connaît-il donc si mal les artifices féminins, le brocarde son élève, pour ne pas deviner que cette mousseline se porte normalement sur un « fond » opaque ? Emmanuelle n'a eu d'autre mérite que de laisser ce dernier accessoire dans l'armoire. Qu'elle le brûle ! gronde Mario. Tout vêtement est un outrage s'il n'a pas été conçu à la gloire de la nudité.

— Il faudra que vous passiez un jour mes toilettes en revue. Vous jetterez au feu ce qui ne vous plaît pas.

— Je le ferai! promet Mario, sombrement.

Maligâth est un ensemble de constructions de marbre, séparées par des jardins à vasques et à portiques, où des lanternes de parchemin répandent, avec le concours de la lune, une clarté froide et magique. L'on accède aux terrasses par des allées bordées de haies d'hibiscus et de colonnes blanches, entre des pelouses rases et des serres, dont l'étendue protège des bruits de la ville. La retombée des jets d'eau, les notes éloignées d'une danse lente et le contrepoint à peine perceptible de voix humaines sont tout ce qu'on entend.

Un parfum fort, celui d'arbustes à fleurs charnues — des gardénias géants qui poussent dans des jarres chinoises —, saisit les arrivants, que guide seulement un tracé de veilleuses pourpres jusqu'à des corridors et des salles où, cependant, ils ne trouvent personne.

L'hôte n'est pas là pour les recevoir. L'assistance est-elle rassemblée ailleurs, et Mario et Emmanuelle se sont-ils trompés de chemin dans ce domaine d'eau et d'ombre? Ou peut-être sont-ils en avance?

— Qui est invité? s'enquiert Emmanuelle, à voix basse.

— Tout ce que Bangkok offre de beauté et d'esprit, dit Mario. Il faut, pour être élu, être très intelligent et très beau.

— Êtes-vous sûr que nous le sommes?

Mario sourit.

Et comment est le seigneur des lieux? se tracasse en cachette Emmanuelle. Sans doute puissant. Sûrement exigeant. Peut-être pervers, maniaque. N'est-ce pas de la folie de se risquer ainsi dans ce domaine inconnu? Sait-elle véritablement ce qui l'attend? Le prince et ses complices la rendront-ils jamais à Jean?

Elle peut encore s'en aller. Personne ne l'a vue, le grand parc est vide, aucun garde ne se montre. Mais il y a Mario... Que pensera-t-il — et que ne dira-t-il pas! — de sa lâcheté?

Elle le suit comme en cauchemar. Elle a tort, elle en est certaine : elle devrait avoir le courage de lui échapper...

Elle aperçoit des fenêtres, luisant d'une rougeur étouffée. Est-ce le bruit de rires qu'elle a cru à l'instant distinguer, ou celui de cris? Tout est fermé et il n'y a personne au-dehors, par exemple sur cette terrasse qu'ils traversent, où il ferait bon se détendre — la nuit est à peine moite.

— Mario! murmure-t-elle, si bas qu'il ne l'a sans doute pas entendue.

Ils pénètrent dans une petite pièce. Trois hommes et une femme y sont assis sur un canapé, côte à côte. Emmanuelle est soulagée de ne pas devoir faire face au groupe de Laocoon érotique qu'elle appréhendait secrètement de découvrir dès l'antichambre. La femme est très jeune. Ses yeux noirs profonds sont extraordinairement allongés et relevés vers les tempes, dans un visage grave. Ses cheveux forment un casque à frange épaisse, évocateur d'Égypte ancienne. Un fourreau noir accentue sa minceur. Sa tenue n'a pas la moindre apparence d'impudicité et Emmanuelle devient soudain cruellement consciente de la sienne. Est-ce là encore un tour de Mario? Celui-ci prononce une phrase en siamois. La jeune fille lui répond sans sourire et il faut croire qu'elle lui a donné le renseignement qu'il attendait, car il entraîne avec détermination Emmanuelle hors de la pièce.

— Où allons-nous ? se plaint-elle. Qui était-ce ? N'est-elle pas un peu jeune pour se trouver ici ?

— La soirée est en son honneur. C'est la fille unique du prince. Elle a quinze ans aujourd'hui.

Avant qu'elle ait le temps de s'étonner, ils débouchent dans un salon beaucoup plus vaste, mais à peine éclairé, où quelques couples dansent, qui ne se détournent pas pour les regarder entrer. Une servante leur apporte des verres, emplis d'un cocktail aux fruits, suave et très alcoolisé.

— Je suppose qu'il s'agit d'un philtre d'amour ? plaisante Emmanuelle, pour se rassurer.

(La Siamoise est seulement vêtue d'un pagne de jute, qui lui serre les hanches et la croupe et se croise sur le ventre, découvrant le nombril et le haut des cuisses. Emmanuelle a un coup d'œil d'admiration pour les jambes d'antilope et les seins en pomme.)

— N'en doutez pas, réplique Mario. D'ailleurs, tout ce que l'on mange ou boit en Asie est aphrodisiaque.

Il faisait vraiment sombre... Pourvu qu'il ne me laisse pas seule ! pria-t-elle. Presque aussitôt, un homme s'approcha d'eux, que devait connaître Mario, car il le présenta à Emmanuelle. Elle oublia son nom sur-le-champ. Lui s'inclina, impersonnel et courtois, pour l'inviter à danser. Emmanuelle le suivit à contrecœur, retenant d'une main sur sa cuisse les plis de sa jupe.

Il était grand et devait se pencher pour que sa joue restât au niveau de celle d'Emmanuelle. Il lui demanda quel était son âge, où elle avait passé son enfance, et de lui parler de ses goûts, de ses préférences. Lisait-elle ? Aimait-elle le théâtre ? Avait-elle des auteurs favoris ? Au début, elle répondit d'assez mauvaise grâce, plutôt importunée par tant de questions. Puis elle apprécia la manière dont son danseur la conduisait. Plutôt que de parler littérature, elle avait envie en ce moment de se laisser bercer par le rythme. Danser la rattachait à un monde connu. Et elle commençait à se sentir plus tranquille, entre ces bras fermes.

Elle se rendit bientôt compte que c'était elle qui se pressait contre lui, elle qui le provoquait. Non qu'elle éprouvât pour lui une attirance particulière : elle obéissait simplement à un réflexe conditionné — danse, érection et même orgasme du danseur ayant toujours, dans son expérience, fait figure de phénomènes inséparables. Ses flirts parisiens (qui n'avaient pas eu assez de cran pour la conduire dans leur lit, quand l'absence de son mari la leur livrait pourtant de façon inespérée) l'avaient du moins dressée à merveille à servir à ce passe-temps. Non seulement elle s'y prêtait avec une docilité idéale, mais son corps réagissait désormais de soi-même, dès qu'il se trouvait placé dans les conditions voulues : il n'attendait plus d'être sollicité, ni par le désir du partenaire, ni par la conscience d'Emmanuelle ; il savait automatiquement ce qu'il fallait faire pour que la danse fût rendue à ses véritables fins, qui sont de faire jouir.

Elle avait jusqu'alors trouvé ce libertinage satisfaisant à tous égards, puisqu'il lui permettait de faire preuve de savoir-vivre sans commettre formellement d'adultère. Et ses propres sens étaient assez aiguisés pour trouver dans cet artifice vertical un plaisir équivalent à celui accordé au danseur : que ce plaisir eût quelque chose de factice et de furtif, Emmanuelle s'en doutait bien : mais ces défauts mêmes ajoutaient peut-être à son piquant.

Ce soir, renouant donc avec des gestes familiers, elle frôla l'invité de Maligâth jusqu'à ce que sa virilité se durcît et se dressât contre son ventre. Elle se sentait infiniment plus à l'aise dans cette entreprise qu'à affronter ce qui lui paraissait devoir être les mystérieux caprices d'un suzerain oriental et elle n'était pas loin de regarder l'étreinte de ce compagnon de rencontre comme un refuge et une défense.

Lui, de son côté, semblait goûter les talents de sa danseuse. Il la laissa l'amener jusqu'au bord du spasme ; mais il se déroba avant qu'elle ait pu mener sa tâche à son terme. Cela la dépita. Elle ne comprenait pas qu'un homme refusât la chance d'un orgasme, même si c'était pour se réserver en vue d'une meilleure occasion à venir. Il fallait ne se soucier que de l'instant présent.

Sans se douter, probablement, du motif de sa bouderie, le récalcitrant serra entre deux de ses doigts celui d'Emmanuelle qui portait une fine alliance de brillants et lui demanda si elle était mariée.

— Naturellement, répliqua-t-elle, maussade et du ton qu'on prend pour écarter un doute offensant.

Ah ? Fort bien. Et avait-elle des amants ?

— Je suis mariée déjà depuis un an !

Au vrai, s'interroge-t-elle, a-t-elle des amants ? Sa première pensée est qu'elle en a au moins *un* : Mario. Aussitôt, pourtant, l'idée lui paraît cocasse : cela existe-t-il, ce genre d'amant qui ne vous fait jamais l'amour ? Mais si c'est faire l'amour qui confère ce titre à un homme, ses vrais amants, ce sont donc les inconnus de l'avion, le *sam-lo*. Doit-elle compter, aussi, le petit garçon du temple votif ? Et pourquoi pas, alors, les jeunes gens qu'elle a fait jouir en dansant ? Si l'éjaculation du mâle est la chose qui fait de lui votre amant, il n'y a, non plus, pas de raison de ne pas proclamer amants d'Emmanuelle tous les hommes qui se sont masturbés en secret pour elle !

À ce tableau, elle rit tout haut, ayant oublié ses griefs :

— En réalité, monsieur, qu'est-ce que c'est qu'un amant ?

Il sourit avec politesse, croyant qu'elle faisait la coquette, et ne lui trouvant guère d'esprit. Mais Emmanuelle lui exposa exactement son problème, sans laisser dans l'ombre les détails intimes, s'émerveillant à part soi d'être devenue capable de confier ainsi, à brûle-pourpoint, avec une suprême absence de gêne, à quelqu'un qui lui était en tout point étranger, des secrets qu'elle n'avait encore révélés ni à Jean, ni à Marie-Anne (ce qui était déjà plus étonnant), ni même à Mario.

Du coup, son cavalier parut fort intéressé. Il réclama des précisions supplémentaires, qu'elle mit la meilleure volonté à lui fournir. De son côté, il répondit avec obligeance aux questions, volontiers scabreuses, qu'elle lui posa.

— Je me demande si vous n'attachez pas un intérêt excessif à un simple point de vocabulaire, observa-t-il, pour conclure (ils avaient dansé assez longtemps). Est-il vraiment important de savoir si vous devez ou non donner le beau nom d'amant à un homme, selon qu'il vous a fait l'amour de telle manière ou de telle autre ? Pour moi, je trouve que ce petit garçon siamois a été votre amant, tout autant que les voyageurs de l'avion et que le conducteur du tricycle. (Était-ce par mégarde ou par discrétion ? il omit de faire mention du cas de Mario.) Sinon, qui appelleriez-vous vos amantes ?

— C'est vrai, réfléchit Emmanuelle. Et mes danseurs de Paris ?

— Pour ceux-là, c'est un peu différent, il me semble. Le plaisir que vous leur procuriez était en fait une manière assez retorse de vous refuser à eux. C'est peut-être, au fond, cette intention-là qui compte. N'aviez-vous pas, précisément, conscience, en leur jouant ce tour, de rester fidèle à votre mari ?

Tandis que ce n'était pas le cas, je suppose, lorsque vous caressiez le jeune Siamois?

— Mais je ne me sens pas non plus adultère, lorsque je fais l'amour avec des filles : comment expliquez-vous cette différence?

Il ne l'explique pas. Apparemment, il a atteint le point où la théorie ne l'intéresse plus : au lieu des éclaircissements logiques que sollicite Emmanuelle, il l'étreint si adroitement qu'elle-même est vite distraite de son étude. Elle lui donne ses lèvres, se serre à nouveau contre lui, et ne pense plus qu'à jouir. Elle avance sa jambe nue et il la presse entre les siennes. Il cherche le chemin de ses seins, de son sexe. Ils ne dansent plus qu'à peine, se butant parfois à d'autres couples. Ceux-là sont-ils engagés dans d'analogues caresses?

Emmanuelle recouvre subitement la perception du monde extérieur, qu'avait obscurcie l'évocation de ses souvenirs. Chose singulière, les femmes qui dansent près d'elle (il y en a cinq ou six au plus) lui ressemblent : elle a, un instant, l'impression hallucinante qu'elle regarde dans un miroir à plusieurs faces. Toutes sont belles, vêtues de voiles translucides, leurs longs cheveux sont noirs et leurs épaules ont la nudité des siennes. Leurs jambes se glissent entre celles des hommes à la mesure de la musique assourdie, venue on ne sait d'où, qui les emporte dans une ronde identique. Elles regardent Emmanuelle avec une curiosité effarouchée, détournant les yeux dès qu'elles rencontrent son regard.

Emmanuelle a envie de voir l'une d'elles faire l'amour, mais c'est elle-même que son partenaire décide d'offrir en spectacle. Il la conduit, sans se désenlacer d'elle, vers la terrasse couverte qui fait le tour de la pièce. D'autres invités s'y trouvent. Lui s'assied sur un tabouret bas, recouvert de soie verte, et guide Emmanuelle de sorte qu'elle se tienne debout devant lui, lui faisant face, tout contre ses genoux. Il entrouvre la robe grecque, découvre les longues jambes, les écarte de ses mains, les amène à chevaucher ses cuisses. Il force Emmanuelle à ployer les genoux et à venir à sa rencontre : lorsque la vulve humide touche son sexe, l'homme l'ouvre des doigts puis l'abandonne pour peser des deux mains sur les hanches de sa partenaire, l'empaler jusqu'au bout.

Il dit :

— Demandez-moi de vous faire jouir.

— Oui, halète Emmanuelle, je veux jouir.

— Plus fort! Que tout le monde entende!

Elle se tord, crie.

Lui, insiste :

— Encore!

Et elle obéit, attirant près d'eux un plus grand nombre de spectateurs, qui la regardent se débattre et l'écoutent sangloter :

— Oh! je jouis, je jouis! Oh! comme c'est bon...

Lorsque, à la longue, elle se tait, il la soutient, inanimée et molle dans ses bras, jusqu'à ce qu'elle ait repris ses sens. Même alors, il reste en elle et lui imprime de nouveaux mouvements : il la fait soulever les reins, retomber — s'enfonçant en elle avec rudesse, deux, trois, vingt fois. Une plainte renaît de la gorge d'Emmanuelle. L'homme la mord à l'épaule, explose en elle. Elle le sent jaillir au fond de son ventre et, une fois de plus, le vertige l'emporte.

Un de ceux qui les a contemplés demande au partenaire d'Emmanuelle de la lui confier. Elle se lève. Elle n'a pas le temps de savoir si elle regrette son amant d'un instant, à qui elle en a tant dit : elle se retrouve donnant la main au nouveau venu, le suivant dans une antichambre qui s'ouvre à leur droite. Un boy se présente et les sert.

« Voilà, pense-t-elle, croquant un gâteau, j'ai fait l'amour avec un inconnu. Maintenant, je vais le faire avec un autre. Je ne vois pas ce qu'il y a là-dedans de tellement mutant. »

Son nouveau maître fait halte sous une lampe et inspecte sa prise avec satisfaction.

— Depuis plus d'une heure que je vous cherche ! soupire-t-il.

— Moi, spécialement ? s'étonne Emmanuelle. L'endroit ne manque sûrement pas d'autres ressources !

— Possible. Mais c'est pour vous que je suis venu.

— Ah ! je vois : les petites annonces de Mario ! L'autre opine :

— Vous n'êtes pas n'importe quelle femme.

— Qu'ai-je donc de différent ?

— Je n'arrive pas à me convaincre que vous êtes ici ; que je peux vous voir nue à travers votre robe...

Emmanuelle en a, tout d'un coup, assez de ce contemplatif. Elle observe :

— Vous me verriez encore plus nue tous les matins à la piscine.

Elle cherche déjà des yeux une compagnie qui l'ennuie moins. Où a bien pu passer Mario ? Quelles façons, de la planter là, à la merci des imbéciles !

Elle s'éloigna, droit devant elle. Elle croisa des groupes qui semblaient désœuvrés et déambulaient, sans rien se dire, à travers les corridors, ne faisant pas même cas d'elle. On aurait pu croire que des confréries distinctes tenaient parallèlement leurs assises dans ces murs, chacun selon son règlement propre, sans se connaître ni se combiner. Elle se souvint d'avoir eu une impression semblable, un jour où elle visitait un château, avec d'autres voyageurs : ils admiraient, de salle en salle, dociles aux prédilections du guide, les tapisseries et les portraits d'ancêtres, tandis que s'affairaient près d'eux, sans les voir, les personnages à lunettes d'un congrès savant. L'instant d'après, Emmanuelle était passée au milieu des propriétaires du domaine : ils prenaient le thé sur une pelouse et eux non plus ne lui avaient pas accordé un regard. Aujourd'hui, c'était elle qui participait au colloque culturel... Elle voyait bien qui paraissait être venu en touriste, mais où était la famille ?

En réalité, elle était si peu impatiente de rencontrer son hôte qu'elle allait peut-être, espérait-elle, pouvoir éviter pour de bon de lui être présentée : d'ailleurs, ne vaudrait-il pas mieux qu'elle s'éclipsât discrètement, sans plus traîner ? La soirée n'avait rien du « festival » que Mario lui avait fait miroiter.

Des inconnus — deux hommes en smoking, une jeune femme en robe du soir — s'arrêtèrent et s'essayèrent en plusieurs langues à se faire comprendre d'elle : l'un d'eux finit par lui expliquer en bon français qu'ils cherchaient une jolie fille pour l'emmener, hors du palais, faire avec eux une « partie carrée ». Emmanuelle se sentit tentée. Curieusement, toutefois, au moment où se présentait une occasion de s'en aller, un scrupule la retint. Elle avait l'impression, en suivant ces jeunes gens, qui pourtant lui plaisaient, de se mal conduire.

Tandis qu'elle hésitait, un autre trio arriva de la direction opposée et, sans lui avoir rien demandé, l'entraîna, lui fit passer plusieurs portes en enfilade. Elle n'avait pas eu le temps de protester. Par la dernière, entrebâillée, venaient des éclats de rire et de la musique. De l'autre côté, le spectacle tira à Emmanuelle une exclamation.

Sur un divan de fourrure, aussi large que long, Ariane de Saynes est là, rieuse comme à l'accoutumée, entre deux hommes aussi nus qu'elle.

Elle s'est soulevée sur un coude, en entendant le cri d'Emmanuelle. Elle n'a pas du tout l'air étonnée de la voir là : elle la hèle avec exubérance.

— Pucelinette immaculée, viens vite nous rejoindre. Dieu, que ta robe est belle ! Dépêche-toi de l'enlever.

Ariane tient de la main droite, avec une grâce parfaite, le membre dressé d'un de ses voisins. Son sein gauche sert de coussin au pénis de l'autre. Tous trois sourient à Emmanuelle avec aménité.

— Prends de la tarte aux mangues, recommande Ariane. Tu dois mourir de faim. Et du champagne : il est d'une cuvée de papa.

Les yeux d'Emmanuelle souffrent du changement d'éclairage : depuis son arrivée, elle n'a pu échapper à l'opacité obsédante des salles et des passages dont elle a parcouru le dédale. Et Maligâth a, une fois pour toutes, dans son esprit, pris figure de séjour de ténèbres. Or, la voici soudain dans une pièce si brillamment illuminée qu'elle se demande si elle n'a pas été poussée par surprise sur un plateau de théâtre ou de studio, sous le feu des arcs et des rampes. L'illusion est à tel point saisissante qu'Emmanuelle ne peut se retenir de lever les yeux pour s'assurer que les décors ont un plafond : ils sont assez hauts pour que son doute soit excusable. Et l'ornementation du lieu est aussi peu naturelle qu'on puisse rêver : une toile de Klee sur une porte de temple bouddhiste de Sukhothaï ; un mur aveugle entièrement crépi de blanc ; au centre d'un autre, une gymnopédie étrusque ; un troisième est recouvert de haut en bas et sur toute sa longueur de tapisseries précieuses, superposées, se chevauchant, et dont on doit soulever l'un ou l'autre coin si l'on veut trouver une porte. Un faisceau de hampes incrustées d'or ou cloisonnées, qu'Emmanuelle prend pour des hallebardes et qui sont des rames de galère royale, surplombe en équilibre précaire la couche monumentale où se délassent Ariane et ses soupirants. Il n'y a pas d'autre meuble, sinon, sans ordre apparent sur le sol de dalles, une profusion de coffres de bois noirci, de cuir ou de bronze. Ils servent de tables et de sièges et les invités qui ont amené Emmanuelle y sont déjà assis ; ils se sont versé des boissons et la regardent.

— Soyez la bienvenue sous mon toit, prononce derrière elle, une voix dont l'accent lui est inconnu.

Cette fois, ça y est, se dit-elle, plus morte que vive, c'est le prince ! Elle n'a pas le courage de se retourner ; c'est lui qui vient devant elle ; il l'examine, en plissant un peu les paupières : le visage, les seins, le bas-ventre, les jambes, jusqu'aux pieds. Elle retrouve ses impressions de candidate au bac. Peut-être, songe-t-elle tout à coup, se demande-t-il tout simplement qui je suis et ce que je fais là ? Elle explique, d'une voix étiolée par le trac :

— Je suis venue avec le marquis Serghini. Il m'a dit...

— Je sais, interrompt le prince. Je vous remercie d'avoir accepté mon invitation. Vous trouvez-vous bien ici ?

Elle sourit poliment, redevenue muette. Lui continue de la percer de son regard critique. Elle cherche ce qu'elle pourrait dire ou faire pour échapper à la sentence. Mais l'hôte lui fait signe de reporter son attention sur le divan. Elle obéit, toujours sans piper mot.

L'un des hommes est en train de pénétrer dans Ariane, tandis que l'autre continue de se frotter contre ses seins. La jeune comtesse ondule, se contracte, se hérisse, se détend; chacun de ses muscles semble en perpétuel travail.

— N'êtes-vous pas tentée de vous mêler à eux? interroge le prince.

Pas du tout, mais elle ne se risque pas à le proclamer.

— Vous seriez plus à l'aise déshabillée, observe-t-il.

Et, sans se le faire répéter deux fois, elle dégrafe sa ceinture, cherche autour d'elle où la poser. Son hôte tend la main... Puis, la broche qui suspend sa robe à son épaule. Le *chitôn* glisse d'un seul coup le long de son corps entourant ses chevilles d'une écume glauque. Elle garde ses autres bijoux d'or et attend, droite, raide et touchante.

Le prince la complimente. « Que va-t-il me faire? » se demande-t-elle, la gorge sèche.

Celui des partenaires d'Ariane qui n'est pas en elle se lève et vient prendre Emmanuelle par la main. Elle le suit, le laisse la coucher sur le dos, arranger ses jambes de sorte qu'elles pendent hors du divan et que son pubis noir constellé de perles saille au-dessus des fourrures blanches. L'homme s'agenouille et fouille Emmanuelle de sa langue. Elle ferme les yeux et s'abandonne autant qu'elle le peut, s'efforçant de ne penser qu'à la caresse qu'elle reçoit et de calmer les battements de son cœur. Son conquérant est expert et patient : il la lèche profondément et elle n'est bientôt plus qu'un corps voluptueux qui a oublié son intimidation et ses alarmes et fait entendre à nouveau le péan familier.

— Ah! je vais jouir!

Il ne la laisse que lorsqu'elle a épuisé tout son souffle et ne peut même plus se débattre. C'est elle, alors, qui l'attire sur son corps : elle sent la lourdeur du pénis contre ses cuisses : elle l'invite de ses mains à entrer en elle. Il accepte et la prend, attentif, réservant son propre plaisir jusqu'à ce qu'elle soit redevenue capable de longs râles extasiés, tandis que la fragrance du sperme monte à travers elle vers les muqueuses de sa bouche.

Mais d'autres, déjà, poussent hors d'elle l'homme repu, la saisissent aux hanches, lui soulèvent les reins, la calent de coussins. Des ordres brefs claquent dans une langue étrangère. Quelqu'un traduit qu'elle doit dresser les jambes à la verticale ; elle s'exécute, puis laisse reposer ses cuisses contre sa poitrine. Un phallus sec et brutal tente de se forcer une voie entre ses fesses : la douleur lui tire des cris. Elle tourne la tête à droite, à gauche, appelle à l'aide. Ariane est près d'elle. Emmanuelle lui prend la main :

— Non ! Empêche-les ! Je ne veux pas...

Au même moment, un remous dans l'assistance déporte l'assaillant : elle se hâte d'allonger les jambes, de se serrer contre son amie.

Ariane lui dit dans l'oreille :

— Ce monsieur (elle désigne celui que, tout à l'heure, Emmanuelle avait vu prendre Ariane) a envie de ta bouche : il n'ose pas te la demander. Mais tu veux bien, n'est-ce pas ?

Emmanuelle hoche affirmativement la tête.

Le corps d'Ariane la quitte ; un corps d'homme le remplace, s'étend de tout son long sur elle, pèse de tout son poids. Des lèvres prennent possession des siennes, les écrasent, une langue pénètre entre ses dents, possède son palais, sa langue, insiste, dure, lui mouille les yeux de plaisir. Elle se sent sombrer peu à peu, pense qu'elle va jouir de nouveau, par le seul pouvoir de ce baiser, refuse cette sensualité, lutte contre son abandon, sa soumission, sa faiblesse. Puis cède, soudain étourdie par la douceur du consentement, passive, rendue, livrée.

L'homme a l'air content d'elle. Il la tient aux épaules comme si ses doigts étaient des serres :

— Viens ! murmure-t-il. Tu sens mon ventre sur ton ventre ? Et là, maintenant, qui remonte ? Je vais aller jusqu'à ta poitrine ; et puis continuer, te recouvrir le visage. Mon sexe s'enfoncera d'abord dans tes seins. Pas *entre* eux, tu comprends : *dans* leur épaisseur, l'un après l'autre ; il les écrasera, il les percera, juste au-dessous de la pointe, il leur rompra les muscles, il fera éclater les glandes de ton lait. Tu te laisseras faire ?

Emmanuelle ne répond pas. Il continue :

— Quand j'aurai achevé tes seins, je te poignarderai dans la gorge, par l'ouverture de ta bouche. De toute la force de mon ventre et de mes fesses, je t'enfoncerai ma lame, et t'obligerai à desserrer les dents, à ouvrir les lèvres, pour te faire suffoquer et saigner : tu ne pourras même plus crier qu'on vienne à ton secours. Je tiendrai tes côtes entre mes genoux, je soulèverai et abaisserai mes reins et les ferai aller de droite à gauche, afin d'avancer plus loin en toi. Je ne laisserai pas un recoin sans l'avoir heurté, entaillé : ta langue, ta luette et plus loin encore, jusqu'à ce que je trouve ton sexe en l'abordant par le haut. Je te coïterai dans la bouche comme dans un vagin. Je sentirai tes larmes sur mon ventre. Et toi, tu te rafraîchiras des larmes de mon sexe. Mais elles vont bientôt venir et il n'est pas prudent que j'attende davantage.

Elle doit distendre les lèvres à s'en faire mal, pour que le gland énorme réussisse à pénétrer. L'homme n'a pas le temps de lui faire subir les tortures annoncées : déjà il se déverse, riche, épais, intarissable, grondant de bonheur.

— Bois bien tout, recommande-t-il, la voix hachée. Aspire de toute ta bouche ; puis ne bouge plus je veux rester longtemps en toi comme cela ; je n'ai pas fini, je continue à jouir...

Emmanuelle, le visage écrasé par le lourd bassin, sent, en même temps, que l'on écarte de nouveau ses jambes. Elle tente de résister, mais vainement : quelqu'un qu'elle ne peut voir se fraye un passage jusqu'au fond de son sexe, la possède sans ménagements. La gorge et le ventre pris, elle sent une panique la submerger : elle est perdue, rien ne peut plus la sauver ; elle va vraiment mourir... La minute d'après, elle se fait honte de ces émois de vierge, voudrait crier (si elle le pouvait !) d'exultation et de triomphe.

— Et voilà ! jubile-t-elle, je suis prise par deux hommes à la fois. Quelle expérience mémorable ! C'est ma seconde défloration. Le sacre qu'avait annoncé Mario... Elle est publiquement lavée des dernières taches de l'innocence. Elle en rit au milieu de son désarroi. Elle célèbre sa propre gloire. C'est fini, fini pour de bon : je ne suis plus pucelle !

Elle voudrait embrasser de joie les artisans de cette promotion : en amie, sur les deux joues. Dans sa ferveur, elle a oublié que sa bouche est captive : elle perd derechef le souffle, s'étrangle, hoquette, au point que l'homme prend pitié d'elle et se retire. Elle ne sait même pas quand jouit en elle son autre amant. Elle se retrouve, étourdie, toutes forces ravies, entre leurs bras.

Plus tard, après que des mains, qu'il n'est pas toujours facile d'identifier, l'ont soulevée et déplacée, happant au passage telle ou telle partie de son corps pour la palper ou l'entrouvrir, Emmanuelle regarde mieux celui qui lui a fait l'amour dans la bouche.

Elle n'a jamais vu d'homme aussi velu : un véritable pelage sombre lui couvre tout le corps, si épais qu'on ne peut apercevoir la peau sur les jambes, le ventre, le torse et les épaules ; là où la pilosité est moins dense, la chair est hâlée et mate. Les muscles noueux sont d'un lutteur, ou d'un bûcheron. D'épais sourcils se rejoignent entre les yeux et se réunissent presque à la crinière, noire, elle aussi.

Il n'est pas mal, décide-t-elle, et questionne :

— De quel pays venez-vous ?

— De Géorgie : je t'y emmènerai.

Emmanuelle estime qu'il doit avoir quarante ans. Ou à peine plus. Elle le lui dit. Il rit, il a l'habitude :

— Tu es loin du compte. J'en ai soixante-quatre.

Emmanuelle reste bouche bée. Quelle horreur ! Non, c'est impossible... Il ne peut pas être si vieux ! Et elle ne peut pas, elle, si jeune, être en ce moment nue sur le corps nu d'un homme plus âgé que son grand-père ! Son grand-père commandeur de la Légion d'honneur, avec la tête argentée qui convient à cette dignité. A-t-elle jamais imaginé, même dans ses rêveries les plus effrontées, qu'elle coucherait un jour avec lui ? Eh bien, c'est ce qu'elle est en train de faire !

Cet homme qui, justement, de tous ceux qu'elle a connus récemment, se trouve être celui qui lui plaît le plus ! Elle ne sait si elle doit avoir honte de son inclination ou simplement douter de ses sens. Mais, après tout, a-t-elle tôt fait de raisonner, pourquoi tellement se mettre martel en tête ? Il l'a bien embrassée, elle se trouve à l'aise sur son torse moussu : existe-t-il de meilleurs signes pour reconnaître le bien du mal ? Il m'a rendue heureuse, donc j'ai eu raison de faire l'amour avec lui, se rassérène-t-elle. Elle soupire aussi : je voudrais bien avoir un grand-père qui ressemble à celui-ci, et être sa maîtresse. Elle se voit au théâtre, ou à dîner, en robe décolletée, montrant ses jambes, au bras de son cavalier décoré, à la cape de soie et aux cheveux blancs —

non! noirs... La voix de l'amant réel l'arrache à la fantasmagorie de son inceste sexagénaire.

— Donne-moi tes seins à manger.

Elle se soulève sur les coudes et sur les genoux, avance le buste jusqu'à ce que son sein gauche soit placé au-dessus de la moustache broussailleuse, creuse les reins pour faire descendre la petite pointe ronde gonflée de sang jusqu'à la bouche rouge dont elle a aimé les baisers.

Le visage d'Ariane surgit à nouveau sous le bras droit d'Emmanuelle, consulte l'homme de poil noir :

— Vous voulez bien la partager avec moi?

— Certainement.

— D'ailleurs elle adore être partagée.

C'est vrai, convient à part soi Emmanuelle : je crois bien que c'est vrai.

La pointe d'un sein dans la bouche du Géorgien, l'autre dans celle d'Ariane, elle largue son corps léché de vagues, de longues vagues qui l'offrent au vent. Mille écumes, mille langues de goémon, mille limons sucrés caressent sa coque, que des hommes à peau dorée sur des rivages inconnus ont chargée à pleins bords de trésors de pierres brillantes et d'épices...

De nouveaux venus se présentèrent et Emmanuelle s'interrompit de faire l'amour pour bavarder. Elle avait reconquis tout son entrain et ne se souvenait plus de sa démoralisation passagère, une heure plus tôt. Elle trouvait parfaitement normal d'être toute nue là, dans ce salon où semblait circuler, finalement, pas mal de monde : la plupart étaient restés en tenue de soirée, boutonnés jusqu'au cou et très éloignés, semblait-il, de toute intention gaillarde. Pourquoi pas ? philosopha-t-elle. Que ceux qui aiment porter l'habit s'habillent, et que ceux qui se préfèrent nus soient nus. Il n'y a pas de quoi se poser des problèmes.

Pourtant, il y avait dans ce palais un constant dédoublement de perspective qui, par instant, faisait douter Emmanuelle, non seulement du lieu, mais du temps où elle se trouvait. Les mystères auxquels on l'initiait étaient peut-être contemporains d'une antiquité orphique ou dionysiaque, mais ils semblaient tout autant appartenir à l'avenir. On y entrevoyait des cités non-terrestres où les femmes nues marchent dans des rues de métal, parmi les scaphandriers de l'espace et des hommes vêtus de noir.

Deux de ces invités tirés à quatre épingles, sans rien abandonner de leur maintien, la prièrent de s'allonger sur le dos, bien droite, et disposèrent Ariane à quatre pattes au-dessus d'elle, tête-bêche, le sexe juste à la verticale de la bouche d'Emmanuelle. Celle-ci se dit qu'on allait leur demander d'exécuter une figure classique (et cela la contrariait un peu, après tous les chichis qu'elle avait faits avec Ariane, ces derniers jours), mais pas du tout ! L'un des hommes exhiba, hors de son bel habit, un membre long et robuste et l'introduisit dans le sexe d'Ariane, la possédant sous le regard d'Emmanuelle, qui, comme elle se trouvait placée, ne pouvait perdre un détail du spectacle.

Pendant un laps de temps qui lui parut infini, elle vit le priape s'enfoncer jusqu'aux testicules, ressortir, plonger encore, et ainsi de suite, avec une ostentation qui la mettait hors d'elle. Elle n'avait, de sa vie, rien connu qui pût rivaliser de puissance aphrodisiaque avec ce « gros plan », à portée de ses lèvres : elle entendait le clapotis du vagin, rendu liquide par le va-et-vient magistral, et elle s'attendait à en recevoir les embruns. Elle souhaitait que cette scène durât à n'en plus finir : la surexcitation de ses sens était telle qu'elle criait, secouée de frissons de volupté, sans que personne la touchât : et elle n'eut pas même besoin du secours de ses propres caresses pour être la première des trois à atteindre l'orgasme.

Ce ne fut qu'après ce spasme initial que le second visiteur (qui jusque-là n'était pas intervenu) saisit la main droite d'Emmanuelle et la guida fermement vers son clitoris, pour qu'elle se masturbât. Puis il ouvrit une sacoche, en sortit une caméra et filma la scène. Emmanuelle était bien incapable de s'en rendre compte, continuant de n'avoir d'yeux que pour la copulation fascinante qui se passait au-dessus d'elle.

Le moment venu, la verge se retira brusquement — et s'engouffra en hâte dans la bouche docile d'Emmanuelle, pour y dégorger sa semence, qu'aromatisaient les saveurs d'Ariane.

Emmanuelle achevait de boire quand une main écarta la sienne et s'ancra solidement à son sexe, comme pour réserver la place. Elle crut d'abord que c'était Ariane : mais non, la prise était trop virile. Alors, sans doute, le deuxième « personnage en habit ». Elle regarda entre ses seins, pour s'en assurer : ce n'était ni l'un ni l'autre, mais néanmoins quelqu'un qu'elle connaissait. Elle l'avait rencontré, en uniforme d'officier de marine, à la réception offerte par l'ambassadeur. Il se trouvait parmi ceux qu'avait tant remués, lorsqu'elle était apparue, la demi-nudité de son buste. Elle se remémora le bredouillement qui trahissait le conflit de leur désir et de leurs bonnes manières, et ce souvenir l'égaya fort. Maintenant, pensa-t-elle, je suis exposée sans le moindre voile à la vue de l'un d'eux et il a l'air, du coup, bien moins emprunté !

Ariane devait être fatiguée, elle se laissa tomber sur le flanc. Emmanuelle se redressa avec une souple grâce :

— Les marins ne sont jamais bronzés, réfléchit-elle tout haut. Je me demande pourquoi.

— À côté de vous, je devrais, en effet, avoir honte de ma peau blanche, reconnut-il. Mais la fonction de l'homme n'est pas d'apporter la beauté.

— Elle est d'apporter quoi ?

— La loi.

Emmanuelle chercha la trace de la timidité et de la déférence qu'avait montrées, quatre jours plus tôt, le même protagoniste. Elle ne voyait que force souriante, habituée à être obéie. Elle trouva cela stimulant.

— Que dois-je faire, questionna-t-elle, pour être dans mon rôle ?

— Rien d'extraordinaire. Vous soumettre, simplement. Le ton soulignait une évidence. Et ne demandait pas de réponse.

Emmanuelle tint quand même à dire :

— Je ne demande pas mieux.

Elle voulait même soudain davantage : pour que sa soumission fût complète, il fallait qu'elle fût publique. Donc, proclamée. Qu'on disposât, non pas seulement de sa chair, mais de sa renommée. Que sa possession ne restât pas un secret d'alcôve, mais devînt pour ses maîtres un sujet de glorification sur le forum.

Elle demanda :

— Raconterez-vous que vous m'avez soumise ?

— Mais... non ! se défendit l'officier, surpris.

— Pourquoi ? N'est-ce pas agréable, pour un homme, de parler des filles qu'il a eues ?

— Pas des femmes comme vous.

— Je ne vous ferais pas assez honneur ?

Il se contenta de rire, ne sachant pas exactement quelle querelle elle lui cherchait, à moins, soupçonnait-il confusément, qu'elle lui fît subir une épreuve d'un hermétisme très spécial, pas tout à fait du monde — ni de l'époque. Ils étaient maintenant assis face à face sur l'immense divan, Emmanuelle lovée sur elle-même, lui les jambes de côté. Ils ne se touchaient pas.

— Alors ? persista-t-elle. Si vous n'avez pas honte de moi, ne vous en cachez pas ! Moi, je serai flattée que vous disiez à vos camarades que vous m'avez prise.

— Parlez-vous sérieusement ? Il regarda Emmanuelle, parut conclure qu'elle ne se moquait pas. Sa perplexité n'en fit qu'augmenter.

— Vous êtes... C'est drôle ! murmura-t-il. Je me figurais juste le contraire... Est-ce une sorte d'exhibitionnisme ?

Emmanuelle fit entendre un son de gorge désinvolte, qui pouvait passer, à la rigueur, pour une réponse affirmative. Elle ne pensait pas que le vocable rendait compte correctement de ce qu'elle avait en tête, mais ce n'était pas le lieu de se lancer dans des analyses trop subtiles. En outre, l'érotisme passif de ce mot ne lui déplaisait pas.

— Eh bien, dit le marin, puisque vous aimez ça, je le dirai.

Il constata que cette image l'excitait. Le plaisir qu'il allait prendre avec Emmanuelle, il le retrouverait chaque fois qu'il en ferait la chronique, en précisant bien que c'était elle qui avait sollicité cette indiscrétion. Son désir d'elle s'en accrut si violemment qu'il faillit la posséder sur-le-champ : mais non, il avait mieux en vue. Il s'informa néanmoins, pas tout à fait guéri de son incrédulité :

— Vous tenez à ce que je révèle votre vrai nom ?

— Oui, s'il vous plaît.

Il n'y avait pas à en douter : l'idée que sa lubricité nouvelle devînt un objet de conversation affriolait cette femme : une sorte de raffinement pervers, probablement.

— Vous êtes une étrange créature, dit-il, plutôt rudement. Depuis que vous êtes arrivée à Bangkok, vous avez été fidèle à votre mari, un peu trop même, au goût de certains ! Et ce soir, de but en blanc, vous vous précipitez d'un extrême à l'autre. Quelle est la raison de ce coup de théâtre ?

— Vous vous trompez, dit Emmanuelle, avec calme. J'ai toujours été comme cela.

Elle ne croyait sincèrement pas qu'une transformation se fût produite en elle ; encore moins, évidemment, qu'elle eût « muté » en une nuit. Mario, bien sûr, l'avait aidée — mais moins à changer qu'à grandir. À prendre conscience de son droit à être elle-même. Peut-être bien, aussi, de son devoir de l'être, mais Emmanuelle préférait toujours ne pas penser à l'amour comme à un devoir : son précepteur, sur ce point, ne l'avait guère convaincue...

L'homme de la mer la regardait sans se prononcer. Cependant, comme elle paraissait vouloir dire encore quelque chose, il se leva avec brusquerie :

— Nous perdons du temps en parlottes, trancha-t-il. Venez !

Il lui prit le bras, au-dessus du coude, serrant assez fort.

— Où l'emmenez-vous ? s'interposa Ariane. Ne nous la prenez pas ! Elle est à nous.

— Pour le moment, elle est à moi, corrigea-t-il

— Tu reviendras ? cria Ariane, comme ils s'éloignaient.

Emmanuelle lui fit un signe rassurant.

5

L'HÉTAIRIE

*Que seraient nos esprits, mon Dieu,
s'ils n'avaient le pain des objets
terrestres pour les nourrir,
le vin des beautés créées pour les
enivrer ?
... Le chemin que nous gravissons
pour nous
élever est fait de matière.*

R.P. Pierre Teilhard de Chardin.

À une heure du matin, l'on servit à Maligâth un consommé aux piments rouges et verts, à la citronnelle, au basilic et à la menthe, de la soupe de calamars aux cœurs de lotus et au cubèbe, des ailerons de requins accommodés à la laitance de crabe, des biches de mer coupées en lamelles, qui ne laissaient rien deviner de la forme obscène et de l'aspect peu appétissant qu'elles avaient eus de leur vivant, des pinces de homards bourrées de cardamome, de la chair de barracuda attendrie par du lait de noix de coco et cuite à l'étuvée avec vingt-sept variétés d'aromates importés en contrebande de Chine, d'Indonésie et du Vietnam, de minuscules oiseaux grillés dont il ne fallait pas oublier de manger le long bec tendre, les pattes craquantes et le crâne crémeux des crêtes de pintadeaux et des orgueils de coqs assaisonnés d'arec et de sauge, qui brûlaient la langue, et des filaments translucides, irisés et gélatineux, qui auraient pu être du vermicelle mais venaient, en fait, des cils venimeux de la méduse chrysaore, qui est mâle lorsqu'elle est jeune, hermaphrodite à l'âge adulte et femelle dans sa vieillesse : on servait cru — sans le dire — ce plat renommé pour sa richesse en protéines et en acide phosphorique, mais qui n'avait pas de goût.

De jeunes hommes, les fesses nues et sans rien d'autre sur eux qu'une ceinture, bas sur les hanches, d'où pendait par-devant une sorte de tablier exigu, fait de chaînes de vermeil et de mailles d'argent, qui laissait entrevoir leur sexe, et des fillettes aux seins naissants, le pubis orné de fleurs de jasmin, d'hibiscus ou de frangipanier, et qui portaient au cou, suspendue à une cordelette de soie, une amulette d'ivoire sertie d'or, en forme de phallus, de taille suffisante pour que certains des invités aient pu s'en servir, au cours de la soirée, pour les déflorer (car elles avaient été choisies vierges, dans le dessein qu'elles ne le fussent plus, la fête finie), circulaient à travers les salles et les terrasses, offrant ces mets et aussi des coloquintes coupées en deux, où l'on voyait flotter des œufs de tortue dans un bouillon de nid d'hirondelle, du carry de crocodile, des béatilles de foie d'écureuil, des quenelles de cobra, des champignons cuits au pollen et à la poudre de corne de cerf molle, des pousses de bambous et de borassus sautées à l'huile d'huître et des petits pots d'émail niellé, à couvercles, où l'on cachait de la cervelle de singe fraîche.

Emmanuelle goûte de tout, se régale, au dessert, de racines confites de mandragore, de scarabées et de phalères glacés, boit de l'alcool chaud du

Khouang Tong, de la bière de riz blanche de Khôrât et de *l'eau de soleil* du sud, cinglante comme un coup de cravache. Le repas achevé, elle serait bien en peine de dire si elle est là depuis un jour, une heure, un an ou toute la vie.

Elle ne sait plus dans quelle partie du palais elle se trouve. Elle est assise par terre au milieu de gens qu'elle n'a jamais vus, qui parlent, rient, se reposent, et avec qui elle se sent bien. Un grand homme brun, allongé sur le haut tapis de laine bleue, appuie sa nuque sur les cuisses d'Emmanuelle, un autre lui caresse les pieds. Son cœur chante des barcarolles d'éloge : douce nuit ! belle nuit !

Le prince, un peu plus tard, vient la chercher pour la conduire à sa table, dans une autre pièce. Il la présente : on l'entoure ; des hommes et des femmes l'admirent, touchent ses cheveux, baisent ses lèvres, enlacent sa taille. Elle a du mal à les distinguer, elle a trop chaud, elle se plaint à son hôte, qui la prend par la main, l'arrache aux convives, l'accompagne jusqu'à un patio.

L'air libre la ranime. Peut-elle remettre sa robe ? Le prince acquiesce, appelle un serviteur, donne un ordre ; ils attendent et Emmanuelle se demande si le jeune homme va retrouver sa belle tunique de jade : elle regretterait de la perdre. Mais, déjà, il l'apporte, et aussi la ceinture et la fibule d'or, il n'a rien oublié. Il indique du geste où elle peut trouver un miroir pour arranger ses plis, des parfums pour rafraîchir sa peau, une brosse pour ses cheveux. Elle le remercie et il la salue, joignant les mains devant son visage et inclinant le front.

— Venez avec moi, dit ensuite le prince. Vous n'avez pas encore vu mes jardins. Une promenade nous fera du bien.

Va-t-il me faire l'amour, lui aussi ? suppute-t-elle.

Elle n'est pas encore tout à fait remise du traitement que lui a fait subir le marin.

Elle suit le maître du lieu à travers les bassins et les pépinières, essayant de deviner s'il la prendra sur une de ces pelouses mouillées par les jets d'eau ou sur une banquette de grès rose sous les racines aériennes des banians. Retirera-t-il cet étrange costume damassé qui le fait ressembler à un personnage de paravent? En ce cas, peut-être perdra-t-il quelque chose de sa majesté.

Deux jeunes filles, que leur arrivée débusque d'une tonnelle, sautent sur leurs pieds et, en deux bonds, sont hors de vue, abandonnant là leurs sarongs. Emmanuelle regrette leurs corps de chamois, trop vite échappés.

— Je sais que vous avez du goût pour les femmes : en avez-vous trouvé, chez moi, cette nuit, qui vous aient plu?

Elle s'émeut :

— On semble en connaître tant sur moi! Et je ne suis ici que depuis trois semaines... La ville entière ne s'intéresse-t-elle donc qu'à ce que je fais?

— Non pas la ville entière, mais une ville dans la ville. Et comment ne se passionnerait-elle pas pour vous? Elle vous a toujours attendue.

— Pourquoi? Dans cette cité secrète, si je comprends bien, toutes les femmes me ressemblent...

— « *On ne peut aimer que sa propre sœur, jumelle ou siamoise* », a dit un homme de qualité. Il est naturel que nous vous aimions.

— Et Anna Maria Serguine, elle n'est pas votre sœur? questionne Emmanuelle, d'un ton peu conciliant.

Mais il n'est pas facile de quereller le prince :

— Qui saurait le dire? murmure-t-il. Il faut parfois toute une vie pour connaître son frère. Et d'autres fois même, plusieurs vies.

— Vous croyez que l'on peut renaître ?

— Je n'en sais rien. Je ne sais même pas si l'on peut mourir.

— Moi, je ne veux pas mourir.

— Alors, vous ne mourrez pas.

Il la fait asseoir sur des degrés de marbre, qui conduisent à une piscine.

— Écoutez ce poème d'une jeune ingénieur chinois de notre temps :

« La montagne est mon oreiller,
Le ciel est mon toit :
Demain je fendrai la montagne
Et le ciel ne tombera pas. »

La gorge d'Emmanuelle reste serrée :

— Je sais que faire de ma vie, dit-elle, mais que ferai-je de ma mort ?

Le prince la regarde avec sympathie, répond :

— *« Connais pas la vie :*
Comment connaître la mort ? »

« C'est ainsi que parlait Confucius. À quoi bon vous tourmenter ?

— Je n'y pensais pas. Mais Anna Maria est venue me rappeler mes fins dernières. Depuis, j'y pense.

— Pensez à ce que vous voudrez, dit le prince ; mais il ne faut pas que vous ayez peur. Si vous vous cachez la tête dans les mains, parce que l'existence et la fin de l'existence vous paraissent des mystères, vous finirez par voir Dieu. Après, c'est de lui que vous aurez peur. Vous serez bien avancée !

Emmanuelle ne peut s'empêcher de rire. Mais c'est le cœur gros. Le prince l'encourage :

— Un écrivain de votre pays, Georges Bataille, a parlé sagement : « *Je ne voudrais pas me vanter,* a-t-il dit, *mais la mort m'apparaît comme ce qu'il y a de plus risible au monde.* »

— Je ne trouve pas, avoue Emmanuelle.

Le prince sourit. Elle soupire :

— Je ne sais pas ce qui se passe, on dirait que tout me ramène à cela, depuis deux ou trois jours. Je n'ai jamais fait autant l'amour — et jamais autant parlé de la mort ! Les deux choses ne vont pas ensemble.

— Pourquoi donc ? Rien n'est, au contraire, plus logique : ce qui donne du prix à la vie incite à vouloir la garder.

— Justement : il faudra tout perdre.

— Qui peut savoir ? Mario Serghini m'a dit que vous aimiez les mathématiques : elles devraient vous aider à comprendre. Les calculs de vos savants démontrent, paraît-il, que, lorsqu'elle atteint la vitesse de la lumière, la matière en mouvement se contracte au point de disparaître. Elle disparaît, certes, à nos yeux, ou pour nos instruments : mais qui oserait dire que, réellement, elle n'est plus ? Nous-mêmes, sur cette planète, avons, pour les mêmes raisons et dans la même mesure, depuis longtemps cessé d'exister pour ceux qui nous observaient de l'autre bord du monde. Nous avons sombré dans le néant de vitesse qui nous a paru engloutir leurs propres galaxies à dix milliards d'années-lumière de la nôtre. Et rien, jamais plus, ne nous rendra à nouveau visibles les uns aux autres. Mais, séparés par une déroutante constante de la nature, par une énigme des nombres, peut-être continuons-nous de vivre, eux et nous, dans des systèmes distincts, des espaces incommunicables, chacun à notre manière. Il ne faut pas être tristes si nos sens, pour l'instant, nous laissent seuls, comme Hadaly, à peser dans la nuit des rayons d'étoiles mortes.

— C'est vrai, dit Emmanuelle, je sais cela.

— Alors, vous savez que le temps ne mène pas à l'enfer. L'avenir n'est pas la mort du présent : simplement, un autre versant. Autrefois, nous ne connaissions qu'un côté de la lune : l'autre côté, ce n'était pourtant pas la mort ? La mort, peut-être sera-ce encore nous, vus par d'autres, visibles d'une autre façon...

Emmanuelle, à la fois, était heureuse et avait envie de pleurer. Sans doute était-ce aussi cela, le bonheur, cette présence à venir des larmes sur la face brillante de la vie ? La tête renversée, ses cheveux noirs touchant presque le marbre des marches, elle contemplait, le cœur gonflé d'espérance et de désespoir, ces plus lointaines étoiles, qui, chaque seconde de sa vie, s'éteignaient aux frontières de l'espace, emportant dans leur chute sibylline cette parcelle d'amour qu'elle accrochait à elles et ce rêve fou qu'elle faisait, qu'elle ne pourrait jamais cesser de faire, de les connaître un jour, de vivre assez longtemps, d'aller assez loin pour entourer de ses bras leurs épaules et leur taille de flammes.

Un homme vint s'asseoir près d'eux. Des cheveux roux sombre, coupés presque ras, accentuaient sa jeunesse. Emmanuelle le trouva intéressant et ne lui en voulut pas trop de l'intrusion.

— Michaël, dit le prince, votre compagnie est mieux ce qu'il faut à cette jeune femme que la mienne. Distrayez-la.

Elle protesta : qu'elle était contente d'être avec le prince, qu'elle n'avait pas envie d'être « distraite ». Mais son hôte lui prit la main et la plaça dans celle du jeune homme :

— Allez, dit-il. Allez tous deux nager avec mes cygnes.

L'eau du bassin paraissait douce, éclairée par la tête blanche des lotus et les reflets de lune. Emmanuelle avança le pied et la trouva tiède. Elle tourna la tête vers le nouveau venu, le consultant du regard. Il l'encouragea d'un sourire. Alors, elle libéra sa main, se redressa, s'écarta de quelques pas et leva le bras vers son épaule, pour dégrafer la chouette d'or.

Elle qui avait été nue pendant la plus grande partie de la nuit, il lui semblait que le geste qu'elle allait faire pour se dévêtir, debout, dans ce parc et cette obscurité transparente, la livrait plus que la nudité même. Une pudeur barbare engourdissait ses doigts. Puis l'idée que ses compagnons attendaient d'elle, justement, qu'elle leur fît présent de sa métamorphose lui rendit courage. Se découvrir prenait alors un sens, réalisait un acte érotique, avec son protocole, ses préliminaires solennels. Elle se réjouit de n'être pas nue encore, de sorte qu'elle pouvait faire œuvre de beauté en le devenant et donner forme ainsi à plus qu'une beauté immobile et déjà achevée : une beauté naissante, le moment ailé où l'argile devient sein, ventre, jambes, figure.

Elle détacha d'abord sa ceinture, et sa tunique s'enfla de vent, puis glissa sur sa taille, découvrant son dos fléchi, creusé d'un long sillon qui le divisait de son ombre. Un instant, l'étoffe s'accrocha aux hanches, tordant autour des cuisses et des chevilles ces plis dont les sculpteurs ont tant aimé parer l'effigie de Vénus. Et elle semblait, en effet, surgie d'un songe antique, si conforme à l'image préservée au long des siècles dans le cœur des hommes que son apparition laissait incrédule.

Peut-être cette vision ne dura-t-elle qu'un éclair, et il dut suffire d'un mouvement des longs cheveux, du profil d'un sein ou de la minceur moderne de la taille pour que la statue perdît sa divinité : mais le corps vivant en avait, au passage, recueilli la grâce et restait auré d'un autre prestige et d'autres pouvoirs que de ceux de la chair. Du coup, ce n'était plus vers la beauté humaine d'Emmanuelle, plus parfaite que les courbes divines, que se tendaient les mains des hommes, mais vers le leurre de pierre qui lui avait, le temps d'un mirage, prêté la magie de son irréalité immortelle. Les seins de rocher de l'Aphrodite de Cnide, s'ils vivaient de vie, qui leur accorderait un regard, auprès des seins d'Emmanuelle? Et, pourtant, si inimitable, même par l'artisan des dieux, que fût la perfection de ses seins de femme, nul ne porterait jamais à l'Emmanuelle de chair autant d'amour que l'indicible amour, l'amour chimérique qui brûla ceux, dans les temples et dans les grottes où ils la tenaient prisonnière, qui violèrent la déesse de pierre dont les hommes interrogent encore, sans comprendre, le torse foudroyé.

Le prince et Michaël, ne disant mot, regardaient la fantasmagorie se fondre dans les eaux. Les rides du bassin la brisaient; elle se morcelait, ses fragments cessaient d'être. Elle finit par s'abolir sans retour et le nuage de sa chevelure surnagea seul, comme la tache noire qui rappelle longtemps à la surface de la mer la trière engloutie, avec ses amphores aux flancs ornés de jeunes filles, leurs danses pieuses et leurs rêves d'îles.

Michaël se dévêtit et rejoignit Emmanuelle, au milieu des antigones et des jasmins tombés qui embaumaient la vasque. Ils se laissèrent flotter, pris parfois aux rets de longues tiges aquatiques, ou jouant à plonger sous les feuilles natantes, géantes et plates, de ces nénuphars que l'on dit capables de porter le poids d'un homme. Le prince était parti. Ils se serrèrent l'un contre l'autre. Les sens d'Emmanuelle s'émurent à effleurer la verge longue et dure comme une flûte qui disait le désir de l'homme. Il tenta de lui faire l'amour dans l'eau : avec maladresse, parce que leurs corps glissaient et qu'il était trop impatient et trop fort; il réussit cependant à s'enfoncer et à la faire crier, de plaisir et de douleur mêlés. Elle demanda grâce et qu'il lui permît de regagner le bord. Là, elle le caressa de sa langue et de ses doigts, de son ventre et de ses cuisses, et entre ses seins, qu'elle pressa l'un contre l'autre afin que le pénis fût bien serré entre eux, comme dans un vagin de vierge. Elle tira, à la fin, de longs jaillissements de semence épaisse, si abondants qu'ils emplissaient presque la double coupe de ses mains, elle la porta à ses lèvres, puis la tendit à son amant :

— En veux-tu ?

Il fit signe que non, en riant, mais il rapprocha sa joue de la sienne pour la regarder boire, et les cheveux humides d'Emmanuelle couvrirent leurs épaules, faisant une seule tête à leurs corps jumeaux.

Puis, comme elle avait froid, il s'étendit sur elle de tout son long, et ils se dirent des mots d'amour. Orion est au-dessus d'eux, avec son glaive éclaboussé de nébuleuses et les gemmes de sa ceinture, dont Emmanuelle se répète la formule cabalistique : *Anilam, Alnitak, Mintaka...* Sa pensée se dilue dans un rêve.

Elle en émergea dolente et impuissante à comprendre ce qu'elle faisait là, dans ce parc, écrasée par un homme nu et inerte, qu'elle n'avait jamais vu, qui était mort peut-être... Sa panique se calma à mesure que la mémoire lui revenait mais elle ne voulait plus rester à cet endroit. Elle pria son compagnon de la reconduire chez elle. Elle était lasse. Elle avait sommeil et voulait dormir dans son lit, des jours durant, comme une marmotte...

Lui, à contretemps, plaida qu'il était trop tôt encore, qu'il fallait attendre le jour. Emmanuelle était contrariée. Il valait mieux qu'elle essayât de retrouver Mario. Elle remit sa robe ; sa peau avait séché ; le contact et la protection des plis de soie lui rendirent sa sérénité. Mais elle aurait voulu pouvoir peigner ses cheveux emmêlés, d'où ses doigts tiraient des pétales mouillés et des feuilles mortes. Au palais, elle se souvenait de salles de bains garnies d'objets d'argent et d'ivoire, où l'on pouvait se faire servir par des adolescents aux yeux agrandis d'admiration et de désir. Elle se mit en quête de l'une d'elles, la trouva et laissa son escorte à la porte, lui ordonnant de ne pas l'attendre.

Elle se baigna à l'eau brûlante, se fit sécher, poudrer, parfumer, masser, caresser, coiffer, et aurait passé le reste de la nuit là si le prince, alerté, sans doute, par Michaël, n'était venu l'y chercher.

— Beaucoup se plaignent que vous ayez été accaparée, confia-t-il. Ne voulez-vous pas faire cesser leurs doléances ?

— Lorsque j'ai traversé la maison tout à l'heure, il m'a pourtant semblé que l'ardeur générale avait faibli. Et, même, qu'il n'y avait plus autant d'hommes : je croyais qu'ils étaient allés se coucher !

— L'oligandrie guette tôt ou tard ces sortes d'assemblées, plaisanta l'hôte. Mais il appartient à l'esprit de savoir ranimer la chair. J'ai réuni dans un lieu propice une petite hétairie, pour qui les jeux passés ne font figure que de prélude. Vous-même, avez-vous fait autre chose, jusqu'à présent, que musarder ?

— À propos, s'enquit Emmanuelle, qui était ce beau garçon, à qui vous m'avez livrée dans le parc ?

— Michaël ? Je croyais que vous le connaissiez. Il est attaché naval des États-Unis.

Emmanuelle ne cilla pas. Pourtant, elle avait l'impression d'avoir reçu un coup au visage. Le frère de Bee ! Elle avait fait l'amour avec lui, sans se douter de rien ! Comment être aussi aveugle ? Ce regard, ces mêmes lèvres ! ce même sourire, et les cheveux cuivrés, le port dédaigneux! Jusqu'à sa manière de parler... Plus que son frère, son double. Et elle ne l'avait pas reconnu!

Elle se laissa mener par le prince, sans rien voir autour d'elle, à une porte de bois pâle, presque lie-de-vin, usée comme un pont de bateau et incrustée de lignes de fer qui se croisaient en losange ou se combinaient les unes aux autres pour former des gonds pesants, des coins renforcés de clous, des serrures à barres coulissantes, des figures peut-être symboliques, mais qu'Emmanuelle n'avait guère, en ce moment, la tête à déchiffrer.

Son guide poussa le vantail, la fit passer devant lui. Elle frissonna, car les climatiseurs faisaient paraître la pièce froide, en comparaison de l'air de la nuit. Une buée rousse lui brouilla la vue. Une odeur pressante et âpre, chinoise, nette et pourtant complexe, de gingembre et de safran peut-être, en tout cas d'herbes ou d'épices plus que de fleurs — à moins que ce ne fût une odeur de bois, après tout — un parfum de paysage plutôt que de femme ou d'homme, semblait portée par les couches de pénombre : elle la sentit qui se lovait autour d'elle, goûtait sa peau...

Elle ne distingua, d'abord, que des lampes oblongues, à bases hexagonales et à verres épais, posées à même le sol, masquées d'écrans nains faits de plaquettes d'argent, qui dessinaient sur les moquettes de vagues quadrillages, invitant à un jaquet truqué ou à un chat-perché de boiteux. Des coussins plats et larges, de dimensions et d'épaisseurs diverses, toujours cependant rectangulaires ou carrés, jamais ovales ni ronds, recouverts de feutre soufre, de velours pers, de fourrures rases, de filets de pêche noircis à l'encre de seiche, ou encore d'un tissage de plumes semblable à celui dont se parent les chefs maoris, tranchaient sourdement, dans cet éclairage incertain, sur le blanc des tapis.

Bien que ses yeux se fussent faits assez vite à cette obscurité particulière — colorée et quasi palpable, qui changeait de densité d'un instant à l'autre, peut-être parce que le courant d'air provoqué par l'ouverture de la porte l'avait remuée — Emmanuelle ne pouvait la percer au-delà d'une longueur de corps. Et tout ce qu'elle voyait avec netteté, c'était, sur les coussins, trois femmes, encore plus jeunes qu'elle-même. Elles étaient étendues sur le dos, sans se toucher, les jambes très écartées. L'une était la fille du prince. Autour à la limite de la portée des lampes, changeant de lignes à mesure que la vapeur se dilatait, des formes, qui devaient être des hommes, regardaient.

Emmanuelle se retourna vers son hôte. Elle avait besoin d'entendre sa propre voix. Elle prononça le premier nom venu, pour se sentir moins étrangère, au milieu de tant de hasards.

— Ariane... Est-elle ici ?

— Désirez-vous qu'elle y soit ? répondit aussitôt le prince. Je la ferai chercher.

— Non, non ! se hâta de prier Emmanuelle, comme si elle s'était rendue coupable d'une incorrection.

Puis, se voulant désinvolte :

— S'est-elle bien amusée ? s'enquit-elle.

Elle se rendit compte qu'elle avait employé le passé, comme si la fête était finie.

— Je crois, dit l'hôte avec un sourire, qu'elle a eu plus de succès que personne, cette nuit.

Pourquoi ? se demanda Emmanuelle, et elle découvrit qu'elle s'insurgeait contre cette hypothèse.

— Plus que moi ? s'entendit-elle protester.

L'orgueil et un trouble nouveau infléchissaient sa voix. Elle se força pourtant à prendre un ton de jeu :

— Est-ce parce qu'elle est plus belle ?

— Non, attesta Orméaséna.

— Alors ? Si je suis plus belle, j'ai droit à plus d'amants. À plus que n'importe qui !

Sa voix avait sonné, triomphale, dans la pièce rouge. Un homme se détacha des ombres et vint la prendre par les poignets.

— C'est à nous d'en décider ! dit-il.

Elle le reconnut et devint coite. C'était le marin.

Il la fit avancer et le brouillard reculait à mesure, découvrant d'autres corps, la plupart d'hommes. Les uns étaient juvéniles, presque enfantins, avec des visages de pilotes de guerre anglo-saxons, aux cheveux transparents et courts ; d'autres, plus mûrs, hâlés, aux hauts reliefs de Sibériens, creusés d'yeux moqueurs et volontaires. D'autres encore — de toutes sortes...

Des mains firent pression sur ses épaules et elle s'assit sur une étoffe froide et glissante. On la toucha. On écarta ses jambes, on s'en prit tout de suite à son sexe, sans même lui donner le temps de se déshabiller, sans l'embrasser ni lui parler. Elle n'osait s'allonger, bien qu'elle s'attendît à ce qu'on la possédât à plusieurs, et bien que sa bouche fût prête. Les mains qui s'affairaient entre ses jambes lui faisaient mal, mais elle ne se plaignait pas, tant qu'on se bornait à l'ouvrir sans ménagements, à l'explorer profondément. Elle s'attendait à subir davantage et était résolue à l'accepter. Une bouffée soudaine de fierté et de plaisir lui gonfla la poitrine, lorsqu'elle découvrit qu'elle n'avait plus peur. Ni peur physique, ni timidité de l'esprit.

Sur un ordre du marin, les mains, comme par enchantement, s'écartèrent d'elle et la laissèrent libre. Seule, même, aurait-elle pu penser, car il suffisait que ses prétendants s'éloignent d'une longueur de bras pour qu'ils se retrouvent enténébrés et comme dissous. L'opacité chargée de senteur traçait autour d'elle un cercle de vide, d'un coup de baguette de fée.

— Faites venir Ariane, dit un coryphée invisible, et l'on entendit quelqu'un sortir.

Une bouffée de chaleur s'engouffra. Emmanuelle nota qu'elle avait encore la possibilité, à ce moment, et pour la dernière fois, à coup sûr, de quitter cette pièce. Elle savait qu'on ne ferait rien pour la retenir. On lui laissait le choix. C'était le sens de cette porte ouverte.

Elle resta. Non par respect humain, par paresse ou par fatalisme. Mais parce qu'elle en avait envie. Elle sentait cette envie dans sa gorge, de chaque côté du larynx, comme une main qui, doucement, commençait de la serrer. Et sa langue se réchauffait. Son pouls s'accélérait, elle avait les tempes tièdes. C'était une forme de désir qu'elle n'avait jamais connue. Qu'ils fassent donc vite ! soupirait-elle en secret. Ils voient bien que je suis prête. Qu'ils peuvent se servir de mon corps pour ce qui leur plaira.

— Que voulez-vous que l'on vous fasse ? questionna la voix du maître de jeu et Emmanuelle goûta l'ironie de cette clause de style.

Elle ne sut pas si le marin s'était mépris sur le sens de son sourire ou si c'était encore par concession aux usages qu'il demanda :

— Préférez-vous homme ou femme ?

Avant, toutefois, qu'elle n'ait eu le temps de rien dire, il donna lui-même la réponse :

— Cela n'a, de fait, aucune importance. À un certain niveau de l'érotisme, il n'y a plus de sexe.

Il reprit le ton du commandement.

— Montrez-vous !

Emmanuelle s'appuya sur le coude gauche, s'inclinant en arrière. Elle rejeta de chaque côté les pans de sa robe, découvrant son pubis, d'où presque toutes les perles étaient tombées. Elle souleva un genou, écarta la jambe droite. De deux doigts, avec une grâce lente, elle entrouvrit les lèvres de sa vulve.

— Allez ! dit l'officier, et elle ne douta pas qu'il s'adressât aux hommes autour d'elle.

Combien pouvait-il y en avoir ? Elle n'arrivait même pas à se représenter les dimensions de la pièce. Et s'ils étaient cent ? Bah ! Tous, après une pareille nuit, ne seraient pas en état de profiter d'elle.

Son vrai souci, bien qu'elle n'osât franchement se l'avouer, était plutôt qu'il en restât assez de valides pour que l'expérience ne fût pas humiliante. Elle éprouva un certain soulagement lorsqu'un homme, grand et nu, aux cheveux crépus et aux grosses lèvres, c'était sans doute un Noir, vint s'agenouiller entre ses jambes, écarta la main qu'elle avait gardée sur elle, pencha le torse, s'équilibrant sur un de ses bras tendus, de l'autre guidant un pénis aussi dur et ardent qu'Emmanuelle pût souhaiter. Elle se serait, toutefois, accommodée d'une taille moins imposante, surtout pour ce premier assaut.

Elle mit un point d'honneur à ne pas se plaindre pendant qu'il la forçait, mais des larmes coulaient sur ses joues, autant que si elle avait été vierge. Le membre excessif n'en finissait pas d'entrer : Emmanuelle se disait qu'elle ne se savait pas si profonde. Quand l'homme eut enfin atteint son but, et il n'avait pas fait grâce à sa partenaire d'une fraction de ses moyens, il eut la miséricorde de ne pas commencer à aller et venir en elle, à un moment où elle avait encore trop mal ; mais, restant abouté, il fit bouger son ventre et les muscles de ses cuisses, tournant peu à peu en dedans d'elle et tirant parti de la massivité et de la rigidité de son gland pour assouplir et étirer latéralement les fibres intérieures d'Emmanuelle, jusqu'à ce qu'elle fût devenue humide, chaude, et l'eût entouré de ses bras, avec les premiers sons de gorge du plaisir.

Alors, il laissa se déchaîner une furie soudaine, se retirant et s'enfonçant sauvagement, la faisant hurler à chaque coup. Ces cris ne réussissaient apparemment qu'à le surexciter davantage et, bientôt, il y mêla les siens, rauques et presque inhumains lorsqu'un sperme qui devait être épais et lourd à la mesure de sa force s'arracha aux écluses de son corps et la pénétra si intimement qu'elle en sentit presque sur-le-champ la saveur sur les papilles de sa langue. Lui, cependant, longtemps après qu'il eut éjaculé, continuait son coït, effondré sur la poitrine de sa victime, le visage enfoui dans ses cheveux, les fesses bondissant sous le fouet de spasmes qui semblaient s'engendrer les uns les autres et procuraient à Emmanuelle une sensation d'un goût nouveau, déchirante, âpre, savoureuse. Elle roucoulait contre la joue râpeuse, la mordait, l'embrassait, entrecoupant de sursauts sanglotants cette divagation de ses sens.

L'homme la creusa, la laboura longtemps, avec le même entêtement violent et sur le même rythme frénétique : plus longtemps qu'elle ne l'avait jamais été, et elle jouit plus qu'elle n'avait jamais joui. Elle pensa (dans un moment de lucidité entre deux extases) que l'amour pouvait toujours être quelque chose de plus. Si cet inconnu ne l'avait possédée, peut-être aurait-elle toute sa vie ignoré qu'on pût avoir autant de plaisir.

Il faut que je me dépasse, s'exhortait-elle, *que cette nuit soit mon dépassement.* Mais, lorsqu'un dernier orgasme, plus éblouissant que tous les autres, l'eut frappée comme la foudre, elle ne voulut plus jouir. Une accalmie souveraine suivit en elle le feu et le vent; une lucidité et une sérénité sans pareilles. Si ce qu'elle avait senti tout à l'heure était le plaisir, alors, sans doute, ce nouvel état était-il le bonheur.

L'homme prodigua une seconde fois sa semence, avec un grondement. Puis, il resta immobile, et comme assassiné. D'autres le retirèrent d'elle et lui succédèrent. Et, à son tour, elle ne sut plus rien.

Lorsqu'elle revint à elle, elle se demanda combien d'amants elle avait eus ainsi, à son insu :

« Il faut absolument que je les compte, s'admonesta-t-elle. Sinon, ce n'est pas la peine. »

Et, comme les suivants la possédaient, elle découvrit une nouvelle forme de délectation : non plus, cette fois, un paroxysme sensuel, mais une jouissance cérébrale, plus fascinante encore que l'autre. Elle-même se dit qu'à l'orgasme charnel, l'orgasme du corps, elle était devenue capable de substituer l'orgasme érotique, celui de l'esprit. Se donner par désir n'est rien : l'érotisme, c'est de se donner par volonté. L'érotisme commence où finit l'espéré, peut-être même ne commence-t-il dans toute sa signification et sa majesté que là où finit le plaisir... Il n'y a de beauté qu'à contretemps.

Elle s'inquiétait, désormais, de voir certains la prendre trop à loisir, parce qu'elle voulait que tous pussent l'avoir : quelle déception, s'ils perdaient patience, se désintéressaient d'elle — ou finissaient par s'habituer à sa situation déplacée !

Elle n'était tranquillisée — momentanément — que lorsqu'elle sentait un homme se répandre en elle, parce qu'alors il allait céder la place à un de plus. Et ce qui la ravissait, c'était le mouvement que faisait celui qui se retirait, redressant le buste, soulevant un genou pour franchir une jambe d'Emmanuelle et rentrer dans l'ombre, sans même se mettre debout, parce qu'il semblait que tout dût se passer, dans cette pièce, à ras de terre et que la verticale était condamnée; et elle éprouvait un élan qui avait la saveur de l'amour pour celui qui, prenant le relais, s'agenouillait à son tour entre ses jambes ou s'étendait de tout son long sur elle, selon ses goûts, la pénétrant par la seule poussée de son membre, s'il en était capable, ou s'aidant de la main, le plus souvent.

Les uns ancraient leur bouche à la sienne, pendant que leurs reins cherchaient le rythme qui donnerait à leurs sexes surmenés le plaisir le mieux adapté. D'autres se tenaient à distance, les bras tendus, pour la regarder, pendant qu'ils se prélassaient dans son corps. Pour tous, elle mettait en œuvre la science qu'elle devait aux leçons de Jean et qui augmentait leur plaisir. Lorsque ses mouvements tiraient à ses partenaires un râle extasié, elle adressait à son mari une pensée de gratitude et d'amour, pour avoir fait d'elle une maîtresse aussi experte, qu'elle n'était pas lorsqu'elle lui avait fait don de son érotique virginité de lesbienne.

Par une entente tacite, ou parce que le marin en avait donné la consigne, personne ne la caressait. Or, ces étreintes sans indulgence, qu'en temps ordinaire elle eût ressenties comme une offense, se trouvaient convenir à son état d'esprit du moment. Elle ne voulait plus que faire jouir : se concevoir, se voir un instrument de plaisir pour beaucoup d'hommes. Qu'ils fussent contents de son vagin, et des sensations qu'y éprouvaient leur pénis; qu'ils se satisfissent à leur seul gré égoïste, sans se soucier d'elle. Elle avait mieux : l'amour-propre de l'art. Et elle usait de ses talents amoureux, de son invention et de sa volonté pour leur procurer l'assouvissement le plus parfait, afin qu'ils pussent dire d'elle, dans la ville, qu'elle était agréable à prendre, aussi obligeante et commode que la meilleure prostituée, et plus inattendue.

Vint le moment où elle eut mal. Puis celui où elle ne sentit vraiment plus rien, et se lassa même de penser. Enfin, l'on cessa aussi de jouir d'elle. Et, là, elle s'aperçut qu'elle avait bel et bien oublié de compter.

Une voix, beaucoup plus tard, la réveilla. La pièce semblait s'être encore refroidie : une partie de ses occupants l'avaient peut-être quittée ?

Emmanuelle eut besoin d'un moment pour distinguer qui lui parlait. Pourtant, il y avait plus de lumière qu'auparavant : mais ses yeux restaient aveugles de sommeil. Finalement, elle reconnut l'être campé debout au-dessus d'elle, jambe de çà, jambe de là : et quelles jambes ! Surtout, à leur rencontre, quelle superbe moue, sensuelle et gorgée, et si jeune, si lascive, sous l'exubérance de la crinière de feu ! Sur un pubis bombé au point d'en paraître anormal, elle se souvenait d'avoir déjà admiré ce fourré — qu'alors, un maillot de bain dérisoire partageait sans rien en cacher. Elle avait désiré cette fille à cause, justement, du mince cordon de coton blanc, calculé pour laisser découvertes, non seulement la toison, mais la vulve tout entière, car il disparaissait entre les lèvres et les faisait saillir, attirant sur elles les regards plus que ne l'eût fait une franche nudité. En ce moment, Emmanuelle regrettait presque que le bikini pervers n'y fût plus. Mais il était déjà beau que ce sexe agressif s'offrît là à son regard et, pour peu qu'elle soulevât le buste, à portée de sa bouche. Non ! il serait mieux encore que ce fût lui, ce sexe, qui descendît jusqu'à sa bouche, se posât sur elle comme l'entaille salée d'un fruit de mer et la désaltérât de son eau.

D'un seul coup, dans ses sens endoloris, un frisson humide passait de nouveau. Mais l'être énigmatique ne bougeait pas.

— Je vous connais, dit enfin Emmanuelle, comme pour s'assurer que l'apparition n'était pas l'effet d'un rêve. Je vous ai vue à la piscine. Mais je ne sais pas votre nom.

Elle ajouta :

— Vous êtes le lionceau.

— Mon nom est Mervée, dit la jeune fille. Les Romains préfèrent m'appeler Fiamma, parce que je les brûle, ou Renata, parce que je renais de leurs cendres. Mon amant m'appelle Mara, comme un démon indien. Mais je suis aussi Mâyâ. Et Lilith.

— C'est bien, d'avoir tant de noms, approuva Emmanuelle, un peu éberluée, tout de même.

— J'en ai encore d'autres, mais ils ne m'iraient pas cette nuit. Ceux que je vous ai dits sont les prénoms que je porte quand je suis nue.

Elle ajouta, plissant les yeux, sans sourire :

— Naturellement, j'ai aussi des noms de garçon, pour les jours où j'en suis un.

Emmanuelle haussa les sourcils. Puis elle décida d'accepter la situation telle quelle. Rien, après tout, n'était impossible à un aussi étrange animal. Elle ne fit que des objections de détail :

— J'espère que vous ne perdez pas vos cheveux, lorsque vous vous changez en homme.

Ce serait un malheur, pensa-t-elle. Cette incroyable jungle, plus épaisse et plus longue même que la mienne et si dorée. Dorée comme l'or des Chinois, qui a l'air émaillé de rouge.

Fille ou garçon, peu importe, conclut-elle.

J'aimerais lui faire l'amour. Elle chercha des yeux la fente ourlée sous les flammes de poil.

L'animal, de son côté, la passait au crible : il se prononça :

— Dommage que vous ne soyez pas venue plus tôt au Siam. Je vous aurais vendue cher !

Il avança les lèvres, comme pour signifier qu'il ne fallait cependant pas dramatiser ; dit pourquoi :

— Cela ne fait rien, l'occasion se représentera.

Emmanuelle s'informa :

— Vous vendez des femmes ?

Le lionceau, pensait-elle en même temps, car elle n'attendait pas de réponse, appartenait, de toute évidence, à une espèce qui ne connaissait ni vertu ni vice, ni coupables ni innocents. Ni âge, sans doute, car pouvait-on savoir s'il avait dix ans, comme son visage, vingt, comme ses seins, ou l'éternité, comme ce sexe qui devait être celui d'un ange — ou d'un diable.

— Où est Ariane ? questionna Emmanuelle.

Mervée la regardait aux lèvres avec une étrange fixité.

— Venez avec moi dans la salle de bains, dit-elle, mais sur un ton nonchalant, comme si elle n'attachait pas d'importance, ni même de sens très précis, à sa proposition.

Pourquoi ? se demanda Emmanuelle. Elle était sûre que ce ne serait pas pour faire l'amour, en tout cas pas pour le faire comme tout le monde. Elle devina vaguement. De la part du lion-femme, on pouvait s'attendre à tout. Elle se sentit sur le point de consentir : mais il lui fallait se lever...

Un mouvement d'hommes se fit, qui, avant qu'Emmanuelle ait eu le temps de s'en rendre compte et d'intervenir, éloigna Mervée. Le rythme qui semblait faire alterner régulièrement à Maligâth les collations et l'amour rapporta des plateaux de victuailles et de boissons. Cela tombait à pic, car elle avait faim, découvrit-elle.

Elle ne se souvenait pas d'avoir déjà rencontré ses compagnons de table (ou, plus exactement, de coussins), mais ils lui parurent beaux. Étaient-ils de ceux qui, tout à l'heure, l'avaient prise ? Elle n'avait qu'à le leur demander : mais, toute réflexion faite, n'était-il pas plus piquant pour elle de rester dans l'incertitude ?

Vinrent des pipes d'opium. La brume bleuit, se chargea d'une senteur de plus. Emmanuelle ne fut pas tentée : il lui suffisait d'y avoir goûté une fois. Elle entendit quelqu'un déclamer :

— *L'air est si doux qu'il empêche de mourir...*

Où avait-elle lu cela ? Elle ne le retrouva pas. Elle n'avait plus sommeil. Mais elle rêvait éveillée, de fatigue.

— Que comptez-vous faire de votre mari ? s'enquit un jeune homme qui se trouvait, à ce moment-là, auprès d'elle.

Elle se contenta de faire une mimique évasive : le sujet était complexe.

— Voici Ariane, annonça une voix.

Mais la porte ne s'était pas ouverte et Emmanuelle ne perçut aucun déplacement ni ne vit personne.

Elle avait soif.

— Tenez, dit le jeune homme, et il la fit boire, en lui soutenant les épaules. Puis soupira :

— Je voudrais bien vous faire encore l'amour. Mais, vraiment, je ne peux plus !

Moi non plus, pense Emmanuelle. Ça ne fait rien. On ne peut pas tout le temps faire la même chose. Elle regarde son corps : c'est baroque, de se trouver là, avec tellement de monde, toute nue. On l'a donc déshabillée ? Elle ne s'en est même pas aperçue. Ses jambes sont écartées : elle les resserre. Un sexe, se déclare-t-elle, que personne ne touche est ridicule. Et elle ne se sent pas le cœur à le toucher elle-même, à pareille heure. Quelle heure, au fait, peut-il être? Et où est sa belle robe? Cette fois-ci, elle est bien perdue. Comment va-t-elle faire, pour rentrer chez elle?

— Je me demande ce que je vais dire à Jean?

L'homme hocha la tête, partageant son souci. Il eut une idée :

— Offrez-lui Mara, suggéra-t-il.

C'est son amant, note à part soi Emmanuelle.

— Vous devriez vivre à vous trois, reprit-il, avec une conviction subite. Vous iriez très bien ensemble. Il n'y a pas de doute : c'est ce qu'il faut faire.

Pourquoi Mara — ou Renata, ou Fiamma, quel que soit son nom? aimerait dire Emmanuelle. Pourquoi elle, plutôt qu'Ariane, ou, mieux encore, Marie-Anne? Ou une autre? Anna Maria, par exemple, ce ne serait pas mal. Mais elle ne veut pas faire de la peine à ce garçon, pour qui il n'existe, c'est manifeste, aucune femme au monde qui soit plus digne d'être aimée que sa maîtresse.

— Oui, dit-elle donc, cela me plairait bien.

— Il n'y a pas de temps à perdre, s'impatienta-t-il. C'est ridicule, que Jean et vous laissiez passer toutes ces occasions.

Lesquelles? se demande Emmanuelle, sans réelle curiosité. Et quelle est la meilleure combinaison : deux femmes et un homme, ou une femme et deux hommes? Cette dernière formule lui semble assez tentante. L'autre homme, par exemple, pourrait être Christopher. Ou Mario. Non : pas Mario. Ni Christopher.

— Qu'en pensez-vous? s'enquit-elle, après cinq minutes de somnolence.

— Deux femmes me paraît plus logique, puisque

vous êtes lesbienne. Mais de toute façon, l'essentiel, c'est de commencer. Que ce soit d'une façon ou d'une autre n'a qu'une importance mineure. Je vais vous envoyer mon livre.

— Il traite du ménage à trois ?

— Entre autres.

— Alors, il faudra que je le lise, parce que moi, je ne me rends pas encore très bien compte de comment s'organiser. Cela ne doit pas être tellement facile : un peu comme de danser à trois.

— À peu près.

Emmanuelle laissa voir sa surprise de ce que son compagnon se montrât si peu contrariant. Il continua :

— Encore plus difficile, même. Heureusement ! Si ça allait tout seul, ce serait mauvais signe, n'est-ce pas ? En outre, où serait l'intérêt ? La facilité n'est pas notre genre.

Nous ne faisons pas cela pour nous amuser, renchérit mentalement Emmanuelle : nous sommes ici pour donner sa chance à l'espèce de demain. Pas pour défier la morale, ni pour nous passer d'elle, mais pour en créer une autre. Celle de Galahad ne va plus, quand on avance à travers les astres. Pour faire pousser des pommes à cidre sur la terre d'autrefois, la morale d'autrefois pouvait suffire : pour devenir dignes d'explorer Betelgeuse, il faut trouver mieux.

Tiens, constata-t-elle : je me joue du Mario.

— Ça m'étonnerait que nous mutions nous-mêmes, enchaîna-t-elle à haute voix, mais, si nous voulons des enfants qui soient plus avancés que nous, c'est sûrement comme cela qu'il faut les faire.

Le garçon secoua gravement la tête :

— Attention, vous êtes une femme sentimentale.

— Moi ? se récria-t-elle, insultée.

— Tout le monde. Nous sommes intelligents,

mais nos sentiments sont en retard sur nos connaissances. Nous pensons comme des Einstein et aimons comme des Paul et Virginie.

Elle haussa les épaules :

— Les lois d'Einstein ne s'appliquent pas et ne s'appliqueront jamais à l'amour, dit-elle. L'amour n'est pas une propriété de la nature.

— Tout juste ! approuva son compagnon. Tout juste ! C'est bien de là que proviennent tous les ennuis. Les hommes ne peuvent aimer que bêtement. Voilà la tragédie de l'espèce. Nous tenons notre intelligence d'une organisation de la matière qui dépasse, pour le moment, nos compétences, mais nous avons trouvé moyen d'inventer l'amour tout seuls. Rien d'étonnant à ce que l'ouvrage présente des faux plis.

— L'univers, énonça Emmanuelle, est une pièce de percale, lisse et glacée. L'homme y a fait des plis pour l'embellir. Du moins, c'est ce qu'il fait croire : en réalité, c'est pour s'y repérer !

— Le fer du temps repassera tout cela. Revenez dans quelques bons milliers de siècles et vous me direz si vous retrouvez trace de vos talents de lingère.

— L'amour n'y sera peut-être plus, dit Emmanuelle, mais sa trace, si.

Le jeune homme but, d'un trait, le contenu d'un grand verre et changea abruptement de ton, peut-être même de sujet :

— Coucher avec des tas de gens, une nuit d'orgie, ce n'est rien, c'est une fantaisie. Ce que vous faites ici, vous vous donnez des vacances. C'est une exception à votre vie normale : vous vous évadez de la morale, vous n'en construisez pas une nouvelle.

— Vous vous trompez : ce que je fais cette nuit, je le fais parce que je sais que c'est bien.

— *Tout est pur aux purs, rien n'est impur en soi,*
a dit saint Paul, mais aussi : *tout est permis, mais
tout n'édifie pas.* Si vous voulez changer le monde,
ne croyez pas vous en tirer en venant à la fête.
Commencez par faire régner votre morale chez
vous, et la semaine comme les dimanches. Votre
conduite voudra dire quelque chose, elle aura force
de preuve, elle servira, quand vous ferez du mode
de vie de Maligâth votre règle ordinaire. Tant que
vous serez, de jour, une femme conforme au modèle
légal, que voulez-vous que ça me fasse, que vous
vous changiez en succube, une fois le soleil couché ? Je commencerai d'être impressionné quand on
viendra me dire, par exemple, que vous avez marié
Jean à Mara. Ou que vous avez appris à votre mari à
vous offrir à ses amis, après dîner. Pas en cachette,
mais au vu et au su de toute la ville. Et pas la nuit de
la saint Jean : tous les jours.

Il acheva, avec un geste d'épuisement qui signifiait que cet effort serait le dernier :

— L'impudeur, l'adultère, le libertinage, cela ne
m'intéresse pas, si ce sont des incartades, des indulgences, des jeux secrets, des péchés mignons. Si
vous voulez que je vous croie, montrez donc, par
des actes publics, avec fierté, avec insolence, que
vous revendiquez la beauté d'être nue et la liberté
de jouir et de faire jouir les esprits et les corps,
comme votre Bien. Portez témoignage de vertu :
c'est-à-dire de sincérité et de courage. N'acceptez
pas d'être la femme volage d'un mari berné : pro-
clamez et manifestez qu'être mariée à un homme ne
vous empêche pas d'en aimer en même temps plusieurs autres. Soyez ensemble devant tous. Que la
stupeur de ceux qui n'osent être vos amants entretienne votre renommée — sans compromettre, qui
sait, leurs chances. Un jour, peut-être, vous touche-
rez, de vos doigts enchantés, leur sexe gourd et eux

aussi seront changés en hommes. Mais non ! Votre magie leur serait une excuse de plus pour refuser de penser ! Résistez donc à la tentation de faire des miracles. Prouvez plutôt vos théories en vous en tenant aux méthodes de la raison. N'invitez vos contemporains qu'à vous regarder vivre et à réfléchir. La réussite de vos expériences, connues et vérifiables par tous, comme doivent l'être celles de toute science, apprendra à votre entourage que les associations amoureuses et les intimités charnelles simultanées, la multiplicité des passions, chacune irréductible à l'autre, irremplaçable, ne sont pas un désordre des sens imputable à un défaut de l'âme, mais la vocation de l'âge adulte, et que nous ne pouvons pas rester plus longtemps des enfants : l'enfance nous ennuie, nous ne voulons plus jouer à la marelle des amours fidèles, a la toupie des amours jalouses, aux quatre coins des amours trompées. Nous en avons assez des promesses d'un jour, des larmes de toujours, des amours meurtrières et des amours tuées. Nous avons envie de vivre comme les gens capables de tout que nous sommes, pour qui le temps des fessées et des retenues est passé.

Il se tait. Emmanuelle se lève, en prenant garde de ne pas l'éveiller. Elle se demande si elle va retrouver Mervée. Elle finit par se cogner contre les ferrures de la porte : elle n'avait pas l'intention de s'en aller déjà, mais puisque la sortie est là, elle sort. Elle longe une galerie déserte. Il fait chaud. Une autre pièce apparaît, qui semble animée. Et voilà qu'elle reconnaît Mario ! Elle pousse un cri de joie. Il ne l'a pas entendue, ni vue, trop occupé, dirait-on, à faire honneur à quelque ganymède.

Il tourne aux trois quarts le dos à Emmanuelle. Elle s'approche, en retenant son rire, regarde, par-dessus son épaule. Le corps nu renversé devant lui. C'est Bee.

Emmanuelle sent le cœur lui manquer. Sa chaste Bee ! Mario, ce Mario qui ne prend pas les femmes, engagé de toute la vigueur de son sexe, dans le sexe de l'amante qu'elle, Emmanuelle, n'a pu garder ! Elle veut voir, mais les larmes lui voilent les yeux. Elle serre les lèvres, se détourne, traverse la pièce en courant, fuit, elle ne sait où, s'égare, bute, halète dans des vestibules et des allées où elle ne reconnaît plus rien.

Tout d'un coup, pourtant, Ariane est là, assise au milieu d'autres. Emmanuelle tombe à genoux devant elle, pose la tête sur ses jambes :

— Emmène-moi ! plaide-t-elle. Je ne veux plus rester ici. Allons-nous-en.

— Qu'as-tu, ma gazelle ? se moque doucement Ariane. T'a-t-on fait du mal ?

— Non. Rien. Rien du tout. Je veux rentrer chez moi.

— Chez toi ? Mais il n'y a personne. Qu'y feras-tu ?

— Alors, prends-moi chez toi.

— Tu veux vraiment

— Oui.

— Tu resteras ?

— Oui, oui !

— Tu seras à moi ?

— Je te le promets.

— Pour de bon ?

— Tu le vois bien : je n'ai que toi !

Ariane se penche et l'embrasse.

— Viens.

Emmanuelle secoue ses cheveux défaits :

— Je ferai tout ce que tu voudras.

Son amie la conduit par la main, sur le marbre lunaire et les pelouses.

— Je suis toute nue, se plaint Emmanuelle, d'un ton d'enfant.

— Qu'est-ce que ça peut faire ?

Pendant le parcours, en auto, elles ne parlent pas. La tempe d'Emmanuelle repose contre l'épaule d'Ariane. Le jour qui se lève éteint une à une les lumières des rues. Les autobus carillonnent et les marchands de fruits clament leur bon marché. Aux carrefours, quand les feux rouges arrêtent le roadster, les gamins se penchent aux portières, écarquillent les yeux, piaillent, de stupeur et d'alarme à la vue de cette fille nue sur le cuir noir.

Le portier ouvre les grilles de l'ambassade. La rivière, devant la vieille façade, est bruissante de barques et de sifflets. Les deux femmes gravissent les étages, entrent dans la chambre d'Ariane, où flotte un parfum de fougère. Emmanuelle se jette sur le lit, les bras en croix, les jambes repliées. La voix d'Ariane lui parvient en rêve.

La comtesse se débarrasse du kimono qu'elle a passé en quittant Maligâth. Elle entrebâille une porte, se glisse dans la chambre voisine :

— Viens voir, dit-elle, et pose un doigt sur ses lèvres.

Son mari se lève, l'accompagne jusque auprès du lit :

— Regarde, murmure-t-elle avec ravissement. Elle est à moi. Je te la prêterai.

Elle lui fait signe de se retirer, s'allonge contre Emmanuelle, l'entoure de ses bras, dort à son tour.

6

AU BONHEUR D'ARIANE

> *Je souhaite dans ma maison*
> *Une femme ayant sa raison...*
>
> Guillaume APOLLINAIRE, *Le Bestiaire*
> *ou Cortège d'Orphée.*

> *Le sacrement de mariage ne se véri-*
> *fie que par le sacrilège.*
>
> Pierre KLOSSOWSKI, *Le Souffleur*
> *ou le Théâtre de société.*

Vivre avec Ariane abolit les jours et les nuits. Depuis quand Emmanuelle est-elle là? Son mari est-il de retour? Elle a perdu tout repère.

— Chaque fois que je te surprendrai à ne pas te caresser, je te battrai, l'a prévenue Ariane.

Et elle tient parole, fait un compte sévère des heures qu'Emmanuelle passe à jouir. Si celle-ci a trop dormi ou mis trop de temps à sa toilette ou à ses repas, elle est punie. Elle s'habitue à ne plus quitter le lit. Elle y fait l'apprentissage d'une intensité et d'un rythme qu'elle ne connaissait pas encore.

— Sois insatiable! lui serine sa monitrice; et Emmanuelle s'émerveille de le devenir.

L'éloge de ce qu'elle appelle l'*autérastie* est un des sujets favoris d'Ariane.

— La nature ni la cité n'en ont besoin, dit-elle ; pas plus que d'un bon joueur de quilles... Faire l'amour est indispensable, comme de manger et de respirer : se masturber est du temps perdu, comme de penser, de peindre des êtres improbables sur des rectangles de toile ou d'inventer des airs de flûte... Si tu veux mon avis, se masturber, c'est de la poésie !

Elle dit encore :

— Que tu te lasses de l'amour, je crois que je pourrais le supporter : mais si tu devais cesser de te masturber, je préférerais te voir morte.

Et :

— Avant de rien vouloir savoir d'autre d'une fille que tu rencontres, demande-lui combien de fois par jour elle se masturbe : si c'est moins que toi, qu'as-tu à faire d'elle ?

Ou :

— Te rends-tu compte que des hommes se marient sans même être sûrs que leurs partenaires se masturbent ? Quelle sorte d'amour peut-il y avoir entre eux ?

Elle remarque :

— C'est vrai ! il existe bien des hommes pour épouser des femmes qui n'aiment pas les filles... Toutes les aberrations sont dans la nature !

Ariane force sa prisonnière à se caresser jusqu'à la syncope. Alors, elle se couche sur son corps inerte, se frotte contre ses jambes, sur son ventre, sur ses seins ou son visage et se fait jouir.

Ou bien, si ses désirs sont différents, elle s'étend sur le dos, les bras croisés derrière la nuque, et Emmanuelle la lèche. Le clitoris d'Ariane est saillant et dur et se détache net, parfait ; on peut le sucer comme un pénis. Emmanuelle le garde dans sa bouche pendant des heures.

Quand Ariane est fatiguée, elle appelle Gilbert :

— À toi, dit-elle.

Il gorge Emmanuelle de sperme, deux, trois, quatre fois par jour. Il ne fait plus l'amour qu'à elle. S'il éjacule dans sa vulve, Ariane, ensuite, y colle les lèvres, savoure la liqueur hermaphrodite qui en déborde.

— Tu ne crois pas, questionne-t-elle, un jour, qu'Emmanuelle serait pour toi une épouse idéale ? Et pour tes amis aussi, ce serait pratique : ils pourraient l'avoir autant qu'ils voudraient.

Lorsqu'elles sont seules, c'est Emmanuelle qu'elle entreprend :

— Un seul mari ne peut te suffire, allègue-t-elle.

— Mais... et toi ? s'étonne son amie.

— Moi, j'aime donner mes maris.

— Tes maris ? Tu en as eu déjà plusieurs ?

La belle comtesse rit :

— Je parle de ceux à venir !

Emmanuelle est brusquement soucieuse :

— Gilbert ne te plaît plus ?

— Où es-tu allée pêcher cette idée ?

— Puisque tu m'en fais cadeau.

— S'il ne me plaisait pas, je ne te l'offrirais pas.

— Tu veux simplement le partager ?

— Pas forcément. Du reste, je ne veux rien. J'ai horreur des plans et des projets. Je suis pour ce qui arrive. Ce qui arrive est toujours bien.

— Si tu gardes ton mari, c'est bien ? Si tu ne le gardes pas, tu trouveras aussi que c'est bien ?

— Voilà.

— C'est parce que tu ne l'aimes pas.

— Ah, oui ? fait Ariane, avec une expression

telle qu'Emmanuelle se sent honteuse. Elle demande :

— Ariane, n'essayes-tu pas tout pour le plaisir d'essayer ?

— C'est cela, l'intelligence, non ?

— Rien ne te paraît jamais mal ?

— Si : tout ce qui prive, tout ce qui exclut. Et tous ceux qui refusent d'apprendre. Tous ces gens qui vivent comme des larves, dans leur vertu au petit lait, satisfaits de leur juste milieu, se faisant gloire de ne rien vouloir connaître de plus, se récriant qu'ils ne feront pas ceci ou cela, parce qu'ils *ne l'aiment pas :* tu leur demandes quelle épine ils y ont trouvée, pour tant répugner à y retourner : surprise ! ils n'y sont jamais allés ! Alors ?... C'est comme ceux qui n'aiment pas les Martiens ! L'esprit du mal, c'est de se délecter de sa propre ignorance et de sa médiocrité : c'est de renoncer à la curiosité, à l'expérience et à la découverte.

— Mais on peut faire l'essai de quelque chose et ne pas l'aimer ?

— Si l'on est bien né, il y a des chances pour que tout plaise.

— On se fatigue aussi de ce qui plaît.

— Pas si l'on sait se renouveler. On dit : « L'autre jour, un tel m'a prise. Comme il fait bien l'amour ! » C'est que l'amour est toujours bon, quand on le fait avec quelqu'un de nouveau.

— Dans ce cas, pourquoi se marier ?

— Parce que cela aussi, il faut le connaître. Et penses-tu que le mariage est une oubliette ? Il faut se marier pour être plus libre. Une fille intelligente sait qu'elle aura plus d'amants après qu'avant son mariage : n'est-ce pas déjà une bonne raison ?

— Ce serait très bien si les maris étaient d'accord : mais les femmes se marient pour pouvoir coucher avec beaucoup d'hommes et les hommes les épousent pour qu'elles ne couchent qu'avec eux.

— Qu'elles les éduquent donc, au lieu de geindre !

— Au risque de les perdre ?

— S'il le faut. Tout vaut mieux que de reculer.

— Toi qui as un mari qui pense comme toi, pourquoi veux-tu t'en séparer ?

— Qui t'a dit que je voulais une chose pareille ?

— Tu le pousses à m'épouser !

— Est-ce là me séparer de lui ?

— S'il n'est plus ton mari !... N'as-tu pas dit que ce qui privait était un mal ?

— Eh bien ? Est-il question que nous nous privions l'un de l'autre ? Gilbert peut avoir une autre femme, et la moitié du monde physiquement nous éloigner ; j'existerai toujours pour lui.

— Même si tu te remaries ?

— Cesserai-je pour autant d'être Ariane ? J'aimerai simplement un homme de plus.

— Pourtant !

— Chaque amour a sa place à soi. Aucun ne remplace jamais un autre. Aucun n'empêche un autre de trouver place.

— Si Gilbert a une femme qui n'est pas toi, si tu as un mari qui n'est plus lui, et que vous ne vous voyez jamais, que vous restera-t-il en commun ?

— L'amour, figure-toi !

Emmanuelle demeure perplexe. Ariane explique :

— Lui et moi, nous nous aimons de la même façon : pas de ce genre d'amour qui se regarde dans les yeux et se tient par les mains. La plus grande joie de chacun de nous, c'est que l'autre ait toutes les chances.

— Mais n'est-ce pas bon, aussi, de vivre avec celui qu'on aime ?

— Si. Je n'ai pas dit le contraire.

— Un peu.

— Je ne pense pas. Je sais seulement que la vie est faite d'échanges et que c'est un bien. Et je ne souffre pas qu'elle soit faite aussi d'inconstance, d'incertain. Le prix de vivre est l'inconnu ? Eh bien ! soit : je me lance, je vis. Mais si, toi, tu crois que tu connais ton but, que tu as trouvé ta forme et n'as plus d'autre passion que de la préserver, si tes rêves sont calcifiés, alors, tu as droit à la stabilité qui convient à ton âge : une place parmi les crânes et les tibias sûrs de leur avenir, dans l'ossuaire des appréhensions calmées.

Ariane de Saynes sourit à ses ancêtres moralistes :

— Que Gilbert reste mon mari, certes, je serai heureuse. Mais heureuse aussi, si chacun de nous décide de commencer à nouveau, de partir pour une autre aventure. Changer n'est pas perdre : c'est ce qui est contre le changement qui devrait faire peur. Ce qui existe entre lui et moi, une seule chose peut nous le reprendre.

Ariane regarda pensivement son invitée :

— Si Gilbert meurt, je me tuerai. Tu ne sais pas ce que c'est que l'amour.

— Peut-être, convient Emmanuelle. Peut-être est-ce vrai que je ne le sais pas encore. Mais j'apprends.

Une autre fois, Emmanuelle se remémore les mystères de Maligâth.

— Cette fille qui a une merveille de crinière de lion, qui est-elle ?

— Un commanderesse de notre ordre.

— Elle a dû y entrer toute petite !

— Ses mérites l'ont distinguée de bonne heure.

— J'aimerais assez les connaître.

— Si tu y tiens, je peux te présenter.

— Ne te donne pas ce mal : les présentations sont faites. Mais nous en sommes restées là.

— Où espérais-tu que cela te mènerait ?

— La belle question !

— Prends garde de brûler tes ailes à la flamme.

— Te voilà tout à coup bien prudente. Toi qui prétends qu'il faut tout tenter !

— Je ne sais pas jusqu'où tu veux aller.

— Apprends-moi plutôt à quels dangers je m'expose.

— Il existe des plaisirs qui font mourir.

— De quoi s'agit-il ? De drogues interdites ?

— Pas celles que tu crois. Mais ne me pose plus de questions.

— Pourtant... As-tu, toi, fait de telles expériences ?

— Je t'ai dit que je ne te répondrais pas.

— J'ai tout de même envie de me laisser faire par Mervée.

— Et qu'est-ce qui te fait supposer, je te prie, qu'elle veuille de toi.

— Si je le veux, moi, cela ne suffit pas ?

Ariane la considère avec satisfaction.

— Dis-moi, demande-t-elle, aimes-tu vraiment les femmes plus que les hommes ?

Emmanuelle réfléchit, plissant le front. Elle reste indécise.

— Sincèrement, je ne sais pas. J'adore les regarder. J'aime toucher leurs seins, faire glisser ma langue dans leur bouche, me faire jouir sur elles et les faire jouir sur moi. J'aime leurs cuisses entre les miennes. J'aime le goût de leur sexe sur ma langue...

Elle rêve un moment, admet :

— Mais c'est vrai que j'aime aussi le sperme. Et que l'on mette quelque chose en dedans de moi.

— Pour ce dernier service, je puis te le rendre.

— Ce n'est pas la même chose.

— Cela peut être encore mieux.

— Tout dépend de ce que tu me mettras, explore Emmanuelle.

— Décide-toi : préfères-tu que j'appelle un homme ou acceptes-tu de te confier à mes soins ?

— Toi, fais ! consent Emmanuelle.

Ariane se penche, l'embrasse :

— Pour ta récompense, je te donnerai à boire Gilbert.

Elle va chercher un coffret rond, en cuir de Florence, aux dorures anciennes, de la taille, à peu près, d'un carton à chapeaux. Il semble lourd. Elle le dépose sur le lit.

— Essaye de l'ouvrir.

Emmanuelle cherche un crochet ou une serrure. Elle n'en trouve pas.

— C'est une boîte à secret, constate-t-elle.

Ariane, triomphante, glisse l'ongle dans une rainure et aussitôt, le couvercle bâille. Elle le soulève. Emmanuelle bat des mains.

— Quelle collection ! se réjouit-elle, sautant à genoux sur le lit, dont les ressorts la font rebondir.

Irrégulièrement espacée, inégale en hauteur, capricieuse de couleur et de forme, se dresse, verticale, une insolite plantation de phallus.

Certains ressemblent à des serpents, d'autres à de grosses morilles. Il y en a de rectilignes, au gland joufflu, le méat tourné vers le ciel, et d'autres cambrés, la mine orientale, les lèvres bridées et le teint cuivré. Ils sont longs ou courts, élancés, trapus, lisses, rugueux... On ne voit pas leur extrémité inférieure, qui disparaît dans des volves de velours, étroites ou renflées, selon les cas.

Leur souveraine les tire avec orgueil, l'un après l'autre, de leur écrin. Ceux de mousse ont la douceur et l'élasticité de la peau et ils existent en un choix de tailles allant du casse-tête à l'épi ; une poire de caoutchouc prolonge certains : si on la presse, le gland gonfle et double de volume. En porcelaine ou en céramique, ils sont gais, ornés même, et peuvent éjaculer de l'eau ou de la crème. En bois, peint ou poli, ils rappellent à Emmanuelle le temple où Mario l'a conduite, une nuit, son embarras, mais aussi l'exaltation de cette première hardiesse. Depuis, que de progrès n'a-t-elle pas faits !

Elle soupèse un godemichet d'ébène, aux veines en relief, noires et noueuses comme les racines d'un figuier banian. D'autres, dont la tête ou la hampe se hérisse de touffes de poils rudes, d'excroissances en forme de verrues, de râpes de nylon, ne l'intéressent pas spécialement. Par contre, elle n'a pas d'objection à ce que la matière soit rare. Ainsi, cet olisbos d'ivoire jauni, aux courbes intimes, aux contours usés, à la patine soyeuse : elle en tomberait aisément amoureuse ! Et quel luxe, aussi, ce serait, de posséder chez soi telle pièce d'orfèvrerie dont les testicules ont, de toute évidence, été ciselés d'après nature. Le contact en est froid et troublant. Elle aimerait assez la mettre à l'épreuve.

Mais Ariane a d'autres vues.

— Laisse là ces natures mortes, enjoint-elle. Dis-moi plutôt ce que tu penses des inventions que voici ?

Elle offre à l'examen de son élève un objet d'ivoire plus blanc, plus récent donc, que celui qu'elle a admiré auparavant, et de forme assez surprenante. Au lieu de s'attacher à figurer un organe vraisemblable, l'artiste a innové sans vergogne, produisant une sorte de banane ventrue et courte, identiquement arrondie aux deux bouts. Emmanuelle se demande comment on peut la retenir, lorsqu'elle est engagée dans la place : elle doit échapper des doigts et disparaître au fond du vagin.

— C'est justement pour cet usage que l'instrument a été conçu, explique Ariane. On ne s'en sert pas comme d'un amant, en le faisant aller et venir. On le met en soi et on le garde. Il est recommandé, ensuite, de se promener ou de se confier à un fauteuil à bascule.

— Pourquoi à bascule ?

— Parce que l'ouvrage est creux et contient du mercure, qui y circule en liberté, se divise, se rejoint, se cogne aux parois, les ébranle, n'a pas un instant de répit. Tu n'imagines pas comme cela peut révéler ce qu'il y a de meilleur en toi.

— Je vais le savoir tout de suite !

— Attends. Regarde d'abord celui-ci.

Le nouveau spécimen n'a rien, à première vue, de remarquable. Il est fait d'un métal brillant, pas très engageant ; sa taille est raisonnable et sa forme traditionnelle. Son poids, néanmoins, intrigue Emmanuelle. Et aussi le fil fixé à sa base, se terminant par une prise de courant.

— C'est un amoureux électrique ? interroge-t-elle.

— C'est un priape vibromasseur. Il procure, mais au cœur de la place, les sensations qui t'ont si fortement impressionnée, toutes périphériques qu'elles fussent, dans l'établissement de bains où je t'ai conduite, un certain matin.

— Ce doit être éducatif.

— Pas mal, mais il y a mieux. Tiens.

Elle sort d'un étui un engin tout différent. Celui-ci semble si réellement fait de chair qu'Emmanuelle a un haut-le-cœur : a-t-il été coupé sur un homme ?... Non seulement la souplesse, la mobilité, les rides et les plis de la peau pourraient le faire croire, mais cette matière a aussi la chaleur de la vie. On ne peut la toucher sans malaise. Emmanuelle fait un effort sur elle-même et serre le phallus dans sa main ; aussitôt il durcit, gonfle, grandit, simule une érection : elle pousse un cri d'effroi ! Elle le lâche : heureusement, en tombant sur le lit, il n'a pu se faire mal...

— C'est horrible ! proteste-t-elle. C'est le diable qui te l'a donné !

Ariane rit, un peu méprisante :

— Je ne te croyais pas si manichéiste.

Elle ramasse l'enjeu du pacte supposé et le caresse négligemment ; il se congestionne derechef, rougit, pulse dans sa main ; le gland est si tumescent, la peau en est si tendue qu'il semble sur le point d'éclater. Ses dimensions sont devenues assez effrayantes. Les testicules empourprés tremblent.

— Tu vois, il fait tout cela lorsqu'il est en toi. Et sans que tu aies à t'occuper de rien. Tu peux rester immobile, il se donne lui-même toute la peine : il se contracte et se rétracte, diminue de longueur et de diamètre, se dilate à nouveau, s'allonge, devient dur comme un tendon ; il change de température, entre en transe, s'agite, se tord, se démène, et, pour le cas où cela ne suffirait pas à t'émouvoir, il émet un certain type d'ondes qui te font frissonner de volupté jusqu'à la moelle. Lorsque tu as connu cela, le galant le plus doué te paraît de la gnognotte.

Emmanuelle n'a pas l'air conquise. Elle regarde l'homoncule avec défiance.

— Enfin, achève Ariane, lorsqu'il estime que tu as assez joui, il éjacule.

— Tu me prends pour une idiote ?

— Essaye-le, si tu ne me crois pas.

Emmanuelle n'est nullement tentée. La vérité est que cette chose lui fait peur.

— Qu'est-ce qu'il y a dedans ?

— Tout un système électronique, à piles, à circuits imprimés et à transistors. Il paraît que ce n'est rien de bien sorcier à construire.

— Possible, mais c'est quand même trop cybernétique pour mon goût, réagit Emmanuelle. Je n'ai pas besoin d'un outillage si compliqué pour jouir.

— Je sais. Mais il n'y a pas de mal à sortir de l'ordinaire.

Elle songe un moment, ajoute :

— En matière d'érotisme, je te conseille l'exubérance.

Elle rit de la mine renfrognée d'Emmanuelle.

— Je voudrais voir ta tête, si je te menais dans une maison de ma connaissance, où l'on met à ta disposition des mécaniques autrement plus perfectionnées que cette bricole. Mais je vois que tu es ennemie du progrès.

Sa pensionnaire, qui a flairé la provocation, ne pipe mot.

Il faut qu'Ariane la relance :

— Cela ne t'intéresserait pas, que je te le raconte ?

La curiosité a raison de la résistance d'Emmanuelle. Son hôtesse sent qu'elle peut fixer ses conditions :

— Que me donneras-tu, en échange de mon histoire ?

— Je me déferai de mes dernières pudeurs.

— Ce soir, pour jouer au tennis, tu mettras ta jupette plissée qui t'arrive au ras des fesses — et rien dessous. Tu céderas complaisamment à la lévitation du vent et la seconderas de tes bons de cabri.

— Pour qui, tout ça ?

— Pour Caminade. Il ne t'a pas encore vue ; cela le fera réfléchir.

— Tu ne m'as jamais parlé de lui.

— Je n'ai rien à t'en dire. Il n'existe pour moi que comme question.

— Est-il jeune — ou vieux ?

— Ton âge.

— Quelle chance il a !

— Comment se fait-il que tu n'aies pas épousé un adolescent ? Tu as l'air d'aimer l'innocence.

— J'avais besoin d'aînés pour m'instruire. Mais ne penses-tu pas que mes études me qualifient désormais pour être maîtresse d'école, à mon tour ?

— Avec des rangées de petits garçons, à qui tu montreras tes jambes, à les en faire mourir ?

— Tu m'aideras à leur donner plutôt le goût de vivre, j'espère ? Nous nous partagerons les heures de cours.

— Commence donc par faire passer ses examens à mon Caminade.

— En quelle matière te paraît-il le plus faible ?

— En contentement. Quand tu seras devant ta classe, que feras-tu pour que tes élèves ne deviennent pas malades de désirs frustrés, des hommes pareils aux pauvres hommes d'aujourd'hui ?

— Je les ferai rêver et je me ferai la réalité de leurs rêves.

— Puisses-tu faire qu'ils apprennent à ne plus rien se refuser ! Quel nouveau monde ce serait !

— Tu m'as dit que tu étais déjà admise dans le secret de ses avant-postes.

— Ne va pas croire, parce que les robots sont surhumains, qu'ils pourront jamais remplacer les hommes.

— Alors, à quoi servent-ils ?

— Ils nous aident à attendre.

— Que les hommes vaillent autant que leurs inventions ?

— N'en demandons pas tant! Tout simplement, que les hommes viennent au monde.

Ariane s'installe à son aise, la nuque au creux de l'aine d'Emmanuelle; d'une main, caressant un sein de son amie, en roulant la pointe entre ses doigts; de l'autre, tenant avec tendresse son propre sein.

— Représente-toi d'abord une paroi d'acier, froide comme une falaise, percée de rangées de cadrans et garnie de manettes, d'interrupteurs et de commandes. Les trois autres murs sont capitonnés de soie, ici lilas, là prune, ou d'une autre teinte, car il y a plusieurs cabines : une seule ne suffirait pas, étant donné le grand nombre des clientes. Ces cellules ne sont pas grandes : deux mètres de long, un et demi de large, assez hautes pourtant pour qu'on puisse se tenir debout. Bien sûr il n'y a pas de fenêtres. La lumière vient de tubes dissimulés aux trois quarts de la hauteur des cloisons : elle est partout égale, plutôt vive et glacée. L'air est climatisé. Une musique presque imperceptible et assez étrange angoisse plus qu'elle ne met à l'aise. L'impression est celle d'un laboratoire ou d'une clinique, très moderne, anonyme, impeccable, nettement plus que d'un boudoir. Une impression d'abord pas très rassurante. D'autant plus qu'on ne sait où s'installer, il n'y a ni chaise ni lit.

Ariane s'accorde quelques secondes pour mieux sentir la caresse de ses doigts, soupire doucement, puis continue :

— Évidemment, l'on comprend vite que l'on doit s'étendre à même le sol, il suffit d'observer le revêtement : lui aussi est de soie, mais plus riche, plus moelleuse que celle des murs : elle est piquée, en losanges, comme un édredon d'autrefois, sur du duvet et une couche de mousse élastique et épaisse à l'égal des plus luxueux matelas. Selon que tu es une habituée ou non, la porte, qui fait face au panneau des instruments, se referme sur toi, toute aussi tapissée que le reste, et te laisse seule, ou bien une assistante, ou un assistant, ou les deux, à ton choix, restent avec toi, pour t'initier au fonctionnement de l'appareil. Ils t'expliquent le sens des boutons, des leviers, des aiguilles, des voyants de couleur, sans la moindre chance que tu comprennes, et d'ailleurs eux et toi vous en moquez bien. Si c'est toi, Emmanuelle, qui te trouves là, tu t'empresses de faire l'amour avec les machinistes et la machine est perdue de vue. Tu as payé pour rien. Supposons, toutefois, que nous avons affaire à quelqu'un de moins impulsif, doué de plus de discernement...

— Toi, par exemple.

— Par exemple. Ayant donc laissé s'exprimer le technicien et n'ayant retenu de son exposé que l'essentiel, je le renvoie et me dispose conformément aux instructions, c'est-à-dire couchée sur le dos, les jambes du côté du mur de métal, et, naturellement, écartées. À cet instant, je découvre que le plafond, que j'avais cru nu, s'anime : des formes s'y dessinent, des gestes s'y ébauchent, des couleurs charmeuses y surgissent. Et bientôt les scènes les plus érotiques s'y déroulent, où s'entremêlent les genres, les nombres et les âges : des barbons déniaisent des petites filles ; des garçonnets font l'amour entre eux ; cinq sauvages jouissent en même temps d'une prisonnière, tirant parti de toute prise qu'elle peut offrir, puis ils l'apprêtent, assortie d'autres victuailles, sur une table de festin ; des nymphes s'accouplent à des centaures et à des cygnes et de modernes jeunes filles forniquent à corps perdu avec de petits ânes et de grands chiens. Cette projection licencieuse serait assez à elle seule pour animer la chair, mais voici que, de surcroît, mes pieds rencontrent de larges pédales, douces à la plante. M'avisé-je de presser, ne fût-ce que légèrement, l'une ou l'autre : de la paroi sortent, à tour de rôle, ou simultanément, selon que j'ai plus ou moins savamment su me servir des commandes, en tout cas, très lentement, des bras annelés assez semblables à des tuyaux flexibles de douche, mais faisant plus volontiers encore penser à d'effrayants serpents de chrome. L'extrémité de chacun est faite, comme tu t'y attends, d'un superbe membre viril, mais pas un qui soit pareil à l'autre. Il en est de frais comme des chairs d'enfants, doux comme les hautbois, verts comme les prairies — et d'autres, corrompus, riches et triomphants...

— Mmm... mmm...

— ... ayant l'expansion des choses infinies. Imagine les transports de l'esprit et des sens ! Mais il faut opter : choisir par quoi commencer. C'est là où le génie de l'inventeur se révèle. Car, si exercée que tu sois, si subtiles les impulsions que tu communiques aux pédales directrices, jamais, si ce n'est par hasard, tu ne parviens à diriger vers toi l'amant que tu as élu. À peine t'es-tu décidée que ces verges magiques, qui n'ont pas cessé, tout le temps de tes réflexions, d'étirer leurs tiges et qui sont, désormais, aussi longues que des cobras, commencent une danse occulte, se balançant et ondulant, se croisant, s'enroulant et se déroulant nonchalamment, fouettant l'air avec langueur et caprice de roseaux, soudain piquant vers toi — pour se détourner et se rétracter au moment de t'atteindre, te rendant, peu à peu, folle de vertige. Lorsque tu désespères et vas te résoudre à te masturber, ô émerveillement soudain, l'un de ces haïssables reptiles désirés t'atteint, juste où il faut, sans jamais manquer la cible ou n'en toucher que les bords. Le contact est si parfaitement délectable que tu oublies sur-le-champ ton énervement et ta rancune, tu cries : oh, oui, là ! Et : j'aime ! Tu tombes amoureuse, tu te donnes tout entière. Et tu as raison, car quel art et quelle science ! Tu t'attendais à un dédaigneux métal, et c'est la douceur d'un pétale, la tiédeur d'un souffle d'amant. Tu craignais d'être percée, laissée sanglante : et ce sont des précautions, une pénétration si douce que tu en pleures de plaisir. Avec des ralentissements, des retours, des enflures, des torsions adorables : le miracle n'en finit pas de s'enfoncer en toi et déjà tu as peur qu'il ne sache plus s'arrêter et tu consens à mourir. Mais la chose sait mieux que toi où tu commences et où tu finis et elle explore comme personne ne l'a jamais fait tes ultimes limites. Tu es ouverte et comme exposée à quelque leçon d'anatomie invisible. D'ailleurs, bientôt tu ne penses plus, tu ris, tu défailles, tu pleures, tu jouis, tu meurs, tu vis plus fort, tu atteins les étoiles.

« Tu crois que tout est achevé, mais tes plantes de pieds géniales inspirent de plus belle le cher nœud de tendres vipères. Une autre mentule prend la place de celle qu'une convulsion de tes jambes a fait se retirer. De nouvelles sensations te submergent. Cette fois, c'est avec une régularité et une force de bielle qu'une matière inconnue circule en toi, plus déterminée, plus irrésistible à chaque coup, et tu hurles d'amour. Elle t'abandonne, pantelante, et déjà te voilà une fois de plus reprise, livrée à des fréquences et à des pressions différentes, dilatée par des engins démesurés ou te contractant sur de longues et souples vrilles foisonnantes.

— Et cela ne s'arrête jamais ?

— Pour forts que soient les robots, ils n'en sont pas moins hommes. Vient le temps où tous ces phallus artificiels succombent au plaisir, te remplissent de leurs sucs, s'ils sont en toi, ou éjaculent sur ton ventre, tes seins, ton visage, s'ils nagent à ce moment dans l'air. Leur sperme a la richesse des muscs les plus rares. Si tu le veux, ils s'offrent à tes lèvres, et tu peux boire, pour une fois, à ta soif, car, au rebours des amants de chair, ils ne sont pas avares de leur substance. Ils te désaltèrent à la mesure de ton désir, qui est sans borne. Tour à tour, les grandes verges annelées se glissent dans ta bouche, plus succulentes et voluptueuses à ta langue qu'aucune muqueuse humaine, et dégorgent, en lents et longs jets amoureux, de sexuelles liqueurs dont pas une n'a le même arôme. Si tendre est leur saveur racée, et si forte qu'elle t'enivre. L'on viendra t'enlever de ta cellule, lorsque la machine en donnera le signal, et l'on t'emportera dans une chambre où des clients, qui payent ce privilège une fortune, jouiront de toi avant que tu reprennes connaissance. Ainsi, ta pratique rapporte aux habiles gérants de cette maison des profits multiples : les sommes élevées que toi-même acceptes de verser pour utiliser l'automate, et le prix de ton corps, qu'ils vendent à ton insu.

Ariane tire du coffret de cuir deux très longs phallus de mousse, égaux et terminés par des glands anormalement gros. Elle les visse l'un à l'autre, base contre base, pour en faire un godemichet double, marqué en son milieu d'un bourrelet. Elle le recourbe en forçant, et il faut croire qu'il est traversé dans toute sa longueur par une tige qui fait office de ressort, car, après qu'elle en a éprouvé l'élasticité en rapprochant bouche à bouche les deux glands, il se redresse d'un seul coup, reprenant sa forme d'arc.

Ariane enfonce l'ithyphalle aussi loin qu'elle le peut dans le vagin d'Emmanuelle. Puis, se disposant de manière à ce que son sexe se rapproche progressivement de celui de son amie, elle s'empale sur l'autre extrémité jusqu'à ce que leurs fourrures se mêlent. Après quoi, elle s'allonge sur elle comme le ferait un amant, et elle la coïte lentement. Elle-même sent, à chaque mouvement, le membre de latex qui presse au tréfonds de son corps, tendu par le ressort d'acier, lui tirant des plaintes. Elle écrase de ses lèvres la bouche d'Emmanuelle, étouffant ses propres mots d'amour. Les pointes de ses seins pressent et frottent celles de son amante. Ses mains écartent en croix les bras qui l'enlaçaient, pour qu'ils paraissent plus livrés. Ses fesses dures bondissent, le rythme de leurs coups de boutoir s'accélère : le spasme d'Ariane est si semblable à celui d'un homme qu'elle croit se sentir éjaculer. À la différence, toutefois, qu'elle ne perd rien de ses forces et ne cesse pas de violenter Emmanuelle. Celle-ci, d'orgasme en orgasme, aveugle et sourde, le visage baigné de larmes de jouissance, déchire et ensanglante de ses griffes le dos de statue de son inépuisable maîtresse. Ainsi continuent-elles, tout projet et tout homme oubliés, jusqu'à la nuit. Même le sommeil ne les désunit pas. Ni Gilbert, qui après les avoir contemplées et désirées avec un sourire, sort de leur chambre, sans les éveiller.

— Gilbert, combien Ariane a-t-elle eu d'amants ?
— Beaucoup.
— Comment a-t-elle commencé ?
— Avant de me connaître, elle se contentait d'aimer jouir. Je lui ai appris à aimer faire jouir.
— C'est donc à vous qu'elle doit sa chance ?
— Tout le monde en est là : on ne s'élève pas seul.
— Faute de maîtres, ô combien de filles douées sont mortes en état de virginité !
— L'on commence de n'être plus vierge qu'après s'être donnée sept fois à son septième amant.

— Ariane, raconte-moi ton dépucelage !

— J'étais fiancée à Gilbert, amoureuse de lui. Tous ses amis m'aimaient bien, étaient fiers de faire parade de ma beauté. Gilbert me confiait volontiers à leur garde, d'une manière qui, parfois, me déconcertait. Par exemple, à la sortie d'un dîner, tard dans la nuit, il lui arrivait de me dire adieu là et de leur demander de me raccompagner. Au début, j'en ai été blessée : l'ennuyais-je ? ne voulait-il plus de moi ? lui étais-je devenue une corvée ? Puis j'ai compris que ce n'était pas pour m'éloigner de lui qu'il me quittait ainsi, mais pour que je sois seule avec les autres et que lui puisse m'imaginer avec eux. Lorsque lui-même était présent, il était heureux, déjà, de deviner leur désir de moi et c'est pourquoi il les invitait. Mais son plaisir s'aiguisait davantage encore de me savoir à leur merci. J'ai vite appris à partager cette sensation, tendue et vibrante comme une corde à piano, si tendue qu'elle faisait d'abord mal : mais bientôt, un délice étrange agaçait mes dents et me poussait à frotter doucement mes cuisses l'une contre l'autre, sous ma robe, dans l'auto découverte qui m'emmenait à toute allure dans la nuit, serrée entre deux garçons qui étaient les meilleurs amis, les amis sûrs de mon fiancé. Lui ne m'a rien dit et je ne lui ai jamais rien demandé. Un jour, simplement, une liberté inconnue, un pouvoir qui, la veille encore, me manquaient ont poussé en moi, apportant avec eux des voluptés au goût nouveau. Dans cette voiture, je ne pensais qu'à Gilbert, je le désirais, mais, en même temps, secrètement mes gestes cherchaient à aggraver la tentation que j'étais pour ses camarades. Mes seins s'appuyaient à leurs bras, mes épaules s'abandonnaient aux leurs avec une perfide confiance. Si la route était longue, je dormais la tête dans leur cou, mes cheveux balayant leurs lèvres. Mes genoux se blottissaient contre leurs cuisses, et, si leur main, comme par mégarde, se reposait sur moi, je la gardais entre mes jambes, pour la réchauffer. J'aurais voulu dormir dans leur lit, mais ils n'osaient me le proposer. Et lorsqu'ils me déposaient chez moi devant la grille de la grande maison où tout dormait, dans le silence des champs, je leur donnais mes joues à embrasser et ma taille à garder un moment pressée contre la leur, si alanguie qu'ils devaient bien se douter de mon trouble. Le lendemain, je disais à Gilbert combien je les aimais, comme j'étais au chaud, bien calée entre eux, sur la banquette : il me faisait l'amour avec une passion accrue et je sentais germer en moi des choses exquises. Nous continuions de sortir en bande. À mesure que les retours en leur compagnie se répétaient, mes gardes du corps s'enhardissaient davantage et mon propre désir se précisait. L'un d'eux, enfin, une nuit, caressa mes seins. Je le laissais faire avec un sentiment d'irréparable qui était plus doux qu'aucun des plaisirs que j'eusse connus. Lorsqu'il voulut dégrafer ma robe, et s'embrouilla dans les ganses, ce fut moi, d'un geste à peine conscient, qui l'aidai. Sa main était maintenant sur ma peau nue, bien au-dedans de ma robe, elle avançait lentement, tendrement, vers la pointe du sein, elle la prenait entre ses doigts, elle savait faire très bien ce que j'aimais, c'était fini, j'étais à lui. Je ne sais combien de temps cet éblouissement dura, la voiture roulait de plus en plus lentement, celui qui conduisait, à ma droite, gardait un visage paisible, surveillant la route et la limite des hauts peupliers, sous les projecteurs. Je sentais son corps solide contre mon flanc; comme j'étais heureuse! L'auto finit par s'arrêter. C'était bien : sans qu'un mot eût été dit, mes compagnons savaient que mon abandon était total. S'ils ne m'avaient pas prise, ah! je les aurais haïs! Et aurais-je été capable de revoir Gilbert? Je n'aurais plus été même capable d'aimer. Mais c'était bon, aussi, qu'ils ne se hâtent pas de me prendre. Le premier continuait de ne toucher que mes seins; l'autre nous contemplait. Je voulais m'offrir à eux nue, car je savais que le désir de ma nudité les obsédait. Depuis longtemps, je m'exerçais à augmenter ce désir, découvrant mes jambes, lorsque j'étais assise à leur côté, me décolletant comme ne le fait pas une jeune fille de ma naissance. Et maintenant, j'allais avoir sur moi, non plus seulement sur mes seins, mais au creux de mon ventre, partout, leurs yeux, leurs mains, des mains qui n'étaient pas celles de Gilbert, à qui j'appartenais, que j'allais tromper avant même d'être sa femme! L'adultère d'une épouse, tu en connais la beauté. Mais celui d'une fiancée, en imagines-tu la merveille? Me donner aux amis de mon fiancé, à ceux à qui il a feint de me confier comme on ne confie qu'une fiancée, parce qu'il n'a jamais été entendu que de tels gardiens et une telle femme puissent abolir les mythes, ah! tu ne peux savoir ce qu'est l'infini de ce rêve impossible! Je regardais mes jambes, que regardait celui qui nous avait conduits. Comme elles étaient sensuelles et offertes! Le mouvement de mon corps, glissant sous les caresses, avait fait remonter ma robe. Je voulais qu'ils voient ma toison, sous mon slip noir. Ce fut facile, il me suffit de bouger les hanches. Tout de suite, la main abandonna mes seins pour chercher mon sexe. Je ne me souciais pas de mes propres sensations physiques, et je crois bien que celui qui me caressait ne pensait pas davantage à son plaisir. Enfin, ils m'entraînèrent sous les arbres, me firent un tapis de leurs propres habits et jouirent de moi tour à tour, s'accordant tout ce qu'ils avaient imaginé dans leurs délires les plus insensés, sans oser même en parler entre eux. Je ne sais plus ce que nous avons fait, jusqu'à ce que le matin se lève. Nous avions froid, nous étions trempés de rosée, nous étions fourbus, le dos me faisait mal. Mais comme nous riions ! Je me voyais avec admiration, là, toute nue, devenue en une nuit ce miracle, une grande petite fille déflorée, à travers les branches en fleurs, jambes écartelées sur la terre craquante, ivre d'épuisement et de bonheur.

Emmanuelle se garde d'interrompre Ariane. Elle l'écoute, appuyée sur ses coudes, sphinge enamourée :

— Après cela, Gilbert et moi avons pu nous marier. Je ne lui ai rien dit, et, bien sûr, ses amis non plus. Ce n'était pas nécessaire. Si l'amour n'avait l'intuition de telles choses, à quoi serait-il bon ? Être la femme de Gilbert, je l'avais tant voulu : ce fut une fête. Nous avons fait d'abord ce que font tous les amants mariés : nous regarder, le cœur battant, pendant des jours. Puis nous nous sommes souvenus des autres et avons fait le compte de ceux, autour de nous, connus ou inconnus, qui méritaient d'être aimés. Et l'histoire de notre mariage a suivi la fortune de cette recherche. Nous avions pris au sérieux, sans doute, la première impression qu'ait eue de nous le Créateur et qu'il a exprimée, dans son langage simple, par la proposition que tu sais : il n'est pas bon que l'homme soit seul. Voilà tout notre secret, Merveille, et voici ce que je dois à mon mari : j'ai appris de lui l'amitié.

Emmanuelle songe qu'Ariane a le visage du bonheur.

— J'ai appris que les amis qui ne nous désirent pas font seulement semblant de nous aimer, dit encore Ariane. Et qu'à ceux qui nous désirent sans l'avouer, il reste encore du chemin à faire pour devenir dignes de notre amitié.

— N'avons-nous rien à faire, nous, pour nous montrer dignes de la leur?

— Si : ce que je fais quand je me donne à eux. Car ai-je des amis pour les faire souffrir, Emmanuelle? Était-ce pour les priver de moi que j'ai cherché leur compagnie? Ce sont eux qui rendent pour moi la terre habitable : ils ont droit à tout ce que j'ai. Ce que j'ai de plus beau est le moindre de ce qui leur revient : et ai-je rien de plus beau que mon corps?

Les cloches de la cathédrale voisine appellent à un office du soir, sur un thème de danse profane.

— Je n'ai pas toujours su, dit Ariane, qu'il n'existait qu'une manière d'aimer. La morale de mon enfance voulait que l'on aime différemment les corps et les âmes, et aussi ceux qui en avaient. Il fallait beaucoup de subtilité et de prudence pour être sûr de ne pas se tromper. Quand même, on se trompait souvent, comme on le voit à la lecture des livres saints, qui sont pleins d'exemples de ces péchés. J'aurais mis moi-même, je suppose, quelque temps à m'y retrouver, malgré mes vertus et mon zèle, si j'avais dû ne passer mes veilles qu'à étudier la théorie. Par bonheur, je me suis mariée jeune, et j'ai pu m'instruire par la pratique. J'ai eu un bon maître, aussi.

Le ton badin d'Ariane cache son émotion, comme elle achève ses confidences :

— Gilbert a été mon premier ami. Et, les meilleurs de tous les autres, qui ont suivi, c'est lui qui me les a fait connaître. Leur nudité dans mes bras a résolu les problèmes que posait la pluralité des genres enseignés à l'école : car il n'est pas facile de distinguer un ami nu d'un amant nu. Toi-même,

Emmanuelle, cette nuit, te formaliseras-tu si je te dis que tu n'es pas pour moi deux femmes différentes, selon que je t'appelle mon amante ou que je t'appelle une amie ?

7

L'ÂGE DE RAISON

AMOUR. — Passion d'un sexe pour l'autre. Amour conjugal, légitime. V. Mariage, hymen, hyménée. Amour illégitime, libre. V. Concubinage, débauche, galanterie, liaison, libertinage, luxure, union (libre). Amour vénal. V. Prostitution. Amours ancillaires (V. ce mot). Un amour coupable, criminel, impur. V. Adultère, inceste.

Paul ROBERT,
*Dictionnaire alphabétique
et analogique de la langue française.
Les mots et les associations d'idées.*

Je fais une chose, oubliant ce qui est en arrière. Je cours vers le but.

Saint PAUL, *Épître aux Philippiens,*
III, 13.

— On vous avait crue perdue, dit Anna Maria, en retirant de sa voiture chevalet, boîtes de couleurs et pinceaux.

— C'était peut-être le cas, se contenta de répondre Emmanuelle.

— Où nous installons-nous ?

Emmanuelle leva un bras :

— Là-haut. Sur la terrasse.

Là, se souvenait-elle, elle avait découvert la sorcellerie de Marie-Anne. Anna Maria ne lui réservait certainement nulle surprise de ce genre.

Elle se chargea, au passage, de chocolats et de biscuits secs et commanda à Ea de leur presser des oranges.

— Tant que je vous garderai à vue, dit Anna Maria, en la poussant par les épaules pour qu'elle s'adossât à la pile de coussins, je serai au moins sûre que vous ne ferez pas de sottises.

Emmanuelle fit entendre un gloussement de bravade.

— Regardez-moi, ordonna sa visiteuse, lui relevant le menton d'un doigt ferme.

Elle plongea les yeux dans ceux de son modèle, dont le cœur, subitement, battit plus vite ; puis s'assit à même le carrelage de la terrasse, les jambes croisées devant le divan où elle avait disposé Emmanuelle. Elle plaça une toile, pas très grande, sur le chevalet bas qu'elle avait apporté.

— Je vais tenir tout entière là-dessus ? s'indigna le modèle.

Anna Maria s'étant contentée de rire, elle la relança :

— Vous ne croyez-pas qu'il vaudrait mieux que je sois nue ?

— Ça ne me dérange pas : moi, de toute façon, ce sont vos yeux que je veux peindre.

Le visage d'Emmanuelle exprima la plus franche consternation.

— Ce que je n'aime pas poser !

— Ne posez pas. Racontez-moi plutôt les horreurs que vous avez faites, pendant que vous vous cachiez chez Ariane.

— Ces choses-là vous intéressent donc ?

— Mais... pourquoi pas ? Cela m'aidera peut-être à vous comprendre.

— Et à peindre mes yeux ?

— Qui sait ?

Emmanuelle soupira, visiblement peu emballée. Elle chercha ce qu'elle pourrait dire d'insolent. Voilà :

— Ces jours-ci étaient quasiment fichus en tout cas. Alors autant que je les passe à me faire peindre !

Sans s'offusquer, Anna Maria regarda Emmanuelle d'un air qui voulait dire : pourquoi ces jours-ci ? Son hôtesse n'attendait que cette marque de curiosité pour fournir complaisamment la réponse :

— Depuis hier, je sais que je ne serai pas, pour cette fois, enceinte.

Ayant cru déceler, sur le visage d'Anna Maria, une fugitive réprobation, elle n'eut garde d'épargner sa pudeur :

— Pendant quatre jours, j'ai bien cru que j'avais été rendue mère. Mais je suppose que ce n'était que le changement de climat.

— Vous avez plus de chance que vous n'en méritez.

— De chance ! Pourquoi ? J'aurais trouvé assez spirituel d'être enceinte.

— Vous voulez dire : sans savoir de qui ?

— Justement, c'est cela qui m'aurait fait rire.

Elle pouffa, de bon cœur. De toute évidence, jugea Anna Maria, elle le pensait vraiment. Le cas était sans espoir.

— J'aurais quand même pu essayer de le deviner, reprit rêveusement Emmanuelle.

Elle sembla se perdre dans un calcul mental compliqué, comptant sur ses doigts, dont sa langue léchait les bouts tour à tour.

Anna Maria évita de la suivre sur un terrain qui lui paraissait pavé d'intentions infernales. Elle s'absorba sans mot dire dans son travail, entrecroisant au centre de sa toile des lignes grises et noires qui, bientôt, dessinèrent une sorte de paysage angoissé. Emmanuelle, dépitée de voir que son sujet n'intéressait pas, s'enquit :

— Je peux voir ?

— Non. Il n'y a encore rien. Et il ne faut pas parler de ce que je fais : tant que ce ne sera pas fini.

— Ce sera fini quand ?

— Rien ne presse : avez-vous oublié que vous ne pouviez rien faire de mieux de ces quatre ou cinq jours ?

— Il reste des tas de choses, qu'on peut faire, rectifia Emmanuelle.

Anna Maria ne douta pas que ces choses consistassent toutes en des manières plus ou moins hétérodoxes de faire l'amour et ne demanda donc pas de détails.

— Cela vous a, malgré tout, ramenée chez votre mari, constata-t-elle. Ariane ne vous aime pas, lunaire ?

Emmanuelle haussa les épaules avec impatience :

— Vous n'y êtes pas du tout. J'ai eu envie de revoir Jean, c'est tout. Il me manquait.

— Vous auriez pu simplement l'inviter à prendre le thé avec votre nouveau ménage.

— C'est ce que j'ai fait.

— Et comment a-t-il apprécié l'épisode ?

— Avec humour. Nous nous sommes tous amusés comme des fous. Nous avons fini les gâteaux.

— Pas d'autre incident ?

— Après, Jean et moi sommes partis, en amoureux.

— Pauvre Ariane !

— Pourquoi ? Je la reverrai.

— Et le comte de Saynes?

— Oh, il peut toujours m'avoir quand il le veut.

Cette fois, le silence d'Anna Maria signifiait clairement que l'expression était jugée malheureuse.

— Jean n'a vraiment rien trouvé à redire à cette petite fugue? À lui, vous n'avez pas manqué?

— Il était content de me savoir heureuse. C'est lui qui me l'a dit.

— Et vous? De le savoir seul ne vous a pas gâté la partie?

— Il n'était pas seul : je pensais à lui.

Emmanuelle flamba subitement :

— Et puis, il ne faut pas exagérer : je ne l'ai pas « abandonné » tellement longtemps; lui-même est rentré de Yarn Hee il y a quatre jours à peine. Il n'a passé ici que deux nuits sans moi.

— Que diriez-vous, s'il les avait passées avec une de vos amies?

Emmanuelle ouvrit de grands yeux, sincèrement éberluée par l'absurdité de cette question :

— Mais j'aurais été ravie! J'aurais bien voulu. Si j'avais connu mieux Mervée...

— Mervée!

— Vous ne la trouvez pas jolie?

— Jolie, je ne sais pas. Mais elle... et Jean!

— Qu'est-ce qu'il y a : ils n'iraient pas bien ensemble?

— Décidément, Emmanuelle, vous êtes un peu folle : ou plus innocente que je ne le pensais. Vous donneriez à cette fille l'occasion de vous prendre Jean?

— Me le *prendre*? Pourquoi de si grands mots? Ne peut-on dormir avec mon mari sans me le *prendre*?

Anna Maria secoua la tête : elle semblait sincèrement alarmée. Emmanuelle se mit à rire :

— Vous voulez dire, relança-t-elle, que si Jean

goûtait à Mervée, il serait tellement époustouflé par ses talents qu'il ne voudrait plus avoir affaire qu'à elle ?

Ne recevant pas de réponse, Emmanuelle se chargea d'en fournir une elle-même :

— Anna Maria ! J'ai fait l'amour avec des hommes qui m'ont donné, physiquement, plus de plaisir que mon mari. Et pourtant, non seulement je n'ai pas envie de le quitter pour aller vivre avec eux, mais je l'aime, lui, plus qu'avant de les avoir connus. Comment expliquez-vous cela ?

— Je ne l'explique pas du tout !

— C'est pourtant simple : cela prouve deux choses : la première c'est que j'aime Jean ; la seconde, c'est que, plus je fais l'amour, mieux je sais aimer.

L'autre fit la moue. Emmanuelle précisa :

— Si l'amour qu'on a pour un homme ne devait pas survivre à l'amour qu'on fait avec un autre, parce que celui-ci vous fait jouir plus fort, l'amour ne serait pas quelque chose de très honorable.

— C'est bien pourtant une des raisons pour lesquelles il est recommandé à la femme de ne connaître que son époux, exposa Anna Maria, sur un ton qui s'efforçait d'être objectif.

— Recommandé par qui ? s'emballa Emmanuelle. Par des gens qui ont peur ! C'est la peur qui est le fondement de vos vertus.

— Et si Jean souffrait de vos débauches sans vous l'avouer ?

— Il n'a pas de ces complexes. Les hommes qui redoutent le plus l'infidélité de leur femme sont ceux qui ne sont pas sûrs d'eux, qui pensent être de mauvais amants. Jean, lui, n'a jamais peur : ni de cela, ni de rien d'autre. C'est pourquoi je l'aime.

— Est-ce lui qui vous a encouragée à avoir des amants ?

Emmanuelle cilla. C'était là son regret :

— Encouragée, non. Il me le permet.

Elle ajouta ne pouvant contenir sa franchise :

— Mais c'est vrai : j'aimerais mieux que Jean fasse comme Gilbert. C'est la chose au monde qui me rendrait le plus heureuse.

— Gilbert ? Que fait-il ?

— Il prête Ariane à ses amis. Quelle chance elle a !

— C'est effrayant !

— Vous voyez : vous aussi, vous avez peur.

— Emmanuelle, avez-vous perdu toute notion du bien et du mal ? Comment pouvez-vous approuver qu'un mari trafique ainsi du corps de sa femme, comme d'un bien de consommation ?

— Trafiquer ? ce n'est pas le bon mot : il ne demande rien en échange. Et ce n'est pas mal, d'être un bien de consommation. J'aime être consommée.

Elle évalua l'effet produit et en fut satisfaite. Elle continua :

— Prêter, c'est un moyen de posséder mieux, ne pensez-vous pas ? Un mari jaloux ne sait pas ce qu'il perd, en gardant sa femme pour lui tout seul, comme un harpagon son magot.

— Dans ce cas, pourquoi ne conseillez-vous pas à Jean de vous prostituer ?

Emmanuelle haussa les sourcils, de l'air dont on prend note d'une bonne idée. Elles restèrent un grand moment sans parler. Anna Maria semblait avoir oublié tout ce qui n'était pas sa peinture. Pourtant, lorsqu'elle se redressa, avec un soupir de fatigue, posa ses pinceaux, et s'accouda au divan pour s'accorder un moment de récréation, Emmanuelle jubila de constater que sa portraitiste revenait au même sujet :

— Ariane ne cède-t-elle qu'aux hommes à qui l'offre son mari ?

— Non.

— Alors, elle lui fait du tort, selon vos propres théories. Elle le prive du privilège de la prêter seulement à qui bon lui semble, elle porte atteinte à ses droits de mari. Elle se conduit en femme libre, pas en bonne épouse.

Anna Maria était apparemment enchantée de sa logique. Elle poussa son avantage :

— Et vous êtes pire qu'elle, vous qui ne vous donnez qu'à des hommes que Jean ne choisit pas.

— Il y a plus d'une manière d'être une bonne épouse, réfléchit à haute voix Emmanuelle. L'essentiel est de mettre l'érotisme au service du mariage. Car, n'est-ce pas, ce que nous voulons, c'est d'abord rendre possible l'amour heureux ?

— Je doute que vos méthodes y aident !

— Vous avez tort. Je vous l'ai dit : faire l'amour m'apprend à aimer.

— Le bonheur n'est donc qu'une question de technique amoureuse ?

— Les progrès que je fais ne sont pas seulement physiques : ils sont surtout mentaux. J'apprends à ne pas souffrir de ce qui n'est pas un mal. Les amoureux aiment se tourmenter plus qu'ils n'aiment aimer. Je me guéris de ces goûts morbides. Je veux que l'amour soit pour Jean et moi non un souci mais un soulagement. Pas le temps des examens mais celui des vacances. Hélas ! Je m'y prends bien tard. C'est avant d'être mariée qu'il faut se rendre digne de l'être.

— La virginité est le bien inaliénable de l'époux à venir même inconnu.

— Voilà. Sauf que ce devrait être le contraire que la fiancée soit fière d'apporter en dot, non son ignorance et sa gaucherie, un bouquet d'inhibitions et une couronne de préjugés, mais le goût, la science et l'art de l'amour. Du moins, si elle n'a eu l'esprit de s'instruire avant les noces, qu'elle se rachète par la suite ! Les filles qui vont courir le guilledou et en reviennent comme des fleurs fraîches font l'orgueil et la joie des maris plus que celles jaunies à la flamme des cierges sur l'autel hérissé de grilles de la fidélité conjugale.

— Saint lyrisme ! Qui voue tout couple honnête à l'étiolement et à la fadeur !

— Simple fait d'observation. Le mariage ne peut s'épanouir que par les stimulants que lui procurent les amours excentriques et les amours profuses. Ils sont le sel du long repas à deux.

— Et si, au lieu de l'épicer, ils l'empoisonnent ? Si le mariage en meurt ? Nierez-vous que ce ne soit, pour le commun des cas, l'issue la plus probable ?

— Alors, c'était un mauvais mariage ! Nous n'en porterons pas le deuil. Sa fin n'est une perte pour personne.

— Que seuls survivent les témoins d'Éros !

— Les autres ne vivent pas. Est-il utile qu'ils continuent à singer la vie ?

— Et la jalousie des autres femmes — celles dont vous dévergondez, d'un cœur léger, les maris — elle n'a pas droit, non plus, au moindre ménagement ?

— Suis-je chargée de protéger la bêtise ? Ou d'encourager la sauvagerie ? Dans certaines tribus primitives, paraît-il, on vous coupe le clitoris, pour être sûr que vous ne jouissiez pas trop. Chez nous, pas besoin de sorcier pour se donner cette peine : ce sont les filles elles-mêmes qui se chargent de se châtrer. Je n'ai pas d'égards à avoir pour celles dont la civilisation est en retard sur celle des Pygmées.

— Vous ne semblez pas avoir d'égards pour grand-chose, vous, les épouses excentriques et les épouses profuses. Vos maris doivent aussi se faire à l'idée que vous leur donnerez, quand la fantaisie vous en prendra, les enfants d'autres hommes.

— Les enfants ne sont pas « *d'autres hommes* » : ils sont hommes. On ne s'assure pas de leur origine comme s'ils étaient des fromages ou des vins. Lorsque j'aurai un enfant, je ne m'inquiéterai pas de savoir de quelle graine il est issu, mais dans quel monde je le fais naître : si ce n'est pas dans un monde d'intelligence et de liberté, il sera de toute façon un bâtard.

Anna Maria resta un moment à fixer pensivement sa palette. Puis elle releva la tête et demanda :

— À vos enfants, Emmanuelle, vous n'interdirez rien ?

— Je leur interdirai de vivre en l'an mil.

— Quelles sortes d'amours leur conseillerez-vous ?

— Il n'y a qu'un seul amour.

— Celui que vous aurez pour eux sera-t-il donc le même que votre amour pour Jean ?

— Je vous dis qu'il n'y a qu'un seul amour.

— Mais vous couchez avec Jean — même si vous ne lui réservez pas l'exclusive de cet honneur.

— Et alors ?

— Ferez-vous aussi l'amour avec vos enfants ?

— Je n'en sais rien. Je vous répondrai lorsque j'aurai fait leur connaissance.

— Et entre eux, les laisserez-vous libres de s'aimer ?

— Libres de s'aimer ? Le contraire serait monstrueux.

— Je vois que le pire est encore à venir.

— Violer les vrais tabous, hein, cela vous terrifie !

— Ne reconnaissez-vous pas au moins quelques lois naturelles, si vous ne voulez pas entendre parler de lois divines ?

— Je les accepte même toutes : je n'ai pas le choix ! Mes électrons tournent comme il leur plaît autour de mes noyaux ; la pesanteur m'accable et je mourrai. Aussi longtemps que la science ne m'aura pas rendue plus forte qu'elles — et encore, jamais toutes ! — je ne pourrai que me conformer à ces lois. Mais je n'y trouve rien qui interdise au frère de faire l'amour avec sa sœur. À vrai dire, la nature me paraît même favoriser couramment ces liaisons.

— N'est-il donc pas permis de s'aimer sans se toucher ?

— C'est vous qui défendez ceci ou cela. Moi, je ne fais que dire que je crois tout permis.

Emmanuelle s'étire sur le divan comme une chatte, bâille, sans cacher le moins du monde que la conversation commence à l'ennuyer, puis subitement explose :

— S'aimer sans se toucher, se toucher sans s'aimer : depuis deux mille ans, les chrétiens tournent autour de ces passionnants problèmes comme des mites autour d'un falot. Si cette obsession ne rendait fous qu'eux, on se ferait une raison : mais ils ont détraqué toute la terre. Ils ont mis des braguettes aux statues et des chemises aux Tahitiennes. Ils ont fini par nous faire prendre peur de notre corps. N'y a-t-il rien de plus utile à faire sur cette planète que de porter la haire et se donner la discipline ?

— Il y a d'autres valeurs que celles de la chair.

— Eh ! qui parle de chair ? L'âme que j'y vois grandir vaut bien celle que droguent vos prières.

— Et cette âme-là ne trouve pas d'autre sens à la vie que l'érotisme ?

— Je dis que ceux qui sont aveugles à l'érotisme ne verront pas non plus les autres sens de la vie. Et ceux pour qui la chair est sans valeur, les valeurs de l'esprit aussi leur resteront cachées.

— Emmanuelle, sur quel ton de prophétie vous me rejetez dans les ténèbres ! Si vous me faisiez mieux voir votre vérité, peut-être aurais-je davantage envie de la suivre.

— Eh bien, regardez-moi ! Ai-je l'air de quelqu'un qui incarne le mal ? Ai-je le visage de vos démons ? Et regardez mon corps : porte-t-il les signes de la damnation ?

D'un geste, elle arrache son sweater, tend ses seins à Anna Maria, qui sourit :

— On dit : la beauté du diable, murmure-t-elle ; je n'y crois pas. La beauté est de Dieu.

— Vous vous trompez encore, constate Emmanuelle. La beauté est l'œuvre des hommes.

Anna Maria la contemple un instant, sans répondre. Puis saute sur ses pieds, comme à regret, rassemble ses brosses et bouche ses tubes.

— Fini ? questionne le modèle, avec espoir.

— Pour aujourd'hui, oui. Demain, on verra s'il y a moyen d'aller plus loin.

Emmanuelle jaillit du divan, se penche pour inspecter la toile, fait la grimace :

— Ça ne ressemble à rien, décrète-t-elle. Ce n'est pas le Portrait Ovale.

Jean, ce dimanche après-midi, a emmené sa femme et Christopher aux courses. Emmanuelle scrute l'assistance, ne reconnaît personne. On l'admire, comme à l'accoutumée, mais sans le sous-entendu ou le sourire qui révélerait la confidence du scandale. Elle en conclut que la Ville-dans-la-ville ne fréquente pas l'hippodrome.

Aussi est-elle surprise de découvrir là, au bout d'un moment, Ariane, en compagnie de deux inconnus, ni jeunes ni beaux.

— Je chaperonne des diplomates, lui avoue la comtesse. Toi, que fais-tu?

— Jean m'apprend à gagner.

— Et tu gagnes?

— Tout le temps.

— Ce que tu es forte!

Elles rient. Un haut-parleur vocifère un avertissement inaudible. Emmanuelle pivote gracieusement sur ses talons, pour faire face au son : sa jupe s'élève en hélice le long de ses cuisses, laisse apercevoir, une fraction de seconde, les courbes nettes de ses fesses, retombe mollement.

— Pas mal! apprécie Ariane. Puis : Regarde Christopher. Pourquoi fait-il ces yeux-là?

— Parce qu'il m'aime.

— Et toi?

— Il est chou.

— Il fait bien l'amour?

— Je te le dirai plus tard.

Elle change de sujet :

— J'ai reçu une lettre de Marie-Anne.

— Celle-là! Qu'est-ce qu'elle mijote?

— Elle parle de la mer, du vent, du sable, de la trace du vent sur la mer et de la mer sur le sable... Elle fait une poussée de poésie.

— Voilà qui cache quelque chose.

— Elle signe quand même : Révérende Mère Marie-Pucelle de Saint-Orgasme, Prieure des Oblates de Notre-Dame de la Masturbation.

— Moins inquiétant.

— Elle me dit aussi que Bee est allée la voir.

— Ah? Rien d'autre?

— Au fait, brusque Emmanuelle, tu connais bien son véritable nom?

— De qui parles-tu?

— De Bee. Ne fais pas l'innocente.

— Oh, elle? Abigaël. Abigaël Arnault.

— Arnault! Tu te moques de moi! Comment l'écrit-on?

— La même chose qu'en français : a-r-n-a-u-l-t.

— Écoute! C'est impossible...

Emmanuelle paraît confondue. Ariane s'étonne :

— Qu'est-ce qui te prend?

— Mais c'est *mon nom*! Mon nom de jeune fille. Le nom de ma famille...

— Eh bien! Qu'y a-t-il là d'extraordinaire? Tu as sûrement un oncle d'Amérique.

— Ne sois pas absurde.

— Bon. Alors, je vais te dire : Bee n'existe pas. Tu l'as rêvée.

Emmanuelle se passe la main sur le front.

— Je me demande si je n'ai pas tout rêvé, depuis quelque temps.

Elle reste silencieuse. Puis :

— Et son frère : lui aussi est imaginaire?

— Pas pour moi, atteste Ariane avec entrain. En tout cas, plus depuis Maligâth. Avant, j'avoue qu'il faisait un peu partie du décor.

— Et cette nuit-là, il t'a fait l'amour?

— Divinement.

— À moi aussi.

— Ah? bravo! Nous avons eu de la chance.

— À ce point? se gausse Emmanuelle.

— Je veux dire que, d'ordinaire, il n'a d'yeux que pour sa sœur.

— Que pour sa sœur?

— Oui, rappelle-toi : ta cousine!

— Mais... Pourquoi? L'aime-t-il donc tellement?

— À la folie.

Emmanuelle hésite :

— Est-il... Est-ce que... Crois-tu qu'elle soit... sa maîtresse?

— Quelle question! Tu ne le savais pas? Ils n'en

font pas un mystère. Michaël et Abigaël, Abigaël et Michaël... C'est Daphnis et Chloé, Cléopâtre et ses frères. Elle ne te l'a pas dit?

Emmanuelle élude la réponse, cuisante pour son amour-propre. Elle se contente de répéter, vaguement :

— Ils sont amants.

— Tes principes se rebiffent?

— Non, non...

— Rappelle-toi ce qu'a dit un expert : L'inceste étend les liens des familles et rend par conséquent plus actif l'amour des citoyens pour la patrie.

Emmanuelle sourit, avec une gaîté soudaine.

— Ils en ont encore pour deux bonnes heures, avec leurs pur-sang, note plus tard Ariane. Ça t'intéresse, toi, ces animaux qui galopent?

— Non.

— Alors, joue plutôt aux hommes.

— Tu as raison. À tout à l'heure.

Elle rejoint son mari :

— Tu me permets d'aller me promener? Je serai revenue avant la fin.

— Entendu. Si tu ne nous retrouves pas ici, c'est que nous serons au bar.

Elle traverse le bâtiment du club, qui sépare le champ de courses des courts de tennis et de squash et de la piscine. Peut-être son désir d'aventure se lit-il sur son visage, car l'attention des hommes commence à se manifester avec plus d'insistance. Ou, alors, c'est le fait que, dans le hall où elle passe, le contre-jour la découpe admirablement nue sous sa robe de shantung, rendue transparente par les rayons obliques du soleil de septembre.

Cette robe, Emmanuelle, la trouve encore trop pudique. Elle est boutonnée devant, sur toute sa longueur. Comme toujours, Emmanuelle en a laissé le haut entrouvert, pour qu'on puisse voir ses seins : maintenant, tout en marchant, elle la relève devant elle. Les spectateurs s'arrêtent pour s'assurer qu'ils ne souffrent pas de mirage, qu'ils ont bien vu le triangle noir d'un pubis nu, là, tout à coup, devant eux... Et elle déboutonne posément sa jupe, depuis le bouton du bas jusqu'à celui qui se trouve à la hauteur du sexe. Désormais, les pans flottants découvrent à chaque pas ses cuisses. Elle-même regarde surgir de la soie grège leur peau dorée. Mes jambes sont belles ! se réjouit-elle. Mes seins sont beaux. Tout mon corps est beau. Je veux faire l'amour.

Les regards qu'elle posait sur les hommes les laissaient étourdis, mais déjà elle était passée ; ils se retournaient, n'osaient la poursuivre. Elle avait envie de chanter. Elle chanta. Un groupe s'arrêta, sourit d'admiration. Ses jambes nues la portaient avec une souplesse de danseuse ; elle se mit à courir ; sa jupe volait. *Je suis heureuse : je ne me laisserai plus souffrir. L'âge de l'ignorance est passé. Finis mes chagrins d'enfant ! Maintenant, je sais comment il faut aimer.*

Elle avait atteint le grand parc de ciment, rempli à craquer d'autos de toutes les couleurs. Si elle s'en choisissait une ? Elle vagabonda lentement à travers les géantes américaines roses et bleues, une italienne aux muscles rouges, une naine blanche *(une nostalgie l'étreignit : le dernier livre qu'elle avait lu, avant de quitter la Faculté, s'intitulait : « Contribution à l'étude du spectre des naines blanches » ; elle aurait voulu devenir un grand astronome ; mais Mario avait dit qu'il fallait laisser à d'autres les équations et leurs inconnues : son rôle, à elle, était de faire œuvre d'amour physique et de beauté...)* : elle caressa, avec un soupir, le museau court et bas de la petite voiture : une anglaise, c'était sûr, avec ses gros yeux qui lui sortaient de la tête.

— *You like Gussie?* prononça une voix allègre.

Elle sursauta, découvrit, au volant du roadster, un coude dans le vide, un garçon au visage narquois, cheveux tondus ras, le regard si clair qu'il fallait un moment pour découvrir qu'il était bleu. Emmanuelle lui dédia une œillade de connivence.

— *How about a ride?* enchaîna-t-il.

Il flatta du plat de la main les flancs d'aluminium de sa tendre amie, qui sentait bon le cuir. Emmanuelle s'avança jusque devant lui. Il est beau comme tout, convint-elle, mais il faut qu'il sache que c'est moi qui le choisis.

Elle leva un genou, l'appuya au bourrelet rouge qui protégeait les arêtes de la portière : sa jupe coula le long de sa cuisse. Le jeune homme l'examina à loisir, fit claquer sa langue, se prononça :

— *You sure are a sweetie pie!*

Il désigna le siège libre :

— *Come along, baby!*

Emmanuelle fit encore un pas, s'assit sur le capot arrière, pivota sur ses fesses, se laissa glisser, dénudée à mi-corps par le mouvement, aux côtés de son élu et tendit son visage. Il lui caressa les pommettes, lui lécha les lèvres, lui parla. Elle se serra contre lui. Elle ne comprenait pas pourquoi il ne touchait pas tout de suite son sexe.

Mais lui se saisit résolument de son volant, démarra en bolide, traversa la ville, puis la campagne de rizières, inondée d'eau et de boue. Les buffles levaient lourdement le mufle pour les regarder passer. Les canards et les oies se dispersaient en piaillant. Emmanuelle avait logé sa tête dans le cou solide et appuyait ses genoux, serrés l'un à l'autre, contre son compagnon : de sa main libre lorsqu'il ne changeait pas de vitesse, il les tapotait, mais toujours sans oser profiter de la toison offerte, ni des seins que le vent de la course découvrait.

À plusieurs reprises, Emmanuelle repéra une oasis d'ombre, sous un tamarinier ou un fromager, au milieu des champs coupés de diguettes : elle tendait la main en criant :

— Là !

Mais la vitesse les avait déjà emportés et ils riaient tous deux de leur déraison. Bientôt pourtant, des nuages s'amoncelèrent et le pilote parut inquiet. À un carrefour, il effectua, presque sans ralentir, un demi-tour qui écrasa Emmanuelle contre lui et ils repartirent de plus belle vers Bangkok. Elle décida que le paysage était désormais du déjà vu, et changea de position, posant la tête sur les cuisses de son conducteur. Le volant de bois et d'acier la menaçait : pour lui échapper, elle se blottit plus près du ventre de l'homme et bientôt elle sentit gonfler contre sa nuque le désir qu'elle avait attendu. Par de faibles mouvements de son cou, elle l'amplifia, et fit tant et si bien qu'elle-même n'y tint plus : sa main s'inséra entre ses propres cuisses nues, et le temps ne fut plus qu'un frisson continu.

Les lourdes gouttes chaudes qui tombaient sur eux ne la tirèrent pas de l'extase. Lorsque l'auto se fut arrêtée sur des graviers crissants, le jeune homme la prit dans ses bras, la souleva, l'emporta à l'intérieur de la maisonnette. Les cheveux d'Emmanuelle ruisselaient jusqu'à terre ; la soie ocre collait à sa peau. Il la déposa sur un divan recouvert de raphia et but la pluie sur ses lèvres. Il lui retira sa robe, se déshabilla et, sans préliminaire, fit entrer sa verge jusqu'au tréfonds d'elle. Il éjacula longuement, les mâchoires serrées et les yeux clos, tandis qu'elle enlaçait son torse de ses bras, ne voulant pas elle-même jouir ni altérer la perfection égoïste du plaisir mâle, le monde solitaire et clos de ce spasme sans remords.

Il se releva, s'étira. C'est fou ce qu'il est beau ! s'enchanta Emmanuelle. Nous sommes un couple bien assorti.

— Je voudrais me baigner, annonça-t-elle.

Il la conduisit à une salle de douches où elle s'aspergea avec délice : l'eau tira des rayons de lumière noire des cheveux qu'elle tordait sur son dos et entre ses seins. Le jeune homme la reprit dans ses bras, se frotta contre son corps frais, lui mordit une épaule à la faire crier.

— Mon mari n'aime pas les marques, le réprimanda-t-elle, moqueuse.

Il eut l'air épouvanté, massa piteusement les traces de dents, qui ne voulurent pas s'effacer. Emmanuelle lui échappa, s'agenouilla devant lui, prit, avant qu'il n'ait pu protester, son sexe dans sa bouche, le traita si tendrement qu'il se retrouva vite en érection. Les joues d'Emmanuelle se creusaient de fossettes, chaque fois qu'elle aspirait, tandis que sa langue enveloppait et caressait le gland. Elle continua jusqu'à ce que la tige massive et recourbée parût sur le point d'éclater, stoppa abruptement l'action de ses lèvres et recula pour contempler son œuvre, qui se dressait dans le vide, menacée d'apoplexie... Sans se laisser fléchir par cette supplique muette, Emmanuelle entreprit de frotter son hôte sur tout le corps, se servant d'un gros savon de toilette odorant, qui l'eut vite couvert d'une mousse opaque.

— Attendez, laissez-moi faire ! exultait-elle.

Les paumes de ses mains décrivaient des orbes sur la poitrine et le ventre de son amant d'une heure, lui malaxant les muscles tout en faisant s'épaissir la mousse. Elle soufflait sur les bulles, riant aux éclats. Elle lui frictionna de la même façon le dos, les jambes, sans qu'il dît rien, puis les fesses et, enfin, le sexe, d'une main si persuasive qu'il reprit vite la forme où elle l'avait laissé. Tantôt ses paumes tantôt ses doigts effleuraient, par glissements et touches rapides, sans lui laisser un instant de répit, le pénis enneigé, que sa caresse traversait de secousses. L'homme sentait des bouffées de chaleur lui monter aux lèvres et aux tempes. Il souffrait presque, mais les mains d'Emmanuelle lui retiraient toute volonté ; il se soumettait, acceptait leur domination, dût-il en mourir. Ses cuisses étaient raidies, les genoux lui faisaient mal, des gémissements lui échappaient. Emmanuelle, que l'eau de la douche continuait de polir comme une statue de fontaine, gardait les yeux fixés sur le gland, qu'elle voyait devenir pourpre, en dépit de la couche de savon blanc. Elle irritait, par intervalles, de ses pressions et de ses coups d'ongles, les testicules et l'espace sensible en arrière d'eux, jusqu'à l'ouverture des fesses. Soudain, elle serra la verge de toute la force de sa main et en tira la peau vers la base, à la faire craquer, jusqu'à ce qu'un jet violent sortît du méat, lui éclaboussant le visage. Elle eut néanmoins le temps d'enfoncer le phallus dans sa bouche avant qu'il n'eût achevé ses spasmes et de recueillir sur sa langue assez de sperme pour que le goût du savon ne lui parût pas trop amer.

Elle regrettait d'avoir laissé perdre une partie du régal et elle aurait aimé qu'un second amant fût là, à portée de ses lèvres, pour qu'elle pût le boire aussi. L'an prochain, pour ses vingt ans, il faudrait que vingt hommes la prennent coup sur coup dans la bouche. Ce serait le plus raffiné des festins d'anniversaire ! L'idée était si bonne qu'elle sauta sur ses pieds, et fit une série de gambades, enchantée de son présent et de son avenir.

— Je vais vous rincer, informa-t-elle son partenaire, qui restait tout droit devant elle, anesthésié.

Elle l'aspergea, le sécha, l'embrassa, se sécha à
son tour, puis déclara :

— Maintenant, je m'en vais : il fait grand nuit.
Heureusement, il ne pleut plus.

Elle sortit de la salle de bains, piqua sur le tapis
de paille et souleva à hauteur de ses yeux, avec une
consternation allègre, sa robe, qui paraissait sortir
d'un baquet.

— Je ne peux pas la remettre, constata-t-elle.

Et sûrement ce garçon ne possédait pas de garde-
robe féminine dans quoi puiser. Elle lui adressa une
moue de perplexité, but la moitié du verre qu'il lui
tendait et soupira :

— Il va falloir que je couche ici pour qu'elle
sèche.

L'hôte considérait le problème avec incompé-
tence :

— Si je la donnais à repasser à ma bonne ?
hasarda-t-il tout de même, sans faire de fautes de
grammaire.

Emmanuelle rit de sa naïveté. Une idée meilleure
lui vint :

— Elle pourrait me prêter un sarong ?

— Eh ! fit-il, j'ai des chemises et des slacks.

Emmanuelle s'effraya :

— Non, merci. Mais des shorts, ça m'ira peut-
être. Je les arrangerai.

Elle les arrangea en leur resserrant la taille par-
dessus quelques plis et en enroulant les jambes haut
sur les hanches. La mimique de l'homme signifia
qu'il ne voyait pas très bien, dans ces conditions, où
était l'intérêt de lui emprunter des culottes plutôt
que d'aller nue. La chemise, par contre, avait grande
allure, nouée au-dessus du nombril et pas du tout
boutonnée.

— Maintenant, ramenez-moi vite.

L'auto blanche fonça une fois de plus à travers Bangkok.

— Où est votre maison?

— Emmenez-moi au Sports Club. Mon mari m'y attend.

Il renonça à comprendre, fit ce qu'elle lui disait. Arrivés au parc des voitures, ils virent qu'il n'en restait que deux, dont celle d'Emmanuelle. Son chauffeur vint à elle, articula, avec l'accent monocorde des Vietnamiens parlant français :

— Monsieur est parti à la maison. Monsieur a renvoyé la voiture ici pour Madame.

— Vous vovez, il faut absolument que je me dépêche, expliqua Emmanuelle à son pilote, sautant hors du roadster, sa robe mouillée à la main.

— Mais... quand vous reverrai-je?

— Je ne sais pas. Je file! Du bout des doigts, elle faisait s'envoler vers lui une couvée de petits baisers. Il se, contenta d'une grimace de résignation.

Au moment où elle passait le long de la piscine, dont la séparait une haie de cactées, Emmanuelle crut entendre quelqu'un la héler. Mais était-ce vraiment à elle que l'appel s'adressait? Elle fit signe au chauffeur de freiner, se pencha à la portière, aperçut, en haut du perron de mosaïque qui conduit au bassin, une silhouette qui lui faisait de grands signes. Qui était-ce? Elle ne reconnaissait aucune de ses récentes amies. La forme dégringola les marches, fut auprès de la voiture en quelques bonds. C'était une femme (Emmanuelle ne lui décerna pas le titre de *jeune* femme, parce qu'elle lui paraissait proche de la trentaine), très fine de cou, d'épaules, de taille et de hanches, le ventre musclé et si plat qu'il en paraissait presque creux, les cuisses longues, sveltes et dures. Toute cette minceur frappait, parce que, en saillie sur un thorax où l'essoufflement dessinait par saccades le relief des côtes, s'érigeaient des seins en globes, comme en ont les statues érotiques des temples indiens. Ils distendaient la peau, d'un ambre satiné qu'on avait envie de toucher. Ils semblaient si fermes, si pleins et si bouffants que ce n'était pas assez de dire que leur poids ne les entraînait pas : Emmanuelle pensa, comme elle les contemplait avec une admiration stupéfaite, qu'ils *rebiquaient*. Et elle voyait bien que le mérite n'en revenait pas au soutien-gorge du bikini, car ni sa matière, ni sa forme, ni sa dimension ne pouvaient servir à soulever cette poitrine, pas plus qu'elles ne prétendaient la dissimuler.

Emmanuelle fut tellement intéressée par ces seins qu'elle ne fit qu'après coup attention au visage : des yeux profonds, longs, noirs, brillants jusqu'à en paraître fiévreux. Un nez étroit et droit, des pommettes hautes, une bouche charnue, peinte en blanc. Le front disparaissait à demi sous un bonnet de bain ardoisé, hérissé de filaments de caoutchouc qui créaient l'illusion d'une chevelure, pas tout à fait humaine.

— Venez vous baigner, invita la rencontre d'une voix basse qu'Emmanuelle trouva belle et étrange.

— Je suis en retard, tenta-t-elle d'arguer, mais elle renonça à son excuse à mi-chemin. Une autre objection lui vint à l'esprit.

— Je n'ai pas de maillot.

— Cela ne fait rien, il n'y a que nous.

Ce *nous* parut à Emmanuelle gros de mystère. Elle restait à balancer.

L'autre femme ouvrit la portière, lui tendit la main, sa voix se fit caressante :

— S'il vous plaît !

Emmanuelle la trouva émouvante et, brusquement, se décida, descendit, ordonna au chauffeur :

— Attendez-moi au parking, je reviens dans une minute.

Elle prit la main de l'inconnue, qui l'entraîna en courant. Elles gravirent les marches d'un seul élan, passèrent derrière la claire-voie de verdure. Emmanuelle trébucha contre son guide, qui s'était soudain immobilisé et, d'autorité, dénouait déjà la chemise d'homme, la ceinture du short. Emmanuelle fut nue avant d'avoir eu le temps de dire un mot. Elle se trouva, d'ailleurs, très nue, car c'était la première fois qu'elle l'était aussi franchement dans un endroit public. La nuit ne lui tenait même pas lieu de voile : de hauts projecteurs déversaient sur le carrelage de jaspe et d'eau rose une lumière plus crue que celle du jour.

Deux hommes se tenaient debout dans la piscine, près de l'extrémité la moins profonde : l'eau ne leur arrivait qu'à hauteur de poitrine. La femme la conduisit jusqu'à eux, et lui fit descendre une échelle. Elle présenta : mon mari, en désignant le plus grand. Lui aussi était sombre et osseux, les traits creusés, le nez aigu, les yeux très noirs : leur intensité était telle qu'Emmanuelle eut l'impression qu'il tentait de lire ses pensées. Peut-être était-il fakir ? Le second avait l'air plus banal, mais il lui plut davantage. Il devait être aussi jeune qu'elle.

Et maintenant, s'interrogea-t-elle, qu'allait-il se passer ? Il allait de soi que le trio l'avait conviée là pour des jeux amoureux : le contraire eût été anormal. Elle attendait qu'on lui définît son rôle.

— Qui est-ce ? s'informa le plus âgé des deux hommes.

Sa femme fit un geste d'ignorance.

— Vous ne me connaissez pas ? s'exclama Emmanuelle. Mais, alors, pourquoi m'avez-vous appelée ?

— Je vous ai remarquée cet après-midi aux

courses, dit la femme. Vous étiez nue sous votre robe.

— Cela se voyait?

— Vous l'étiez bien pour que cela se voie?

Emmanuelle reconnut d'un sourire la pertinence de la réplique. La femme demanda ensuite :

— Vous êtes nymphomane, n'est-ce pas?

Pour le coup, sa prisonnière la regarda avec ébahissement. Pourquoi pas schizophrène? Ou épileptique, ataxique, bègue, pendant qu'elle y était? Elle finit par éclater de rire :

— Vous avez de drôles d'idées.

À sa surprise, l'homme brun la reprit sèchement :

— Mais c'est *bien,* d'être nymphomane! Si vous ne l'êtes pas, vous feriez mieux de le devenir.

Emmanuelle ne savait plus que penser. Peut-être, après tout, se faisait-elle une image fausse de la nymphomanie? Elle n'était pas très sûre, admit-elle, à part soi, de ce en quoi consistait, au juste, cette maladie. Était-ce, d'ailleurs, une maladie? Cet état, donc... Le jeune homme poussa une exclamation, qui la fit tressaillir :

— Ça y est, je sais qui elle est! C'est la petite lesbienne qu'a épousée le constructeur du barrage.

La définition amusa Emmanuelle.

— C'est bien cela, confirma-t-elle.

Le jeune homme eut une moue de contrariété :

— Elle n'aime absolument pas les hommes, informa-t-il.

Son aîné ne parut pas s'en émouvoir :

— Raison de plus, dit-il.

Emmanuelle retint son envie de rire. Elle affecta l'indifférence, lorsque l'homme brun lui palpa les seins, les fesses et la vulve. Elle réussit si bien dans sa simulation de la frigidité qu'il se résolut enfin à faire appel à sa femme :

— Toi, prépare-la, requit-il.

Fidèle à son rôle, Emmanuelle eut tôt fait de fondre dans les bras de sa partenaire, dont les doigts agiles fouillaient son sexe. Le contact des seins superbes contre les siens était assez, du reste, pour que l'étreinte cessât d'être un jeu.

— Enlevez votre soutien-gorge, plaida Emmanuelle.

Mais la femme ne lui répondit pas, continuant de la masturber, les yeux rivés aux siens. Emmanuelle s'abandonna vite, sanglota, vit tourner les lumières. Ses cheveux baignèrent dans l'eau.

— Là, maintenant, vite, dit la femme, tendant le corps frémissant à son mari.

Il abaissa son slip de bain sur ses cuisses, prit son sexe dans sa main, écarta les jambes d'Emmanuelle que sa femme tenait toujours par la taille. Il lui suffit de quelques efforts pour s'introduire. Ses compagnons l'aidèrent, soulevant Emmanuelle de leurs quatre mains, la rabaissant, la manipulant comme un mannequin dans lequel l'homme se serait masturbé. Cette pensée fouetta les sens d'Emmanuelle : c'est beau ! se délecta-t-elle, je ne suis qu'un vagin, juste un vagin anonyme dont on se sert pour contenter le dieu...

Les deux acolytes n'avaient d'yeux que pour le chef du groupe, suivant la progression du plaisir sur son visage, ralentissant le rythme, lorsqu'il semblait sur le point d'atteindre le paroxysme, puis l'accélérant de nouveau, lorsqu'il respirait et reprenait le contrôle de ses nerfs. Emmanuelle était légère et facile à mouvoir, dans l'eau fraîche. Le phallus circulait librement, sans à-coups. Elle sentait grandir en elle une pression qu'elle ne pourrait bientôt plus contenir, qui allait la faire exploser, l'emporter dans une déflagration vertigineuse.

Pour que le coït la pénétrât plus profondément encore, elle souleva les genoux et serra entre ses cuisses les hanches de l'homme. Elle s'agrippa aussi à ses épaules. Alors seulement, les mains qui la soutenaient se détachèrent et la laissèrent continuer de son propre mouvement. Elle ne se souciait plus de feindre la froideur : elle allait jouir dans un instant, cet orgasme serait parfait. Après, son vainqueur pourrait faire ce qu'il voudrait d'elle, la vendre sur le marché, si cela lui plaisait !... Et d'abord, probablement, la donner à son petit ami, si toutefois ce chérubin aimait les femmes.

Elle chercha des yeux la verge du mignon supposé et retint un cri : il la secouait à deux mains, avec une incompréhensible brutalité, le regard rivé aux sexes accouplés devant lui. Ce n'était pas, cependant, cette violence qui avait effrayé Emmanuelle, mais la monstruosité des dimensions du gland et de la hampe ainsi maltraités, qui n'avaient rien d'humain. S'il entre en moi, s'affola-t-elle, je serai déchirée, mise en pièces, infirme pour toujours ! À cette perspective, toute sensualité la désertait. Elle chercha un secours dans le regard des deux autres : vainement.

Un rauquement étouffé la fit se tourner de nouveau vers le jeune homme et le soulagement lui rendit d'un coup son corps perdu. Elle vit avec volupté des bouffées de sperme se condenser en réseaux et en nuages autour du minotaure, flotter, dériver vers elle et se coller à sa peau. Maintenant, elle pouvait se laisser aller. Elle délira brusquement, râlant et criant. L'homme qui la perçait l'examinait avec attention, suivant sur son visage les signes de la passion et les aggravant jusqu'à ce qu'elle eût perdu totalement connaissance.

Il se retira d'elle sans avoir éjaculé. Ils la sortirent de l'eau et l'allongèrent sur les dalles. Ils la considérèrent un moment en silence :

— Veux-tu le faire tout de suite ? questionna la femme.

Son mari parut indécis. Il haussa finalement les épaules :

— Après tout, c'est ta prise, dit-il. Décide toi-même.

— Demain, nous aurons plus de temps, observa-t-elle, du même ton neutre qu'ils partageaient tous les trois et qui répondait à la fixité obsédante de leur regard.

Lorsque Emmanuelle revint à elle, son nouvel amant lui dit, avec une fermeté polie :

— Demain, à trois heures de l'après-midi, je vous attendrai chez moi. Je compte que vous serez exacte.

Emmanuelle jugea assez naturel qu'il lui parlât sur ce ton. Après tout, un homme avait le droit de commander à une fille qu'il avait fait jouir.

Elle s'enquit :

— Comment trouverai-je ?

— Rien de plus simple. Vous connaissez le gratte-ciel ? C'est au sommet. Mon nom est sur la porte : Docteur Marais.

Elle retrouva sur la mosaïque ses shorts et sa chemise ; se demanda si elle les remettrait ou rentrerait chez elle nue ; se décida pour un moyen terme, marchant telle qu'elle était jusqu'au parking et s'habillant dans sa voiture. Le visage du chauffeur ne laissa rien paraître de ce qu'il en pensait.

Son mari lisait sur la terrasse.

— Chéri, c'est terrible, ce que je suis en retard !

Il la tint à bout de bras pour inspecter son accoutrement, rit de bon cœur.

— Tu m'a beaucoup trompé ? s'informa-t-il.

Elle secoua la tête de haut en bas, avec un ronronnement affirmatif. Il lui prit les joues entre les mains et l'embrassa légèrement sur les lèvres.

— Tu es complètement mouillée, constata-t-il.

— Ma robe est dans l'auto, dit-elle, comme si cela expliquait tout. Puis :

— Quelle heure peut-il être ?

Il consulta sa montre :

— Neuf heures vingt-cinq. As-tu mangé ?

— Non. J'espère que vous ne m'avez pas attendue pour dîner ?

— Christopher a la fièvre, il n'a rien voulu prendre. J'ai dîné seul.

— Oh, je suis désolée ! J'aurais dû revenir plus tôt.

Puis, comme si elle venait seulement de comprendre :

— Christopher malade ? Que lui est-il arrivé ?

— Rien de sérieux. Il est resté trop longtemps au soleil, c'est tout. Tu sais comme il est : il a voulu lier connaissance avec toutes les pouliches ! Il ne fait jamais rien à moitié.

Emmanuelle soupira d'aise. Elle était contente de se retrouver chez elle. Elle dit :

— J'ai l'air idiote, avec ce short ! le retira, le jeta derrière le sofa, dénoua les pans qu'elle avait ramassés sous sa poitrine, et les laissa retomber : la chemise n'était pas très longue, mais assez pour lui couvrir le pubis et les fesses. Elle en attacha un seul bouton, à la taille.

— Comme ça, tu es très bien, approuva Jean. Maintenant, mange.

Il s'assit à table, en face d'elle. Le boy déposa devant Emmanuelle un bol fumant. Elle lapa son potage, à petits coups, souriant aux anges.

— Es-tu tombée à l'eau ?

Elle rayonna :

— Oui. Et j'ai aussi pris tout l'orage !

Il continua de la regarder, en silence, avec un plaisir évident. En moins de cinq minutes, elle eut expédié son repas. Elle sauta sur ses pieds, se pendit à son cou :

— Il faut que j'aille voir Christopher.

— Va vite. Tiens, porte-lui donc ça pour le remonter.

Il lui tendit une bouteille de genièvre.

— Pour une insolation. Cela va l'achever.

— Penses-tu ! Remède d'Égypte.

Elle mit la liqueur sous son bras. La fente de la chemise remontée, lui découvrit la hanche.

Elle grimpe quatre à quatre, fait irruption, sans frapper, dans la chambre de l'invité, qui, frénétiquement, se débat avec son drap, pour le tirer sur lui. Emmanuelle pouffe : ce Christopher, toujours aussi convenable !

— Mon petit Christobal, vous n'allez pas mourir ?

— Mais non, mais non, ça va déjà mieux.

Il ruisselle de sueur. Elle cherche du regard, autour d'elle, sort, revient avec une serviette, s'assied sur le lit, lui éponge le visage. Il proteste :

— Ne vous donnez pas tant de peine. Merci.

— Restez tranquille.

Elle lui frictionne aussi le torse et veut lui découvrir le ventre. Mais il s'accroche au drap, avec une énergie si pathétique qu'elle éclate à nouveau de rire :

— Je vais vous faire une infusion. Et du porridge...

— Oh non ! Je n'ai pas faim. Par contre, je prendrais bien un petit gin-tonic sur de la glace.

— Jean vous connaît mieux que moi, je vois !

Elle se lève pour sonner le boy. Lorsqu'elle se réinstalle, sa chemise ne découvre plus seulement ses cuisses, elle laisse voir aussi la toison de son ventre et Christopher ne peut plus en détacher les yeux. Les tempes lui battent. *What a blendy fool I am!* se morigène-t-il intérieurement. Je l'ai vue nue je ne sais combien de fois, je ne vais pas me mettre tout d'un coup à faire l'idiot, juste parce qu'elle est assise sur mon lit! Il tourne brusquement le dos à Emmanuelle, qui s'inquiète, lui pose la main sur le front, lui prend le pouls.

— Ne vous agitez pas, Christopher. C'est plutôt sur la tête qu'il faudrait vous mettre de la glace. Ou peut-être même ce serait mieux d'appeler un médecin?

— Non. Je vous assure que, demain matin, je serai tout à fait normal.

Pour le moment, je suis un anormal, pense-t-il amèrement, un salaud! Loin de se calmer, il voudrait se rassasier encore du spectacle de son triangle noir, de ses cuisses. Mais, s'il se tourne sur le dos, elle ne pourra pas ne pas voir, sous le drap, dans quel état il s'est mis. C'en sera fini de son amitié avec Jean et elle : il aura tout gâché.

Pour elle, je suis un frère. C'est pour cela qu'elle n'est pas gênée, qu'elle ne me cache rien.

— Vous êtes tout rouge, Chris! Je suis sûre que votre fièvre est en train de monter.

Elle l'éponge de nouveau. Il est pris de panique à l'idée qu'elle puisse découvrir son émotion criminelle. Il la rabroue :

— Laissez-moi donc!

Mais elle ne se formalise pas. Décidément, il ne va pas bien du tout. Il faut qu'elle le dise à Jean.

Ou peut-être, réfléchit-il, mettra-t-elle mon excitation sur le compte de la maladie? Si je pouvais au moins la toucher un peu, me détendre...

Il le désire tant qu'il gémit, achevant d'inquiéter son infirmière. Elle lui pose une question qu'il n'entend pas. La seule chose qu'il veut, c'est qu'elle prenne sa verge douloureuse dans ses mains, qu'elle le soulage! Il accepte de tout risquer, de payer le prix : qu'importe s'il doit, ensuite, fuir cette maison, être renié par tout ce que le monde compte de gentlemen !

Oui, il souffrira ! Il appelle, il réclame une vie entière d'opprobre, pour une seule minute de cette félicité...

Il soupire et se retourne, regarde Emmanuelle avec désespoir. Elle, aussitôt, remarque la bosse sous le drap. Elle en est tout attendrie :

Pauvre Christopher ! se dit-elle. Voilà pourquoi il est si malheureux. Mais si je fais l'amour avec lui, cela le rendra peut-être encore plus malade. Je ne sais pas, vraiment. Pourtant, je ne veux pas le laisser dans cette condition inconfortable. Qu'est-ce que je dois faire ?

Elle n'ose plus s'éloigner : il irait sûrement s'imaginer que c'est parce que la vue de son érection l'a choquée, il est tellement bizarre ! Au fond, pourquoi ne pas lui parler franchement : « Voulez-vous que je vous caresse ? » Il va rougir jusqu'à la racine des cheveux, rentrer sous terre. Alors, le lui proposer avec des ménagements : « Est-ce que je peux faire quelque chose pour vous ? » Il demandera un autre gin. Le plus simple serait de glisser tout bonnement la main sous son drap. Mais il est capable de pousser des cris. S'il y mettait, au moins, un tout petit peu du sien ! Emmanuelle, une fois encore, sourit et Christopher, qui croit qu'elle se moque de lui, se sent de plus en plus misérable.

Tant pis ! Arrivera ce qui arrivera : il se battra en duel avec Jean, il laissera celui-ci le tuer, mais il veut Emmanuelle, il va l'avoir, la prendre de force, il va la violer. Il étouffera ses protestations avec l'oreiller. Il lui fera tellement l'amour, d'ailleurs, qu'avec sa fièvre, il en mourra. Comme cela, il n'aura pas besoin de se soucier de la suite. Mais elle ? Elle sera déshonorée : elle se suicidera, peut-être ? Et c'est lui, l'ami, le frère d'élection, qui aura été l'auteur de toutes ces horreurs. Une nausée lui monte aux lèvres. Quel être pourri, immonde, il est ! Il pleurerait sur lui-même, s'il n'avait encore plus honte de ses larmes que de sa concupiscence.

Elle est le symbole même de la fidélité. Le seul homme qui existe au monde est son mari. Je ne suis rien à ses yeux elle ne me voit même pas. Ah, si elle voulait seulement me serrer dans sa main, me prendre là entre ses doigts, m'adoucir un peu ! Je vais me rapprocher petit à petit. Si elle ne bouge pas, je pourrai peut-être me frotter contre ses fesses, sans qu'elle s'en rende compte.

Emmanuelle le regarde, déroutée : quel drôle de garçon ! Depuis près de trois semaines qu'il est ici, pourquoi n'a-t-il pas encore couché avec elle ? Il l'a sous la main et il n'en profite même pas. Il devrait pourtant savoir que tout ce qui est à Jean est à lui. Ce serait vraiment trop absurde, que son ami lui prête sa maison, sa voiture, ses livres, ses pipes, mais pas sa femme ! À quoi servirait-il, alors, qu'elle soit jolie ?

Elle a chaud. Elle retire sa chemise. Christopher admire, presque tristement, ses seins. Elle est si parfaite, si pure, songe-t-il. Des gestes qui, chez une autre, seraient une provocation à la luxure... Je devrais me mettre à genoux...

Emmanuelle se lève et sort de la pièce sur la pointe des pieds, va retrouver Jean :

— On dirait qu'il dort, mais il dit des mots sans suite : crois-tu qu'il délire ?

— Il divague toujours un peu, même quand il se porte bien : tu n'as pas remarqué ?

Il la prend par le cou :

— Tu as envie de faire l'amour ?

— J'en ai toujours envie.

Elle commence à le déshabiller :

— Ce soir, dit-elle, c'est moi qui me mettrai d'abord sur toi.

Plus tard, elle murmure, entre deux plaintes :

— Tu es content d'avoir une femme adultère ?

Si j'arrive à traverser l'esplanade dans cette tenue sans que la police m'arrête, se dit Emmanuelle, dans la voiture qui la conduit à son rendez-vous, et si je ne me fais pas jeter dehors par le portier, je suis bonne pour être violée dans l'ascenseur.

Au vrai, réfléchit-elle, est-ce que je peux encore être violée, puisque je me donne à qui me veut ? Cela me paraît difficile. Je suis devenue inviolable.

Pourtant, il lui semble qu'il doit toujours subsister des façons de se sentir violée. Assurément une question d'atmosphère. Ou de personne. Ou d'intention. En tout cas, une expérience passionnante. Si j'étais une femme, se déclare-t-elle, j'aimerais qu'on me viole tout le temps...

La chasuble de toile de jute rouge qui est sa seule parure n'est, évidemment, pas conforme à l'usage des villes. Elle consiste en une bande rectangulaire, sans coutures ni boutonnières ni crochets ni rien d'autre qu'un trou pour passer la tête. Les deux pans couvrent Emmanuelle devant et derrière, et elle les serre à la taille par une tresse de cuir. Mais ils s'ouvrent largement sur chacun de ses flancs, laissant voir de profil ses seins et ses cuisses, et, à la moindre brise, ses fesses et son ventre.

Elle a décidé qu'une philosophie de l'habillement ne devait pas souffrir d'accommodements et elle se tient donc à la suivante : porte-t-elle une jupe, celle-ci est désormais transparente ou fendue, et d'une bonne main plus courte que la mode ; si elle est ample ou plissée, elle la relève pour s'asseoir ;

lorsqu'elle est étroite, le tissu remonte de lui-même. De jour, elle aime les jerseys translucides et les tricots pelure d'oignon qui colorent sa poitrine et en mettent en valeur les pointes. Ou les chemisiers qu'elle ouvre jusqu'à la taille. Le soir, les décolletés carrés ou ronds, qui laissent apparaître le haut de l'aréole et permettent de voir ses seins en entier dès qu'elle se penche. Elle n'aime pas les robes sans épaulettes, parce qu'il faut qu'elles collent au buste : un décolleté qui bâille est bien plus attirant. Quant aux sous-vêtements, elle n'en porte jamais plus.

Elle n'a pas à affronter la pudeur publique sur l'esplanade, car le chauffeur, malgré l'interdiction, amène la voiture jusque devant le porche du gratte-ciel. Le majordome ne bronche pas. Ni le liftier, ni les usagers qui entrent ou sortent aux étages ; Emmanuelle se sent fière : l'audace a gagné une partie.

La terrasse, qui domine la ville, semble un jardin. Et l'appartement du docteur, une villa construite au milieu de ce jardin. La façade est couverte de roses. Le nom est bien sur la porte.

Le docteur Marais était occupé à tailler ses rosiers... Non, décida-t-elle, ce serait un mauvais début : il vaut mieux que l'histoire commence par l'inconnu. Personne à l'extérieur ; un mur ; une porte ; tout est derrière. Mais quoi ? Se passerait-il quelque chose ? Ou rien ? Avait-elle la moindre idée de ce qui l'attendait ?

La gueule du loup, pensa-t-elle, regardant cette porte. Si je n'en reviens pas, on ne saura même pas où me chercher. Elle inspecta les pierres riches : qu'était-ce ? Pas du marbre. Du silex ? De l'autre côté ses témoins familiers ne seraient pas là. Ne ferait-elle pas mieux d'aller les retrouver ? Ou de s'en tenir aux jeux du Club, où elle était en terrain connu ?

Elle se secoua. Elle n'allait tout de même pas battre en retraite ! Elle pressa le bouton de la sonnerie.

La très jeune fille qui vint ouvrir était une domestique, à en juger par son costume, mais celui-ci avait précisément de quoi surprendre : au lieu du traditionnel sarong des servantes siamoises, il consistait en une robe très moulante, aussi courte, sinon plus, que celle d'Emmanuelle, mais faite — sous ce climat ! — de lainage noir, à manches longues, et fermée haut, par un col empesé, rond et blanc. La coiffure, à guiches et à frange, s'ornementait d'un triangle de dentelle, comme il convient à une soubrette de répertoire. Plus inattendus encore étaient les fins bas noirs, sur des jambes qu'Emmanuelle trouva belles à couper le souffle, très longues et d'une minceur peu commune aux chevilles, ainsi qu'au-dessous et au-dessus des genoux.

— Veuillez entrer, madame.

La voix était suave et l'accent si juste qu'Emmanuelle se demanda si l'insolite beauté n'était pas française : mais où aurait-elle, alors, pris sa peau fauve, ses yeux en amandes, ses hautes pommettes ? Elle regardait la visiteuse avec une insistance qui était peut-être innocente. Elle informa :

— Mes maîtres vous attendent.

Emmanuelle la suivit le long de couloirs climatisés où les pieds enfonçaient dans des moquettes et dont les murs étaient ornés de tableaux anciens. Bangkok semblait loin.

La pièce où elle fut introduite était grande, fraîche, mal éclairée : du moins, ses yeux mirent-ils du temps à se faire à la pénombre, que tempéraient des lampes à abat-jour de soie incarnate. Aucune lumière ne venait de l'extérieur : il n'y avait partout que paravents et tentures et l'on ne voyait d'ouvertures nulle part. Icônes, bois précieux, cuirs gravés, livres, armes rares, vieux ors se dévoilèrent de proche en proche aux yeux d'Emmanuelle. Un silence doux, un silence de haute laine la caressa comme un souffle. Ses connaissances de la veille la regardaient entrer.

La femme qui l'avait « découverte » était vêtue d'un collant vert pâle, de ballerine ou de rat d'hôtel. D'une seule pièce de la tête aux pieds, il lui couvrait même les mains. L'invitée ne saurait pas, cette fois encore, si son hôtesse était blonde ou brune. Ses seins, heureusement (c'était le plus important), restaient aussi proéminents sous la pression du nylon que lorsqu'ils émergeaient du bikini.

Le maître de céans observait Emmanuelle, de son fauteuil, avec un flegme étudié. Il portait un pantalon étroit, en velours côtelé, un chandail à fines mailles et un foulard de soie.

Emmanuelle se dit que ce couple semblait bien frileux. Un autre personnage était habillé, lui, comme pour le dîner. Toutefois, ce qui retint davantage l'attention de l'arrivante, ce fut son crâne parfaitement poli, un objet d'ivoire, sans une trace de cheveux. Elle s'aperçut, l'instant d'après, qu'il n'avait pas, non plus, de sourcils, pas de cils... Pourtant, il ne lui inspirait ni répulsion ni frayeur.

Sur un divan de cuir noir, elle vit, pour finir, l'adolescent de la piscine, allongé sur le dos, dans une pose de tableau, entièrement nu.

Il n'y avait, pour autant qu'elle en pût juger, personne d'autre. La soubrette, évidemment, s'était retirée... Mais non ! Elle était là, à peine distincte dans un coin d'ombre. Ses seins aigus se soulevaient d'un rythme tranquille.

Le docteur se leva enfin, s'inclina, baisa la main d'Emmanuelle, lui offrit le fauteuil qu'il venait de quitter. Elle se trouva tout près de l'homme sans chevelure. L'hôte le présenta :

— Mon illustre ami, Georg von Hohe.

Illustre nota-t-elle. Qui pouvait-il être ?

— Éric dort, ajouta l'hôte, avec attendrissement.

Éric a tous les droits, commenta-t-elle *in petto*. Il aurait tort de se gêner.

L'Allemand lui tendit un verre. Après quoi, plus personne ne parla. Elle eut, un moment, l'impression qu'eux aussi s'étaient endormis.

Pour se donner une contenance, elle sirota la boisson qu'on lui avait offerte. Elle n'en découvrit la traîtrise que la dernière goutte avalée : la tête lui tournait ! Cette mésaventure la vexa.

— Vous essayez de me droguer, dénonça-t-elle.

Le médecin reprit vie, juste assez pour hausser les épaules.

— Votre verre ne contient rien d'autre que de l'alcool.

— Vous cherchez donc au moins à m'enivrer.

— C'est à vous de savoir vous modérer !

Emmanuelle n'était pas d'humeur à se laisser rabrouer. Elle lui rit au nez :

— Ainsi, c'est pour cela que vous m'avez fait venir : pour que je me modère !

Il est bien possible que l'enchaînement de mes griefs ne brille pas par la logique, admit-elle à part soi, mais, pour être tout à fait franche, je commence à me demander ce que je fais là ! Personne ne semblait particulièrement impatient de tirer parti de sa présence. Peut-être, après tout, cette réunion n'avait-elle d'autre objet que de boire en silence ? La brusquerie de la réplique qu'elle s'attira la prit au dépourvu :

— Puisque vous paraissez tenir à connaître par avance votre rôle, je vais vous le dire : vous êtes ici pour que nous profitions *pleinement* de vous.

Il fit pivoter son siège, la toisa avec une affectation de hauteur qui l'impressionna moins que les paroles qui suivirent :

— Le genre de petit jeu que nous vous avons offert hier, sachez-le, ne nous divertit guère. Tant mieux pour vous si cela vous suffit. Mais il en faut davantage pour nous émouvoir. Or nous n'aimons pas moins que vous être émus. Vous nous accorderez donc aujourd'hui de prendre les moyens qui conviennent pour que nous le soyons. Vous avez eu vos satisfactions : à nous d'avoir les nôtres.

La tentation d'avoir peur se profila dans l'esprit d'Emmanuelle. Mais, se raisonna-t-elle, il ne fallait pas dramatiser trop tôt : le plus urgent était d'élucider, si faire se pouvait, les goûts de cette bande. Elle poursuivit donc le dialogue :

— Le cocktail que j'ai ingurgité est un de ces moyens ?

— Je n'ai pas prétendu qu'il vous avait été donné sans intention.

— Vous croyez que je serai plus satisfaisante, grise ?

— Plus complaisante, en tout cas.

— Peut-être me conduirai-je encore mieux, si j'ai tous mes esprits.

Pour la première fois, il sourit, non sans condescendance :

— Il me paraît plus simple que nous n'ayons pas à vous convaincre.

— Pourquoi me priver du plaisir de me donner ? se défendit bravement Emmanuelle.

— Vous ne savez pas ce que nous avons l'intention de vous faire, intervint inopinément la femme, qui semblait émerger d'un rêve.

Emmanuelle se la représentait déjà, des chaînes et des fouets en main.

— Vous allez me torturer ?

Le maître du logis parut se divertir de la question.

— Vous avez de mauvaises lectures, chapitra-t-il. Nous avons plus d'imagination.

— Nous voulons vous dénaturer, dit l'hôtesse.

Son mari renchérit :

— Modifier votre sensibilité et votre conscience. Remplacer votre volonté par une autre faculté. Après cela, il se peut que votre possession physique présente de nouveau pour nous de l'intérêt.

Emmanuelle se dit qu'elle avait probablement tort de ne pas s'affoler.

— Et que me ferez-vous faire, quand vous m'aurez transformée à votre idée ?

— Ce que, sous votre forme normale, vous ne feriez pas.

— Changerai-je d'apparence ? s'alarma-t-elle.

— Oui. Mais pour le mieux.

— Je me trouve très bien comme je suis.

— Vous pouvez être plus animale. Toutefois, c'est principalement votre esprit qui sera altéré.

— Deviendrai-je un monstre ?

— Selon les critères de la société, on peut admettre que le mot décrit avec une approximation suffisante ce que seront vos actions et votre mentalité.

— Je commettrai des crimes ?

— Certainement, mais n'en commettez-vous pas déjà ?

— Les miens ne font de tort qu'à la bêtise.

— À chacun ses antipathies. Nous, nous en avons seulement à votre liberté.

Elle s'était lancée en écervelée, constata-t-elle. Maintenant, elle allait payer son imprudence. Mais non sans se battre !

— L'esclavage n'a jamais fait peur aux femmes, nargua-t-elle, la gorge serrée. C'est une manière de jouir qui en vaut une autre.

490

— C'est plus qu'esclave que nous vous rendrons.

Ce qui l'angoissait, c'était de ne toujours pas parvenir à deviner la nature du danger.

— Je sais, dit-elle, vous vous apprêtez à m'hypnotiser.

— Je vous conseille de renoncer à ces hypothèses romanesques. Vous feriez mieux de garder votre calme.

— Croyez-vous que j'aie peur ?

— Cela ne m'intéresse pas. Ce qui a pour moi de l'importance, c'est l'état où vous serez tout à l'heure.

— Pourquoi ne me le décrivez-vous pas ? Peut-être trouverai-je amusant, moi aussi, de m'y préparer.

Il la regarda avec ce qui semblait être un début de curiosité.

— Peu importe, au demeurant, dit-il, comme s'il se parlait à lui-même, que vous vous en amusiez ou pas : vous comprenez bien, n'est-ce pas, que vous n'avez plus d'autre choix que d'en passer par où nous voulons.

— Vous ne m'avez pas amenée ici par force, non. Je suis venue de mon plein gré : c'est sans doute que j'avais envie de faire l'expérience.

Cette fois-ci, il parut franchement intrigué.

— Mais... vous n'avez pas la moindre idée de ce en quoi elle consiste ?

— Justement. Lorsque je l'aurai faite, je saurai.

Il resta quelque temps pensif, parut se décider subitement :

— Voilà de quoi il s'agit, articula-t-il. Pour commencer, vous entrerez dans un état de sur-orgasme. Et cela, sans que personne ait eu à vous toucher — même pas vous-même. La qualité et l'intensité de ce que vous ressentirez n'aura aucune commune mesure avec le plaisir que vous avez pu déjà connaître, si brillantes que soient les ressources de votre tempérament. Vous serez littéralement *folle* de plaisir. Et cette condition se maintiendra sans interruption pendant plusieurs heures.

— Combien ? demanda Emmanuelle.

— Cette fois-ci, à peu près deux, je pense.

Elle fit une moue, signifiant que cela n'avait rien d'exagéré.

— Ensuite ?

— Psychologiquement, vous serez saisie d'une véritable passion du consentement. Vous désirerez que l'on fasse usage de vous comme d'un objet, comme d'une commodité sans âme, non plus pour votre plaisir, mais pour celui de vos détenteurs. Vous vous offrirez avec frénésie à l'assouvissement de leurs fantaisies. Vous deviendrez obsédée de faire jouir.

Emmanuelle éclata de rire.

— Vraiment, je ne vois rien là-dedans qui mérite tant d'histoires, s'exclama-t-elle. J'ai déjà éprouvé tout cela je ne sais combien de fois. Si c'est ce que vous cherchez à découvrir, je puis vous renseigner tout de suite : c'est très agréable.

Le médecin se retourna vers ses complices, comme pour les prendre à témoin de cette impudence.

— Rien ne peut vous en remontrer, hein ? dit-il ensuite à Emmanuelle, sur un ton de sarcasme qui n'était, néanmoins, pas dépourvu d'indulgence. Mais écoutez encore ceci : nos sensations, à nous qui nous servirons de vous, seront d'une perfection que vous ne sauriez imaginer. Au regard de ces raffinements, les contentements que l'on tire de la nature n'engendrent plus que de l'ennui.

— Merveilleux ! applaudit Emmanuelle. Et comment s'y prend-on pour arriver à ça ? Car je suppose qu'il doit y avoir un truc ?

— Exactement. Une certaine préparation.

— Cette chose que vous m'avez fait boire ?

— Non. Le produit doit être injecté.

Emmanuelle fit grise mine :

— Ah ! J'ai horreur des piqûres.

— Soyez tranquille : celle-ci sera tout à fait indolore.

Le cœur lui battait pour d'autres raisons que la crainte d'une douleur passagère. Elle tenta une diversion :

— Tout de même, vous me faites injure dit-elle, avec un sourire engageant. Vous savez, je n'ai pas besoin d'aphrodisiaque pour me mettre dans tous mes états : je suis naturellement assez folle de mon corps ! Peut-être votre... remontant est-il surtout bon pour les filles un tantinet à court d'hormones ?

— Il ne s'agit pas d'un aphrodisiaque : ces drogues irritent les désirs. La mienne les satisfait. Simplement, elle les satisfait avec démesure.

— Comme l'opium ou le hachisch ?

— Absolument pas. L'effet que je vous ai décrit ne vient pas d'ailleurs, mais de vous-même.

— Comme le LSD, alors ?

— Non plus. C'est un autre type d'action. Beaucoup plus en profondeur, d'ailleurs. Beaucoup plus radical.

— Expliquez-moi mieux.

— Je ne puis entrer dans les détails.

— Tant pis, soupira-t-elle.

Elle médita un instant, s'enquit :

— Naturellement, je risque d'en mourir ?

Il sourit à nouveau :

— Mais non !

Elle parut sceptique :

— Les docteurs disent toujours ça, fit-elle observer, sans y mettre d'animosité. En tout cas, il y a sûrement de sérieuses chances que je reste folle ?

— Pas davantage.

— Après ce genre de... transe, on retrouve tous ses esprits?

— L'on regrette seulement que ce soit fini. Et l'on a soif de recommencer.

— Je ne pourrai plus m'en passer?

— Vous ne pourrez plus vous en passer.

Emmanuelle ne broncha pas. Son visage ne laissait rien lire de ce qu'elle ressentait. Marais spécifia, sur le même ton dépourvu de passion.

— Après quelques expériences, il vous faudra une dose quotidienne. Mais cela ne vous empêchera pas de vivre : au contraire.

Il regarda sa femme. Emmanuelle imagina, avec une excitation dont elle eut honte, que celle-ci devait vivre ainsi, dans ce monde de plaisir fou. Chaque jour, jouir à en perdre le sens, faire jouir plus encore ceux qu'on aime... Cette pensée ressemblait à une tentation. Elle s'ébroua :

— Au bout de quelques expériences? s'étonna-t-elle, reprenant les mots de l'hôte. Voulez-vous dire qu'on n'est pas intoxiqué du premier coup?

— Une série de prises est effectivement nécessaire, s'expliqua le médecin, sur un ton d'excuse, aurait-on dit. L'accoutumance n'intervient pas, en général, avant la dix ou douzième.

— Mais alors, se gaussa Emmanuelle, ce que vous allez me faire aujourd'hui ne servira à rien!

— Cela nous suffira pour l'après-midi, rétorqua-t-il avec morgue. Bien entendu, vous n'en profiterez vous-même durablement qu'après que vous aurez été traitée comme je l'ai dit : cela ne demandera pas moins d'une dizaine de jours.

— Et où me traitera-t-on? enquêta-t-elle.

— Ici même. Il vous incombera de revenir, aux heures que nous vous fixerons.

Emmanuelle n'osait croire à sa chance : ils n'allaient donc pas la garder prisonnière ?

— Je ne reviendrai pas, annonça-t-elle, dédaignant toute prudence.

Elle n'avait soudain plus d'inquiétude. Elle précisa :

— Le paradis n'est pas mon genre.

Puis, avant que les autres n'aient eu le temps de s'en mêler, elle ajouta, radieuse :

— Mais ne vous tourmentez pas : vous aurez quand même votre fête. Moi non plus, je n'ai pas envie de m'être dérangée pour rien. Et puisque une fois n'est pas coutume !...

Elle les passa en revue, d'un regard souverain :

— Je veux essayer votre philtre. Pour savoir à quoi m'en tenir.

Marais la contemplait avec incrédulité. Sa femme gardait son expression impénétrable. Quant au burgrave, Emmanuelle ne se détourna pas pour voir la tête qu'il faisait. Tous ces gens-là, jugea-t-elle, manquaient de mordant. Qu'ils participent donc à sa bonne humeur ! Ils avaient grand besoin d'être réveillés :

— Alors, docteur, qu'attendez-vous ? Vous voyez bien que c'est moi qui décide. Allez ! N'ayez pas peur. Faites-la-moi, cette piqûre !

8

DEUS ESCREVE DIREITO POR LINHAS TORTAS

> *J'ai causé de grandes calamités, j'ai*
> *dépeuplé des provinces, des royaumes.*
> *Mais c'était pour l'amour du Christ et*
> *de sa Sainte Mère.*
>
> Isabelle la Catholique,
> Reine de Castille.

> *Cherchons comme cherchent ceux*
> *qui doivent trouver et trouvons comme*
> *trouvent ceux qui doivent chercher*
> *encore.*
>
> Saint Augustin.

Marie-Anne surgit du paysage, un début d'après-midi que bleuissait le souffle de la terre échinée de pluie. Emmanuelle, le menton à l'appui d'un genou, l'autre jambe tendue droit devant elle, était assise sur le seuil, le regard perdu sur les feuilles délavées des frangipaniers, attendant Anna Maria. Elle n'avait pas posé pour elle depuis une semaine.

— Toi ! toi ! acclama-t-elle, s'élançant vers sa petite amie. D'où sors-tu ? Comment es-tu ici ?

Elle saisit à pleines mains les nattes d'or blond,

rit de plaisir à frotter ses lèvres sur les joues vernies par l'air et le soleil de la mer. La revenante expliqua :

— C'est papa : il avait besoin de maman, pour des gens qui vont arriver de Paris. Nous resterons ici toute la semaine.

— Seulement ! se récria Emmanuelle, rembrunie.

— Pourquoi ne viens-tu pas nous voir à la plage ? remontra Marie-Anne. Je te l'ai déjà dit.

Elle se débattit :

— Cesse de me tirer les cheveux : tu me fais mal.

Emmanuelle fit en un clin d'œil un nœud des deux tresses, et le serra autour du cou de Marie-Anne, comme pour l'étrangler, puis proclama :

— Tu m'as manqué. Ce que tu es jolie !

— Tu ne te rappelais plus ?

— Tu as encore embelli.

— C'est normal.

Emmanuelle s'enquit :

— Et moi, je te plais toujours ?

— J'attends de voir. Qu'as-tu fait pendant que je n'avais pas l'œil sur toi ?

— Rien que des horreurs.

— Prouve-le.

— Commence toi-même par confesser tes stupres. Ce coup-ci, tu parles, j'écoute. Les rôles sont renversés.

— Et pourquoi, j'aimerais savoir !

— Parce que, maintenant, c'est moi qui suis la moins pucelle des deux.

Le feu tournant des yeux verts eut un éclat de scepticisme.

— Il paraît que tu es en froid avec Mario, mentionna la fée, avec une nonchalance étudiée. Tu ne le vois plus ?

498

— J'ai tellement de succès, badina Emmanuelle, il lui faut attendre son tour.

Puis, pour marquer qu'elle ne se laisserait pas régenter, elle rappela :

— Mais n'essaye pas de prendre la tangente ! Justifie-toi. As-tu eu des aventures ?

— Des milliers.

— Décris-m'en une, pour voir.

La pétarade d'un échappement libre les fit se retourner vers le chemin.

— Qu'est-ce c'est que ce machin ? s'ébahit Marie-Anne. Et qui est-ce qui est dedans ?

— Anna Maria Serguine. La connais-tu ?

— Ah, c'est elle. Elle te peint. Je vais vous regarder faire.

— Tu sais tout ! Comment es-tu si bien renseignée ?

Marie-Anne ferma à demi les paupières, laissa filtrer un regard narquois, puis, à son habitude, passant outre à la question, enchaîna :

— J'espère que ton portrait sera réussi ?

— Sûrement. Mais ce n'est que mon visage. Dommage.

— Pour le reste, mieux vaudra t'adresser à un homme.

— Vous faisiez l'amour ? s'enquit Anna Maria, allègre.

Emmanuelle la regarda avec stupéfaction :

— Non... Pourquoi ?

— Si vous ne faites pas l'amour avec cette merveille, répliqua l'arrivante, sur un ton d'évidence, alors avec qui ?

— Eh bien ! Je vois que vous vous dégourdissez.

— Pas du tout. J'essaye simplement de me mettre à votre logique.

Marie-Anne prit un air blasé :

— Ne croyez pas Emmanuelle, lorsqu'elle vous

dit qu'elle est lesbienne, informa-t-elle. Elle l'est surtout avec les hommes.

— Sais-tu de quoi tu parles ? se rebiffa Emmanuelle. Anna Maria a raison, il est temps que je te dépouponne.

Elle adopta un ton de commandement :

— Et d'abord, que fais-tu là, tout habillée ? Mets-toi nue.

— Ton invitée serait choquée, minauda l'interpellée.

— Pas du tout, attesta la jeune Italienne, à la surprise croissante d'Emmanuelle. Au contraire.

— Dans ce cas ! s'inclina Marie-Anne, avec une affectation de complaisance.

Et elle s'exécuta en un tournemain. Elle parada devant ses aînées :

— Je vous satisfais ?

— Oui, dit Anna Maria. Je vous mets de côté. Dès que j'aurai fini Emmanuelle, je vous sculpte.

— En quoi ?

— Je ne sais pas encore. En quelque chose de doux à toucher.

— Anna Maria vient au saphisme, ironisa Emmanuelle, mais par marbre interposé.

— Je veux bien qu'on caresse ma statue, dit Marie-Anne. Cela me flatterait.

— Viens, ordonna Emmanuelle, que je tate tes seins.

Marie-Anne obtempéra sans façon, et son amie emprisonna et pressa leur relief dans ses mains, non sans glisser un coup d'œil vers Anna Maria. Mais celle-ci ne manifesta aucun émoi.

— Vous ne me damnez pas ? s'étonna Emmanuelle.

L'autre joua l'innocence :

— Croyez-vous que je pourrai la modeler sans faire ce que vous faites ?

Emmanuelle était dépitée.

— Tout dépend de l'intention, observa-t-elle.

Anna Maria rit :

— Si c'était un crime que de toucher les seins de cette tanagra, le monde serait mal parti.

— Pourquoi ne touchez-vous pas les miens ?

Anna Maria ne répondit rien. Emmanuelle s'énerva :

— Et comme cela ?

Elle glissa un doigt entre les cuisses de Marie-Anne, sous l'éblouissant pelage de lynx arctique. Anna Maria demeura imperturbable : ce fut Marie-Anne qui protesta :

— Tu me chatouilles. Laisse-moi. Tu ne sais pas faire.

Une bouffée de chagrin, presque de détresse, gonfla le cœur d'Emmanuelle. Elle tenta de toutes ses forces de lutter contre cette faiblesse : je suis sotte, se disait-elle, ce n'est qu'une blessure d'amour-propre... Mais non, l'amertume avait le goût de ce qu'elle avait souffert par Bee. Pourquoi, pourquoi ? s'interrogeait-elle, presque avec rage. Puis, tout d'un coup, sa peine se mua en douceur. Ce n'est rien de mal, songeait-elle, aimer n'a rien de mal. Et Marie-Anne ne me repousse pas vraiment : sa brusquerie tient au même genre de pudeur que je mets, moi, à avouer que j'ai un cœur. Cela ne fait rien, ce ne sont que des restes de pucelage ! Lorsqu'elle et moi serons tout à fait sorties de l'âge ingrat, nous n'aurons pas honte d'admettre aussi que nous sommes tendres !

Elle sourit à son amie comme elle lui aurait ouvert les bras :

— Tu as raison, nous ferons l'amour quand nous en aurons envie. Pas en ce moment : l'ambiance n'y est pas.

Elle se détourna et cueillit sur le visage d'Anna

Maria une expression si fugitive qu'elle craignit de l'avoir peut-être imaginée. On aurait dit que la jeune artiste venait d'être déçue : qu'il ne lui aurait sans doute pas déplu de voir les événements prendre un autre tour. Emmanuelle en retrouva tout son entrain.

Marie-Anne faisait mine de se rhabiller.

— Reste toute nue, insista Emmanuelle.

Si elle accepte, parie-t-elle, c'est qu'elle m'aime... Marie-Anne rejette sa jupe. Que la vie est belle !

— Montons sur la terrasse, dit Anna Maria.

— Sois gentille, va nous commander du thé, demanda Emmanuelle à Marie-Anne.

Celle-ci, avec un naturel parfait, se dirigea vers l'office.

— Que Marie-Anne soit nue avec nous, admonesta Anna Maria, rien de mal à cela. Mais la faire sortir dans cet appareil, voilà où commence la perversité.

— Vous n'êtes pas bon juge, rétorqua Emmanuelle. Une fille nue dans une salle de bains, cela n'a pas de valeur. Dans une cuisine, c'en a une.

— Vous voulez dire : de valeur érotique ? Mais l'érotisme n'est pas le critère du bien et du mal. Le corps de Marie-Anne a une valeur humaine, celle d'être une adorable fille de treize ans. Et une valeur esthétique, qui ne dépend pas de l'émotion sexuelle qu'il provoque.

— Mais si ! C'est là où les artistes sont de mauvaise foi. S'ils peignent et sculptent des nus, plutôt que des pommes, ce n'est pas parce que l'art n'a pas de sexe. C'est parce qu'eux-mêmes et ceux qui regardent leurs œuvres veulent être excités. Leur intention est tout ce qu'il y a de plus claire. La preuve en est que, lorsqu'ils sont calmés, ils peignent des pommes.

Emmanuelle ne laissa pas à l'adversaire le temps de se disculper ; elle poursuivit :

— Et n'espérez pas me faire illusion, chère hypocrite ! Moi, je sais que le corps de Marie-Anne vous remue, quoi que vous prétendiez.

— Mais c'est absurde ! Justement, Marie-Anne ne me trouble pas du tout. Tandis...

Anna Maria s'arrêta court, parut mécontente. Il était trop tard. Emmanuelle sauta sur ses pieds, lui passa les deux bras autour du cou, lui parla, moqueuse, visage contre visage :

— Tandis que moi, vous ne voulez pas me peindre nue, parce que vous avez peur que ne fléchissent vos principes, n'est-ce pas ?

— Non, ce n'est pas cela, je vous assure ! C'est même tout le contraire.

— Tout le contraire ? Qu'est-ce que ça veut dire ? Expliquez-moi, que je comprenne.

Anna Maria est si visiblement au supplice qu'Emmanuelle se demande si elle va embrasser, pour les consoler, ces belles lèvres contrites. Marie-Anne est de retour un instant trop tôt.

— Vous ne *voulez pas* comprendre, Emmanuelle ! se plaignit Anna Maria, emportée par son souci. Ce n'est pas simplement une question de vertu ou de vice ! Je ne suis pas lesbienne, voilà tout ! Parce que vous aimez les femmes, vous croyez que toutes sont somme vous. Vous vous trompez complètement. La plupart ne sont pas nées avec ce penchant.

— Eh bien, qu'elles l'acquièrent ! s'exclama Emmanuelle, superbe. Ces choses-là s'apprennent. Elles s'apprennent même très facilement. On devient lesbienne sans cérémonie : pas besoin de naître et de grandir dans le secret ! J'ai passé mon temps, depuis que j'ai l'âge de raison, à voir les filles autour de moi sauter le pas.

— C'est toi qui les as converties ? enquêta Marie-Anne, qui s'était installée sur les coussins, fort à l'aise dans sa nudité, et déjà s'affairait à feuilleter une pile d'illustrés.

— L'occasion est ce qui convertit. Pour peu que les circonstances s'y prêtent, n'importe quelle femme est tentée, un jour ou l'autre, de faire l'amour avec une autre femme. Au pire par curiosité.

— Ou par paresse, pontifia Marie-Anne. Parce qu'elles n'ont pas d'hommes à leur portée et ne veulent pas se donner la peine d'en chercher. Ou parce que ça les embête de se faire l'amour toutes seules : alors elles se masturbent à quatre mains.

Emmanuelle éclata de rire.

— C'est de la psychologie d'oblate, railla-t-elle. La vérité, c'est qu'un corps de femme est désirable en soi : pas seulement pour des nerfs de mâles. Tout être normalement constitué y est sensible. Celles qui se prétendent indifférentes à l'attrait des autres femmes ou bien sont irrémédiablement frigides ou refusent de se rendre compte qu'elles sont victimes de la société : elles ont été conditionnées et atrophiées par le conformisme et les tabous. Dans un cas comme dans l'autre, ce sont des infirmes. Elles sont amputées d'un sens.

— Elles sont amputées d'un sexe, raffina Marie-Anne.

— Elles ne sauront jamais ce que c'est que l'amour, car, si l'on n'aime sa propre gent, qui aimera-t-on ?

L'arrivée du thé fit dévier momentanément la conversation. Mais le sujet était voué à réapparaître. Une réflexion de Marie-Anne, où figurait le mot « goût », fournit à Emmanuelle le prétexte qu'elle attendait :

— C'est comme pour le saphisme, relança-t-elle.

C'est d'abord une question d'esthétique : pour ne pas aimer les femmes, il faut ne pas avoir de goût. Anna Maria aurait dû être recalée aux Beaux-Arts.

— J'apprécie les jolies filles : mais de façon normale. Vous avez beau prétendre : l'homosexualité n'est pas quelque chose de normal.

— C'est moins anormal, il me semble, que d'aimer la Sainte Vierge !

Anna Maria parut fâchée, Emmanuelle n'en eut cure. Elle poursuivit :

— Et dois-je comprendre que votre ambition, en tant qu'artiste, est de vous confiner dans le normal ? Je croyais que l'art avait pour rôle d'ouvrir des voies hors nature ?

— Je tente de distinguer dans le surnaturel ce qui est divin de ce qui est diabolique.

— Oh, ne me dites pas que vous croyez vraiment au diable : Dieu, c'est déjà assez ! En tout cas, choisissez de croire à l'un ou à l'autre : pas aux deux à la fois. Moi, je n'ai pas de préférence.

Anna Maria reste un peu à court d'arguments. Emmanuelle a une manière à elle d'aller et venir entre Lesbos et la théologie qui a de quoi dérouter.

— Va pour Dieu, concède Emmanuelle, seigneuriale. Ne bougez pas. Elle file, revient quelques minutes plus tard, porteuse d'un grand livre plat, dont la couverture se pare d'une somptueuse quadrature rouge, bleue, jaune et noire.

— Voilà ce qu'a dit quelqu'un qui doit vous plaire.

— Mondrian ?

— Lui-même : « *La beauté pure est identique à ce qui est dévoilé dans le passé sous le nom de divinité.* »

Anna Maria fait la moue, n'ajoute rien. Emmanuelle lui passe le livre. Marie-Anne interroge :

— Ce n'est pas parce qu'Emmanuelle est belle que vous l'aimez?

Un autre jour, Emmanuelle trouva cette pensée de Che Tao :

« *Les gens croient que la peinture et l'écriture consistent à reproduire les formes et les ressemblances. Non, le pinceau sert à faire sortir les choses du chaos.* » Et, le lendemain, cette autre :

« *La nature est pleine de dangers. L'homme ne se sentira à l'abri que lorsqu'il aura construit, pour s'y réfugier, un univers de formes non naturelles*[1]. »

— La vérité, dit-elle à Anna Maria, c'est que l'homme a encore honte de ses ancêtres animaux. Il ne sait qu'inventer pour les faire oublier. Une âme venue de Dieu, c'était une idée : mais ça ne l'a pas mené très loin. Un espace artificiel où Dieu n'ait pas de part, voilà qui est déjà plus fort : sans vous en douter, c'est ce que vous essayez de faire, lorsque vous peignez. Mais c'est encore du brico-lage.

Plus tard, elle précise :

— L'art, au fond, c'est la forme de création d'une espèce qui n'est pas encore capable de créer la nature. Le jour où nous saurons fabriquer de la vie, déplacer les étoiles, nous ne perdrons plus notre temps à barbouiller des mondes de gouaches.

Et encore :

— Mario dit que l'œuvre d'art achevée n'est qu'une trace morte. Les pauvres millionnaires qui payent si cher des tableaux, ils sont bien roulés ! Ce

1. Marcel Brion.

506

qu'ils achètent, l'art l'a déjà quitté — à la minute où le peintre a posé ses pinceaux. Ce qui reste de son effort est toujours une croûte. L'œuvre d'art naît et meurt dans le même moment. Il n'y a pas d'œuvres immortelles, mais seulement des instants créateurs, si beaux, enfuis avant d'avoir eu le temps de vieillir. L'art est dans l'homme, non dans les choses. Il est ce que je crée, lorsque je fais l'amour comme je le fais.

— Art naïf !

— L'art ne peut pas être naïf. L'amour, bien sûr, peut l'être : mais il nous appartient de le redresser.

— La naïveté est-elle donc un tort ?

— Certes ! Le tort d'être en enfance. Le contraire de l'amour naïf, c'est l'érotisme.

— Alors, laissez-moi à la santé de l'enfance ! Vos adultères d'adultes, vos coucheries compliquées, vos femmes à sexes d'hommes, vos étalages, vos échanges sont pour moi une maladie de l'amour, non un art.

— Si je soupçonnais que ce que je fais est mal, je cesserais de le faire : le plus important, ce n'est pas le plaisir, mais la fierté. Assurément, il y a des manières de faire l'amour qui sont mauvaises, comme il y a des manières de prier qui doivent faire souffrir votre Dieu. Ce n'est pas être érotique que de se repaître de pensées honteuses ; tout ce que l'on fait en se cachant a des chances d'être quelque chose de laid. Mais moi, devrais-je avoir honte ? De quoi ? Je n'ai jamais fait que du bien. La grâce érotique, c'est de se réjouir de jouir. Et la vertu, se réjouir de faire jouir.

— Nous vivons dans des mondes séparés...

— Est-ce sûr ? Si vous pensez sincèrement que l'amour est une faute, alors, vous en savez plus long que Jésus-Christ, car il l'ignorait, lui, le pauvre, qui avait plutôt un faible pour les femmes adultères, les filles de joie, les pécheurs, les gais larrons. A-t-il jamais dit : ne faites pas l'amour, c'est très mal, vous n'irez pas en paradis ? J'ai appris les quatre évangiles, je n'y ai trouvé nulle part l'apologie de la chasteté. C'est pourquoi vous me faites rire, avec vos continences et vos pucelages : j'entrerai dans le royaume avant vous. En vérité, j'y suis déjà, car le royaume de Dieu, c'est là où vivent les hommes et les femmes qui ont des yeux pour voir et des oreilles pour entendre, ceux qui ont faim et soif de vérité... C'est le royaume de ce monde, qu'il nous faut éternellement découvrir, et que l'amour m'aide à chercher.

— Vous jouez sur les mots : l'amour que prêchait Jésus n'a rien à voir avec vos parties fines.

— Que connaissez-vous de mes parties fines ? L'on y illustre la différence entre l'érotisme et l'obsession du sexe. L'on n'y collectionne pas les orgasmes morts, comme des figures de plâtre ou des tableaux ; l'on y invente l'art d'aimer. Et l'on y est plus moral que physique.

— L'amour doctrinaire contre l'amour endocrinien.

Emmanuelle sourit. Anna Maria rechute :

— Mais qui est dupe de ces fables ? Vous faites l'amour à tort et à travers parce que cela vous fait plaisir, voilà tout. Vous vous débarrassez des principes qui vous gênent et ceux que vous forgez pour les remplacer ne sont destinés qu'à enjoliver cette vérité terre à terre : que dix hommes vous donnent plus d'agrément qu'un.

— Je pourrais choisir la facilité et rester à me reposer ; je pourrais me contenter de mon mari ou me contenter de mes mains ; mais je ne suis pas sur terre pour me contenter.

— Vous y êtes pour espérer.

— J'y suis pour apprendre. Mais ai-je besoin

encore d'apprendre à faire l'amour ? Je crois être déjà assez forte. Tandis que j'ai un long chemin à faire avant de savoir réellement aimer. Ce n'est pas une meilleure partenaire de plaisir que je deviens dans mes parties fines, Anna Maria, c'est une meilleure amoureuse. Et pour y parvenir, toute ma vie n'est pas de trop : ni tous les hommes, ni toutes les femmes de l'univers.

— Votre idéal vient de la tête plus que du cœur. Êtes-vous sûre que ce soit cette abstraite passion de l'homme, le véritable amour ?

— Peut-on aimer, si l'on n'a pas sa raison ? L'amour, l'amour que je veux mériter, est un autre nom de l'intelligence. La grâce d'être homme, c'est d'aimer ce qui rend capable de génie.

— Vous vous battez contre les mythes, mais j'ai peur que votre érotisme soit de tous le plus chimérique.

— Il est l'école du réel. Je crois seulement aux principes que découvrent les Archimède : ceux du Bon Dieu ne font pas le poids.

— Il y a toujours eu des filles qui couchaient avec tout le monde. Serait-ce à elles que l'on devrait le progrès des sciences ?

— Eh ! qui sait ? Si les nymphes et les courtisanes n'avaient, au long des siècles, gardé les hommes de succomber à l'hypnose de Dieu, l'Église aurait peut-être bien réussi à leur faire passer le goût du savoir et le goût de la vie ! Sans le ver qu'elles ont été dans le fruit du bien et du mal, peut-être notre monde tournerait-il depuis mille ans comme un astre châtré.

Emmanuelle devient véhémente :

— À cause de vos mauvaises lois, il n'est plus permis d'être chaste et fidèle. Avoir beaucoup d'amants est devenu un devoir, comme pour les révolutionnaires de lancer des bombes, même si l'on a horreur du fracas et du sang. Les coupables ne sont pas ceux qui portent malheur aux tyrans. Que messieurs les inquisiteurs commencent ! L'âme noire des serviteurs de Dieu juge Dieu : les jours de leur règne ont été la nuit de la terre.

— Les invectives que vous adressez à Dieu sont une façon comme une autre de le reconnaître : vous croyez en lui, mais vous êtes contre.

— C'est me faire trop d'honneur : je ne serais pas si téméraire ! Mais le passé est rempli de Dieu, et le passé est le temps de l'erreur. La vérité est en avant de moi : ce n'est pas de ma faute si, quand je regarde droit, je ne vois pas Dieu. Ne me forcez pas à me retourner : peut-être, alors, oublierai-je mes griefs.

— Le créateur ne se laisse pas si aisément oublier.

— Vous croyez ? Essayez donc de penser à Dieu, pendant que vous jouissez ! La religion a été inventée par des gens qui ne savaient pas faire l'amour.

— Mais pourquoi existe-t-il quelque chose, plutôt que rien ? s'angoisse Anna Maria. Pourquoi la nature regorge-t-elle de mystères ? Pourquoi les chauves-souris dorment-elles la tête en bas ? Pourquoi êtes-vous si belle, vous qui savez aimer et qui devez mourir ? La science ne me le dit pas.

— La religion non plus. Travaillons à le découvrir, au lieu de jouer au portrait.

— À Angkor, du temps de la splendeur khmère, raconte Jean à dîner (Emmanuelle a retenu Anna Maria et Marie-Anne), les moines du grand temple défloraient les filles que venaient offrir leurs parents. Elles avaient, en général, moins de dix ans : seuls les pauvres gardaient leurs enfants vierges plus longtemps, parce qu'il fallait payer assez cher pour le rite et les usuriers ne lâchaient pas l'argent sans garanties. Les moines se servaient de leur doigt ou de leur verge. Ils recueillaient le sang et le mêlaient à du vin. La famille s'en marquait au front et aux lèvres. Chaque prêtre n'avait le droit d'accomplir qu'une dévirginisation par an. Lorsque les filles voulaient ensuite se marier, elles allaient se baigner nues dans le lac, et les hommes les choisissaient.

— Rien n'a changé, dit Marie-Anne, le lendemain matin, à Emmanuelle, comme elles paressaient au soleil sur le rebord de la piscine. Les bonzes aiment toujours les pucelles.

— Comment le sais-tu? Tu es passée par leurs fourches caudines?

— Je n'ai pas besoin d'en avoir fait l'expérience pour le savoir.

— Moi, j'ai entendu dire que les moines bouddhistes ne touchaient jamais aux femmes.

— Une vierge n'est pas une femme.

— Eh bien, ils ont de drôles de goûts!

— Ce ne sont pas des gens comme nous.

— Et où les trouvent-ils, toutes ces vestales?

— C'est difficile. Les parents siamois ne sont pas aussi serviables que les Khmers d'autrefois.

— Ils ne livrent plus leurs cadettes en même temps que le denier du culte, pour faire le poids?

— Hélas! Tu sais comme la religion se perd. Il n'y a plus de Bouddha! De nos jours, ce sont les bonzes qui doivent débourser.

— Comment font-ils, puisque leurs vœux leur interdisent de manier l'argent?

— Ils payent en or.

— Marie-Anne, tu brodes ! Ces coquecigrues sont pour faire valoir ton esprit brillant.

— Si tu ne me crois pas, demande à Mervée.

Emmanuelle n'a pas cherché à rencontrer le lionceau. La boutade de sa petite amie lui est sortie de la mémoire, à peine entendue. Mais il advient qu'elle se bute à la fille aux cheveux de jungle, un dimanche matin où, accompagnée d'Ea, elle achète des orchidées sur l'immense parvis de la pagode du Bouddha d'Émeraude. Les flammèches, les folioles et les ronces de la crinière cuivrée semblent faire partie des étalages, étrange et presque monstrueuse plante de la forêt thaïe. Emmanuelle remarque que leurs lignes courbes, leurs retroussements aigus s'harmonisent de façon saisissante avec les paupières aux pointes relevées, l'arête gracieuse du menton, la bouche même, écarlate et en croissant de lune sur la peau pâle. Le visage de Mervée va bien à l'arrière-plan de toits siamois : sa géométrie et celle des temples sont de la même lignée.

— L'architecture bouddhique et vous êtes homothétiques, dit-elle en riant, se souvenant du vocabulaire de son éducation mathématique.

— Vous vous intéressez au bouddhisme ?

— Pas tellement.

Elle regardait passer deux bonzes, dans l'enroulement de leur toge safran, une épaule et les jambes nues, le crâne rasé avec soin. Un garçon de dix à douze ans, vêtu comme eux, marchait à leur côté, interposant entre l'ardeur du soleil et leur personne un éventail de soie brodée, d'un jaune riche, qui avait la forme d'une feuille de figuier sacré. Manifestement, ces moines ne faisaient rien de plus que de flâner, semblant ne s'intéresser à rien.

— Ils n'ont pas l'air de méditer grand-chose, fit observer Emmanuelle.

— Ils ont le temps devant eux.

Des écolières les croisèrent, chemisier blanc marqué aux initiales de leur école et jupe plissée rouge ou bleue, au ras des fesses. Les religieux ne condescendirent pas à un regard. Ça n'a pas l'air d'être ce qu'ils cherchent, nota Emmanuelle. Elle ajouta à haute voix :

— On m'avait dit qu'ils ne dédaignaient pas les jouvencelles.

— Ce n'est pas l'âge qui compte. Ce dont ils ont besoin, c'est de vierges.

— Ce n'est donc pas une légende ?

Emmanuelle se souvint de l'allusion de Marie-Anne, ajouta :

— C'est vrai, il paraît qu'il faut s'adresser à vous pour être renseignée.

Elle attendit, avec un sourire à demi sceptique, la réaction de Mervée.

Celle-ci ne répliqua pas tout de suite : elle dévisagea la questionneuse avec une force de regard si pénétrante qu'Emmanuelle eut l'impression d'être passée aux rayons X.

— Vous voulez connaître ces choses simplement pour vous amuser — ou sérieusement ? interrogea enfin le lionceau.

Sa voix avait la même intensité dépaysante que son regard. Pendant un bref instant, Emmanuelle perdit conscience du lieu où elle se trouvait, du temps...

— Ce que ces bonzes redoutent par-dessus tout, prononça Mervée, c'est la souillure : coucher avec une vierge ne souille pas.

— Ils ne doivent pas faire l'amour souvent, tenta de plaisanter Emmanuelle.

— Il n'est pas nécessaire que la virginité soit

réelle : l'essentiel est que les apparences soient sauves. Le Parfait a dit : tout n'est qu'illusion...

— Et ses disciples sont assez dociles pour le croire ?

— Les Siamois ne *croient* jamais : ils savent que la foi est la source de tous les ennuis. Et ils ont horreur des ennuis.

Emmanuelle commençait à éprouver de l'intérêt pour la conversation de Mervée. Elle s'était un peu imaginée, jusqu'à présent, qu'elle n'était que pelage et griffe.

— Vous, par exemple, relança le lionceau, ils vous apprécieraient beaucoup.

— Qui ? Les bonzes ! Pouah ! Et puis, vraiment, en fait de pucelle !...

Mervée n'eut pas l'air ébranlée.

— Ce côté-là me regarde, déclara-t-elle, rogue. Vous conviendrez parfaitement.

— Mais... Je ne me sens pas tentée le moins du monde. L'idée de faire l'amour avec un moine, fût-il bouddhiste, n'a rien pour moi d'excitant. Je n'ai probablement pas assez le sens du sacré.

— Là n'est pas la question. Vous m'avez dit un jour que je pouvais vous vendre. C'était entendu.

Emmanuelle se rappelait bien la proposition de Mervée, mais non qu'elle l'eût acceptée. Cette rouerie de bonne guerre la fit rire.

— J'ai justement une demande, poursuivit le félin, et il la regarda de ses yeux glacés.

Je suis folle, pensa Emmanuelle, mais ce serait une chose à connaître, que cette fille me négocie, comme une marchandise.

— Vous faites cela pour l'argent ? s'étonna-t-elle tout de même.

— Oui. Voulez-vous, demain ?

— Bon, dit Emmanuelle. Où vous retrouverai-je ?

Lui rapporterai-je assez ? se demandait-elle. Payeront-ils cher pour moi ? Elle avait complètement oublié que, pour avoir une valeur, elle devait être vierge.

Leur barque glisse sans un bruit, poussée par la rame du batelier, sur les reflets d'ocre mauve de la rivière, grasse de pluies. Emmanuelle fait tournoyer du doigt, au passage, les coques fraîches de noix de coco ou les paquets de légumes verts et rouges qu'entraîne le courant. L'eau, d'une densité de sève, arrive à ras de leur étroite pirogue de teck, blanchie par le temps, indestructible. La passagère songe qu'elle tombera sûrement à l'eau avant le terme du voyage, mais quelle importance ? Le fleuve grouille de nageurs, elle se joindra à leur bande criarde. Voici des garçons, nus comme des vers, qui s'accrochent à leur proue, sourds aux injures du nautonier : vont-ils jouer à les faire chavirer ? Leurs mains courent le long du bordage ; l'un se rapproche d'Emmanuelle ; ses yeux goguenards brillent de soleil et elle lui rend son rire. Il s'ébroue, l'éclaboussant de ses cheveux noirs, tend un bras vers elle ; pour quémander quoi ? Elle n'a pas à se le demander longtemps : avec une prestesse de salamandre, la main se faufile sous sa jupe, entre ses cuisses, effleure son sexe... Le garçon replonge, après un hurlement de triomphe.

Emmanuelle écope l'eau embarquée :

— Nous n'arriverons pas sans un ou deux naufrages, présage-t-elle.

Mervée répond qu'elle espère bien que non, car leur bagage en serait mis à mal. C'est vrai, se ressouvient Emmanuelle, Mervée transporte dans une sacoche un costume dont elle a l'intention de l'affubler pour le culte auquel elle est vouée. La perspective de ce cérémonial amuse Emmanuelle plus qu'elle ne l'inquiète : ce que complotent ces saints hommes, qu'est-ce sinon de jouir d'un corps de jeune fille ? Toutes les mascarades et tous les exorcismes ne changeront rien à cette simple et rassurante vérité. Si sa parure se mouille, eh bien, elle se présentera au couvent dans la nudité dÈve, cela n'est pas de nature à l'intimider.

Avant d'embarquer, elle a fait ce que Mervée lui a demandé... Depuis la nuit de Maligâth et les réticences d'Ariane, elle se doutait de ce qui l'attendait. Mais puisqu'elle avait accepté de se livrer au lionceau, il était normal que ce fût jusqu'au bout et qu'elle lui accordât le plaisir auquel il tenait. C'était une chose de plus, désormais, qu'Emmanuelle aurait connue.

. . . .

Le débarcadère auquel elles abordent est sculpté de fleurs de stuc, incrusté de fragments de verre et de poterie et chapeauté d'un toit en forme de tiare de danseuse, tout comme le temple auquel il donne accès. Ce dernier est composé de constructions multiples, anciennes, séparées les unes des autres par de larges espaces de verdure. Le bâtiment le plus vaste, ceint d'une colonnade, doit renfermer un bouddha massif de plâtre, comme Emmanuelle en a vu par centaines depuis six semaines ; elle ne se sent pas curieuse de s'en assurer.

Le *stupa* qui occupe le centre du domaine conventuel lui paraît plus digne d'attention. Sa base, en forme de bol renversé, est remarquable par ses dimensions autant que par la grâce de sa courbure. Sa flèche, faite d'anneaux concentriques de plus en plus étroits, s'élance avec pureté à quelque cent mètres de haut. Les tuiles de céramique couleur de chair qui la revêtent prennent dans la lumière de l'après-midi une telle douceur qu'Emmanuelle retire ses chaussures et court pieds nus dans l'herbe pour aller caresser des deux mains la carapace tiède du grand monument endormi, clos, incompréhensible et sans but sous le ciel logique.

Un moine jeune, l'air désœuvré, s'approche de Mervée. Emmanuelle les rejoint. Il leur fait signe de le suivre et les conduit dans un pavillon rectangulaire, au toit moussu et aux murs blancs, sans autre ouverture qu'une porte épaisse et grinçante. Des cierges à l'odeur sucrée, dans des chandeliers d'étain poli, en éclairent l'intérieur. Des armoires en forme de pyramides tronquées, à vantaux dorés, des nattes, quelques tables basses chargées de pots nains en constituent l'ameublement.

Dans un angle, un oiseau de bois rouge aux yeux de pierrerie, aux pattes de héron et aux seins de femme, mire dans un rectangle de verre incliné, encadré de céramique, la moue efféminée de sa bouche peinte. Emmanuelle s'immobilise devant lui, muette d'étonnement.

Le bonze s'assied et s'évente. Un petit garçon entre, portant un plateau de thé. Il le sert bouillant, dans des tasses d'une petitesse absurde : il faut en boire plusieurs, coup sur coup, pour avoir l'impression de se désaltérer. Et l'on se brûle. Mais, lorsque la politesse est faite, un arôme de jasmin se déploie dans la gorge. Emmanuelle s'en pourlèche : un pareil nectar est-il bien ce qu'il convient à une vie de renoncement ? s'interroge-t-elle. Il est vrai qu'elle aussi est là pour ces ascètes !

Le jeune moine, sa tasse posée, daigne prononcer une phrase : si brièvement et d'une voix si discrète qu'Emmanuelle n'a rien entendu. Mais Mervée répond. En siamois. Elle en sait donc si long ? Elle parle beaucoup plus que l'homme. Elle doit vanter mes qualités, estime Emmanuelle. Faire monter les prix ! Le bonze semble aussi peu intéressé que possible. Il ne jette pas le moindre regard sur l'objet du marché. Vieille ruse de maquignon, se gausse-t-elle en aparté : ne nous en laissons pas conter. Quel dommage qu'elle ne puisse participer au marchandage ! Décidément, il faudra qu'elle se mette à l'étude de la langue, son ignorance la prive de légitimes divertissements.

Aussi abruptement qu'il avait commencé de parler, le religieux se lève et s'en va. Il referme la porte sur elles. La fumée des gros cierges monte à la tête d'Emmanuelle. Elle aussi aimerait bien sortir de ce parloir. Mais Mervée, qui paraît savoir ce qu'il faut faire, en décide autrement :

— Je vais vous aider à vous changer dit-elle.

Elle dégrafe la robe de sa pupille et la lui enlève. Elle ouvre le sac qu'elle a apporté, en retire une longue et large écharpe de soie blanche, brochée d'or, qu'elle drape sur Emmanuelle avec une dextérité imprévue. Celle-ci se demande si cette sorte de toge ne va pas se dénouer et tomber au premier pas qu'elle fera, mais, après tout, c'est peut-être dans cette intention qu'on la pare de la sorte et peu lui en chaut. Ce costume lui paraît, d'ailleurs, élégant. Elle va emprunter à la *kinari* son miroir. Mais les bougies éclairent bien mal...

— Venez, dit Mervée.

Emmanuelle soupire de soulagement, lorsqu'elle se retrouve à l'air libre. La lumière du jour lui fait mal aux yeux.

Elles s'engagent dans un couloir. Mervée a l'air de savoir où elle va : elle compte à mi-voix les portes. À la onzième elle s'arrête, devant une figure à gros yeux et à bec crochu.

— Entrez, invite-t-elle.

Elle-même reste à l'extérieur.

Dedans, Emmanuelle retrouve le jeune bonze. Il

lui désigne une natte, sur laquelle est posé un coussin en forme de prisme.

— Asseyez-vous et attendez ici, dit-il, dans un français plein d'assurance.

Puis il sort. Emmanuelle s'installe, comme elle en a reçu l'ordre, replie sous elle ses jambes, un peu de côté, ainsi qu'elle l'a vu faire aux Siamoises, devant le roi ou dans les temples.

La pièce est sans fenêtre et singulièrement fraîche. Il y flotte une vague senteur résineuse. Peut-être le bois des murs ? On ne les voit pas : la seule source de lumière est une minuscule lampe à huile, plutôt une veilleuse, qui n'éclaire qu'autour d'elle. Pourtant, Emmanuelle est sûre que cette cellule est petite. Elle n'y distingue aucun meuble. Il n'est pas vrai, se corrige-t-elle au bout d'un moment, que les murs soient tous invisibles : celui qui est près de la lampe peut s'entrevoir. À force de le fixer, elle y devine même une porte, plus basse et plus étroite que celle par laquelle elle est entrée. Et, pendant qu'elle la regarde, cette porte s'ouvre. Très lentement, sans aucun bruit. Et le cœur d'Emmanuelle se met à battre la chamade. Elle se recroqueville sur sa natte. Lorsque la porte est grande ouverte, sur un arrière-plan enténébré, quelque chose, ou quelqu'un souffle la lampe. Et c'est la nuit absolue.

Un vagissement échappe à Emmanuelle. Elle ne va pas pleurer ! Mais elle a si peur...

Elle sent une présence. Ce n'est pas le jeune bonze, elle en est sûre. Lui ne ferait pas tant de manières. Comme elle aimerait qu'il revienne ! Celui-ci, ce fantôme qui ne veut pas être vu, que va-t-il lui faire ?

Elle est si tendue, les muscles si contractés, les nerfs si sensibles qu'elle crie lorsqu'une main la touche. Cet enfantillage (c'est ainsi que, sur-le-champ, elle qualifie sa réaction), du même coup, la soulage et la libère. Elle retrouve son sang-froid et rit d'elle-même. Le visiteur, probablement, a été aussi alarmé qu'elle, car il s'est éloigné. Je suis lamentable, se reproche-t-elle : de quoi aurai-je l'air, s'il me plante là écœuré qu'on lui ait amené une gourde ? Je serai déconsidérée aux yeux de Mervée. Et elle aura perdu sa journée.

Mais, à bien réfléchir, en se montrant effarouchable, elle a été dans son rôle : il n'y a pas lieu de le regretter. D'autant plus que cette obscurité, ces mystères n'ont pas été inventés pour l'impressionner, elle, mais pour épargner la honte au bonze. C'est lui qui pèche et qui se cache. Emmanuelle a sa conscience pour elle. Elle est donc dans une position de supériorité et il faut qu'elle en profite. Maintenant qu'elle n'a plus peur, elle a envie de s'amuser : le révérend la croit innocente ? Il va être détrompé. Sacrilège ! Sacrilège ! Scandale ! psalmodie en imagination Emmanuelle. Elle pouffe de rire sans bruit.

Elle tend les mains devant elle, tâtonne. Elle a tôt fait d'attraper quelque chose : un pan d'étoffe sans apprêt, bon marché, froissable : ses doigts se la représentent jaune safran ; plus haut, à gauche, il y aura une épaule nue. Voilà. La chair est dure, la peau a un contact de pierre sèche. Sûrement, ce moine est maigre, il est fort, mais il n'est pas jeune.

Une main impérieuse saisit la main exploratrice d'Emmanuelle, l'écarte, la garde prisonnière, pour lui interdire d'autres offenses. Elle sourit : une femme ne doit pas toucher un membre de la sainte *Sangha,* mais alors, pourquoi est-elle là ? Elle ne veut justement pas jouer le jeu de l'hypocrisie. Elle lutte pour dégager ses doigts. Et, dans le mouvement, elle se rapproche de son hôte. Elle a une idée en tête : elle va le déshabiller.

Il ne se laisse pas faire sans résistance, et l'écharpe d'Emmanuelle se déroule et tombe avant qu'elle ne soit parvenue à dénouer la toge jaune. Néanmoins, la défroque du moine bouddhiste n'est pas beaucoup plus ajustée, ni assurée, que ne l'était la sienne, et elle sait se servir de ses ongles et de ses dents pour faire lâcher prise à l'adversaire : lui aussi (c'est bien son tour!) doit ravaler ses cris, qui ne sont pas de plaisir. Emmanuelle ne le tient pas quitte.

Lorsque, enfin, elle se retrouve couchée de tout son long, haletante, et un peu meurtrie, sur le corps nu de l'homme, elle peut être satisfaite : le phallus, raide comme fer, qu'elle sent sous son ventre, le souffle brûlant qui lui fouette le visage, attestent qu'elle a vaincu. Elle a le droit de se reposer.

Les phalanges osseuses du moine écartent ses cheveux, la serrent à la nuque, à lui faire mal, mais c'est un mal qui lui plaît. Elles explorent son dos, courent le long de son échine, griffent ses fesses. En même temps, le corps mâle se cambre et la verge se tend davantage encore : la pointe en arrive au nombril d'Emmanuelle, qui fait onduler, presque imperceptiblement, sa taille, pour que le désir de l'un et l'autre en soit accru. Les mains invisibles remontent, en gravant un sillon, jusqu'à ses épaules, s'y agrippent, font pression pour qu'elle glisse plus bas : elle cède, son visage se pose un instant sur une poitrine qui sent le santal, puis sa bouche reçoit le gland enflammé.

Elle se prête à l'irrumation, mais elle ne fait rien pour la rendre agréable : elle n'a pas envie de gaspiller ses talents ; et elle n'a pas envie, non plus, que le profès jouisse sur sa langue.

Celui-ci doit être désappointé, car, brusquement, il la repousse. Mais elle n'a pas le temps de s'interroger sur ce qui va résulter de ce mouvement d'humeur, car déjà il l'a empoignée et la force à s'étendre sur le côté, et à courber la tête jusqu'à ce que son menton touche le haut de son torse — pourquoi ? elle se le demande. Il lui replie les jambes, ramène ses genoux contre son visage : la voici foetus. Alors, le pénis à dureté d'os commence de forcer l'ouverture de ses reins.

La salive d'Emmanuelle, dont il est encore enduit, aide à la pénétration : elle doit néanmoins faire un effort stoïque pour ne pas gémir. Comme elle est étroite, là, se désole-t-elle : ce qu'elle a mal !

Et, lorsque l'homme a réussi à passer, elle souffre encore de découvrir que son membre est si long : elle ne s'en était pas rendu compte, lorsqu'il était dans sa bouche. Il avance tant qu'il va sûrement la perforer. Elle avait cru que le plus douloureux était le moment où le gland ouvrait son anus, mais, maintenant qu'il frappe brutalement, loin au-dedans d'elle, les larmes lui jaillissent des yeux.

Elle ne sait plus à quel moment le plaisir est venu se mêler aux sanglots. Il lui a fallu beaucoup plus de temps pour atteindre l'orgasme que lorsqu'on la prend dans son sexe. Ses pleurs ont rendu à la natte sa fraîcheur et sa senteur d'herbe. Après qu'elle a eu joui une première fois, le moine a continué à la sodomiser avec une force et une endurance qui, très vite, ont tiré d'elle d'autres spasmes. Alors, elle a crié beaucoup plus fort que lorsqu'il lui faisait mal. Elle ne peut dire si ç'a été pendant des heures ou simplement des minutes qui lui ont paru telles, et elle n'a pas su, non plus, quand son amant s'est répandu en elle.

Maintenant, elle gît, de nouveau seule, dans la cellule noire. Une torpeur satisfaite lui engourdit les membres. Elle attend, ne sachant que faire, n'osant bouger. Peut-être aura-t-on encore besoin d'elle : d'autres bonzes ? Mais elle voudrait voir, ces ténèbres lui pèsent et l'oppressent. Ou est-ce l'air de cette chambre close ? Elle se sent lasse. Elle reste ainsi, roulée en boule, poussant de temps en temps un soupir.

Enfin, quelqu'un ouvre la porte qui donne sur l'extérieur. Le jour a baissé : il ne pénètre qu'une clarté de crépuscule. C'est le jeune moine du début. Il reste dans l'embrasure : regarde, sans rien en perdre, Emmanuelle, qui prend son temps. Elle se demande quelle pouvait être l'apparence de celui qui a fait l'amour : il ne devait pas être aussi beau que celui-ci, sinon il ne se serait pas entouré de nuit. Certainement plus âgé : néanmoins, quelle ardeur ! Probablement l'abbé de ce monastère. Voire le Suprême Patriarche du Petit Véhicule... Elle sourit avec impertinence au nez de son chaperon, qui, s'il s'en formalise, n'en laisse rien voir. Il se contente de prononcer, d'une voix sans inflexion :

— Vous pouvez sortir, maintenant, mademoiselle.

C'est vrai, s'égaye-t-elle, j'avais oublié que j'étais pucelle !

À cette idée, elle éclate franchement de rire.

Pour ce que le cénobite attendait d'elle, elle aurait eu bien tort, en vérité, d'avoir des scrupules : il ne risquait guère de découvrir la supercherie ! Il la laissait repartir aussi vierge qu'elle était venue. Elle pourrait resservir !

À moins, lui vient-il subitement à l'esprit, que ce ne soit une autre virginité que ces moines prisent ? Mais, en pareil cas, quels moyens ont-ils de s'assurer qu'on leur a réservé la primeur ? Il faut qu'ils soient bien crédules ! Ou de vrais sages...

Elle drape sur elle son écharpe (encore quelque chose qui n'aura pas fait grand effet : quelle différence, si elle avait été vêtue de guenilles ?), mais avec beaucoup plus de désinvolture que n'en avait mis Mervée à l'apprêter. Puis, elle franchit le seuil ; le jeune prêtre lui a tourné le dos et marche le long du cloître.

Après quelques pas, il pénètre dans une autre pièce, plus grande, et qu'éclaire mieux une large fenêtre. Il se dirige vers un bahut, presque cubique, sur un piédestal incrusté, l'ouvre, y prend un objet, se retourne et le tend à Emmanuelle.

— Notre communauté vous fait ce don, dit-il.

Elle est surprise : était-il prévu qu'elle en reçût un ? Elle croyait que cette partie de l'affaire relevait de Mervée. Toutefois, l'atmosphère n'encourageant pas aux demandes d'explication, elle se saisit du coffret sans mot dire.

— Ouvrez, intime le bonze.

Cela, une fois de plus, n'a pas l'air commode : la boîte est rectangulaire, en bois noir, odorant... En poussant au hasard, Emmanuelle finit tout de même par faire glisser un couvercle. Aussitôt, elle a une exclamation ravie.

C'est, grandeur nature, d'une nature munificente, un phallus d'or, si réel qu'il a dû être obtenu par moulage : il doit être creux, sinon il pèserait trop lourd, car il est long, épais, cambré, parcouru de nervures longitudinales qui paraissent gonflées de sève, le gland puissant, si voluptueux au toucher qu'on est tenté de lui attribuer une finesse de muqueuse et les qualités de la vie. Même Ariane n'en possède pas de pareil.

Si extraordinaire joyau est-il vraiment pour Emmanuelle ? Elle ne veut pas le donner à Mervée ! Elle veut le garder pour une circonstance à la mesure de sa beauté.

Le bonze était déjà dehors et elle lui emboîta le pas. En quelques minutes, ils atteignirent le débarcadère, où le lionceau attendait.

Le jeune homme rebroussa chemin, vers le

temple, sans avoir accordé un regard d'adieu à Emmanuelle ni l'avoir saluée. Elle refréna une impulsion de courir après lui, de lui dire... mais lui dire quoi ? Elle haussa les épaules, serra l'écrin contre son cœur.

— Je ne comprends pas, murmura-t-elle. Cela ne valait pas tant de largesses.

Elle prit à témoin sa compagne, qui ne répondit rien.

— Un bonzillon aurait aussi bien fait l'affaire.

La nuit descend déjà sur le fleuve. La barque est là, et le batelier, qui s'ennuie.

— Je ne vais pas rentrer en ville dans cette tenue, annonce Emmanuelle. (Et elle se défait de son écharpe.) Comme on est bien nue ! se prélasse-t-elle. L'eau la tente.

— Si nous nous baignions ?

Mais Mervée secoua la tête :

— Il est trop tard. J'ai quelqu'un à voir.

Emmanuelle passa, à contrecœur, sa robe de civilisée.

— Moi aussi, j'ai envie de faire l'amour, déclara-t-elle, en s'embarquant.

— Avec moi ? interrogea Mervée.

— Non. Avec un beau garçon.

— Je vous en chercherai un, dit Mervée.

— J'aime mieux trouver moi-même. Ou me laisser trouver.

Leur barque filait avec le courant, entre les rives éclairées.

— Vous obtiendrez de meilleurs résultats, signifia Mervée, si vous prenez l'initiative.

— Se laisser faire aussi est érotique, dit Emmanuelle. Nous sommes des femmes.

— Il ne s'agit pas d'érotisme, s'impatienta Mervée. Il s'agit de réussir. La passivité n'est pas efficace.

— Je n'ai pas lieu de m'en plaindre, attesta Emmanuelle, avec bonhomie.

— Comment vous y prenez-vous ?

— C'est à ceux qui me veulent de s'y prendre ! Ils n'ont qu'à regarder mes jambes, mes seins, pour savoir que j'en vaux la peine.

— Ils n'en croient pas leurs yeux.

— Rien ne leur interdit de toucher.

— Ils ne sont pas si hardis.

— Même si je relève ma jupe ?

— Ils le portent au compte de leur imagination ; ou de leur vanité. Leurs désirs les égarent : ils ne les prendront pas pour des réalités. Ils ne craignent rien tant que de se casser le nez.

— Je leur fais les yeux doux.

— Vos avances ne visent qu'à mieux les duper.

— Je me serre contre eux.

— C'est une preuve de plus de votre innocence et de votre pureté : s'ils se méprenaient sur le sens de votre confiance, vous défailliriez, appelleriez la garde...

— Je pose mes genoux sur les leurs.

— Les petites filles ont des gestes provocateurs dont elles ne se rendent pas compte. C'est aux messieurs de savoir se tenir.

— Eh bien ! moi qui m'imaginais qu'ils ne pensaient qu'à coucher avec moi !

— Ils y pensent, soyez tranquille. Ce qui leur manque, c'est le courage.

— En faut-il tellement, pour m'embrasser ?

— Seuls les héros se lancent à l'assaut des citadelles. Et quel donjon est plus inaccessible que la femme de son prochain — ce monument de vertu ?

— Mais alors, que faire ?

— Ne pas attendre d'être assiégée.

— Sortir avec un drapeau blanc ?

— La seule chose que les hommes demandent,

c'est de n'avoir à s'avancer qu'à coup sûr. Ou mieux : que ce soit l'autre parti qui avance. Un signe de reconnaissance ne suffit pas : il le leur faut clair, explicite, sans équivoque. L'allusion, le symbole, la litote les pétrifient. Ils ne se sentent revivre qu'auprès des prostituées. Non à cause de leur beauté ni de leurs talents, mais parce qu'elles parlent les premières et que l'on comprend ce qu'elles disent.

— Voilà donc pourquoi vous nous vendez !

— Je ne vous vends pas pour rendre service aux hommes. Je ne suis pas de leur côté.

— C'est drôle, cette manière que vous avez de diviser le monde en hommes et en femmes. Pour moi, tous ceux qui sont pour l'amour appartiennent au même camp : le sexe n'a pas d'importance. N'est-ce pas la raison pour laquelle nous sommes lesbiennes ?

— Je ne suis pas le délassement du guerrier. Il faut des esclaves et des maîtres, des conquérants et des sujets. Je suis de la race des reines. Les hommes existent pour moi.

Emmanuelle se contente de sourire. La barque avance. La nuit tiède la rend heureuse. Mervée reprend, sur un ton plus serein :

— Le temps du monde renversé est venu. Les hommes ont assez couru les filles : c'est notre tour de leur donner la chasse ; à nous de les choisir, de les renvoyer, de nous les échanger, comme des étalons dont la valeur varie — sans compter que nos goûts changent ! Ils avaient des *garçonnières* pour y piéger les oiselles et s'y régaler de leur chair fraîche : moi, j'ai, pour de semblables commodités, comment devrais-je l'appeler — une *fillière* ? J'y conduis les hommes que j'ai séduits et j'abuse de leur innocence en leur prenant leur sperme.

Le rire joyeux d'Emmanuelle ricocha sur l'eau :

— Vous en violez beaucoup ? demanda-t-elle.

— Autant que je le veux. Les hommes sont faciles à prendre, parce qu'ils croient que ce sont eux qui nous prennent.

— Ils n'ont pas tout à fait tort, non ? Et que ce soient eux qui nous prennent ou nous qui les prenions, ils en tirent de toute façon du plaisir.

— Moins que nous. Vous souvenez-vous de Tirésias ?

— Non.

— Pour une obscure histoire de serpents qu'il avait dérangés de leurs amours, les dieux le métamorphosèrent en femme. Il ne perdit pas au change, comme le comprit trop tard le ciel, toujours mal informé des choses du monde. Une fois redevenu mâle, plus tard, Tirésias révéla, en effet, à Jupiter, bien étonné, que la jouissance féminine était neuf fois plus forte que celle de l'homme.

— Neuf fois !

— Ni plus ni moins.

— Quelle chance nous avons ! s'ébaudit Emmanuelle. Pauvres hommes ! Il faut être très gentilles avec eux. La prochaine fois, je m'arrangerai pour leur passer un petit peu de mon plaisir.

Mervée ricana. Emmanuelle s'étonna :

— Vous ne pensez pas que les reines doivent avoir à cœur le bonheur de leurs sujets ?

Le lionceau contre-attaqua :

— Avez-vous honte de vous être laissée vendre ?

— Oui, bien sûr, dit Emmanuelle. Mais c'est une honte qui est agréable.

Elle réfléchit un instant, ajouta :

— On ne fait que me demander, ces jours-ci, si je suis nymphomane, prostituée, je ne sais quoi encore ? Je ne me sens rien de tout cela. Qu'est-ce donc qui m'en distingue ?

— Rien que l'intention.

Emmanuelle hocha la tête, d'accord, pour une fois, avec Mervée. Celle-ci tendit la main, lui défit plusieurs boutons de sa robe, annonça :

— Je n'irai pas à mon rendez-vous : je vous emmène chez moi.

— Quel âge avez-vous ? questionna Emmanuelle, comme si sa conduite allait dépendre de la réponse.

— Je suis née le même jour que vous, mais un an après.

— Incroyable ! admira Emmanuelle.

Elle se tut plusieurs minutes, puis :

— Avez-vous fait l'amour avec autant d'hommes qu'Ariane ?

— Je n'ai pas compté ceux d'Ariane. Moi, je change tous les jours.

— Vous n'en gardez aucun plus longtemps ? Vous m'avez dit que vous aviez un amant.

— Je ne fais pas l'amour avec lui. Je ne fais jamais deux fois l'amour avec le même homme. Cela m'ennuierait.

— Êtes-vous sûre que vous jouissiez neuf fois plus qu'eux ? questionna Emmanuelle, avec un soudain sentiment de doute ?

Mervée le prit de haut ;

— Pensez-vous que je sois frigide ?

— Frigide, non, mais c'est vrai que nous ne nous ressemblons pas. Aucun homme ne vous intéresse vraiment, ni, du reste, j'en ai peur, aucune femme. Moi, au contraire, tous me passionnent et me comblent également et je les aime tous. Je pourrais très bien me contenter d'un seul amant toute ma vie. Si j'en change, ce n'est pas par besoin.

— Ni moi ! Je change par jeu.

— Je change par beauté. Je fais l'amour comme je sculpterais une statue : et en sculpterais-je une seule ? Je ne suis pas née pour réussir un amour, je suis née pour apporter au monde plus de beauté que je n'y ai trouvé. Je ne fais pas l'amour pour me débarrasser de mon désir, mais pour reculer les bornes du possible. Je fais l'amour parce que je suis capable de bonheur et je le fais sans conditions parce que je suis capable de liberté. Si j'étais poète, je dirais ma tendresse avec des chansons. Si j'étais peintre, j'enrichirais le réel de formes et de couleurs imaginaires. Si j'étais reine, je laisserais mon nom à des étoiles. Mais je suis Emmanuelle et je graverai sur la terre la trace de mon corps. Je veux que sa chaleur reste vivante des millénaires après que je serai morte et, pour cela, je la ferai connaître à des milliers et des milliers de corps vivants : tous seront mon amour !

Elle croisa le regard étranger de Mervée :

— Il se peut que vous fassiez l'amour plus que moi, Mara, dit-elle, sans se rendre compte qu'elle employait un autre des noms du lionceau. Mais je ne suis pas sûre que vous le fassiez aussi bien. Car moi, je sais, je sais mieux que personne dans cette ville, mieux que personne peut-être au monde, pourquoi je le fais. Et, comme vous le disiez tout à l'heure, c'est ce qui fait toute la différence.

9

LES OISEAUX SANS MASQUES

> *Et dans ses jambes où la victime se*
> *[couche...*
> *Avance le palais de cette étrange*
> *[bouche*
> *Pâle et rose comme un coquillage*
> *[marin.*

Stéphane MALLARMÉ,
Parnasse satyrique.

> *Ah, qu'il s'enfle, se gonfle et se tende,*
> *[ce dur*
> *Très doux témoin captif de mes*
> *[réseaux d'azur...*
> *Dur en moi, mais si doux à la bouche*
> *[infinie !...*

Paul VALÉRY, *La Jeune Parque.*

> *Bonne tenue : la bonne ordonnance*
> *des mouvements corporels.*

PLATON, *Définitions,* 412, d.

Marie-Anne retourna à sa plage et Christopher,
de son côté, regagna la Malaisie, sans avoir osé

avouer son désir à la femme de son ami, ni l'avoir touchée. Septembre tirait à sa fin.

Anna Maria, lorsqu'elle eut achevé de peindre les yeux d'Emmanuelle, la sculpta nue, comme elle avait parlé de le faire de Marie-Anne, mais l'avait sans doute oublié. Emmanuelle ne faisait rien pour la tenter. Lorsqu'elle posait, elle ne lui parlait pas d'amour, ni de plaisir, ni de la morale des nouveaux temps.

La belle Italienne était amoureuse d'Emmanuelle et celle-ci le savait. Mais elle ne voulait pas qu'Anna Maria pût lui reprocher de l'avoir séduite. Alors, elle faisait l'amour avec Ariane, ou avec des Siamoises, dont la peau de soie mate l'émerveillait.

Mario lui manquait. Elle ne l'avait pas revu depuis la nuit du prince. Lorqu'elle eut compris sa leçon, il n'était plus là. Il voyageait au loin. Elle reçut de lui cette lettre :

« *Pourquoi ne puis-je regarder la Grèce sans vous vouloir du bien ? Cette fois, sur le Péloponnèse, il n'y a pas de neige. Sa peau gonflée de veines est l'enveloppe d'un cœur. Juste avant, il y a eu encore cette perfection de la mer, autour de Céphalonie et de Zante. Mais le caprice des nuages m'a refusé le long yoni corinthien, comme par coquetterie, pour que je ne puisse vous redire la même histoire...*

« *Je vole. Et le ciel autour de moi s'appuie, de tout le poids de sa calotte sur l'horizon appris à l'école. Trente siècles durant, les enclumes de ces montagnes ont forgé mes ailes de fer. L'air qui les porte a été le souffle des dieux. Ma survie et ma liberté sont le cadeau de leur humanisme à mon incroyance. Ô dieux pleins d'humour, dieux sceptiques, dieux de cette terre, comme vous devez nous comprendre, nous qui ne vous avons jamais adorés ! Vous avez su dès le début à qui appartenait la royauté du monde, vous qui nous enviiez nos femmes et nos guerres et jalousiez notre pouvoir d'aimer.*

« Emmanuelle, dans le ciel laconique, la certitude de notre destin m'éclaire : il existe un bonheur, et nous, hommes prométhéens, nous les vrais pères d'Hélène, en sommes capables à la face de l'univers. La mesquinerie, la lâcheté, l'inquiétude ne sont pas tout notre lot. Écoutez-moi : levez-vous, montrez-vous ! Il faut que vous fassiez comprendre au monde qu'il est maître de son bonheur. Il ne le sait pas encore. Il est enfant et pourtant il est las. De son espérance, il fait son angoisse. Dans ses capitales noires, l'air est trop chargé d'argent, de bacilles et de cendres. Moi, tout ce temps, parmi ceux qui ne pensaient plus à aimer, qui ne se donnaient pas le temps d'aimer, certes, je n'ai pas oublié mon honneur, mais leur découragement me gagnait. Peut-être, après tout, étais-je un rêveur et la vie était-elle seulement cela : ce nœud dans la gorge, ce calcul, ce haussement d'épaules, à la fin ? Mais ici, maintenant, si rapide au-dessus de la terre dorienne que déjà peut-être, sans que je le sache, elle est loin de moi, l'évidence de l'azur, plus haut que les vapeurs de la terre, me proclame que l'homme est dieu. »

Les semaines qui suivirent furent animées par la préparation des réjouissances qui allaient marquer l'anniversaire d'Ariane. Au Siam, où l'on calcule l'âge par cycles différents de ceux du reste du monde, la fin de chacun d'eux appelle une solennité particulière. Les amies d'Ariane, Ariane elle-même avaient à cœur que leur célébration fût digne de ces coutumes. Pour commencer, l'on avait décidé de donner au voisinage le spectacle d'un bal masqué.

Les invitées confectionneraient elles-mêmes leurs masques. Mervée les guiderait dans cet art délicat, dont Leonor Fini lui avait transmis les secrets.

Ce travail fut, par lui-même, une fête. Les jeunes femmes passaient des heures chez Ariane, jonchant le sol d'aigrettes, de plumes de cygne, de plumules de canari, de pennes de tourterelle, de huppes de perruche, de vannes d'émerillon, de duvet de rouge-gorge et de poil follet de fauvette, de ramiges de rossignol, de barbules de geai bleu et de pédiales de chevêchette, de cerceaux de goéland, de vol d'engoulevent et de tectrices de tantale, des falbalas de l'oiseau-lyre, du panache des paradisiers et de la queue du guêpier écarlate.

Leur œuvre progressait lentement, les récréations prenant plus de place que les devoirs. Les plans furent remis en discussion et ajustés maintes fois, pour le plaisir du changement. On finit par arrêter que les masques seraient étroitement ajustés, cache-raient tout le visage, les cheveux et le cou ; les yeux mêmes disparaîtraient derrière les paupières et les cils de soie. Personne n'aurait la permission de les enlever, aussi longtemps que durerait le bal. Ainsi, nulle ne serait reconnue et l'on pourrait faire tout ce qu'on n'osait tenter, les jours communs, à visage découvert.

Pour le costume, des maillots collants suffiraient. Mais ils seraient de laine très fine, absolument transparente. Mervée (elle encore !) savait où se les procurer : elle en aurait dix noirs et dix rouges, d'un rouge de bourreau. Cela, du coup, fixait le chiffre des femmes-oiseaux : il ne pourrait y en avoir plus de vingt. Quelle que fût leur taille, ces parures leur iraient : elles étaient faites d'une matière élastique qui se prêterait à tout. Cependant, si l'on voulait que les seins gardent leur noblesse, il fallait qu'ils soient choisis assez forts pour tendre le tissu. Cette exigence eut pour effet d'éliminer, après examen probatoire, un certain nombre de candidates qui acceptèrent, avec plus ou moins de dépit, d'être réduites au rôle de spectatrices, plutôt que de renoncer complètement à paraître à la fête.

Les maillots auraient des manches longues, jusqu'au poignet : fallait-il les compléter par des gants ? Le chargé d'affaires, consulté, fut d'avis que la caresse d'une soie très fine peut avoir plus de prix que celle d'une main nue et l'on opta donc pour des gants minces et souples, qui seraient rouges pour les porteuses de maillots noirs, et noirs pour les autres. La règle serait, là encore, qu'on ne devrait en aucun cas les retirer.

Ariane et Emmanuelle avaient d'abord cru que les collants de Mervée étaient semblables à ceux que portent les danseuses, d'une seule pièce du col aux pieds. En réalité, ils ne couvraient que le haut du corps, jusqu'au-dessous des reins. Mervée projetait de les compléter par des bas de filet à larges mailles, formant slip. S'ils étaient portés sans cache-sexe, l'effet serait des plus heureux. Ses complices ne la suivirent pas dans cette voie, pour des raisons de sens pratique : ces hauts-de-chausses ajourés — l'impatience humaine étant ce qu'elle est — ne seraient pas longtemps tolérés, quel que fût leur attrait, sinon à cause de leur attrait même. Ou bien on y pratiquerait des brèches, et la tenue générale en souffrirait, ou bien ils finiraient par être retirés et c'était pire, le bon goût excluant les déshabillages : si l'on avait déjà édicté que les invitées garderaient toute la nuit leur masque et leurs gants, ce n'était pas pour les laisser enlever leurs culottes. La proposition du lionceau fut donc repoussée.

Non, exposa Emmanuelle : si l'on voulait rester

correcte, la seule possibilité était de se présenter, dès l'arrivée, les jambes et les fesses nues. Maria disposait-elle d'un reste de plumage ? On pourrait, au besoin, en orner les pubis. La longueur des maillots s'y prêtait mal, objecta la costumière : ils atteignaient normalement l'aine. Fort bien ! convinrent ses partenaires : en ce cas, contentons-nous d'eux, ils sont assez habillants.

Un tel costume — observa-t-on, une fois de plus — ne serait néanmoins pas facile à porter. La vraie difficulté était donc de savoir qui y mettre. Certes, des corps sculpturaux pouvaient être trouvés en plus grand nombre que vingt, mais l'intention n'était pas d'organiser un défilé de statues. Plus importantes encore que la perfection physique étaient les dispositions de l'esprit. Non seulement il fallait que les participantes fussent capables de penser, mais aussi qu'elles se trouvassent en communion de principes et en état de mutuelle sympathie. C'était la naissance d'Ariane ; on ne lui préparait pas un spectacle, mais un banquet de l'amitié.

Des listes furent établies par le comité fondateur et, jour après jour, révisées — d'abord à mesure de la réflexion, puis une fois les invitations lancées pour combler les défections dues à l'absence, aux indispositions ou au manque de hardiesse des âmes. Finalement, l'on réussit à réunir, à temps pour qu'elles se composent leurs visages de plumes, assez d'élues pour que le succès de la soirée fût assuré.

Lorsqu'on avait abordé le problème des hommes, les prétextes à controverses, là aussi, n'avaient pas manqué. Les costumerait-on ? Mais non : il était préférable que les femmes attirassent sur elles toute l'attention. Elles seraient l'apparition précieuse, une volière d'oiseaux-fées, de corps offerts, aux visages scellés ; elles seraient la suprême énigme. Allait-on leur donner des rivaux? Les hommes, ce soir-là, seraient leurs officiants : qu'elles soient donc seules déesses! Et les déesses seules sont nues. Les hommes viendraient en smoking.

En quel nombre? À égalité? Ce serait encore leur faire la part trop belle : qu'ils rivalisent pour mériter la grâce des incarnations, qu'ils sollicitent, qu'ils prennent leur tour! Et pour qu'aucune ligne ne soit finie et aucune quantité ingénue, on se garderait de les inviter en multiple simple du nombre des femmes. Ils ne seraient ni le double, ni le triple, ni en aucun rapport arithmétique intelligible.

Enfin, quels époux? Aucun, dit Mervée. Ariane prit le contre-pied : tous ceux, proposa-t-elle, qui le méritaient. À commencer par Jean. L'intervention d'Emmanuelle les déconcerta :

— Non, trancha-t-elle. Pas Jean, tant qu'Anna Maria n'est pas capable de nous rejoindre.

Où était la logique de cela? Emmanuelle n'offrit pas d'explication et elles ne lui en demandèrent pas.

Les amies d'Ariane se rassemblèrent, une dernière fois, la veille du grand jour, pour essayer entre elles leurs parures.

Superbes, sous leurs lourdes capes de velours noir qui les enveloppaient jusqu'aux pieds — et qu'elles ne retireraient pas avant d'avoir fait suffisamment languir leurs spectateurs — elles restèrent longtemps à contempler en silence leurs visages d'oiseaux rêveurs, tentant de se ressouvenir des mortelles qu'elles avaient été.

Emmanuelle avait un masque de douce chouette corinthienne, à la capuche rousse, au regard pathétique et neigeux et aux grands cils tremblants, mouillés de larmes de perles. Mais Emmanuelle ne voyait pas, dans l'oiseau de nuit qu'elle était, une chouette : elle l'appelait, d'un mot qu'elle avait inventé, une hiboulette.

Le large et épais pschent d'ambre, les yeux hautains et le bec bleu de l'amblyornis jardinier donnaient à Ariane force de mythe. Quels traits de femme eussent pu en égaler le sortilège ?

Mervée était un hausse-col à rabat de turquoise et à cimier noir : ou était-ce de la couronne d'un Inca de rêve que ce paradisier s'était paré ?

Une Africaine avait la tête du ptéridophore : les plumes qui s'élançaient de son front comme deux cornes de fougère retombaient jusqu'au sol, dans un friselis de métal qui faisait mal aux nerfs, et l'on était tenté de se demander si cette matière et si ce bruit n'étaient pas venus, par quelque contrebande effrayante, de planètes d'un autre soleil.

L'intrigant cortège des artistes amoureuses de leurs chefs-d'œuvre carrelait de rouge et de noir les parquets des salles vides, tandis que les aigrettes et les panaches dessinaient à hauteur des lampes un ballet d'artifices oniriques et de feux. Les cuisses nues, enfin montrées, se révélaient étrangement semblables entre elles, peut-être par contraste avec l'exubérante originalité des têtes : à peine la couleur différenciait-elle ces jambes longues de magiciennes — rissolées, celles des blondes ; aux reflets plus sourds, celles des Siamoises. Singulières, cependant, entre ces îles aux merveilles, les jambes du ptéridophore, phares tournants de lumière noire, balisaient en cadence l'archipel mordoré.

Une euphème belle était nimbée de plumes au lustre de nacre et la toison de son pubis avait, elle aussi, la clarté de l'écume marine et sa densité mystérieuse, lorsque s'y enchevêtrent ces organismes mi-végétaux, mi-animaux que le jusant abandonne sur les rochers, où ils évoquent, parfois, d'assez intimidantes ressources de l'amour. Si éprise, elle-même, de son ventre aux cheveux de varech était l'oiseau que ses pattes gantées se tendaient irrésistiblement vers leurs nœuds grumelés de coraux. Bientôt, sa tête duveteuse renversée contre des coussins de velours, elle accorda enfin aux douces lèvres de son sexe le rêve de caresses que ne pouvait recevoir sa bouche cornée.

Emmanuelle, en la regardant, imaginait que la mer, dans sa genèse fabuleuse, aurait pu faire d'elle, au lieu de la bipède aventureuse qu'elle était, rien de plus qu'une algue amoureuse, beauté consciente des profondeurs. Serait-elle aussi heureuse — ignorant la possibilité de ses autres destins — si elle était en ce moment l'amante de glauques sirènes, léchant le sel de leur sexe exquis ou les gouttes de lait iodé de l'orgasme que ses caresses tireraient de leurs seins d'écailles ?

L'œil crédule et le corps orangé d'un coq de roche au front bombé et aux seins sphériques ; le crâne velouté, les oreilles étrangement fourrées, bordées de duvet pourpre, le camail de prélat et la traîne démesurée d'une astrarchie stéphanie ; les paupières en amande, presque verticales, le bec pincé et la queue fourchue, coupante comme un rasoir, d'un cynanthe bleu, étaient plus qu'une mascarade : ils étaient les partenaires que le surréalisme de la vie allait offrir aux hommes pour les changer de l'énigme des femmes. Et c'est pourquoi, malgré leur cruauté, les becs auraient, cette nuit-là, plus d'attrait que les corps d'amoureuses.

Les oiseaux se promirent de prolonger, tant qu'il aurait ce pouvoir, le prodige. Elles ne se profaneraient ni par l'émotion ni par le rire et paraderaient sous leurs songes de pennages, arcanes inviolés, proches à rendre les désirs fous, distantes à faire pleurer.

Si dépaysante était cette métamorphose que leurs familiers mêmes hésiteraient à reconnaître les seins du cacatoès à huppe rouge, les tendres épaules de l'ara hyacinthe, ou, sous le grave et comique crâne pointu et le plumage quadricolore de la lophornis adorable, la chevelure débordante d'une Algérienne de seize ans qui prétendait, sans être crue, avoir déjà eu mille amants. Et il faudrait, même à ceux qui l'idolâtraient comme peu de femmes l'ont été au monde, surmonter la tentation d'un doute sacrilège avant de se jeter aux pieds de la fille du prince, dont le long cou flexible, les yeux indigo et le profil lascif du colibri sapho abolissaient le visage immobile de sphinge.

Certes, nombre des hommes — il fallait s'y attendre et les oiseaux magiques l'espéraient — mettraient une rouerie pardonnable à exagérer leur confusion. Ils ne feindraient pas sans arrière-pensées (et l'on découvrirait peut-être ainsi de surprenantes prédilections) de confondre Laure avec Mervée, d'appeler Djamila Malini, de reconnaître Emmanuelle en Marayât, Daphné sous le plumage de Myriam, Maïté sous le bec d'Ariane ou de prendre Nil pour Inge. Et, si des désirs moins avouables encore les hantaient, ils pourraient même prétendre que les êtres sans visage qu'ils tiendraient dans leurs bras étaient telles beautés inaccessibles, entrevues ailleurs, qui n'avaient pas été invitées et qui seraient bien étonnées, plus tard, d'apprendre qu'on les avait vues à la fête et que des amoureux dont elles ne savaient rien les avaient fourbues d'étreintes barbares.

Les filles passèrent tout ce jour-là à savourer l'avant-goût qu'elles se donnaient de ces jeux. Elles absolvaient par avance leurs prétendants de toutes leurs faiblesses. Sauf Emmanuelle, qui professa que leur création fantastique rendait possible des émotions nouvelles et que les hommes feraient un piteux usage de leur chance s'ils se contentaient de mettre sous les masques de leurs visiteuses des formes et des sens coutumiers. L'occasion leur était offerte d'aimer le non-terrestre, l'extra-humain, l'inconnu : ne trouveraient-ils rien de mieux à faire que de penser à des femmes, quand des génies seraient à portée de leurs mains ?

Tard seulement, au cours de la fête, les oiseaux féeriques annoncèrent qu'ils allaient se démasquer.

Un écran de fine soie blanche descendit des lambris, coupant l'immense salon ; personne, jusqu'à ce moment-là, ne l'avait remarqué, roulé dans un fourreau doré. Les lumières de la pièce s'éteignirent. Seuls restèrent en service des projecteurs placés en arrière de l'écran.

Dans la partie obscure, on installa les invités, dans de profonds fauteuils, avec toutes les boissons qu'ils pouvaient souhaiter. Ils comprenaient tous les hommes, ainsi que celles des femmes qui étaient venues à visage découvert. Le silence, la curiosité, l'expectative s'installèrent confusément parmi eux.

Sur la blancheur de l'écran désert, des fantasmagories font leur apparition une à une : des phallus, de formes et de tailles diverses, tenus ainsi que des fleurs délicates par des doigts effilés ; deux, quatre, huit, qui miment une pavane lente autour d'un fantôme aux bras étendus, un fantôme de jeune fille dont le corps réel vit dans l'espace interdit, entre les projecteurs et la soie...

Son ombre, languissamment, ploie, se rompt, se couche : à peine la voit-on encore. Seuls ses seins lui donnent un relief : que n'a-t-elle gardé les crêtes et les saillies mémorables de son visage d'oiseau ! Redevenue humaine, nul ne sait plus qui elle est.

Un bras d'ombre décrit une parabole, une main vient se poser sur le ventre invisible. Le poignet reste soulevé et l'on distingue un doigt qui passe et repasse, selon un rythme encore rêveur, là où l'on espère qu'est le sexe. La danse des spectres phalliques, peu à peu, s'accélère, jusqu'à devenir une folle gigue. La main amoureuse se plie à cette cadence. Le corps tombé s'arque, ne tient plus au sol que par les talons et la nuque, semble tendu à résonner. D'un coup le doigt s'enfonce, les priapées s'apaisent, la silhouette s'affaisse et l'écran s'obscurcit.

Lorsque la lumière est rendue, elle éclaire sur l'écran neigeux, un profil de ténèbres aux seins aigus, aux longues jambes souples, à la coiffure vaporeuse, haute comme une ramure de cerf. Une seconde silhouette surgit du bord gauche, avance en dansant légèrement, au rythme d'un accompagnement sourd : l'ombre de sa virilité a la rigueur d'un dessin étrusque.

Les deux formes se rejoignent. L'une soulève l'autre comme si elle était sans poids. Debout, le dos cambré, sans autre point d'appui que ses jambes de mythe, l'homme d'ombre pénètre avec puissance dans la ballerine, dont les membres décrivent dans l'air lourd des orbes gracieux et dont le torse s'incurve en croissant de lune. La nuit descend sur les silhouettes accouplées. Une aube de fiction se lève sur la vision d'une femme au visage incertain : est-ce la même, est-ce une autre ? (Il était plus aisé de distinguer l'un de l'autre les paradisiers perdus !) Elle est assise, une jambe pliée sous elle, l'autre droite, s'appuyant au sol du talon. Un homme (est-ce encore le faune ?) apparaît, se rapproche, s'agenouille. La silhouette féminine pose sur l'épaule du mâle la jambe qu'auparavant elle tenait repliée, avance son ventre vers la bouche qui se tend. La tête de l'homme se fond entre l'ombre de ses cuisses. La femme prend ses seins dans le creux de ses mains, les soulève vers le ciel, renverse la nuque. L'obscurité se fait d'un seul coup.

Le quatrième tableau montre, d'abord, un homme assis. Une ombre aux seins de muse, à la coiffe de nuées, sort du néant, danse jusqu'à lui, se laisse défaillir à ses pieds. Le phallus du héros lentement s'érige, lentement disparaît dans la nébuleuse indécise qui tient lieu à la déité de visage. Il en resurgit, y plonge derechef, cérémonieusement, hiératiquement, jusqu'à ce que l'incarnation offerte à la libation frissonne et s'abatte. Elle disparaît à la vue. Le demi-dieu reste seul.

Mais une autre forme naît, à son tour, de l'horizon, pareille à une voile noire. L'homme, qui lui tend les bras, l'attire, la soulève et, comme l'avait fait, tout à l'heure, le premier apparu, la perce de son membre : les courbes douces de la femme effacent les bosses noueuses des cuisses de l'amant. Des bras enlacent son cou, des lèvres invisibles se posent sur ses lèvres. Puis, doucement, le corps femelle remue, avec une souplesse océane, se tend vers une surface chimérique, retombe, flotte. À chaque tentative, la verge qui le retient au fond est à peine entrevue, puis disparaît de nouveau dans sa chair d'ombre.

Les spectateurs sentent dans leurs artères et leurs nerfs la pression humide et marine, la profondeur croissante, la succion, les muscles qui serrent dans leurs mains de muqueuse, la montée hallucinante du fluide — ce bonheur de source — le long du sexe caché. La scène dure. Enfin, la captive se cambre, bat l'air de toute l'envergure de ses bras de vagues ;

ses seins pointent ; ce qui doit être sa chevelure se déroule, dessine une ombre épaisse jusqu'à terre.

Le ventre mâle pulse et se cabre. On croirait voir jaillir le sperme.

À la scène qui suit, les épaules redressées d'une femme allongée sur une couche haute sont recouvertes par ses cheveux, qui enfouissent aussi son visage dans leur masse obscure. La pesanteur gonfle ses seins. Ses fesses se soulèvent, comme engourdies. Ses cuisses se replient. Ses genoux remontent au niveau de ses flancs. Elle prend appui sur ses avant-bras, comme une bête sauvage à l'affût.

Un homme surgit. Il prend entre ses mains, avec des gestes nets, la croupe offerte, l'attire vers lui, y pénètre — jusqu'au bout. Aussitôt, il s'immobilise. La femme semble être devenue de pierre.

Bientôt, à gauche de l'écran, une autre ombre féminine se détache. Elle rôde, hésitante, approche... Son pubis saillant passe à portée de la femme clouée : celle-ci d'un coup brusque redresse la nuque, rejette en arrière la crinière qui masquait son profil et darde vers l'appât l'ombre vorace de sa langue.

Alors, le mâle reprend vie. Il se repaît, avec une brusque transe, des reins de sa prisonnière qui, rompant intolérablement le silence du spectacle, lui échappe avec un long cri de forêt et disparaît dans la nuit.

Après un long temps mort, l'écran s'éclaire de nouveau sur deux hommes qui, en son centre, se font face. Leurs sexes d'une rigidité souveraine, sont affrontés l'un à l'autre, en sorte qu'ils paraissent former un phallus unique, épais comme un bras. Derrière chacun d'eux, à quelque distance, est dressée une table (ou est-ce un autel ?).

À l'extrémité gauche et à l'extrémité droite de l'écran, se tiennent deux figures de bas-relief nubien. Leurs seins isiaques saillent au-dessus de leur ventre plat. Les fuseaux de leurs cuisses soudain s'animent et les portent lentement vers le groupe central. L'effigie de droite s'immobilise à mi-chemin, pour un temps. L'autre vient se placer entre les deux profils masculins, dont l'ombre se fond à la sienne. Il faut être spécialement attentif — imaginatif même — pour comprendre qu'elle fléchit le buste, baise, ou peut-être fait pénétrer dans sa bouche, si cela est possible, le double lingam. Puis elle se redresse et va s'étendre (tout cela avec des gestes lents et rythmés) sur une des tables, les seins tournés vers le ciel. Sa nuque dépasse du plateau de la table et sa tête pend, renversée à la hauteur des fesses de l'homme, trop éloignées, cependant pour que ses lèvres les touchent.

L'autre femme répète minutieusement ce rituel et se retrouve, à la fin, en position symétrique de la première. Alors, les deux personnages centraux, renonçant à leur face à face uraniste, font un demi-tour et avancent d'un pas : la bouche des gisantes s'ouvre et ils y font entrer leur verge.

Paraissent en scène deux ombres, porteuses de symboles virils entre leurs seins pulpeux. Gracieusement, obliquement, elles les détachent de leur cou et en greffent les corps irrumés. Puis elle s'agenouillent entre les cuisses des nouveaux hermaphrodites et, penchées sur leur ventre, y tètent le scion dont elles l'ont enrichi.

Deux hommes de plus : ils viennent de gauche et de droite, jusqu'à ces femmes agenouillées. Celles-ci se détournent, un instant, des priapes entés au ventre de leurs amoureuses et goûtent à ceux des nouveaux venus. Mais leurs lèvres préfèrent, il faut le croire, aux érections de chair, celles nées de leur art, et les hommes qu'elles délaissent contournent leur ombre, les aident à soulever les reins : l'on voit bientôt, à leurs mouvements, qu'ils y ont pénétré.

Un espace sépare encore les deux figures debout, dont les filles faites androgynes gardent les sexes dans leur bouche. Entrent deux personnages masculins, qui vont à la rencontre l'un de l'autre, jusqu'au centre de l'écran, pivotent, s'insèrent dans ce vide et reprennent, face à face, membre à membre, la pose que tenaient, au début, les hommes dont, maintenant, les fesses s'abutent à leurs fesses.

À peine ont-ils ainsi pris place que deux formes féminines surgissent en bordure de l'écran, puis deux encore.

Les premières prennent position le long des tables, baisent un sein des femmes allongées et caressent l'entaille où a été insérée la greffe virile. Les secondes s'assoient sur leurs talons, perpendiculairement aux femmes agenouillées qui sucent le suc des greffons, et avancent une main dans l'ombre de leur ventre : peut-être y font-elles pénétrer leurs doigts, puisque les amants de ces femmes n'ont pas choisi cette voie. De l'autre main, ces nouvelles venues provoquent les seins de leurs partenaires.

Six ombres s'ajoutent, trois de chaque côté : un homme, deux femmes. Chaque homme prend l'une des femmes par la taille, la fait s'allonger sur le dos, à même le sol, de sorte que sa nuque repose sur les talons de l'homme agenouillé qui sodomise la fellatrice de l'ithyphalle postiche. Puis il dispose sa seconde acolyte, le sexe sur la bouche de la première, les épaules appuyées à celles de ce même homme, dont elle entoure à revers le torse de ses bras, assez longs, doit-on supposer, pour qu'elle parvienne à saisir la verge qu'il a aux trois quarts enfoncée dans les reins de son amoureuse.

La même scène se déroule sur les deux volets du dyptique. Les hommes qui ont amené les quatre dernières protagonistes s'étendent, enfin, à chaque extrémité de la composition, sur le corps de celle de leurs amantes dont, jusqu'à présent, seule la bouche était prise et ils la coïtent. En même temps, ils pressent dans leurs mains les seins de celle dont leur maîtresse de l'instant lèche le sexe et joignent sur son clitoris leur langue à sa langue.

Leurs mouvements s'accordent avec ceux qu'exécutent, au même moment et avec un égal bonheur, tous les autres participants : les femmes qu'ils pénètrent de leur sexe et celles qu'ils caressent de leurs mains et de leurs baisers, tandis qu'elles-mêmes accordent à d'autres, hommes et femmes, leurs diverses caresses ; celles qui rendent hommage, à genoux, aux olisbos qu'elles ont façonnés de jeunes pousses d'arbres et, servies par le plaisir des hommes qui étreignent leurs flancs et par la sensualité des compagnes qui enlacent leur taille, se consacrent, de leurs lèvres, aux gisantes ambiguës que comblent également, aux seins et au sexe, leurs autres amantes et dans leur gorge, les priapes insatiables des hommes restés debout, auxquels s'adossent leurs frères d'armes, croisant verge contre verge. L'intérêt du tableau tient à la conjonction harmonieuse de ces rapports.

La lumière, cependant, paraît avoir décru et il faut faire un effort, désormais, pour discerner ce que chacun reçoit et donne. L'ombre grandissante confond les ombres de l'écran, remplit les derniers vides entre les formes, mais ne met pas fin au spectacle. Le jeu subtil des noirs et des gris qui bougent et qui changent prolonge les visions concrètes. Et les lueurs qu'invente la fusion des corps relaient celles tirées de la matière inanimée et préparent au désir de jouissances inconnues les hôtes de la fête.

10

LE PLUS NOBLE TALENT

Et cette école où il me fait passer n'est pas pour sa délectation, mais pour ma gouverne : ce ne sont pas des leçons d'érotisme qu'il me donne, mais une leçon unique : si tu aimes, sois au moins capable des actes de l'amour, ou bien tais-toi. Une sorte d'honneur alors me convie à m'abandonner toujours davantage.

Honneur : honneur que j'eusse appelé hier précisément déshonneur...

Christiane ROCHEFORT,
Le Repos du guerrier.

Mario étire ses longues jambes et soupire en regardant tomber le déluge.

— Cela va continuer pendant des jours, prophétise-t-il sombrement.

— Qu'est-ce que ça peut faire ? le raisonne Emmanuelle. Pourquoi prenez-vous le temps aussi au tragique ? Aviez-vous donc des projets de plein air ?

— Être prisonnier de la pluie ou d'autre chose est toujours être prisonnier. Tout ce qui porte atteinte à ma liberté est mon ennemi. Je hais la pluie.

Elle rit, sans tant de souci. Le grondement monotone de l'eau sur le toit aux pignons recourbés et sur les terrasses de sa maison lui paraît avoir sa beauté. Elle est d'humeur à voir tout en beau.

— Jouons à êtres libres ! propose-t-elle.

Le visage de son visiteur se détend.

— Vous sentez-vous libre, Emmanuelle ?

— Il doit être possible de l'être de plus en plus, je suppose ?

Il hoche affirmativement la tête :

— C'est ainsi qu'il faut concevoir la liberté : un bien en avant de vous.

— Avant de venir à Bangkok, je me jugeais si libre que je ne soupçonnais même pas qu'on pût l'être davantage. Pourtant, je le suis aujourd'hui dix fois plus. Donc j'ai sûrement encore des progrès à faire.

— Toujours. Il reste toujours quelque chose à trouver.

— Mais je ne sais pas quoi. Je manque sans doute d'imagination. Êtes-vous plus doué ?

— Plus que vous, non : je ne suis qu'un homme ! Mais je puis vous aider à ne jamais vous satisfaire.

— Vous avez été envoyé pour me donner ma plus grande soif ! parodie Emmanuelle, mais l'affection de ses yeux dément le ton de moquerie. Mario ne s'y trompe pas.

— Vous l'avez dit !

Elle révèle :

— Vous savez, Mario, j'ai d'étranges expériences à vous conter. J'ai été violée.

Il partage son amusement :

— *Si tu as entendu dire qu'on a violé Parthénis,* déclame-t-il, *sache qu'elle y a mis du sien, car on ne jouit pas de nous sans y être invité.*

550

— Ah, comme je me sens bien, s'enchante Emmanuelle. Que je suis heureuse. À quoi est-ce que cela tient ?

— Au fait que nous sommes ensemble. À vos belles jambes.

Il épie la pluie avec déjà plus de tolérance. Elle se penche vers lui, poursuit ses confidences.

— Et j'ai aussi été vendue !

Mario reste un instant silencieux, puis demande :

— Êtes-vous prête à faire le pas suivant ?

— Certainement, si vous me dites lequel.

— Assumer votre rôle jusqu'au bout : accepter de vous prostituer.

Elle se récrie :

— Mais c'est déjà fait, je viens de vous le dire.

— J'entends que vous vous prostituiez *vraiment.* Pas par blague ni par toquade.

— Cela me rapprocherait-il de la liberté ? s'étonne-t-elle. Je me figurais que la prostitution était une servitude : une femme n'y vient-elle pas, d'ordinaire, que forcée ? Par quelqu'un, ou par quelque chose : la malchance, la déception, la misère ? Et ne finit-elle pas par être captive de sa condition ?

— La femme qui se prostitue quand, précisément, rien ne l'y oblige est le contraire d'une esclave.

— Soit. Mais quelle différence, alors, avec ce que j'ai fait ?

— Une différence non de nature, mais de degré. Simplement plus de liberté. Or, n'est-ce pas là ce que vous cherchez ? Le choix que vous faites encore entre les hommes auxquels vous vous donnez limite votre liberté. Vous vous croyez peut-être libre de votre choix, mais en réalité vous êtes prisonnière de la nécessité de choisir. Lorsque vous saurez que vous êtes totalement offerte et que votre amant de l'heure suivante sera celui que le hasard vous enverra, vous serez totalement libre.

Emmanuelle sourit, fort mal convaincue. Il reprend donc :

— L'érotisme, je crois vous l'avoir dit, exige de l'organisation. Il est féru de système. Vous réussirez d'autant mieux votre vie érotique que vous l'aurez ordonnée avec plus de méthode. Ce que j'appelle vous prostituer, c'est simplement organiser intelligemment le don de votre corps. Afin qu'il ne soit pas laissé au jeu des caprices et des préférences. Et c'est en même temps rendre possible une réussite esthétique, puisque c'est systématiser l'imprévu. Regardez-le comme une victoire de plus du cérébral sur le physique. Il ne s'agit pas de savoir si vous jouirez plus ou moins. L'art, je ne vous le répéterai pas, compte plus que le plaisir.

— La prostitution considérée comme un des beaux-arts ?

— L'art, c'est d'abord du travail. Entendez-vous vivre toute votre vie sans travailler ?

— Je n'ai pas besoin de rien faire. Jean est riche.

— Vous trouvez normal de vous vendre à lui. Peut-être serait-il plus honnête que vous vous vendiez *pour* lui ?

— C'est vrai. Je serais heureuse de le faire, s'il me le demandait. Mais pourquoi ne me le demande-t-il pas ?

— Parler entre mari et femme est ce qu'il y a de plus difficile au monde. Et pourquoi serait-ce à lui de dire le premier mot ? Si vous voulez être vraiment sa femme, soyez bonne à quelque chose, autant que lui l'est. C'est son rôle de faire des barrages, c'est le vôtre de faire l'amour. Pas seulement en dilettante : utilement.

— Mais je voudrais que l'amour reste pour moi un plaisir. Pas qu'il devienne un métier.

— Le métier de Jean n'est-il pas aussi son plaisir ? Construit-il des digues seulement pour gagner de l'argent ? Ou est-ce parce qu'il aime à ériger son pouvoir d'homme sur la chair de sa terre ?

— Pourquoi, alors, le monde honore-t-il les architectes et méprise-t-il les courtisanes ?

— Peut-être que ceux et celles qui voient la vérité manquent de courage pour la crier sur les toits, plus haut que les imbéciles crient l'erreur. Mais deux mille ans de pleutrerie et de sottise ne disposent pas pour l'éternité du destin du bien et du mal. Les hommes ont l'âge de comprendre que leur prétendue morale — à la fois si jeune et si vieille — vaut juste qu'on en rit. Ne leur disons pas qu'elle est laide, ils n'en seraient pas gênés. Essayons du moins de leur montrer à quel point elle est arbitraire et à quelle confusion de valeurs ses tartuferies et ses turlupinades ont conduit leur société. L'on rend hommage à la femme qui loue son corps pour porter des fardeaux ou se laisse enchaîner à une machine, voire qui s'offre en modèle à un photographe, et nul ne juge outrageux pour les bonnes mœurs que son employeur la rémunère de ces services physiques. Mais il n'est pas légitime, il n'est pas décent, il est peccamineux, il n'est pas méritoire, il est cupide, sordide, effronté, sacrilège qu'elle tire parti du plus noble talent de son corps ! Serait-ce que faire l'amour est plus indigne que de dactylographier des mandats d'arrêt ?

— Si toutes les femmes étaient femmes galantes, qui répondrait au téléphone ?

— L'une et l'autre fonctions sont-elles incompatibles ? Je n'ai de respect que pour les secrétaires qui se prostituent.

— Encore faut-il qu'elles en aient les moyens.

— Ah ! voilà la bonne réponse ! À celles que la nature a plus généreusement dotées pour les finesses du fichage que pour les arts de la chair, ne faisons pas grief de se cantonner dans la fréquentation des dossiers. Mais vous, qui êtes née belle comme le rêve des hommes, serait-il concevable que votre vie ne fût consacrée à rien d'autre qu'à l'amour des états néant?

— En d'autres termes, toutes les jolies filles doivent se faire filles de joie?

— Dieu aidant, c'est ce qu'elles font! Il me plaît de constater, en effet, que les héritières de notre noblesse sont aujourd'hui plus tentées par le lupanar que par le couvent. Pourrait-on rêver d'une plus forte preuve que l'esprit finit par venir à notre civilisation?

— Dans ce cas, votre Anna Maria n'est pas tout à fait dans le mouvement.

— Aimeriez-vous qu'elle vous y précédât?

— C'est bon! Je travaillerai donc, se rend Emmanuelle.

— N'en soyez point si accablée! raille Mario. Je vous propose un bien doux labeur...

— Si ce n'était qu'une question de fainéantise, soupire-t-elle, je n'aurais pas tant de doutes. Mais je suppose que mon trouble vient de ce que les mots choquent plus que la pratique. Si vous appeliez cela d'un autre nom...

— C'est bien pourquoi je ne le fais pas. Je vous évoque votre vocation de femme, et je vous dis sans périphrase que la manière la plus satisfaisante de l'accomplir est de vous prostituer.

— Admettez, pourtant, que vous me représentez la prostitution sous des dehors dorés. Je la trouverai sûrement moins exaltante, lorsqu'un vieillard obèse prétendra me mettre au service de sa laideur. Sans parler de ses maladies.

— Ma chère, renoncez-vous à manger des

huîtres parce qu'il s'en trouve des mauvaises ? Songez plutôt aux bonnes surprises que vous aurez.

— Les hommes qui me plaisent n'ont pas besoin de me payer.

— Savez-vous si eux n'aimeraient pas mieux vous payer que d'avoir à vous plaire ?

— Il faut donc que je me vende pour les mettre à l'aise ? J'ai déjà entendu cela.

— Fort bien : vous avez ainsi pu y réfléchir. Et vous convenez désormais, j'en suis sûr, qu'un homme qui ne se sent pas obligé de feindre le coup de foudre a les meilleures chances d'avoir la tête à ce qu'il fait lorsqu'il fornique. Vous devriez lui en savoir gré.

— Les hommes n'éprouvent-ils donc vraiment plus de fierté ni de plaisir à nous séduire selon les règles ?

— Ils en éprouvent surtout de l'ennui. Vous faire désirer vous rendait peut-être précieuses quand nous n'avions rien d'autre à faire ; mais nous n'avons plus de ces loisirs-là : Valmont date terriblement. Alpha du Centaure est à quatre années-lumière d'ici et l'on nous y attend. Vous ne voudriez tout de même pas que nous perdions encore du temps à piétiner sur les chemins du Tendre ? *Bis dat, qui cito dat !* Pour ma part, toute femme qui ne se donne pas après une demi-heure de menus propos m'est plus fastidieuse que la pluie. Et je ne reverrais jamais celle qui ne ferait pas l'amour à notre premier rendez-vous.

Mario laisse passer un instant, ajoute :

— Sur sa propre initiative, naturellement !

— Vous me faisiez honte de ma paresse, mais il faut, je vois, que nous vous épargnions tout effort. Même celui de faire des avances.

— Simple répartition des tâches. Aux hommes l'entreprise des œuvres de force, à vous celle de l'amour. La raison essentielle en est la suivante : ce que les hommes de ce temps apprécient par-dessus tout, c'est de savoir à quoi s'en tenir. Leur bête noire, c'est l'équivoque. La mode de l'amour abscons a rejoint au musée les violettes et les jupes longues. L'amour d'aujourd'hui montre déjà sa bouche et ses jambes : celui de demain aura le réalisme sans ambiguïté de l'atome. Et, comme les humeurs peccantes ont fait place aux hormones, l'amour sans serments, l'amour sans états d'âme, l'amour sans confusion va relayer l'amour de Tristan, l'amour de Roméo, l'amour d'Abélard, attardés dans nos cités d'alliages légers et de verre. La voile d'Iseut ne peut abuser l'œil dessillé de nos radars. Et nos ordinateurs ne s'en laissent pas conter par le galimatias des élégies et des madrigaux. Le vrai, le net, le vif et le nu de l'amour érotique ridiculisent les philtres, les ambages, les patiences et les cafardises de l'amour courtois. Ses évidences sonnent le glas des conventions et des croyances. Et les brouillards, les pamoisons, les suicides romantiques nous ont assez longtemps fait bâiller : nous avons envie de retrouver le goût de rire en faisant l'amour clairement. L'avenir est à ceux qui sont capables de savoir et de comprendre sans souffrir. L'amour malheureux n'a pas d'avenir. Emmanuelle, les hommes sont fatigués et voilà quel est leur désir : que l'énergie du monde soit employée à quelque chose de moins dérisoire et de plus utile que de se frapper le cœur et de se battre les flancs. Ils veulent que l'amour leur repose l'esprit, non qu'il les harasse et qu'il les hébète. Et ils souhaitent que l'amour leur parle franc. Ainsi, lorsque je vous invite à vous prostituer, je ne vous conseille rien de plus que d'avoir la franchise de vos idées. Il s'agit simplement d'une manière logique de porter, à l'âge de la démystification, les couleurs de l'érotisme.

La main de Mario voltige :

— Tout ce que j'ai pu vous en dire d'autre était subordonné à ce principe.

— Parfait, dit Emmanuelle. Eh bien mettons-nous-y.

Mario la considère avec amitié. Toutefois, il l'avertit :

— Ce que je pense ou non n'est pas ce qui doit vous déterminer et il ne convient pas que vous prostituiez parce que je vous le demande. En fait, je ne vous le demande pas. Je vous indique que la chante vous en est offerte et quel en est l'intérêt. Mais je vous laisse libre. C'est à vous d'en décider. Je ne vous guiderai là où vous pourrez commodément le faire que si vous me l'ordonnez.

Elle le toise avec une flamme singulière au fond des yeux. Il lève la main pour arrêter les paroles qu'elle pourrait prononcer :

— Et vous ne devrez pas non plus accepter de vous y rendre simplement parce que votre esprit peut éprouver un plaisir quasi physique à céder. Libérez-vous aussi de cette tentation.

— Cependant, dit-elle, ne serait-il pas érotique que m'obligeât à me prostituer un homme qui m'aimerait ?

— Certes ! Il n'y a pas d'érotisme possible pour le couple qui se limite à soi-même. Oserait-il prétendre qu'il sait aimer celui qui ne livrerait pas celle qu'il aime ? Je ne crois qu'aux amants qui vendent leurs amantes. Et bien fol est l'époux qui n'impose pas à sa femme au moins un stage de courtisane.

— Voilà ! Vous voyez bien que vous en venez à la contrainte. Tout à l'heure, vous n'aviez à la bouche que ma liberté !

— À combien de libérations ne se soumet-on que par force ?

— Alors, pourquoi refusez-vous de me forcer ?

— Je ne suis ni votre époux, ni votre amant.

— À dire vrai, je ne sais pas ce que vous êtes !

— Le haut-parleur de votre pensée.

— Vous ne m'avez donc rien appris ?

— Rien, sinon à prendre conscience de votre génie.

— Lorsque je serai complètement venue au monde, je suppose que vous vous évanouirez en fumée ?

— Serez-vous jamais née ?

Elle sourit à une idée qui s'offre, interroge, d'un ton qui se veut plein d'aplomb :

— M'aimez-vous ?

— Pour le moment, oui, répond Mario, nullement embarrassé.

C'est Emmanuelle qui a le souffle coupé.

— Mario, s'inquiète-t-elle, je commence à me demander si vous avez jamais été amoureux et si vous le serez jamais. Vous voulez bien d'une femme pour entretenir avec elle des relations érotiques, mais pas pour l'aimer.

— Et que pensez-vous donc que l'amour est ? En êtes-vous encore à rêver d'un don du ciel, d'une grâce intemporelle, toute gourde de mystère et qui descend sur vous du très-haut de sa transcendance comme le feu de Dieu sur le buisson choisi ? L'amour est-il pour vous une vision de l'au-delà, qui vous laisse aveugle à toute réalité terrestre ? Une stupeur de l'âme dont ne peut rendre compte nulle psychologie ? Allons, soyons sérieux ! Cet amour hallucinatoire n'a jamais existé que dans les mauvais livres. Et prenez garde ! Si l'amour est une visitation, que vous restera-t-il quand l'ange vous aura quittée ? Si l'on aime quelqu'un sans bonne raison, ce n'est pas lui qu'on aime, mais le phantasme qu'on a créé, et le réveil de cette transe est quelque chose qui peut tuer. Est-il juste de mourir de mirage? Car ce n'est pas mourir d'amour que de mourir pour le mythe d'aimer. Sais-je aimer? Je vous dis que l'amour est l'absolu de l'intelligence et que sa raison est ce que je pratique sous le nom d'érotisme.

— S'il y a des raisons d'aimer, il y en a donc aussi de ne plus aimer?

— Soyez-en assurée : et que cette certitude vous confère prudence et sagesse. L'amour ne vous est pas dû : c'est à vous de le mériter. Ne perdez pas les qualités pour quoi l'on vous aime. Vous avez plu parce qu'Éros était en vous : chassez-le, et vous ne plairez plus. Si vous cessez d'être érotique, je cesserai de vous aimer.

— Et si je cesse d'être belle?

— C'est votre devoir de le rester.

— Quand je serai vieille?

— La beauté d'Éros ne craint pas les ans. Il vous appartient de ne pas vous laisser vieillir.

— Que je devienne vertueuse, de la vertu que le monde honore?

— Je vous haïrai.

— Que je trouve d'autre intérêt à vivre que l'amour d'aimer?

— Je vous oublierai.

— Est-ce donc là votre fidélité?

— Devrais-je être fidèle à ceux qui trahissent?

— Est-ce trahir que de changer?

— Vous n'avez le droit de changer que pour devenir plus hardie. Revenir sur vos pas serait le contraire du changement : ce serait l'immuabilité de la mort.

— Et si je suis, un jour, lasse de l'érotisme et lasse de devoir toujours avancer?

— Alors, mourez.

Emmanuelle se tient coite un instant, semblant

accaparée par une difficile méditation. D'un seul coup, elle se met à rire :

— Avant d'en arriver là, annonce-t-elle, j'ai envie d'essayer.

— Quoi ? dit Mario.

— La vie de dame galante.

Il ne semble pas avoir entendu, se lève, déambule à travers la pièce. La mousson n'a plus tellement l'air de le tarabuster.

— Mario ! le rappelle Emmanuelle. Dites-moi encore : courrai-je des risques ?

— De toutes sortes.

Elle pousse un soupir, pas du tout pour la frime. Mario ne lui laisse pas le temps de faiblir :

— Mais seriez-vous tentée par le savoir, si le savoir était sans danger ?

Elle avertit, sur un ton de défi :

— J'en ai peut-être déjà fait plus que vous ne pensez.

— Je sais.

Elle le regarde, incrédule.

— Cela m'étonnerait quand même ! conteste-t-elle.

Comme il ne semble pas vouloir en débattre, elle revient au sujet :

— Je vous ai déjà dit au moins trois fois oui, fait-elle observer, critique. Quelle formule dois-je prononcer de plus pour vous convaincre que je partage votre opinion ?

Elle articule, jouant l'emphase :

— Agissant de mon plein gré et conformément à mes droits de mineure émancipée par le mariage, je trouve bon et je décide de faire l'expérience de me prostituer. Menez-moi à cet endroit que vous semblez connaître.

Il revient à elle, la prend par le bras, lui saisit le menton, la fixe au fond des yeux et, simplement,

sourit. Emmanuelle sent ce sourire comme un baiser.

— Nous y allons ? interroge-t-elle.

— Non. Pas aujourd'hui. Il faut que je prenne
des dispositions. En attendant, je vous invite à
déjeuner. Dans une boîte de jour.

— Je n'ai jamais entendu parler de cela.

— Représentez-vous une boîte de nuit qui fonc-
tionne le jour : rien de plus mystérieux. Et vous y
aurez une surprise.

— Qu'est-ce que c'est ? Dites vite !

— Pas quelque chose : quelqu'un. Un vieil ami à
vous. Que vous serez contente de retrouver.

— Oh, Mario, je vous en prie, ne me faites pas
languir.

— Quentin. Vous vous souvenez de lui, je présume ?

— Quentin !

Elle reste rêveuse : la soirée au bord du *khlong,* la
première qu'elle eût passée avec Mario, la promenade dans la nuit, Gengis Khan, l'opium, le temple
aux phallus, le *sam-lo...* Et cet Anglais qui n'avait
cessé de la dévisager sans rien dire, n'avait touché
que ses jambes et lui avait préféré d'improbables
garçons... Elle ne pensait pas le revoir.

— Il y a exactement deux mois aujourd'hui,
Mario ; c'était le 19 août, je n'ai pas oublié.

Elle ajoute, avec un sourire pur :

— Il est beau ! Presque aussi beau que l'homme
qui m'a trouvée toute nue dans l'avion.

— Quel avion ? s'étonne Mario. Je ne connaissais pas cette histoire.

— Écoutez, dit Emmanuelle. Il était une fois une
licorne, belle comme le rêve des hommes...

Il faisait aussi sombre que si la boîte avait été de nuit. Il leur fallut assez longtemps pour pouvoir distinguer les tables, une dizaine en tout, très petites, autour de la piste de danse, elle-même lilliputienne. Toutes leurs parurent occupées.

L'ambiance était feutrée. Un orchestre de trois très jeunes filles en justaucorps aux reflets d'acier, les cheveux coupés court et couleur d'éclats de lune, les jambes et le visage peints d'un bleu presque violet, les lèvres, les paupières et les cils argentés, jouait une musique si étouffée que les arrivants crurent d'abord qu'elles la mimaient.

Un maître d'hôtel fluet leur demanda à voix basse s'ils avaient réservé une place, mais, au même moment, une forme leva le bras à une table où elle était assise seule et Mario dit :

— C'est Quentin.

Ils le rejoignirent. Emmanuelle fut émue. Il était plus élégant encore qu'elle ne se le rappelait. Et ses yeux avaient un émail foncé de cloisonné de Chine.

— Étiez-vous retourné chez vos Muria ? badina-t-elle.

— *No. Not this time. Too bad, isn't it ?*

Emmanuelle sourit poliment et retint un soupir. Ça, je l'avais oublié ! constata-t-elle *in petto*. Il va falloir que je recommence à m'exprimer par gestes... C'était dommage : elle avait envie de parler avec Quentin. Mario vint à son aide. Elle ne l'avait jamais connu si serviable.

Ils mangèrent des plats siamois, burent d'excellents vins. Ils rirent beaucoup. Ils étaient certainement les plus bruyants, dans ce sanctuaire en sourdine, mais les autres clients poussaient la discrétion jusqu'à faire semblant de ne pas les entendre.

Quelle chose extraordinaire ! remarqua Emmanuelle. Les femmes ici sont toutes belles. Elle n'en voyait aucune qui ne fût désirable : à chaque table, leurs cavaliers servants se penchaient vers elle, comme attirés par une flamme. Un couple se leva pour danser. D'autres l'imitèrent, mais pas en trop grand nombre, de sorte qu'Emmanuelle, en forçant un peu sa vue, pouvait les admirer un par un, à quelques mètres d'elle, les dénuder par la pensée et imaginer à sa guise comment elle ferait l'amour avec eux.

À un certain moment, une jeune fille s'approcha d'Emmanuelle et de ses compagnons, s'inquiéta de savoir pourquoi ils ne dansaient pas. Ils se contentèrent de lui sourire et elle s'assit à leur table, les regardant avec une curiosité candide. Elle avait un visage d'une blancheur et d'une pureté singulières, encadré de cheveux sombres, épais et lissés, séparés par une raie médiane et rassemblés derrière la nuque en un chignon qui lui donnait une apparence un peu désuète, contrastant avec sa jeunesse. Sa robe, en ottoman noir, moulait son corps avec tant de style que l'on était tenté d'en attribuer le mérite à quelque couturier parisien. Un mince collier de diamants, et des bas très fins, presque invisibles sur ses jambes harmonieuses, achevaient de donner à la nouvelle venue un cachet de raffinement, de mesure et de goût qui cadrait mal avec l'idée que l'on peut se faire d'une hôtesse de cabaret. Emmanuelle en conclut qu'il devait s'agir d'une cliente venue seule, et qui s'ennuyait.

Elle parlait français et anglais avec une égale aisance et elle leur demanda qui ils étaient. Chacun d'eux se montra aimable envers elle ; elle n'était là que depuis un instant et déjà ils se sentaient en confiance, autant que si elle avait été de longue date leur invitée. Elle accepta de prendre le café, puis la liqueur qu'ils lui offrirent.

Quentin la convia à danser. Mario et Emmanuelle les suivirent, mais retournèrent les premiers à leur table. Il ne resta sur la piste que trois couples, dont celui de leurs commensaux. Quentin dansait fort bien, et sa partenaire semblait posséder un entrain communicatif. L'orchestre, de son côté, prenait un plaisir visible à rythmer les figures expertes que les deux exécutaient. Les autres danseurs se tenaient un peu à distance, pour mieux les voir.

Elle riait et secouait la tête, en parlant à Quentin. Brusquement, sa chevelure noire se dénoua et tomba, d'un seul flot dense, jusqu'au-dessous de ses fesses. En même temps, sans doute pour se rafraîchir, elle défit le premier bouton qui fermait l'encolure de sa robe. Elle continuait de danser, s'étant un peu écartée de son partenaire. Elle ouvrit le second bouton, puis le troisième. Emmanuelle commençait à être intriguée : elle regarda plus intensément. Avec naturel, sans hâte, comme si cela se faisait, la jeune fille acheva le déboutonnage de sa robe, jusqu'en bas, sans rien perdre de sa dignité gracieuse, et la retira. Elle alla la déposer soigneusement sur le dossier d'une chaise, puis retourna à son danseur.

Elle ne portait pas de jarretières : ses bas étaient d'une seule pièce, disparaissant, vers le haut, sous une sorte de guêpière noire, en guipure élastique et collante, qui formait slip, très échancrée sur les hanches, couvrait les seins, et s'attachait aux épaules.

Elle était très belle : Emmanuelle sentit la saveur du désir sur sa langue. Mario commenta :

— Je ne sais si ceci constitue une attraction régulière de ce restaurant ou une improvisation personnelle, mais j'en approuve l'exécution.

Quentin et sa danseuse revinrent s'asseoir. Emmanuelle la félicita. Elle n'osa pas lui demander si elle avait agi par devoir professionnel ou mue par la fantaisie : elle se sentait intimidée.

À sa surprise croissante, l'étrangère l'invita à danser. Emmanuelle consulta Mario du regard; il l'encouragea, d'un signe, à accepter.

La jeune fille demi-nue l'enlaça et dansa joue contre joue, sans parler. Ce fut Emmanuelle, à la fin, qui lui dit qu'elle désirait faire l'amour avec elle.

L'inconnue recula son visage et regarda sa partenaire en riant, comme si celle-ci avait voulu plaisanter. Elle demanda :

— Dans quel club travaillez-vous ?

Emmanuelle fut embarrassée. Elle aurait voulu pouvoir donner une adresse, mais Mario ne lui avait pas dit où il avait l'intention de l'emmener. C'est bien ma chance, se désola-t-elle en secret : si au moins cette question m'avait été posée demain, j'aurais pu y répondre. De quoi ai-je l'air ? Elle prit un ton d'excuse :

— Je viens d'arriver à Bangkok; je n'ai encore rien fait.

— Quel est votre genre ?

Là encore, Emmanuelle ne sut que répliquer. Elle ne comprenait même pas la question. Heureusement, l'autre ajouta :

— Vous dansez ?

— Non, fit Emmanuelle, soulagée, je fais seulement l'amour.

De nouveau, la jeune fille rit. Elle n'avait pas l'air de trouver cela sérieux.

— Excusez-moi, dit-elle, je vais enlever mon corsage. Elle se déprit des bras d'Emmanuelle, dégrafa, avec la même spontanéité qu'elle avait précédemment montrée, d'invisibles crochets sur le devant de son sous-vêtement noir, l'ôta avec distinction et le lança nonchalamment aux pieds des musiciennes.

Ses bas ne s'arrêtaient pas à la taille : ils étaient

d'un seul tenant avec un maillot qui revêtait le corps jusqu'au cou ; ce maillot était fait du même nylon absolument fin et transparent que celui qui ornait les jambes de la danseuse et elle paraissait donc totalement dévêtue, bien qu'à strictement parler elle ne le fût pas. La pointe minuscule, mais d'un rouge sanglant, de ses seins superbement arrondis n'était même pas aplatie par le matériau limpide et la fente de son pubis sans aucun poil se découvrait, haute et profonde, au bas de son ventre nerveux.

— Vous êtes affolante, lui murmura Emmanuelle, avec qui elle était revenue danser. Je suis sans doute la seule ici à savoir que vous n'êtes pas réellement toute nue, mais, justement, je vous trouve encore plus excitante que si vous l'étiez.

Elle rit, avec une malice soudaine :

— Dans ce costume, vous voyez bien, vous ne pouvez pas faire l'amour avec un homme. Avec une femme, si.

La jeune fille lui fit une moue de gentil reproche, comme un peu fâchée par l'inconvenance de ses propos. Emmanuelle aurait juré qu'elle avait rougi.

Elles continuèrent ainsi, fort longtemps. L'expérience était pour Emmanuelle une sorte de tourment exquis, car elle n'osait même pas serrer trop fort contre elle ce corps désiré, de peur d'en offusquer la paradoxale pudeur. La pensée de tous les yeux qui la voyaient tenir publiquement dans ses bras cette nudité mystifiante ne faisait qu'ajouter à son trouble plaisir.

Sa danseuse lui parla tout à coup à l'oreille :

— Déshabillez-vous aussi, proposa-t-elle.

Emmanuelle secoua négativement la tête.

— Venez, déclara alors l'étrange fille. Vous vous déshabillerez à votre table.

Elles rejoignirent Mario et Quentin. Les autres clients, certes, les regardaient, mais pas davantage qu'ils ne l'avaient fait avant que la jeune inconnue ne se dévêtît, et sans la moindre expression de lubricité. On aurait pu penser qu'ils continuaient d'admirer le chic de sa robe.

— Comment vous appelez-vous? s'enquit Mario.

— Metchta.

En même temps, elle fit un signe à Emmanuelle, pour lui rappeler ce qu'elle avait à faire.

— Je vais me déshabiller, annonça celle-ci à ses compagnons.

Mario ni Quentin ne firent de remarque. Personne ne dansait plus.

Le costume d'Emmanuelle était simple : elle en retira les deux pièces posément.

— Maintenant, dit Mario, il serait bon que vous fassiez quelque chose qui soit digne de l'honneur d'être nue.

Emmanuelle se leva, prit la jeune Russe par la main et l'entraîna sur la piste de danse. Le public resta un moment à les contempler, puis les couples se joignirent de nouveau à elles. Ils ne se conduisirent pas envers elles autrement que si elles avaient été habillées.

— Je désirerais vous offrir à mes amis, dit Emmanuelle. Quand êtes-vous libre? Je vous payerai.

Dans le bungalow de troncs d'arbres, ouvert sur le canal, où elle revient pour la première fois depuis la nuit où Mario lui enseigna la « loi », Emmanuelle est allongée avec Quentin sur un épais tapis de Chine, devant la longue table basse où est posé le thé. Ils sont restés dans la « boîte de jour » assez tard, et le court crépuscule d'équinoxe commence.

Metchta les rejoindra à l'heure du dîner. L'eau a le même teint d'iris qu'avait la peau des musiciennes.

Mario est assis à son bureau. Il écrit, s'interrompant de temps à autre pour prendre un livre, en consulter un passage, le refermer, tirer des bouffées d'une longue cigarette philippine. Le boy aux yeux de biche lui apporte le journal du soir.

La voix de Mario rompt le silence :

— *Un médecin est arrêté,* lit-il en première page. *On découvre dans son appartement le corps d'une jeune fille, décédée dans des circonstances suspectes.*

— Mourir chez un médecin n'a rien de suspect, fait observer Emmanuelle.

Mario corrige :

— On mourait beaucoup, pour mon goût, ces derniers temps, chez Marais.

Emmanuelle ne réplique pas. Il achève pour lui seul la lecture du fait divers, ajoute :

— Je suis, moi, pour l'érotisme qui fait vivre, non pour celui qui tue.

Puis il retourne à ce qu'il écrivait et plus personne ne dit mot.

Emmanuelle porte une jupe violette, un peu « clochée », et un tricot de soie de même couleur, mais plus pâle. Elle et Quentin se font face, parallèles à la table à thé, tout près l'un de l'autre. L'axe de leur corps fait un angle de quarante-cinq degrés avec celui du bureau de Mario et leurs jambes sont tournées de son côté.

Quentin peigne de ses doigts les longs cheveux d'Emmanuelle, repousse les mèches qui lui cachent le front, effleure ses cils. Il lui baise les yeux, puis les pommettes, les ailes du nez et, enfin, les lèvres. Elle entoure de son bras les épaules du jeune homme, lui pince la nuque. Lui, la presse contre sa poitrine. Ils s'embrassent ainsi, prenant tout leur temps.

La jambe gauche d'Emmanuelle se replie et se pose sur la jambe droite de Quentin. Son genou nu monte vers le haut de la cuisse masculine, puis redescend et recommence. La chair de sa jambe, de plus en plus découverte, glisse, de toute sa longueur, sur celle de l'homme. Son pied déchaussé est tendu comme pour danser sur les pointes : sa plante pulpeuse et douce sait caresser aussi bien qu'une main.

À mesure que la jambe d'Emmanuelle est plus tendre, celle de Quentin s'avance, entre elle et celle qui reste immobile contre le tapis. De la sorte, la jupe est tirée davantage encore vers le haut, et la cuisse d'Emmanuelle est presque entièrement nue. Mario note que sa forme est probablement la plus belle qu'il ait vue au cours de sa vie, lui qui aime assez les jambes de femmes pour être sûr de ne pas en avoir oublié. Cette partie, précisément, qui vient de se révéler, celle des abords de l'aine, est la plus émouvante, surtout vue ainsi, de haut et de mi-profil, avec ses muscles tout à fait ronds et lisses sur le devant et, en arrière, ces creux longitudinaux à peine marqués, ces tendons délicats et cette propor-tion subtile et incroyablement juste entre la lon-gueur et le diamètre des fuseaux de chair. Mario a connu peu de visions de beauté qui l'aient touché autant que celle de cette jambe, à ce moment-ci, dans cette position idéale : allongée, à peine repliée sur le corps de l'homme désiré ; détendue, mais elle a gardé son tonus ; sculptée sans défaut et cepen-dant, si sexuelle et si dorée, sous le safran des lampes ! Une telle jambe, pense-t-il, est aussi intime qu'un sein. Elle n'existe que sous une jupe, car elle est ce qui conduit à l'ouverture du sexe, et rien, dès qu'elle commence à se dénuder, ne peut plus arrêter l'avance de l'homme dans le corps de la femme.

La main de Quentin descend jusqu'à elle, se pose sur le genou, en suit les contours, remonte, longe lentement la cuisse, la caresse jusque sous la jupe.

D'un mouvement de côté qui lui plie la taille, Emmanuelle se redresse et, croisant les bras devant son visage, les coudes levés à la manière d'une figure de ballet, tire par-dessus sa tête son tricot de soie, le jette loin d'elle et se rallonge, délivrée d'un poids.

— Que faites-vous? demande-t-elle à Mario.

— Je vous décris.

Le torse, nu au-dessus de la jupe violette, est si beau que Quentin reste un long moment à le contempler, sans un geste. Puis il y guide les deux mains d'Emmanuelle qui, docile, caresse ses seins pour que lui puisse s'enchanter de la voir, jusqu'à ce qu'elle défaille sous la pression de sa propre tendresse.

Ils se serrent l'un contre l'autre, comme s'ils ne disposaient d'autre espace que celui d'une tranchée étroite, creusée pour s'évader d'un cachot fatal, et qu'en rampant, à peine à mi-chemin du jour, le corps de l'homme, gluant de glaise remuée, lourd de fatigue et de vain espoir, se soit frotté de tout son long à celui de sa complice. La fugitive a dû se défaire de sa blouse détrempée, qui engonçait ses mouvements; ses seins sont nus dans la boue caillouteuse. Elle a aussi laissé derrière elle son pantalon rayé de prisonnière, qui l'aurait trahie : le costume qu'elle revêtira hors de l'enceinte, elle l'emporte dans un balluchon, avec les cartes et le cyanure. Le corps du mâle est contre son flanc : elle n'en peut plus d'avancer sur les genoux et les coudes et elle se repose sur lui. Elle goûte le réconfort du ventre robuste et les lèvres qui touchent ses lèvres sont fraîches et lui font du bien. Qu'importe, puisque sûrement les sentinelles tire-

ront! Elle est vierge, mais le sexe viril qui ouvre ses cuisses est désespérément fort. Le baiser qui la mord étouffe ses cris. La terre meuble éponge son sang. Ce n'est pas le moment pour l'homme d'être tendre, ni attentionné, ni prudent. Elle l'approuve de se ruer en elle comme une bête, à se briser les reins. Elle ne peut dire si elle souffre ou si elle est heureuse. Elle est ouverte et déchirée et emplie et faite femme. Le cri subit de l'homme va les dénoncer, mais l'évasion est dans son corps et sa voix se joint à l'ineffable gémissement.

Sur le *khlong,* les vigies des jonques à haute poupe se penchent et tentent de percer la nuit.

— Je voudrais, dit Mario, en anglais, voir dix hommes loués par moi se coucher l'un après l'autre sur elle, telle qu'elle est maintenant, et la posséder. Dix — ou peut-être vingt.

— De quoi parlez-vous? s'enquiert Emmanuelle.

— De vous. De vous donner en pâture à une horde. Le grand nombre est ce qu'il y a de sublime.

— Ce soir, j'aime mieux ne faire l'amour qu'avec Quentin, Metchta et vous.

— Je le sais. C'est pourquoi l'idée de jouir de vous différemment m'excite.

— Je croyais que vous ne placiez rien plus haut que mon consentement.

— Votre consentement est pour demain. Aujourd'hui, je désire autre chose.

— Quoi au juste? Me traiter en objet?

— Peut-être, mais est-ce sûr? Peut-être le contraire... Je rêve de quelque chose d'âpre et de bestial qui passe sur vous comme une armée à ma solde sur ma plus belle vaincue. Mais je veux aussi être là pour veiller à ce que votre plaisir égale ma largesse.

Le ton de Mario se fait hautain :

— Cessons d'en parler : je ne saurai ce que j'attendais qu'après que cela aura été accompli.

Emmanuelle se tait donc. C'est Mario qui rompt sa propre consigne :

— Existe-t-il au monde, je vous le demande, volupté plus divine que celle de l'homme qui se prépare à faire violer par des mercenaires la femme qu'il aime ?

Son expression de passion, abruptement, laisse place à un sourire d'élégance. Il fait part de ce qui l'égaie :

— J'en conclus que nous nous aimons !

11

LA MAISON DE VERRE

Il n'y a pas d'autre Toit,
Il n'y a pas d'autre Porte,
Il n'y a pas d'autre Beauté,
Il n'y a pas d'autre Tendresse !
Sois le Bienvenu dans mon cœur,
Sur mes yeux, sur mes lèvres,
Toi qui soulèves les pierres !

Poème mystique arabe.

Je ne punirai pas vos filles parce
qu'elles se sont prostituées.

La Bible, Osée, *IV,* 14.

— Prenons votre voiture, suggère Mario, je conduirai.

Un soleil lavé a émergé des cataractes de la veille. Il fait presque frais. Et doux comme un printemps d'Europe. Emmanuelle se délecte de l'air qui lui fouette le visage et fait voler ses cheveux. Elle a dormi tard et a encore envie de s'étirer.

Mario est monté dans sa chambre et a choisi pour elle la toilette qui convenait. Assez habillée, beaucoup plus que. ce qu'elle porte d'habitude. Et de très beaux bijoux de platine.

Il l'a aidée à se préparer. Elle a été heureuse d'être touchée par lui nue. La journée a bien commencé.

Ils arrivent en vue de l'hôtel le plus fréquenté de la ville. Mario engage l'auto sur l'esplanade qui précède le porche.

— Nous allons au *Chandra*? s'inquiète Emmanuelle.

Elle va rencontrer dans le hall vingt personnes qui la connaissent; qui, sûrement, devineront ce qu'elle vient faire...

Mario n'a pas répondu, mais, au moment où Emmanuelle se dit qu'elle n'a pas d'autre choix que de se résigner, il vire si brusquement sur la gauche qu'elle bascule contre lui. L'hôtel a disparu, ils se trouvent maintenant entre deux haies de verdure, épaisses comme des remparts et si hautes que le ciel apparaît comme vu d'une gorge. Avant qu'elle n'ait pu demander d'explication, Mario fait de nouveau pivoter la voiture à angle droit et ils débouchent dans un jardin.

— C'est curieux, s'étonne-t-elle. Je n'avais jamais remarqué qu'il y avait une issue de ce côté de la clôture. Comment se fait-il qu'on ne la voie pas?

— Un effet de trompe-l'œil facile à réaliser à l'aide d'arbustes taillés, explique Mario. Personne ne trouve la chicane à moins d'être dans la confidence. C'est fort pratique.

L'édifice vers lequel ils se dirigent confond Emmanuelle. Ses dimensions prennent l'esprit au dépourvu, car il semble impossible qu'une construction aussi monumentale existe dans ce quartier central sans qu'on l'aperçoive. Emmanuelle est passée ici presque chaque jour : la masse blanche et noire de l'hôtel semblait être seule à occuper la place.

La façade du bâtiment est rectiligne, plate, nue, à l'instar d'un escorial : mais, au lieu de l'austère matité de la pierre ou de la brique, elle offre le reflet déconcertant de mille feux. On pourrait croire qu'un magicien a soudain transformé en un diamant de taille fabuleuse la demeure qu'auparavant les hauts arbres cachaient, au milieu du parc spacieux et clos.

— Cette maison a l'air en verre ! Comment est-ce possible ?

— Elle est faite d'un cloisonnement de plaques d'un verre épais de quinze ou vingt centimètres, aussi solide que du béton. La chaleur ne le traverse pas, ni le regard. Mais un jour diffus règne dans toutes les pièces, sans qu'il soit besoin de fenêtres.

— Et par où l'air pénètre-t-il ?

— Par des bouches d'aspiration, placées sur la terrasse ; des climatiseurs le rafraîchissent et le répartissent.

— Mais il n'y a pas non plus de portes. Pas la moindre ouverture !

— En effet, reconnaît Mario. On y entre d'une autre manière.

L'auto longe la muraille, dont le miroitement leur fait cligner les yeux. Arrivés à un angle, ils la contournent : l'édifice présente la même apparence sur toutes ses faces. Sa forme générale est celle d'un énorme cube de glace.

Mario stoppe la voiture, mais n'en descend pas. Emmanuelle lui saisit le bras : ils s'enfoncent.

En quelques secondes, ils sont sous terre : Mario remet en marche le moteur et roule lentement, hors du plateau de l'élévateur, qui remonte à vide et leur dérobe la vue du rectangle de ciel qu'il avait momentanément laissé libre au-dessus de leurs têtes.

Une lumière bleutée éclaire la crypte, d'où rayonnent, en demi-cercle, de larges couloirs, au plafond bas. Une flèche s'allume à l'entrée de l'un d'eux et le conducteur y engage son véhicule. Un nouveau signal les dévie, puis une porte de fer se soulève devant eux. Ils la franchissent. Elle se rabat aussitôt comme une trappe. Ils sont prisonniers d'une salle aux cloisons nacrées, où l'air frais s'engouffre et soulage Emmanuelle de sa tension. C'est un garage, pense-t-elle. C'est très bien organisé.

Mario lui ouvre la portière et l'aide à descendre. Sans explication, il se dirige vers la paroi du fond, dont rien ne dépare la surface polie. Un rectangle se découpe automatiquement devant lui, une porte si bien ajustée qu'elle était jusqu'alors invisible. Emmanuelle passe la première, se retrouve dans une étroite cabine, pourvue d'un siège de velours. Dès que Mario est entré à son tour, la porte se referme : un mouvement à peine perceptible les soulève. Le silence est impressionnant. Ce n'est qu'un ascenseur, se rassure Emmanuelle, de son mieux.

— De telles installations ont dû coûter une fortune, questionne-t-elle : d'où est venu l'argent ?

— Du public.

Elle reste songeuse.

— Comment s'appelle cet endroit ?

— Il n'a pas de nom dans le pays, répond Mario. À l'étranger, ceux qui ont entendu parler de son existence le surnomment le Grand Bordel, mais peu savent vraiment où il se trouve.

Ils s'immobilisent, sans à-coup. Un panneau glisse, découvrant un couloir aux cloisons de verre, que colore un orient de perle. Ils y marchent : Emmanuelle trouve le chemin long. Là encore, de part et d'autre, pas une issue, pas une fissure.

Tout d'un coup, ils débouchent sur une rotonde,

où aboutissent d'autres corridors semblables à celui qu'ils viennent de quitter. Au-dessus, répandant une clarté de clairière, un dôme, digne d'un observatoire, ou d'une basilique.

Au milieu, une table luxueuse, en bois précieux orné de figures de bronze, et parfaitement vide, à l'exception d'un prisme de quartz, posé en son centre : des inscriptions y sont gravées en plusieurs langues. Emmanuelle lit, en français : Secrétaire.

À l'instant, une porte incurvée s'ouvre : on distingue, avant qu'elle se referme, un vaste bureau où des jeunes filles s'affairent devant des machines à écrire, des duplicateurs, des paniers à courrier, des classeurs, des casiers à fiches, des magnétophones, des micros, des écrans et des téléphones. Une femme, très svelte et très grande, le maintien compassé et l'air, à tout dire, assez snob, est entrée dans la rotonde et s'incline devant les arrivants. Elle porte une robe chinoise collante, fendue latéralement sur chaque cuisse, de couleur ivoire. Ni maquillage, ni bijoux.

— Je vais vous donner connaissance du règlement, prononce-t-elle, sans plus attendre, à l'adresse d'Emmanuelle.

Le registre de sa voix est aigu et son accent impossible à définir : est-elle Européenne, Asiatique ? Emmanuelle n'arrive pas à en décider. Elle ne sait pas, non plus, si elle doit ou non la trouver belle.

La secrétaire ne fait pas asseoir les visiteurs : d'ailleurs, il n'y a pas de sièges. Elle tient à la main un volume à couverture de cuir, qui contient sans doute le règlement, mais il est évident qu'elle connaît celui-ci par cœur, car elle n'ouvre même pas le livre : elle n'a dû le sortir d'un tiroir que pour se donner une contenance, ou pour souligner le caractère officiel de ses propos.

— Aucune formalité d'inscription n'est requise, précise-t-elle pour commencer.

Emmanuelle en prend acte en effectuant un petit salut, imité de celui de la préposée. Celle-ci poursuit :

— Les obligations réciproques de l'institution et de ses clientes ne sont garanties que par l'honorabilité des parties. Les contrats peuvent être verbaux ou écrits, au choix de la direction.

J'y suis! résoud Emmanuelle : c'est une femme électronique. Elle a un ton de robot.

— Toute personne est admissible sur-le-champ, à la discrétion de la secrétaire. Il existe, toutefois, dans les archives de ses services, des dossiers de renseignements sur toutes les résidentes de la ville qui ont été, à un moment ou à un autre, jugées aptes à intéresser l'établissement; c'est dire que les arrêts de la secrétaire ne sont pas arbitraires : elle les rend en toute connaissance de cause.

« Ses décisions tiennent le plus grand compte des qualités particulières. L'on comprendra que la secrétaire ne se montre pas plus précise à ce sujet.

Emmanuelle se demande à part soi si elle fera l'affaire : qu'a-t-elle pour elle ? Elle aime qu'on jouisse dans sa bouche, qu'on la prenne à plusieurs, qu'on la regarde se masturber, elle est lesbienne : c'est là du tout-venant...

(Son examen de conscience lui a fait manquer une partie de la harangue : distraction — elle sera mal notée...)

— ... Un certain nombre des conditions exigées étant néanmoins communes, elles peuvent être formulées sans risque d'indiscrétion. Ainsi, les femmes autorisées à bénéficier des avantages de l'institution doivent-elles appartenir à la meilleure société, être, de préférence, épouses ou filles de magistrats, d'hommes politiques, de hauts fonctionnaires,

578

d'universitaires, d'officiers supérieurs, de dignitaires religieux, de diplomates, de personnalités du monde des arts et des lettres, des affaires et de la finance. La fortune facilite l'admission au même titre que la naissance ou l'appartenance du père ou du mari à un ordre de chevalerie. L'on ne peut se présenter qu'en voiture, l'automatisme du mécanisme de réception ne prévoyant pas l'accès des piétons.

« Seules, naturellement, les femmes parfaitement belles ont droit à fréquenter cette maison. La sévérité de l'administration sur ce point est exemplaire et on le sait bien dans la ville. D'où les efforts et les intrigues de beaucoup pour se faire accepter. Efforts prodigués en pure perte, il va sans dire, le secrétariat étant incorruptible.

« Il n'existe pas de limite d'âge inférieure : les candidates les plus jeunes sont les mieux accueillies. Celles de plus de quarante ans ne sont reçues que si elles excipent de raisons esthétiques et techniques singulièrement contraignantes.

« La secrétaire attribue à chaque visiteuse une pièce de réception pour la journée. Le choix n'en est pas fait au hasard : en effet, la taille, la forme, l'ameublement, l'outillage de chaque chambre sont différents. Cependant, il existe peu de chances de se voir redonner la même en cours d'année : il ne servirait à rien de le demander.

« Une personne, après qu'elle aura été reçue, non plus, d'ailleurs, qu'avant de l'être, n'a la faculté d'exercer de préférence ni de discrimination d'aucune sorte, ni même d'exprimer un souhait particulier ou général, en ce qui concerne les visiteurs qui lui seront adressés. Pareille exigence de sa part serait, il faut le dire, désobligeante à l'endroit de l'institution, dont le règlement est tout aussi pointilleux en matière de qualification masculine qu'il l'est sur la beauté et le rang des candidates. Celles qui désirent recourir aux commodités de cette maison peuvent se fier les yeux fermés au jugement, à la distinction et à l'expérience des autorités qui l'administrent à la satisfaction générale depuis des années et qui lui ont valu son renom à l'étranger : il est significatif, à cet égard, qu'une proportion non négligeable de la clientèle soit constituée de personnalités de passage, dont certaines n'ont fait le voyage que dans cette intention.

« Les hôtes sont admis auprès d'une pensionnaire soit individuellement soit collectivement, selon leur préférence, ou à l'appréciation de la secrétaire. Ils restent le temps qu'ils veulent. Ils sont libres de souhaiter la compagnie simultanée de plusieurs femmes, mais ne sont pas assurés de l'obtenir. Mise à part cette réserve, ils ont naturellement tous les droits.

« Encore que l'institution n'encourage pas cette pratique, qui complique ses comptes et accroît ses frais généraux, une femme a la faculté de ne passer dans l'établissement, si elle le désire, que le temps de recevoir un seul hôte ; mais elle doit, en ce cas, quitter la maison en sa compagnie. Si cette disposition ne lui convient pas, ou que le client décline de la prendre en charge, elle est tenue de recevoir ceux que la secrétaire lui enverra à la suite. Toutefois, si on lui en adresse du premier coup tout un groupe, elle est astreinte à l'accepter, même si elle était venue pour une seule rencontre : les clients qui lui sont fournis simultanément sont alors considérés comme n'en faisant qu'un. D'une manière générale, d'ailleurs, la secrétaire est la mieux placée pour juger de ce qui convient à chacune, en nombre comme en qualité, et il est préférable de s'en remettre entièrement à son autorité. Les pouvoirs discrétionnaires dont elle a été investie n'ont pas d'autre raison d'être que sa compétence éprouvée.

« Nonobstant les droits très élevés perçus par l'établissement, le nombre des postulants est considérable. Il va de soi qu'une femme risque d'avoir par accident la clientèle d'un de ses amis, ou de son mari. Cette situation ne contrevient en rien au règlement, tant que les sommes dues sont régulièrement acquittées, et l'administration n'encourt aucune responsabilité pour les préjudices qui pourraient résulter de telles coïncidences ou de tous autres aléas.

« L'institution retient à la source un certain pourcentage des droits versés. Ces prélèvements sont affectés au soutien d'œuvres diverses et aux travaux d'agrandissement. En dépit de l'ampleur des tâches qui lui incombent et de la modestie du traitement qui lui est alloué, la secrétaire n'accepte aucune gratification.

Sur quoi, sans lui avoir posé la moindre question ni avoir pris sur elle quelque renseignement que ce fût, sans s'être non plus inquiétée de savoir si elle était d'accord avec les conditions qui venaient de lui être exposées, cette femme si manifestement nantie de la confiance de ses employeurs ordonna à la nouvelle venue de la suivre, ajoutant qu'elle la conduisait à la chambre 2238 et qu'elle avait déjà pour elle un client. Emmanuelle l'accompagna, le cœur battant, se retournant pour regarder Mario, qui ne lui avait même pas dit au revoir, ni un mot pour lui donner courage. Elle se serait sauvée, si elle avait su par où. La pièce où la secrétaire la fit entrer avait très exactement la forme d'un hémisphère. Le plancher en constituait le plan diamétral. La coupole qui formait à la fois le plafond et les murs et qui, la porte refermée, se présentait sans la moindre solution de continuité, évoquait d'autant plus celle d'un planétarium qu'elle était entièrement tendue de velours bleu sombre. Une lumière faible et intime émanait de lampes invisibles, donnant à la draperie, à mesure qu'on se déplaçait, des reflets changeants. Les climatiseurs, dont on parvenait, en tendant l'oreille, à distinguer le bourdonnement discret, dispensaient une fraîcheur parfumée. Une moquette gris cendré revêtait tout le sol et l'épaisseur en était telle que les hauts talons d'Emmanuelle y disparurent en entier. Elle dut se déchausser pour aller plus loin.

Ce qui la frappa surtout, ce fut de trouver, en plein centre de cette pièce qui ne semblait pas particulièrement prédestinée à un usage de chambre, un très grand lit, sans cadre, montants, ni pieds d'aucune sorte, recouvert d'une fourrure drue qui débordait sur la moquette. Sa forme, certes, était en harmonie avec l'environnement, mais n'en était pas moins déconcertante : il était rigoureusement rond.

Autour de lui, se superposaient en une profusion désinvolte des tapis de laine à longues mèches, de teintes confuses, comme on en fait en Grèce et à Majorque. Trois fauteuils, en calottes de sphère, eux aussi, l'un bleu, l'autre rouge le troisième violet, des poufs de hauteurs différentes et une table allongée, noire et mate, étaient les seuls autres meubles. Accrochée à peu de distance du sol, sur la tenture de velours, légèrement penchée vers l'avant par la concavité de la coupole et richement encadrée d'or sombre, une grande et magnifique peinture abstraite équilibrait la note claire du lit.

La secrétaire se dirigea vers le point de la voûte qui se trouvait diamétralement opposé au tableau et y appuya la main. Une portion de la paroi s'entrouvrit (Emmanuelle ne s'étonnait plus de ce phénomène) et découvrit une salle de bains. Le plafond et les quatre murs, dont les lignes droites et les angles, au sortir de l'espace courbe de la chambre, heur-

taient la vue comme une incongruité, étaient entièrement revêtus de miroirs. Emmanuelle s'aperçut
que le plancher même, d'une substance brillante et
polie comme le verre (peut-être en était-ce, après
tout), réfléchissait son image aussi crûment que le
faisaient les autres faces de la pièce.

Un bassin carré, dont les proportions étaient plutôt celles d'une piscine que d'une baignoire, était
creusé au niveau du sol. Des miroirs encore (il fallait s'y attendre) en tapissaient les côtés et le fond.
Une eau vert pâle à senteur d'aiguilles de pins
l'emplissait aux trois quarts.

De nombreux instruments de métal chromé
étaient fixés aux cloisons ou posés sur des tablettes.
La visiteuse identifia sans peine un vibro-masseur,
comme celui dont elle avait déjà fait l'expérience, et
différentes sortes de douches, dont certaines se ter-
minaient par des formes ithyphalliques dénuées
d'équivoque. Mais la destination de plusieurs autres
lui demeura énigmatique.

Un mouvement derrière elle la tira de sa contemplation. Elle se retourna : deux hommes se tenaient
debout dans l'encadrement curviligne de la porte.

— Pour vous, avertit la secrétaire, à mi-voix.

Emmanuelle eut la tentation de se raccrocher à
elle, de mendier un sursis, au moins le temps de
trouver une attitude. Mais l'autre s'éclipsa, la laissant cruellement seule et consciente de son ridicule.

Elle se demanda s'il ne serait pas plus honnête
qu'elle avouât sa gêne et son inexpérience, se pré-
sentât comme débutante, ne connaissant rien aux
usages et faisant appel à l'indulgence de ses visiteurs. Mais, sûrement, ils venaient ici pour chercher
les raffinements que seule sait procurer une experte,
et ils ne l'entendraient pas de cette oreille : ils
feraient une réclamation à la direction, on leur rem-
bourserait leur dépense et Emmanuelle serait cou-

verte de honte. Elle eut un sursaut : non, elle ne se laisserait pas infliger pareille humiliation ! C'était l'occasion pour elle de découvrir si elle était, oui ou non, bonne à quelque chose.

Le sourire que lui communiqua cette pensée fut si radieux qu'elle n'aurait pas eu besoin, si elle avait été plus perspicace, de rien ajouter : la conquête de ses premiers clients était faite. Ils la rejoignirent au bord du bassin. Avec une innocence de petite fille, elle tendit son visage au plus proche d'entre eux, lui offrit ses lèvres à embrasser, puis leva les mains vers sa cravate, la défit, ouvrit les boutons de sa chemise, le déshabilla en entier, avec des attentions pleines d'une exotique douceur qui le laissèrent stupéfait. Elle eut ensuite à l'égard du second les mêmes prévenances. Et elle-même, gracieusement, sans hâte, veillant à ce qu'ils profitent de l'art de ses gestes, se dévêtit, descendit les marches et là, plus nue de disparaître à mi-cuisses dans l'eau de jade, se retourna, les invitant à la suivre.

Ils la caressèrent et la prirent, éclaboussant toute la pièce. Elle mit tant d'application à les combler qu'elle ne pensa même pas à jouir : elle fut suffisamment récompensée de les entendre se louer de ses services. Elle avait fait de son mieux pour qu'ils n'eussent à se donner aucune peine : elle avait devancé leurs désirs, avait mis à profit la légèreté de son corps dans l'eau tiède... Après de longues variations, tous deux s'étaient répandus en même temps, l'un dans sa bouche, l'autre au fond de son sexe. Puis elle les avait baignés et séchés, et, après qu'ils se furent reposés sur le pelage blanc du lit rond, elle les avait à nouveau caressés de ses lèvres.

À peine l'eurent-ils laissée, qu'un haut-parleur étouffé annonça qu'Emmanuelle devait se disposer à recevoir une autre visite. Elle courut prendre la robe de chambre de mousse verte qu'elle avait vue accrochée près de la douche. Elle achevait de la passer lorsque la secrétaire entra, puis s'effaça devant un grand homme sombre. Emmanuelle éclata de rire : c'était le marin.

— Je me rends compte, commenta-t-il, que vous êtes toujours là où il faut.

Elle lui dit qu'elle aimerait partir de la maison de verre, ce jour-là, avec lui. Acceptait-il de la faire sortir ? Cela dépendrait, répliqua-t-il, des satisfactions qu'elle lui procurerait.

Ils passèrent un après-midi si parfaitement voluptueux et intéressant, firent et se confièrent tant de choses qu'Emmanuelle se dit que ce n'aurait pas été mieux réussi si elle avait été amoureuse.

— J'ai écrit un projet de nouveau règlement, annonce-t-elle triomphalement. Est-ce que je vous le lis ?

— Je risque de ne pas être très bon juge, représente Anna Maria. Ne me faites pas de scène, si je ne montre pas toute l'admiration voulue au meilleur moment : vous connaissez mes lacunes.

— Ne vous tracassez pas, la rassure avec bonhomie son modèle ; vous pourrez toujours demander des explications : je me sens ce matin d'humeur exquisement pédagogique.

— Je prends acte, en tout cas, que le règlement en vigueur ne vous plaît plus : votre ferveur de néophyte se serait-elle déjà refroidie ?

— Au contraire, elle flambe ! Et mon imagination créatrice avec elle. Les intérêts de la maison me tiennent tellement au cœur que je voudrais la voir accomplir des progrès fracassants, être en avant de son temps, ouvrir des voies inédites. Je ne me consolerais pas qu'elle sombre dans le conformisme.

— C'est déjà fait. Rien n'est plus vieux jeu que le bordel.

— Accompagnez-moi donc, un jour, au lieu de parler sans savoir. Vous verrez comme c'est moderne et plein d'imprévu. L'unique chose qui me chiffonne, c'est que les femmes soient seules à pouvoir s'y prostituer. Cela, je vous l'accorde, est un tantinet retardataire : quelque chose comme de la discrimination sexuelle.

— Vous voudriez qu'on y trouve aussi des putains mâles ?

— Voilà. Il n'y a pas de raison que les hommes aient moins de droits que nous.

— Je croyais que vous vous vendiez par sens du devoir ?

— Dans le monde des mutants, devoir ou droit, c'est la même chose.

— C'est vrai ! où avais-je la tête ? Et votre proposition de règlement tient compte de cette évidence ?

— À vous d'en juger. Elle se fonde sur l'idée que rien ne doit être unidirectionnel. L'amour érotique n'est ni actif ni passif, ni sujet ni objet. Et la liberté n'est pas un vecteur.

— Pardon ?

— Ou, si elle en est un, alors un réciproque. Ainsi devrait-il en être de la prostitution.

— Rien compris.

— Aucune importance. Les nouveaux articles de mon règlement prévoient :

« Premièrement, il n'est pas fait de distinction entre les sexes.

« Deuxièmement, tout membre du club peut indifféremment « *choisir* » ou « *être choisi* ». Par exemple, une femme a la possibilité de venir à la maison de verre aussi bien pour y louer les talents d'un homme que pour offrir les siens. Dans le premier cas, elle paie et ordonne ; dans le second, elle est payée et se soumet. Ou bien elle satisfait à son gré ses propres désirs, ou bien elle est là pour le repos du fatigué.

— Les deux choses ne peuvent pas aller ensemble ?

— Physiquement, si. Mais, mentalement, inverser les rôles devrait faire varier les plaisirs.

— Ouais !

— Qu'est-ce que vous en savez ?

— Rien. Continuez.

— Troisièmement, chaque membre se voit ouvrir un compte. S'il vient pour choisir, on porte un « choix » à son débit ; dans le cas contraire, un à son crédit. La règle originale réside dans le fait que, pour avoir droit à un « choix », il faut d'abord avoir été choisi au moins une fois, autrement dit : la colonne des crédits l'emporte toujours sur celle des débits : les découverts ne sont pas autorisés.

— Même moyennant intérêts ?

— Tiens, c'est une idée : il faudra que je la creuse ! L'astuce pourrait consister à fixer un taux d'intérêt qui ait une valeur artistique : par exemple, on l'acquitterait en prostituant ses enfants.

— Odieux !

— S'ils sont beaux ? Ceux qui n'auraient pas d'enfant présentable à fournir en emprunteraient aux autres, ou livreraient une petite amie. De préférence, une vierge.

— Reconnaissez que votre imagination est naturellement orientée vers le vice.

— Vous pensez qu'une pucelle devrait le rester ?

— Pour perdre sa virginité, il y a de meilleurs endroits que le bordel.

— Eh ! Je me le demande : ne remarquez-vous

pas comme l'esprit m'y est venu? En tout cas, je n'en avais pas tant avant d'y être allée. Pour en revenir à notre comptabilité : à la fin du mois, on versera à chacun son dû, c'est-à-dire l'excédent de ses créances sur ses dettes.

— Votre système ne tient pas debout : comment vous y prendrez-vous pour que le solde de *tous* les comptes soit créditeur?

— On consultera là-dessus un expert : la finance n'est pas ma partie.

— Cela se voit. Mais pourquoi ne pas payer comptant? Vous tenez essentiellement à votre clearing?

— C'est pour que tout le monde soit obligé de se vendre : sans cela, il y en a qui ne viendront que pour acheter. Ce serait avantager les classes possédantes.

— Vos préoccupations sociales me touchent.

— Elles ont de quoi! Car, lorsque je dis classes possédantes, je songe principalement aux époux selon votre cœur, possesseurs de leurs femmes comme de leurs incunables, qui courent à la maison de verre pour s'en offrir d'autres, mais se rebifferaient à l'idée de payer eux-mêmes de leur personne.

— Donc, vous joignez les rangs des suffragettes et autres femelles revendicatrices.

— Non : je vous ai dit que je parlais dans l'intérêt des hommes. Il n'est pas juste qu'ils soient privés de la volupté de se vendre. Même si, pour le moment, ils ne sont pas capables de l'apprécier.

— Quel altruisme! Vous auriez dû naître au temps de Fourier.

— Mon temps me convient. À propos, il ne vous sera pas, non plus, possible de venir à la maison de verre uniquement pour vous enrichir : car la moitié au moins du crédit que vous aurez acquis devra être dépensée en nature, sous forme de « choix » dont sera débité votre compte. Les buts de l'institution sont philanthropiques, non commerciaux.

— Il ne s'agit plus de prostitution mais de bonnes œuvres. On y va comme à l'ouvroir. J'avoue que je me figurais quelque chose de plus fripon : cela me tente de moins en moins !

— Attendez : lorsqu'un client d'un sexe ou l'autre se présente, et qu'il le réclame, on lui communique la liste de ceux et de celles qui sont venus ce jour-là pour être choisis. On ne le fait, bien entendu, que si lui-même a droit à un « choix », c'est-à-dire si son compte est créditeur. À partir du moment où il demande à consulter la liste, le visiteur est irrévocablement débité de l'équivalent d'un « choix », même si personne ne lui convient et qu'il s'en aille sans avoir rien accompli. La curiosité est permise, mais elle est tarifée au même cours que la luxure : sa valeur érotique est ainsi reconnue.

— Et l'on doit se faire une opinion sur la qualité des articles en vente simplement au vu de leur nom ? Tous les membres du cercle se connaissent entre eux, je présume ?

— Aucunement : il s'ajoute sans cesse de nouvelles recrues ; c'est même ce qui constitue l'atout majeur du système : l'attrait de l'inconnu.

— Je note, toutefois, qu'on inscrit les noms.

— Rien n'interdit d'en donner de faux.

— Il s'agit donc moins d'un choix que d'une loterie.

— Si vous voulez, mais tous les numéros gagnent et tous les lots sont bons.

— Les laiderons n'ont pas une chance ?

— Pas une.

— C'est là votre justice ?

— Il leur reste votre paradis.

— Le ciel n'est pas réservé à la laideur.

— La terre est réservée à la beauté.

— Votre club n'y contribuera pas.

— Allez ! Soyez belle joueuse ! Oubliez pour un moment votre parti pris et dites-moi, en toute équité, ce que vous pensez de mon règlement.

— Il est mauvais. Avec votre régime de prétendue réciprocité des sexes, vous flanquez par terre tout le temple de l'érotisme. Dans ce temple, vous m'aviez pourtant dit que la femme était déesse. Et seule à l'être. Que l'on achetât ses faveurs, cela, à la rigueur, pouvait se comprendre : mais qu'elle-même achète celles de ses fidèles ? En lui faisant l'amour, les hommes, de toute façon, célèbrent son culte et se mettent à son service. Que, pardessus le marché, elle les fasse payer, c'est déjà pousser loin le sens de l'humour noir. Mais, si elle les paie à son tour, que reste-t-il de sa divinité ?

— Vous parlez d'or. Continuez.

— Il faut savoir si vous faites de l'érotisme une morale esthétique, avec sa logique, ou si vous avez en tête une utopie égalitariste : dans ce cas, outre, je vous en préviens, qu'elle n'est pas neuve, elle m'a l'air à peu près engageante comme une porte de prison. Votre club ressemblé davantage à un phalanstère qu'à une Cythère des temps futurs. Vos pensionnaires réussissent si bien à s'équivaloir en intention et être identiques dans leur conduite qu'on n'en retrouve même plus le sexe. Pour moi, je préfère garder le mien : être femme, seule belle, seule précieuse, seule désirée, et, si un être humain peut être vendu, seule à me vendre. Que cela demeure mon privilège ! Et que les hommes restent du côté où l'on tend les bras, en amour comme à la Bourse !

— Pour une fois, je crois que vous avez raison.

Emmanuelle fait une boule de papier de son brouillon et la lance de toutes ses forces par-dessus la balustrade de la terrasse, dans les feuilles dépeignées des cocotiers.

Un autre jour, Emmanuelle confia à Anna Maria :
— Un homme qui était trop fatigué pour me faire l'amour m'a dit que l'amour est une bêtise. J'en ai appris assez, maintenant, pour savoir qu'il avait tort. L'amour, en vérité, c'est le moyen qu'a trouvé l'homme pour faire sortir l'intelligence des limites de l'unité.

Dans la chambre, toute blanche et qui évoquait quelque peu une clinique, le premier objet qui accrocha le regard d'Emmanuelle fut un siège double, vaguement en forme de huit, à pattes courtes, et dont la partie médiane était plus creuse que le reste. On devait, déduisit-elle de son apparence, s'y asseoir face à face pour faire l'amour. Ou, peut-être, l'un derrière l'autre.

La pièce était divisée en deux par un rideau. Outre le bizarre tabouret, figuraient dans cette partie-ci une sorte de cheval d'arçons, une vitrine contenant des artifices faits de matériaux divers et dont l'aspect était celui de pénis d'animaux — du chien au mulet — grandeur nature, des menottes, des lanières, des pinces, des spéculums et un ustensile assez saugrenu, composé de deux demi-sphères de verre, chacune de la grosseur d'un beau sein, reliées par des tubes de caoutchouc à une petite pompe à main. C'est un appareil à traire les femmes, se dit Emmanuelle : cela doit terriblement faire jouir !

Le long d'un des murs de verre qui filtraient la

grisaille du monde, deux estrades tendues d'incarnat soutenaient des structures encore plus étranges. La première, confectionnée d'un métal qui paraissait malléable, couleur de laiton pâle, était creusée selon la forme d'un corps de femme : des gouttières séparées étaient prévues pour les jambes et les bras, et deux cavités à hauteur des seins. La tête devait se poser dans quelque chose qui ressemblait à un masque d'escrimeur, aux bords capitonnés, et qui comportait une bouche, d'où s'échappait une vapeur flavescente. D'autres fumerolles flottaient au fond des coupes ménagées pour accueillir la poitrine et de la dépression dessinée à hauteur du sexe. Emmanuelle se pencha pour les humer; presque aussitôt, une sensation aiguë comme un coup de lancette l'atteignit au clitoris et à la pointe des seins, si précisément qu'elle faillit jouir. Elle hésita : pourquoi ne pas s'installer sans plus attendre dans ce moule, ventre et face contre le métal, et se laisser faire ? Elle se débarrassa en un instant de sa robe d'été, qui se déboutonnait sur le devant, et sous laquelle elle ne portait rien. Mais la curiosité de ce qui se trouvait sur l'autre piédestral l'emporta sur sa première impulsion.

Sur un matelas épais, une femme dévêtue, parfaite de taille, de ligne et de teint, semblait dormir. Emmanuelle la toucha : elle était faite de mousse, plus tendre que la chair; sa peau était veloutée, ni chaude ni froide; sa bouche et son sexe étaient extraordinairement réussis. La visiteuse approcha son visage de celui de la poupée, lui entrouvrit, d'un doigt, les lèvres : un souffle en sortit, différent par l'odeur de celui qu'elle avait respiré l'instant d'avant; elle en retira une impression difficile à analyser, plutôt désagréable. Emmanuelle alla explorer le vagin : il était chaud et empli par l'effervescence des mêmes gaz. C'est intéressant, réfléchit-elle : il doit s'agir d'une composition destinée aux hommes, et qui ne plaît qu'à eux. La maison n'encourage par l'ambisexualité ! Que peut-il y avoir de l'autre côté du rideau ?

Elle lança sa robe sur un pouf, traversa la chambre, écarta la draperie et passa derrière. Elle vit un lit rectangulaire, couvert d'un drap. Deux hommes, tout habillés, y étaient assis, se faisant pendant, un de chaque côté, à la manière d'une garniture de cheminée. Ils étaient curieusement jumeaux d'apparence et d'attitude, grands et durs, le visage safrané et plissé, les yeux très bridés, comme en ont les Coréens. Ils ne détournèrent pas la tête, à l'entrée d'Emmanuelle. Ils examinaient, avec une attention intense, comme des chercheurs occupés à une expérience scientifique, un corps allongé entre eux sur le lit : un corps au torse de garçon, au pubis saillant et rasé, aux jambes élégantes et au teint ambré, qu'Emmanuelle reconnaissait : le corps de Bee.

Était-elle morte ? Emmanuelle la contemplait, elle-même frappée de catalepsie. Mais presque aussitôt la gisante ouvrit les yeux, sourit, tourna la tête vers l'un puis l'autre de ses veilleurs, soupira :

— *So fantastic !*

Emmanuelle laissa passer un soupir. Les trois autres la regardèrent. Bee semblait aussi à l'aise nue que naguère dans son tailleur de brocart, cet après-midi de la mi-août où elle avait pris le thé avec Emmanuelle chez la mère de Marie-Anne. Elle s'exclama :

— Comme je suis contente de te revoir ! Elle s'assit sur le lit, s'appuyant d'une main à l'épaule de l'un des hommes.

Elle avait toujours la même voix heureuse, le même visage lumineux. La douceur du grand regard gris donna à Emmanuelle envie de pleurer.

— Vous vous connaissez, constata l'un des deux clients, dans un français difficile à saisir. Faites l'amour entre vous.

Emmanuelle avança. Elle s'agenouilla au bord du lit, leva les yeux vers celui qui avait parlé, attendant ses ordres. Mais il n'ajouta rien, ni ne bougea une paupière. Elle se retourna vers la jeune Américaine, se demandant qui allait faire le premier geste. Ce fut Bee. Elle entoura de ses bras le cou de son ancienne amante, l'attira vers elle, lui courba la taille, serra sa poitrine contre la sienne.

— Tu te souviens ? dit-elle, c'est toi qui m'as appris.

Sa cuisse caressa le sexe d'Emmanuelle :

— J'ai fait des progrès, depuis.

Une main succéda à la cuisse, si experte qu'Emmanuelle s'émerveilla à part soi : quels progrès, en effet ! Et cette bouche de Bee sur ses seins, maintenant. Puis sur sa bouche. Sur sa bouche !

Elle restait inerte, ne sentant rien. C'est horrible, pensa-t-elle, je suis devenue frigide. Elle se força, s'intéressant aux exercices des doigts et des lèvres de Bee à la surface de ses muqueuses. Brusquement, le souvenir lui revint du jour, quand elle était toute petite, où on l'avait opérée des amygdales, sans l'endormir. Une anesthésie locale la protégeait contre la douleur, mais sa sensibilité tactile subsistait : elle avait suivi, sans rien en manquer, le travail des instruments dans sa gorge ; elle avait perçu qu'on la pinçait, qu'on la coupait. Elle tentait de se convaincre qu'elle avait mal — mais non, elle avait dû en convenir : elle ne souffrait pas ; elle avait été rendue incapable d'émotion physique, totalement froide, apathique, indifférente à ce qu'on faisait d'elle, comme rejetée du monde des vivants, qui sont des êtres de joie et de peine, qui crient d'angoisse ou qui jouissent ; pas des choses qu'on

touche et qu'on tranche, sans même les faire saigner, dans l'univers imperturbable et stérilisé des
savants. Une nausée affreuse avait soulevé le cœur
de la petite fille Emmanuelle et il avait fallu interrompre l'opération, la calmer, l'endormir pour de
bon. Une nausée semblable saisit la femme qu'elle
était devenue, et qui ne pouvait accepter plus
qu'autrefois d'être insensible. Elle se retourna sauvagement sur le ventre, enfouissant son visage dans
l'oreiller.

Qu'est-ce que j'ai? s'affolait-elle, mordant
l'étoffe. Qu'est-ce qui me prend? Elle essayait de se
représenter le visage de Bee, de se rappeler comme
elle l'avait attendue et aimée... Elle se répétait, sans
que l'écho répondît : *Ô ma terre ferme! Ô ma belle
à l'appel ailé, ô toi ma belle, ma douce belle! Ma
baie promise à l'appel ailé! Belle, ma terre, ma
baie, mon aile...* Les mots tournaient, se dérobant
dans sa tête vide ; elle ne les reconnaissait pas, ni ne
les comprenait plus. Bee! N'avait-elle pas juré de
l'aimer d'un amour de légende, plus fidèle que les
saisons? De l'appeler du fond de l'absence? Du
fond de l'oubli?...

Elle se redressa, d'un mouvement de chagrin et
de rage, refusant de regarder Bee ; sauta hors du lit,
se dirigea, sans se retourner, vers la tenture, l'écarta
avec dégoût. De l'autre côté, elle retrouva sa robe,
se pencha pour la prendre, continua jusqu'à la porte,
l'ouvrit, sortit. Elle marcha un moment le long du
couloir, ne voyant rien. Un homme l'arrêta, lui
demanda quelque chose qu'elle ne comprit pas. Elle
s'entendit répondre :

— Excusez-moi : pas aujourd'hui.

Elle continua, erra de corridor en corridor,
comme elle était, tenant sa robe à la main, jusqu'à
ce qu'une porte s'ouvrît enfin, donnant accès au
système compliqué de puits et de galeries, où elle se

retrouva, pourtant. Elle sortit de la maison de verre, conduisit, comme hypnotisée, entre les lumières bariolées et les cris de la ville, inconsciente des accidents qu'elle manqua dix fois de causer.

Jean l'attendait. Ils se mirent à table.

— Couchons-nous tôt, suggéra-t-elle. Et faisons beaucoup l'amour. Je veux savoir si je t'aime encore.

— Tu as des doutes à cet égard ? se moqua-t-il tendrement.

— Pas vraiment. Mais c'est quand même mieux d'être sûrs.

— Si j'étais un mari, dit Emmanuelle à Anna Maria, je voudrais que ma femme fasse l'amour avec le plus grand nombre d'hommes possible — et, bien entendu, de femmes. Je serais sans cesse à la recherche pour elle de nouveaux amants, d'amantes fraîches. Et je ne m'efforcerais d'élargir le cercle de mes relations que pour accroître ses chances. Ma maison serait la plus hospitalière de la ville, mais l'on n'y entrerait pas à moins d'être résolu à séduire la maîtresse. À chaque rencontre d'un inconnu, ma première pensée serait pour me demander : « Celui-ci désire-t-il rendre honneur au corps de celle que j'aime ? Sinon, je n'ai pas de temps à perdre à le recevoir. » Quiconque n'aurait pas étreint ma femme ne pourrait être mon ami. Car alors, supporterais-je qu'on pût la connaître et ne pas vouloir d'elle ? Et je n'aurais pas d'autre goût pour mes semblables que les goûts qu'elle-même aurait.

— Autrement dit, tout bon époux doit avoir une âme de proxénète ?

— Si un proxénète est un homme qui est assez

épris d'une femme pour la vouloir toujours plus comblée de caresses, alors oui. Le bon époux désire que le monde entier tende les mains vers sa bien-aimée, la touche et la fasse jouir.

— C'est ridicule. On ne peut pas faire l'amour avec tout le monde.

— On ne le peut pas, je le sais bien. Et c'est dommage. Mais que, du moins, on le fasse avec beaucoup! C'est pourquoi je veux que mon mari, non seulement me donne, mais m'affiche, m'expose, me mette en montre. Qu'il me mette en vente publique, à l'encan, à la criée. Me vendre, ce n'est pas me perdre, mais me gagner. Je l'aime — et je suis fière d'être pour lui une richesse.

— La vie, donc, devrait se ramener à une histoire de maquereaux et de prostituées, et la loi du milieu être la seule loi?

— Dans une société où la prostitution est regardée comme un défaut, faut-il s'étonner que les maquereaux soient des mauvais garçons et les prostituées des putains?

— Avez-vous cette fois à me présenter un projet de République, où ces fâcheux dérèglements n'auront plus cours?

— Non, vous m'avez détournée du droit séculier.

— Il vous reste à légiférer de droit divin.

— C'est justement ce que j'ai fait.

— Comment?

— En gravant les tables de la Nouvelle Loi.

— Rien de moins! Je brûle de les recevoir.

— Souvenez-vous de ce qui est arrivé à Moïse.

— Votre Dieu n'est pas si jaloux!

— Mais êtes-vous sûre de vouloir de la Terre Promise?

— Trêve de boniment! Je jugerai sur pièces: montrez-moi votre décalogue.

Emmanuelle va chercher dans sa chambre un

porte-documents, d'où elle tire une feuille de papier, couverte de son écriture ronde.

— Femme, lit-elle, voici ta loi, telle que toi-même te l'es donnée afin que le règne de l'amour arrive, sur la terre comme dans le ciel des étoiles, où est le royaume des hommes :

LES DIX COMMANDEMENTS DE L'ART D'AIMER

I

Éros seul tu honoreras,
En acte, image et jugement.

II

L'amour à toi-même feras,
Jour comme nuit, le rêve aidant.

III

Seins et jambes tu montreras
Et ta jouissance, fièrement.

IV

En public te dénuderas,
Pour qu'on te prenne librement.

V

De ta chair l'accès permettras
À chacun par où il l'entend.

À longs traits, tu régaleras
De sperme ton palais gourmand.

Pour femme autant qu'homme seras
Par tes caresses corps d'amant.

À plus d'un tu te donneras
De suite ou simultanément.

De ton corps tu consentiras
Que tes maîtres fassent présent.

Ton amour tu ennobliras,
Amante, en te prostituant.

Toutes deux éclatent d'un même rire. Puis Anna Maria commente :

— Cela me paraît résumer assez bien les techniques de votre érotisme. Mais est-ce là l'amour ?

— Non, dit Emmanuelle, ce n'est pas l'amour. Mais, hors de ces lois, l'amour est un mal.

12

... SES JAMBES NUES
SUR VOS PLAGES DE FEU

> — *C'est ta femme qui est près de toi ?*
> — *Elle n'est pas près de moi. Elle est en moi. Elle est moi. Si tu la vois distincte de moi, tu ne sais pas voir.*

Jean GIRAUDOUX, *Les Gracques*, I, 3.

> *Ehe nenne ich den Willen von Zweien, das zu schaffen, das mehr ist, als sie es schufen.*

NIETZSCHE.

> *Cammino*
> *senza voler arrivare*
> *la mia meta*
> *l'infinito*
> *la mia realtà*
> *il camminare.*

Alessandro RUSPOLI,
Le Pulsazioni del Silenzio.

La route qui mène à la mer longe un canal navigable, couvert de lotus : les barques à rames et à voiles les écartent, mais ils recomposent derrière elles leur immuable aquarelle. De grandes norias à ailes de bois puisent l'eau limoneuse et la déversent dans les rizières gercées de chaleur et dans les vergers. Des carrelets, suspendus à des balanciers hauts comme des arbres, se relèvent au passage des bateliers, après qu'ils ont prévenu d'un cri bref l'enfant qui les veille.

La voiture dépasse des bonzes, marchant en file sur le talus bruissant d'insectes : chacun d'eux porte, en plus du bol de cuivre qui contient la nourriture dont les femmes pieuses lui ont fait aumône au lever du jour, un parasol replié, fort encombrant et qui semble lourd.

— Pourquoi se chargent-ils tant ? s'étonne Emmanuelle. Et ils ne s'en servent même pas : pourtant, le soleil est déjà assez haut.

— Ce ne sont pas des ombrelles, explique Jean, ce sont des tentes. La nuit venue, chacun la plante là où il se trouve, se love autour de sa hampe et laisse retomber sur lui l'étoffe jaune. Il peut ainsi dormir, sa dignité à couvert.

— Et s'il pleut ?

— Il est trempé.

— Ne feraient-ils pas mieux d'attendre la saison sèche pour partir en pèlerinage ?

— C'est la saison sèche. Elle commence aujourd'hui. Ce soir, à la pleine lune, des milliers de petits bateaux porte-bonheur faits de feuilles de bananier et d'écorce de noix de coco, avec une chandelle allumée pour grand mât, flotteront sur les rivières et les canaux, porteurs de fleurs, d'encens et d'offrandes à l'Eau Mère. C'est le *Loï Krathong,* jour faste et joyeux, où il est de tradition que les amours se nouent, les amoureux se fiancent, et les fiancés s'épousent.

— Il existe donc un monde où tous les jours ne sont pas dédiés à l'amour ? feint de se scandaliser Anna Maria. Pauvre Emmanuelle, que deviendrait-elle, s'il lui fallait attendre la fin des pluies ?

— Je couperais court aux saisons.

— Ceux qui attendent ne le font que parce qu'ils le veulent bien, commente Jean. Mais attendent-ils ? Dès qu'il s'agit d'amour, les gens sont si contents de mentir.

— Voilà, dit Emmanuelle. Moi, je n'aime pas l'amour plus que les autres. Ce qui me distingue, c'est que j'aime la vérité.

Ils sont assis tous trois à l'avant, Anna Maria entre Emmanuelle et son mari. La veille, Jean a annoncé qu'il avait affaire près de la frontière. La route qu'il doit prendre passe par Pattaya. Emmanuelle s'est écriée :

— Allons voir Marie-Anne !

— Je n'aurai pas de temps à l'aller, mais je peux te déposer chez elle et m'arrêter plus longuement au retour.

— Combien de jours resteras-tu à Chantaboun ?

— La semaine. Je te reprendrai samedi ou dimanche.

— Et si j'emmenais Anna Maria ?

— Excellent ! Dans ce cas, je fais réserver un bungalow, pour que vous n'encombriez pas Marie-Anne et sa mère.

Anna Maria a entassé dans l'auto son attirail de peintre ; Emmanuelle, une caméra neuve et des films, un tourne-disque, des journaux, des livres, comme si elle s'embarquait pour une traversée. Jean s'est esclaffé devant sa tenue, mais il ne lui a pas suggéré d'en changer : le chemisier qu'elle porte a été coupé dans un filet de pêche. Ses boucles de corde brune ont un bon centimètre de côté : chaque pointe de sein sort tout entière. Leur relief en semble plus aigu encore que d'ordinaire. Quant à la jupe, en toile de jute tissée très lâche, translucide donc, et de la couleur de sa peau, elle s'ouvre sur le devant, et, maintenant, comme Emmanuelle est assise, elle a les cuisses découvertes jusqu'à l'aine.

Au moment où Jean s'est arrêté à la station d'essence, à la sortie de la ville, les mécaniciens et des passants ont entouré la voiture pour contempler, bouche bée, le spectacle. Emmanuelle, naturellement, en a été ravie, mais, ce qui l'a surprise, c'est qu'Anna Maria ne lui en a pas fait honte. Elle a même dit, en se retenant de pouffer :

— Voilà des braves gens qui ne seront plus jamais tout à fait les mêmes. Leur échelle de valeurs va devoir être revue.

Jean fit chorus :

— Ce pays manque de sujets de réflexion. Lui en fournir est un acte d'humanité. Et vous savez combien ma femme a le cœur secourable !

— Bah ! rétorqua celle-ci, on m'a fait, un jour, traverser Bangkok d'un bout à l'autre, nue comme la main. Personne n'en a eu une attaque.

— Non, mais toute la ville en parle encore, observa Jean, enchanté.

— La vérité sur la franchise d'Emmanuelle, opina Anna Maria, c'est qu'elle aime ce qu'elle montre. Mais, étant donné ce qu'elle a à montrer, on ne peut pas lui en vouloir.

L'auto remise en route, Emmanuelle écarta les pans de sa jupe sur son ventre hâlé et le triangle de ses boucles brillantes.

— Vous, ne l'aimez-vous pas ? apostropha-t-elle la jeune Italienne.

Et, comme celle-ci ne répondait pas, elle lui prit la main et la posa sur son sexe.

C'était la première fois qu'Anna Maria touchait cette partie d'Emmanuelle : le cœur lui battait ; elle n'osait se dérober trop vite, de crainte de peiner son amie et, aussi, de paraître plus prude qu'il n'était permis, après deux mois ou presque de si intimes confidences ; mais elle ne désirait pas non plus avoir l'air de prolonger ce geste de son plein gré. Emmanuelle, providentiellement, la soulageait d'une partie de ses scrupules en retenant elle-même la main intimidée. Néanmoins, plus la situation durait, plus s'aggravaient le conflit d'émotions et de devoirs de la jeune fille, et sa panique. Et, ce qui augmentait bien sûr, son embarras, c'était la présence de Jean.

Le trouble visible de son amie ajoutait au délice d'Emmanuelle. Elle serrait entre ses jambes la main tant désirée, la forçant, d'un imperceptible mouvement de ses cuisses, à l'inconcevable caresse... À mesure qu'un plaisir naissant et une tendresse adorante gonflaient les lèvres d'Emmanuelle et lui ployaient la nuque contre l'épaule de sa compagne, un sentiment inattendu d'accomplissement et de fierté se substituait peu à peu au désarroi d'Anna Maria. Personne ne la contraignait plus et, cependant, elle continuait de toucher la voluptueuse douceur de ce sexe palpitant comme une oiseau vivant, caressant sa chair ouverte, sous les plumes chaudes.

Les doigts d'Anna Maria pénétraient de plus en plus profond, à mesure que le beau corps radieux se tendait vers eux.

La rendre heureuse, se disait Anna Maria, ne peut-être mal. Et puis, je l'aime ! Je dois être logique...

Emmanuelle lui entoura le cou de son bras, blottit sa joue contre la sienne.

— Tu es mon amante ! murmurait-elle, éperdue de joie. Mon amour, tu es mon amante !

Anna Maria ne savait que répondre. Elle s'éprenait davantage, à chaque mouvement de ses doigts, des douceurs charnelles qu'elle découvrait. Son corps tremblait. Un désir plus fort que toutes les craintes et que toutes les défenses de la jeune fille pliait à ses desseins les attentes et les pouvoirs secrets de ses sens.

Elle laissa la bouche d'Emmanuelle se poser sur la sienne, ses mains étreindre ses seins, descendre le long de son ventre.

— Oh, non! pensait-elle. Oh, non!

Mais elle ne s'opposa à rien et, tandis qu'Emmanuelle prenait possession d'elle, sa pensée affolée tournait à vide, sans qu'elle sût vraiment si elle éprouvait ou non du plaisir.

Du moins savait-elle qu'elle éprouvait de l'amour. Et tout ce qu'elle retrouvait, à part cette certitude, dans le désordre des sensations, des images, des idées qui lui encombraient la tête, c'était une petite phrase, presque dérisoire à force d'être simple, qui se bornait à constater une informulable et irrévocable évidence — celle, peut-être, après tout, que cherchent si pathétiquement les vivants et qui les libère de leurs fausses raisons :

— Et voilà! Et voilà!...

Beaucoup plus tard, Emmanuelle rompt le silence.

— Mario vient nous rejoindre demain, dit-elle. C'est une chance, qu'il daigne bouger : j'ai dû me traîner à ses pieds.

— Où le mettras-tu? s'enquiert Jean.

— Avec nous. Il n'y a sûrement pas de place chez Marie-Anne.

Anna Maria s'inquiète :

— Aurons-nous assez de lits?

— Non, dit Emmanuelle mais, après tout, c'est ton cousin.

— Merci bien, proteste la jeune fille, il y a eu assez d'incestes comme ça dans la famille.

— Alors, je le prendrai dans le mien, tranche son amie.

— Beaucoup mieux, approuve Jean.

La voiture franchit un dos d'âne à toute vitesse et Anna Maria s'accroche au cou d'Emmanuelle. Elle le lâche aussitôt, la mine contrite; questionne :

— Jean, cela ne vous fait rien, qu'un autre homme partage le lit de votre femme?

— Si.

— Ah, bon!

— Cela me fait plaisir.

Je ne dirai plus mot! se promet Anna Maria. D'ailleurs, après ce qui s'est passé, elle ose à peine regarder Jean en face. Cependant, sa curiosité ne tarde guère à avoir raison de ses résolutions. Est-il croyable que Jean applaudisse vraiment aux conceptions érotiques d'Emmanuelle? C'est l'occasion de le contraindre à se prononcer là-dessus sans équivoque. Un grain de mauvaise foi, au besoin, y aidera, même si Emmanuelle doit en être exaspérée encore plus sûrement que lui. L'enjeu, se dit Anna Maria, vaut bien le risque d'essuyer quelques sarcasmes; elle déclare, avec raideur :

— Vous ne l'aimez donc pas.

Jean semble prendre l'accusation avec plus de flegme qu'Anna Maria ne s'y était attendue. Il se borne à demander :

— Se réjouir de ce qui la rend heureuse, c'est ne pas l'aimer?

— Ne me dites pas qu'un mari doit pousser le désintéressement ou l'esprit de sacrifice jusqu'à ces limites, se gausse Anna Maria.

— Je vous en prie, je serais humilié qu'on pût me croire capable de sacrifice.

— Quel orgueil! Ou que de paradoxes!

— Nullement. Réfléchissez et vous verrez que ce que le monde honore sous le nom de sacrifice n'est généralement qu'un doucereux ragoût de prétention et de lâcheté : un hommage de la vertu au vice. Pas mon genre du tout.

— Comment est votre genre ?

— Ou bien la conduite d'Emmanuelle me paraît mauvaise, et je m'y oppose. Ou bien je la laisse faire, et c'est que je l'approuve. Et tout cela, par l'effet d'un égoïsme robuste et sans fausse honte : je ne trouve bon pour elle que ce qui est bon pour moi. Je ne fais pas davantage preuve d'abnégation que d'aveuglement ou d'indulgence. C'est mon désintéressement, si j'étais désintéressé, qui serait choquant.

— Vous n'allez pas, vous aussi, m'expliquer qu'en faisant l'amour à droite et à gauche, Emmanuelle devient meilleure amante. Ou qu'elle se vend pour augmenter les ressources du ménage et que vous lui en savez gré.

— Mon point de vue est encore plus simple : je ne regarde pas Emmanuelle comme une autre.

— Ce qui signifie quoi ?

— Elle n'est pas distincte de moi, et je ne le suis pas d'elle. Elle est moi.

— Personne n'est jaloux de soi-même, explique Emmanuelle.

— Deux partenaires peuvent s'affronter, leurs intérêts peuvent être différents, continue Jean, ou bien le jugement, la volonté de l'un peuvent céder à l'autre. Mais nous ne sommes pas des partenaires. Nous ne faisons qu'un. Son plaisir ne peut donc être mon chagrin, ses goûts mon dégoût, ses amours mes haines. Et je n'ai pas de mérite à vouloir son bien : c'est le mien.

— Ce que l'un de nous fait, l'autre en est l'auteur. Nous n'avons pas besoin d'être physiquement présents ensemble : là où Jean est, je suis. Lorsqu'il réussit un barrage, c'est parce que moi avec lui, en lui, je l'ai construit.

— Nous avons pour nous deux un seul sens, appuie Jean.

— Nous sommes une cellule hermaphrodite, exulte Emmanuelle, et nous nous perpétuerons, c'est sûr, par scissiparité !

— Son corps est mon corps : elle en est le principe féminin, comme j'en suis l'instinct mâle. Ses seins caressés sont mes seins, son ventre le mien. Elle étend pour moi le champ du possible. Elle m'ouvre les portes d'un univers fermé à l'homme seul.

— Et... vous n'êtes pas gêné de vous identifier ainsi à elle — et que des hommes la caressent ? N'est-ce pas un peu comme... comme d'être homosexuel ?

— Lorsque je suis elle, je suis femme. C'est quand elle fait l'amour avec une femme que je suis lesbienne.

Anna Maria rougit. Jean sourit. Mais la jeune fille retrouve vite son sang-froid et repart à la charge :

— Êtes-vous sincère, ou acceptez-vous qu'Emmanuelle soit infidèle plutôt que de risquer de la perdre ?

— Me perdre ! rugit Emmanuelle. Peut-on imaginer que Jean me perde ? Et lui ai-je jamais été infidèle ?

— Emmanuelle m'est fidèle : puisqu'elle ne cesse de faire partie de moi. Et nous n'avons peur ni l'un ni l'autre de nous perdre.

— Comme vous êtes sûrs de vous ! s'étonne, presque amèrement, Anna Maria. Existe-t-il entre vos esprits une sorte de télépathie, qui ne vous laisse aucun doute l'un de l'autre ?

— Cette télépathie-là est vieille comme

l'homme. Elle a un nom moins prestigieux, mais plus sûr : la sympathie. Ceux qui sont capables de souffrir ensemble, ne peuvent-ils l'être aussi de jouir ensemble ?

— Anna Maria, mon amour, Jean est en train de te donner la réponse à une question que tu passes ton temps à poser.

— Quelle question ?

— Écoute encore, tu vas deviner.

Mais Jean n'ajoute rien, et Anna Maria regarde, méditative, défiler les palétuviers monotones, de part et d'autre de la route jaune. On pourrait croire, un moment, que la somnolence les guette, tous les trois, et que c'est pour se défendre contre elle que la belle Italienne se secoue brusquement et élève une protestation véhémente, que ses hôtes n'attendaient plus :

— On ne peut vivre ainsi sans risques effrayants ! Jean, à laisser d'autres hommes voir votre femme nue, la toucher, s'étendre sur elle, n'avez-vous jamais peur ? Si vous teniez réellement à elle...

Un carrefour, sans poteau indicateur :

— Je suppose que c'est à droite ? dit Jean. Il prend le virage en faisant crier les pneus et Anna Maria, avant qu'elle n'ait pu se cramponner, est pressée de tout son corps contre lui. Il poursuit le dialogue, sans avoir l'air de s'être aperçu du trouble de sa passagère :

— La prudence serait-elle plus sûre ? Aux belles dont les jaloux ferment les serrures, des fausses clefs poussent au bout des mains. Et puis, je ne crois pas qu'Emmanuelle m'aimerait peureux. La pusillanimité, ma chère, rend si bête ! Si, parce que je redoute qu'on voie ma femme nue, je la garde toujours couverte, je me frustre de sa beauté plus encore que je n'en frustre les autres : est-ce de bon sens ? Faut-il cacher ce qu'on aime ? Vous-même, Anna Maria, approuviez, tout à l'heure, qu'Emmanuelle aime son corps, qu'elle en soit fière, donc, qu'elle le montre. Eh bien, moi, j'aime ma femme, je suis fier qu'elle soit belle et je suis heureux qu'elle se rende désirable et qu'on la désire. Le trait de caractère le plus horrifiant que je connaisse est celui de ce prisonnier montrant une photo et criant avec jubilation à ses camarades : « Regardez comme elle est laide ! Elle est laide comme un derrière. Je l'ai épousée parce qu'elle était affreuse : comme ça, je n'aurai jamais à avoir peur qu'on me la prenne. »

— La jalousie a ses folies. Mais elle est inséparable de l'amour. La femme que vous aimez, comment pouvez-vous ne pas souffrir quand d'autres la prennent ? Ou alors vous n'êtes pas homme !

— « *Je t'adore, courroux des vierges, ô délice !* » chantonne Emmanuelle.

— La prennent-ils ? dit Jean. Les mots de l'amour sont si impropres ! L'homme qui apporte à ma femme le plaisir qu'elle préfère, que prend-il ? Est-ce elle qu'il prend ? Lui aussi ne prend que du plaisir. Et que me prend-il ?

— Ce qu'elle lui donne, c'est à vous qu'elle aurait pu le donner.

— Est-ce quelque chose qui se mesure ? Et le possède-t-elle en quantité si minime qu'elle doive le rationner ? Je ne m'en suis pas aperçu. Ce qu'elle donne à d'autres n'est rien dont elle me prive.

— Mais n'êtes-vous pas humilié de devoir partager son corps avec n'importe qui ? Ne serait-il pas plus précieux, s'il était inaccessible aux intrus, gardé pour vous ?

— Je crois que vous vous êtes donné vous-même la réponse : vous avez parlé d'orgueil, du prix des choses, du goût de la propriété et de l'exclusif, de la passion de posséder. Moi, je vous parlais d'amour.

— Alors, cet amour-là, ce doit être une espèce de sainteté. Vous deux qui vous moquez de mes ardeurs spirituelles, c'est vous qui n'êtes pas de ce monde. La passion charnelle se montre plus ombrageuse.

— M'imaginez-vous détaché de son corps ? Demandez-le lui donc ! Mais les bornes de mon amour ne sont pas dressées aux frontières de sa chair. Elles ne marquent pas la fin de notre commun voyage, elles en signalent le départ. Je ne me souviens plus si, avant de connaître Emmanuelle, je savais aimer. Ce dont je suis sûr, c'est qu'en l'aimant, je suis devenu capable d'amour infini. Et ne pensez pas que j'aie appris cela sans souffrir. Pourtant, ce n'a jamais été de jalousie. Si, quelquefois, j'ai peur (car, moi non plus, je ne suis pas parfait et la peur peut me prendre), ce n'est pas d'être privé de ses soins, mais qu'elle soit privée des miens. Que me resterait-il, si je ne pouvais plus m'inquiéter d'elle, la recouvrir, la nuit, lorsque l'air fraîchit et qu'elle ne sait pas elle-même qu'elle a froid dans son sommeil ? Après moi, qui la veillera aussi bien, quand la fièvre refera d'elle une enfant sans forces ? Et cependant je ne me plaindrai pas si un autre me la ravit, tant que cet autre n'est pas la mort. Comment oserai-je me présenter devant mes amis, comment pourrai-je jamais leur dire : celle dont la vie m'avait été confiée, je n'ai pas su vous la garder ? Car elle est leur amie, elle aussi, et c'est pour eux autant que pour moi que je la protège des dangers. Devrais-je appeler un danger les hommes et les femmes qui m'aident à la faire vivre ? Ce n'est pas trop que leur amour et ils ne sont pas mes rivaux, ils sont mes alliés.

Anna Maria ne réplique pas. La route est maintenant si droite qu'elle s'effile au bout comme un rail. Jean, qui avait ralenti, accélère à nouveau. La poussière leur sèche la gorge.

— Jean n'a pas de raison d'être jaloux de mes amants, dit Emmanuelle : ce serait plutôt à eux d'être jaloux de lui. Car aucun ne me donnera jamais ce qu'il m'apporte. Ne crois pas que ce soit seulement la liberté. Il fait de moi une femme au-dessus du commun des femmes. Je ne suis pas aveugle à ma chance. Lui n'attend de moi que de la personnalité. Et qu'à sa confiance, je réponde par de la hardiesse. Anna Maria, voudrais-tu que je le déçoive ?

— La seule liberté qui ait un sens, dit Jean, est celle qui délivre de la crainte. Et qui de nous ne craint parfois la vérité ? Emmanuelle, elle, sait qu'il existe sur terre une personne au moins à qui elle peut tout dire. Et c'est assez pour qu'elle se sente forte. Je suis elle, c'est vrai, mais je suis en même temps son garant. Le reste du monde ne peut rien contre elle.

— Pourtant, s'il crie au scandale ?

— Pourquoi s'en effraierait-elle, tant que moi, je ne me scandalise pas ?

— Et si cela arrivait ?

— Alors, je serais dans mon tort. Et elle devrait me le faire comprendre. Mon amour est aussi de vouloir qu'elle m'aide.

— Mon rôle est de témoigner que rien de ce qui est amour ne peut être mal, dit Emmanuelle. À moins que tu ne tiennes, ô vierge, que l'amour physique est le contraire de l'amour ?

— Le corps est autre chose, répond Anna Maria, que la source du bien et du mal.

— Si je ne pouvais aimer vos corps, dit Jean, je ne pourrais vous aimer.

— Souviens-toi, archange ! dit Emmanuelle.

Lorsqu'il a voulu de nous, ton maître s'est fait chair... Souhaiterais-tu que nous fussions plus délicats que lui ?

— Si je ne condamne pas Emmanuelle lorsqu'elle fait l'amour, quel que soit son partenaire, démontre Jean, c'est parce qu'elle n'est pas coupable. L'amour n'est pas juste ou injuste selon qù'on le fait avec un homme ou un autre. Il est sa propre justification. Il est l'absolue innocence.

— Jean, interroge Anna Maria, si Emmanuelle n'était femme que pour vous, l'en blâmeriez-vous ?

— Elle ne mériterait pas que je l'aime, si elle était capable de se refuser. La seule valeur dont on puisse être sûr, c'est de se donner.

— La fidélité est donc un songe creux ?

— Si elle n'était que cela, on pourrait le lui pardonner.

— Qu'est-elle de plus abominable ?

— Neuf fois sur dix, un déshonneur.

— Les mots n'ont plus de sens !

— Ceux de pharisaïsme, d'étroitesse d'esprit, de conformisme, de convenances, en ont, malheureusement, toujours un. Et la « fidélité » du monde qui les honore n'est, la plupart du temps, ni courageuse, ni belle, ni noble, ni tendre : elle est médiocre, elle est intéressée et elle est lâche. Voilà pourquoi je l'appelle déshonneur.

— Un mari, ce ne peut donc être que quelque chose de médiocre ?

— Se contenter d'un homme quand on a le pouvoir d'en connaître beaucoup, dit Emmanuelle, c'est se rogner les ailes et bafouer la chance qui vous a faite capable de voler. C'est ramper par amour du plat-ventre.

— Mais ne suffit-il pas de s'aimer à deux ? Et de se donner à celui qu'on aime ? A-t-on vraiment besoin d'autre chose ? crie Anna Maria, si tendue qu'elle semble sur le point d'éclater en sanglots.

— Faut-il barricader sa porte ? dit doucement Emmanuelle. La terre est pleine d'amis.

— Si l'effet de l'amour devait être de priver, dit Jean, la raison dicterait de commencer par se priver de l'amour. Et si l'amour d'un être devait fermer le cœur et le corps à l'amour des autres, il vaudrait sans doute mieux ne pas l'aimer.

— C'est l'amour de Jean qui me rend capable d'aimer, dit Emmanuelle. Si je cessais d'aimer Jean, je ne pourrais plus aimer personne, homme ou femme. Ni faire l'amour : pas même à moi ! Mais, tant que lui m'aime, aimer d'autres hommes m'apprend à mieux l'aimer.

— L'amour qui est un égoïsme à deux, souligne Jean, n'est pas plus recommandable que l'égoïsme solitaire. Il y a dans l'exclusif un goût de la solitude qui me donne le haut-le-cœur : rien ne me paraît plus inquiétant que les amoureux qui sont « seuls au monde ». Ce n'est pas sans raison que l'on dit de ceux qui n'aiment pas partager avec leurs semblables la douceur de vivre qu'ils se conduisent comme des ours. Comme des loups. Plus bêtes qu'hommes.

— Vous avez pourtant si bien su parler de l'union à deux ! se plaint Anna Maria.

— Un couple ne doit pas se contenter d'exister, dit Jean. Il faut qu'il ait un but, qu'il aille quelque part. Et, pour cela, qu'il communique, accepte l'échange, se mêle aux autres, se lance sur les routes fréquentées, sorte du manège.

— On ne peut aller de l'avant, lorsqu'on s'obstine à se regarder face à face, dit Emmanuelle. Que l'on essaie de faire un pas, et l'on s'écrase l'un contre l'autre. Le monde réduit au miroir noir et rond de l'œil de l'aimé, comment ne pas finir par le haïr, le briser ? Il ne faut pas s'étonner, après cela, qu'on se complaise à associer l'amour et la mort.

— Le couple qui est une ligne fermée, un anneau, ajoute Jean, on ne peut qu'y tourner en rond ; c'est-à-dire, finalement, rester sur place. Si l'on veut qu'il débouche sur la vie, il faut l'ouvrir, lui écarter les jambes comme un U.

— Comme une hyperbole équilatère, qui a quatre jambes, corrige Emmanuelle.

— Dans ce que vous appelez adultère, enchaîne Jean, je vois le privilège du couple de préférer au monde fini du cercle les chances illimitées de l'hyperbole.

— Dont l'amour, conclut Emmanuelle, est l'asymptote.

— On ne peut donc jamais l'atteindre, représente Anna Maria.

— Si. À l'infini. Sois satisfaite, à moins que le cœur ne te manque, de t'en rapprocher toujours.

— Comme Sisyphe du sommet ?

— L'aventure d'aimer n'est pas si pesante ! Es-tu pressée de te reposer ?

— Je voudrais d'un amour que je puisse porter jusqu'au bout de ma vie.

— Les bras de ton millième amant le déposeront sur les marches de ton tombeau.

— Et pourquoi ne pas demeurer où l'on est, continuer d'être ce qu'on est ?

— Parce que l'évolution est la loi de la vie, répond Jean, et qu'on ne progresse qu'en se transformant. Ce qu'on est n'est déjà plus : il faut devenir autre chose.

— Nous ne sommes plus des stylites, dit Emmanuelle, mais nous ne traverserons sûrement pas la Voie lactée, si nous emportons avec nous le poids de toutes nos peurs de jouir.

— Quel équilibre puis-je espérer de cette quête sans répit, de ce suspens?

— Est-ce une manière de vivre, que d'être en équilibre? se moque Emmanuelle. Cela ne peut s'achever que par terre. Mon corps a des fringales d'envol.

Anna Maria se détend; sourit à son amie:

— Un autre espace est-il à la mesure de ses ailes, que le ciel? Un autre infini digne de son rêve, que l'éternité?

— Je ne pense pas qu'il y ait un Dieu, dit Emmanuelle. Mais, s'il y en a un, il doit être fier de ma témérité.

La route tourne hors de la plaine salée et monte entre des collines de latérite, d'où l'on découvre la mer, en fusion sous le soleil féroce.

— L'éternité, dit encore Emmanuelle, est dans le corps de ceux et celles qui font l'amour. Mais elle est précaire et menacée: que l'on cesse de se caresser, elle est perdue. Les étreintes renouvelées, c'est l'éternité retrouvée.

Anna Maria semble reprise par l'angoisse.

— Est-ce que vous aussi, Jean, croyez que l'érotisme a remplacé l'amour sur la terre et qu'il faut maintenant adorer ce dieu au lieu du nôtre?

— Je n'en sais rien, dit Jean. Je sais seulement qu'il n'existe rien de plus humain qu'une fille belle. S'émerveiller de sa grâce me paraît plus important que de confesser ses péchés ou de s'interroger sur la Sainte Trinité. Ne comptez donc pas sur moi pour prendre parti: en matière de dieux, je n'ai pas de préférence. L'érotisme, pour moi, est tout dans Emmanuelle. Il *est* Emmanuelle. Et, comme tout ce qu'elle est, elle l'est pour moi, elle est, aussi, érotique pour mon compte. Si elle n'était plus érotique, l'érotisme, à mes yeux, n'aurait plus d'auteur, plus de contenu, plus de sens. Et aucun dieu ni aucune femme ne la remplacerait.

— La *remplacerait*? s'étonne Anna Maria. Mais elle serait encore votre femme!

— Non, dit Emmanuelle. Je ne le serais plus.

— Je ne vous comprends ni l'un ni l'autre, soupire Anna Maria.

— Je ne serais même plus femme. Je serais un masque funéraire, une momie. Jean, qui m'a connue vivante, devrait-il me garder embaumée dans son lit? Par ma faute, il aurait tout perdu : le goût de l'érotisme et le goût de moi. Et, comme on ne peut rebâtir une vie sur tant de poésie trahie, il aurait aussi perdu le goût de vivre.

— Il n'y a donc plus pour vous d'alternative que l'érotisme ou la mort?

— Il n'y a d'autre choix pour personne que la mort ou le caractère. À moins de se vouloir des morts vivants : tels ceux qui attendent le paradis. Si tu nous voyais un jour devenus de ces morts vivants : — que l'amour d'aimer nous ait désertés; que je m'intéresse au qu'en dira-t-on, au futile, au factice plus qu'au désir des hommes dans la rue; que je m'assoie sans montrer mes jambes; que je rallonge mes jupes et modère mes décolletés, ne serait-ce que dans les occasions où je devrais rencontrer des gens convenables; que, lorsqu'on entre dans ma chambre pour me rendre visite ou servir mon déjeuner, je passe une chemise; que j'accepte de dîner avec un homme sans qu'il fasse ensuite l'amour avec moi, ou de prendre le thé avec une fille sans chercher à la déshabiller; que je laisse s'achever une seule journée sans m'être masturbée, tolère que l'on me connaisse sans m'avoir vue nue et que l'on parle de mon corps autrement que pour se souvenir de l'avoir caressé ou se préparer à le faire — alors, passante, détourne les yeux de la scène où nous mimerions cette vie de pantin : Emmanuelle et Jean, que tu avais aimés, auraient failli à leur rêve : épargne la honte de ton regard à leur déchéance.

Malgré que le ton d'Emmanuelle affecte de se moquer de sa propre emphase, Anna Maria en sent si bien la sincérité que le froid la saisit, sous ce ciel torride. Elle reste un long moment avant de demander, presque timidement :

— Tant d'intransigeance ne risque-t-elle pas de lasser l'un de vous avant l'autre ? Et qu'arriverait-il si l'absolutisme, le refus de faire trêve de cet érotisme même finissaient par se heurter à la nature, par s'aigrir ou se saturer ? Au lieu de ne vous accorder d'autre issue que l'obstination ou le reniement, pourquoi ne pas accepter l'idée que, plus tard, un genre de vie différent vienne prendre pour vous le relais de l'érotisme et puisse autant vous intéresser ?

— J'ai peur que vous n'ayez mal compris, répond Jean. Vous avez l'air de penser que nous sommes inspirés par une sorte de fanatisme, ou que nous nous consacrons à maintenir je ne sais quelle orthodoxie. Ce zèle conservateur ne nous ressemble guère. Emmanuelle a simplement voulu dire que, pour faire mieux, il faut d'abord veiller à ne pas revenir en arrière. Il y a tant d'hommes et de femmes qui, après avoir avancé un peu, passent le reste de leur existence à tenter de se le faire pardonner : à se déjuger, à renoncer à eux-mêmes — ou, comme on dit, à se *ranger*. Nous ne voudrions pas être aussi décevants. Mais, pour bien nous conduire, il ne nous suffit pas de ne pas reculer : ce serait encore une manière de tomber, si haut que nous soyons montés, que de nous croire arrivés.

Il a parlé si sereinement qu'Anna Maria lui adresse un sourire presque rassuré.

— Notre unité n'en est qu'à ses débuts, poursuit-il. Pour survivre, elle doit aller de l'avant, se fortifier, se découvrir de nouveaux pouvoirs, tous ses pouvoirs. Ce qu'ils seront, je ne suis même pas encore certain de l'entrevoir clairement. Mais cette prospection, en tout cas, va valoir de vivre. Emmanuelle et moi avons en commun la passion des vérités de demain, plus que la nostalgie de celles d'hier. Notre couple n'entre pas dans l'avenir à reculons.

— Notre amour mène à la jeunesse, célèbre Emmanuelle. Nous allons côte à côte vers le futur en faisant le contraire de vieillir.

— Vous y mettez tant de cœur, murmure Anna Maria, songeuse. Qui sait ce qui va arriver ? Peut-être réussirez-vous à refaire la réalité de l'amour.

— L'amour n'est pas à refaire, dit Emmanuelle. Il n'a pas encore été fait.

Une falaise tranchante, dont l'arête se dessinait sur le ciel avec une brutale beauté, rabattait la route le long de la mer, soudain proche à la toucher et si transparente que l'on pouvait voir, sur le fond de madrépores, luire l'œil bleu des oursins géants.

— Arrêtons-nous pour manger des nids, dit Jean.

Une sentinelle en armes gardait une brèche dans la muraille siliceuse. Elle accueillit les trois étrangers avec un sourire. À l'intérieur, la fraîcheur subite les fit grelotter et ils ne distinguèrent d'abord rien : puis la crevasse s'élargit, et ils débouchèrent dans une caverne immense, qu'éclairait par le haut une sorte d'aven : des oiseaux gros comme des mouches y entraient et en sortaient par milliers.

Sur un terre-plein, où étaient installées quelques tables, faites de planches posées sur des pierres, et une cuisine volante derrière laquelle officiait jovialement un Chinois, des gens du pays piquaient du bout de leurs baguettes, dans de petits bols, une substance gélatineuse, dont ils semblaient faire grand cas. Les nouveaux arrivants s'assirent près d'eux.

— Pourquoi ce soldat, à l'entrée ? s'étonna Anna Maria.

— La grotte recèle des trésors, expliqua Jean. Les nids sont la propriété de l'État. En outre, les oiseaux sont protégés par la loi. Ni les cobras ni vous n'avez le droit de les tuer. Votre tête serait mise à prix.

— Ce sont des hirondelles ?

— Plutôt une variété de martinets nains, très agités, et, comme vous le constatez, joliment piaillards, que l'on appelle *salanganes* ou, ici, *ïanes*. Ils se nourrissent d'algues et de plancton autant que d'insectes.

— Et leurs nids sont faits de ces algues ?

— Pas du tout : au risque de vous en dégoûter, je dois vous dire que ces oiseaux les fabriquent entièrement d'une sécrétion de leur bouche, qui n'est pas de la salive, mais un ciment, fort comestible, du reste : les protéines, l'iode, les vitamines qu'il contient en font la spécialité culinaire que vous savez.

— Ce sont surtout les assaisonnements qui la rendent bonne.

— Bonne au goût, peut-être : mais c'est pour d'autres vertus qu'elle est prisée.

Le cuisinier hilare posa devant eux le mets précieux.

— Parce que leurs pattes ne sont pas conformées pour se percher sur les branches, raconta Jean, les *ïanes* n'accrochent pas leurs nids aux arbres, mais aux anfractuosités des trente et une îles interdites ou de cette cave. Une tribu de Thaïs a le monopole de la récolte : on les appelle les *tchao-ho,* le peuple des huttes, à cause des gîtes de fortune qu'ils construisent, pour la saison, au sommet ou au flanc des à-pics. Ils se pendent à de longues cordes, grimpent à des mâts de bambous, risquent leur vie et souvent la perdent, pour détacher les nids en forme de coquilles Saint-Jacques, dont deux tiennent dans la paume de la main. Quand on a pris aux oiseaux leur premier nid, ils en produisent un second, dans l'espoir d'y loger leurs œufs; mais on les en prive encore. On leur laisse le troisième, mêlé de leur sang, parce qu'ils ont failli mourir pour le tirer d'eux.

— Quelle cruauté! s'indigna Emmanuelle. Je n'en mangerai plus.

Un homme passa, la démarche noble, suivi de quatre jeunes filles, toutes jolies, qui portaient sur la tête de grands paniers pleins.

— Un *tchao-ho,* dit Jean, et ses femmes.

— Quatre! Je croyais que la loi siamoise n'en permettait qu'une.

— Il est indifférent à la loi. Vivre dangereusement fait aimer la vie.

Le grimpeur avait jeté sur les seins exposés d'Emmanuelle un regard intéressé. Les femmes sourirent aimablement à leur groupe.

— Tu vois, dit Emmanuelle, elles ne sont pas jalouses.

— Elles ont peut-être envie d'être cinq, dit Anna Maria.

— Allons, dit Jean, il nous reste encore une demi-heure de route.

L'air brûlant, hors de la grotte, les rendit pour un moment muets. Plusieurs kilomètres passèrent, avant qu'Anna Maria ne relançât la conversation :

— Est-ce parce que la plupart des hommes de cette tribu se tuent dans leurs escalades, que les femmes sont forcées de se contenter d'un mari pour quatre ?

— Forcées ! proteste Emmanuelle. Qui te dit qu'elles y sont forcées ?

— Elles sont libres, assure Jean. Mais elles n'aimeraient pas être épouses uniques.

— Pourquoi ?

— Elles en auraient honte.

— Un mariage qui en reste à deux n'est certainement pas réussi, confirme Emmanuelle.

— L'adultère ne vous suffit plus, se scandalise Anna Maria : maintenant, la polygamie !

— Laissons là ce bataclan archaïque, intervient Jean, débonnaire. Être polygame, c'est se diviser. Ce que nous cherchons, nous, c'est toujours plus d'unité. Ce qui a été accompli par paire, le poursuivre à davantage.

— Je ne vois pas la différence.

— Le ménage à trois, par exemple, démontre Emmanuelle, c'est l'inverse de la polygamie.

— Ah oui ? En tout cas, c'est une chimère. Cela n'a jamais marché.

— C'est que les bases en étaient mauvaises, dit Jean. Peut-être mettait-on la charrue devant les bœufs : on essayait de faire à trois ce qu'on n'avait pas encore réussi à deux. Le trio n'est pas un remède à l'échec du couple.

— Ce doit être, dit Emmanuelle, la récompense de son succès.

— La polygamie est le passé, le duo le présent, le trio harmonieux la nouveauté ; mais il y aura, plus tard, d'autres formules, ajoute Jean, en riant. Tant cela n'est qu'un commencement ; évoluer, c'est s'agrandir.

— La sincérité, la confiance sont déjà suffisamment difficiles à deux, soupire Anna Maria. Imaginez ce que peut être à trois un mauvais ménage !

— Imagine plutôt ce que serait un bon.

— Le plus probable, persiste Anna Maria, c'est que l'un des partenaires sera tôt ou tard laissé de côté, deviendra un intrus; et, à l'intérieur de votre triade, se reformera et s'isolera un tête-à-tête. Pas forcément le même qu'au départ, ce sera le seul changement.

— Le bon mariage est celui qui naît de la fusion de trois couples, déclare Emmanuelle, péremptoire.

— Quoi? Six personnes!

— Mais non : trois. Un homme, qui soit l'amant de deux femmes, et forme avec chacune d'elles un couple, comme celui de Jean et de moi; et elles sont elles-mêmes amantes.

— Il ne peut donc pas y avoir de trio heureux sans homosexualité?

— Évidemment pas.

— Et si c'étaient les deux hommes qui étaient amants?

— Cela irait aussi bien.

— Et deux hommes et deux femmes, ne serait-ce pas encore mieux?

— Moi, il me semble. Mais Mario préfère l'impair.

— Ainsi, dit Anna Maria, cette expérience, vous allez la tenter avec Mario?

— Non, dit Emmanuelle, avec toi.

Balisant la plage en croissant, blanche à brûler les yeux, sont des pêcheurs noirs sur des perchoirs de rochers. Leur regard, qui ne se détourne pas vers les femmes venues de la terre, suit l'approche des prises. D'un geste de semeur, ils lancent de grands filets souples, qui s'élèvent comme une voile, se couchent dans le vent, retombent sur les vagues, sans poids, presque sans les toucher. Puis ils les ramènent à eux, et recommencent leur guet. Ont-ils capturé quelque chose? Rien? Leurs mouvements sont si sobres, si elliptiques, que les spectatrices n'ont pas eu le temps de voir s'ils retiraient un butin de leurs éperviers. Ou peut-être le poisson était-il trop petit et ils l'y ont laissé. Le prochain envol de leurs bras le rendra à la mer.

À l'ouest, une jonque double la pointe. D'abord à contre-jour, sur l'eau couleur de soleil et de fumée. Une vraie jonque de livre d'enfance, une jonque d'images, avec sa voilure de trapèzes roux, plate et tournant lentement dans le calme, comme un éventail entre les doigts d'un lettré. Puis viennent d'autres barques, de même forme mais différentes de taille, à plus ou moins de distance. Maintenant, leur arrangement est parfait : exactement à la mesure du paysage. Une voile de moins, le décor serait trop vaste; une de plus et le dessin serait chargé. Le même nombre, mais autrement réparti entre le phare et les récifs, et l'on aurait envie de les déplacer.

Celle-ci, néanmoins — la plus petite —, qui met le cap vers la terre, Anna Maria et Emmanuelle la trouvent, même trahissant le chef-d'œuvre, belle à lui envoyer des baisers. Elles courent au-devant d'elle. Elle est chargée d'enfants. N'y a-t-il pas d'équipage adulte? Sûrement si, mais elles ne l'aperçoivent pas. De loin, les petits corps semblent tout couvrir : les mâts, les vergues, le pont, l'étrave. Leurs jambes pendent sur la coque de vieux bois blanchi, leurs mains balancent des bouts de cordages plus gros qu'elles. Mais, lorsque le bateau se rapproche, on se rend compte que ses passagers ne sont guère plus d'une dizaine.

Quelques-uns sont Siamois. Les autres, les plus nombreux, ont la couleur de pain brûlé et de santé des Européens aguerris au soleil. Le plus jeune a peut-être quatre ans, le plus âgé dix ou onze. Il y a autant de garçons que de filles.

Lorsque leur galion, qui s'est approché autant que son tirant d'eau le permet, vire de nouveau, présentant le flanc à la plage, ils s'entassent tous du même côté, rient, s'égosillent, tendent les bras vers les jeunes femmes. Les Orientaux portent des cotonnades bleu et blanc, ou rouge et noir, ou ocre et mauve, autour des hanches. Les autres, garçons et filles, sont nus.

Les plus agiles sautent à l'eau, faisant jaillir des geysers; puis encouragent à les rejoindre ceux qui sont restés à bord. Une petite fille aux joues rondes, au nez minuscule, aux grands yeux bleu sombre, aux cheveux cendrés, presque aussi longs qu'elle, se décide, grimpe sur la poutre usée qui tient lieu de bastingage, écarte les bras, crie de toutes ses forces et se laisse tomber en avant comme si elle pensait que ses ailes étendues devaient la porter. Elle amerrit dans un fouillis de mains et d'eau mousseuse et resurgit, l'instant d'après, la chevelure ruisselante — hurlant de joie.

Les autres dansent déjà au milieu des vagues. Ils appellent, en gesticulant, les grandes filles de la côte. Emmanuelle court vers eux. Lorsqu'elle a de l'eau jusqu'aux cuisses, elle relève sa courte jupe et en noue les pans autour de sa taille comme une besace. Elle tente d'y installer la blondette, mais tout se dénoue! Un garçon se pend à son cou. L'aînée de toutes, dont les seins s'ébauchent, l'imite. D'autres arrivent et s'accrochent. Emmanuelle croule sous la grappe. Les clameurs de joie redoublent. Elle se dégage, dégrafe sa jupe, retire son corsage, qui pourra servir aux pêcheurs tout proches, et qu'elle jette, du même geste qu'eux, mais vers la rive. Puis, nue comme les enfants, elle joue avec eux, à en perdre le souffle.

Une autre jonque, qu'elle n'a pas vue venir, s'ancre à l'abri de la première. Les enfants se rassemblent et la hèlent. Des voix assonantes leur répondent. C'est une nouvelle arrivée, mais moins nombreuse, de garçons et de filles. Ils sont plus âgés, portent des maillots de bain. Anna Maria voudrait prévenir Emmanuelle. Un appel claironnant lui coupe la parole : c'est Marie-Anne, dont les nattes dénouées flottent dans la lumière comme un pavillon de poupe qui serait tout entier fait de franges d'or.

La grappe qui jouait dans les vagues déferle sur la grève. Les mains d'Emmanuelle glissent sur les peaux luisantes. La plus petite fille, qui s'est éprise d'elle, s'agrippe à la toison de son pubis. Emmanuelle cueille dans son bras gauche le mince corps ambré, enlève du bras droit un garçon siamois, et s'avance vers Marie-Anne, qui a débarqué.

— Tous ces enfants sont à toi ? questionne Emmanuelle.

— Pour le moment, c'est ainsi, confirme l'elfe. Vous êtes venues comment ? Toutes seules ?

— Jean nous a amenées. Et sache que c'est pour te voir. Il est déjà reparti, il était pressé. Mais il reviendra nous chercher dans cinq jours. Et réjouis-toi : Mario arrive demain ! Où est ton bungalow ?

— Pas du tout là. Loin : sur l'autre plage. Que faites-vous dans cet endroit perdu ?

— Nous avons cette maison, juste là devant.

— Quelle idée !

— Jean nous l'a retenue.

Marie-Anne regarde Anna Maria, réfléchit, déclare :

— Je vous prends sur ma jonque. Nous irons d'abord reconduire la marmaille. Puis vous viendrez dire bonjour à maman. Nous dînerons ensemble. Vous rentrerez par les rochers. La nuit, la marée sera basse. Et c'est la pleine lune : vous n'avez pas besoin d'avoir peur.

— Je vais mettre quelque chose, dit Emmanuelle, repêchant ses effets trempés.

— Et vous, vous restez habillée ? demande Marie-Anne à Anna Maria, avec une ironie voilée.

La jeune Italienne sourit, sans répondre, et suit Emmanuelle en direction du chalet.

Elles sont de retour au bout d'un instant, toutes deux en tenue de bain. Par hasard, la coupe de leurs maillots est identique : d'une seule pièce, d'un tissu très fin, laissant le dos et les reins nus, moulant le buste et s'échancrant haut sur les hanches, ce qui accentue le relief du sexe et des fesses ; le costume d'Emmanuelle est couleur de terre de Sienne, celui d'Anna Maria, olive.

Embarquées, elles découvrent les mariniers : deux Chinois, allongés, blasés, sur le pont ; ils manœuvrent la barque sans même se lever. Leurs dents rouges mâchent pensivement des feuilles de bétel.

L'ancre hissée, Marie-Anne ôte le soutien-gorge de son bikini blanc, puis le slip. Elle s'étend sur le dos, au soleil, la tête vers la proue, les seins aussi fermes que s'ils étaient de terre cuite, les jambes larges ouvertes. Dans l'angle qu'elles forment, un garçon vient s'allonger, à plat ventre, le visage au niveau des chevilles de Marie-Anne. Il est très beau, a douze ans, treize peut-être. Il contemple gravement le sexe de la fille de son âge. L'un et l'autre ne disent rien. Ni Emmanuelle, ni Anna Maria ne regardent la côte empanachée de palmiers qui défile à leur gauche, mais, tout le temps, le garçon, ses yeux attentifs et ses reins que la houle remue.

La mer s'est retirée si loin que les lumières du bungalow sont presque invisibles. Il est passé minuit, sans doute. Emmanuelle et Anna Maria sont allongées sur le sable mouillé, chaud, à la limite du reflux.

Elles sont revenues tard de chez Marie-Anne, sont allées jusqu'à leur terrasse : le vieux gardien à tête de pirate, bistre et ridé, qui est censé veiller sur elles la nuit, y était couché sur le dos, la bouche ouverte, dormant sans remords, le gourdin au poing. Mais elles savent bien qu'elles n'ont rien à craindre. La présence de ce garde du corps n'est qu'un insigne de dignité.

Emmanuelle a proposé qu'elles prennent un dernier bain de mer. Anna Maria, sans que son amie le lui ait suggéré, a fait tomber de ses épaules, l'une après l'autre, les brides de son maillot. Elle a enlevé celui-ci et l'a laissé là, près du corsaire. Puis elle a marché sur la plage, blanche de lune. C'est la première fois qu'Emmanuelle la voit nue.

Maintenant, étendue près de cet autre corps, elle sent une timidité inconnue retenir ses mains et ses lèvres. Elle voudrait qu'Anna Maria parle : non de l'amour, non des hommes, ni d'elles, ni de l'avenir, mais de choses tout à fait simples : de l'écume, du bruit de la mer, des coquillages qui piquent leur peau, des profils noirs qui passent à distance, courbés vers le sable, à la quête des crabes, et des lumières dansantes sur l'eau, celles des barques qui pêchent les seiches. Mais Anna Maria regarde le ciel clair et reste silencieuse.

— À quoi rêves-tu ? finit par questionner Emmanuelle.

— Je ne rêve pas. Je suis heureuse.

— Pourquoi es-tu heureuse ?

— À cause de toi.

Si je ne l'avais pas aimée dès le premier moment, songe Emmanuelle, je ne l'aurais jamais aimée. C'est pour cela que je pouvais attendre.

— Je ne t'avais encore jamais vue, dit Emmanuelle.

— Regarde-moi.

— Je peux t'aimer, toi qui es plus belle que moi.

— Il est trop tard pour que je me défende.

— Crois-tu toujours que je sois le mal ?

— Et, moi, crois-tu encore que je suis l'ange ?

— Tu es mon amante. Tu es ma femme.

— J'irai vivre avec toi et Jean. Je serai vous.

— Ce que j'aime, je te le ferai faire.

— N'y mets pas trop de hâte : tu vois, je suis encore effarouchée !

— Un peu de fermeté, chevalière ! Je ne veux pas de toi pour te ménager. Je te dilapiderai comme un fief.

— Tu ne garderas rien ?

— Te prodiguer n'est pas te perdre. Espères-tu que je me pose sur toi comme une chevêche, pour m'engourdir de ton sang sucré ?

— Je ne suffirais pas à te gorger ?

— Non, rien, jamais, ne me suffira. Je chercherai toujours ailleurs. Regarde le ciel...

— Tu as voulu que je l'oublie.

— Regarde ce ciel-là. Tu vois comme notre terre y est heureuse ! Il est sa carrière. Il est à nous : nous y sommes venus de main d'homme.

— Qu'avons-nous d'autre à trouver ?

— Tout, tout ! Songe à ce qui nous reste à connaître. Hélas ! c'est impossible : c'est le monde qui ne sera jamais fait !

— Garde confiance ! presse Anna Maria avec une brusque ferveur. Jean et nous, ceux qui nous

ressemblent, ceux que nous aimons, le verrons surgir.

— Pas nous. Jamais personne. Toujours seulement ceux qui suivent.

— Et qui donc nous suivra, toi et moi?

— Notre fille.

— Qui la fera? Toi, moi? Et qui nous l'aura
faite? Jean?

— Ou toi à moi, moi à toi. Peu importe! Nous
lui apprendrons à naître. À changer.

— C'est tout?

— Le reste, ce sera à elle de nous l'apprendre.
Ou ses filles et les petites-filles de ses filles.

— Nous n'y serons plus, dit Anna Maria, la
gorge serrée. Ah, je voudrais pouvoir revenir! Dans
longtemps, longtemps. Quand les hommes auront
grandi.

— Tais-toi. Te souviens-tu du faune — que
disait-il? « Ces nymphes... » Ma fiancée, ma sœur,
je t'ai enfantée : ce n'est pas assez! L'amour de toi
allonge mon rêve. Je me sens un désir de durée.

— Que veux-tu? demande Anna Maria.

— Nous perpétuer. Je te veux! Je t'aime. Donne-
toi à nous!

— *Voici de l'eau, du sel, des algues et du sable.
Et puis voici mon corps...*

— Comme il est beau, touché par ma bouche et
mes mains!

— Fais-le ton œuvre.

Cette nuit-là, Emmanuelle déflora Anna Maria.

Sur le bungalow à toit de chaume, le jour se lève.

Par la fenêtre grande ouverte, il dessine en sépia les corps embrassés sur le lit de rotin.

Emmanuelle a-t-elle dormi? Elle ne sait. Elle regarde le soleil qui passe le promontoire : la mer doit s'étirer dans sa lumière. Elle a envie de la voir, de s'y plonger pour lui demander des forces.

Anna Maria sommeille, un sourire d'enchantement resté sur ses lèvres. Emmanuelle se dégage avec précaution de ses bras, glisse sans bruit hors de la chambre. Sur la terrasse, seuls les grands coraux blancs dressent mythiquement leur ramure décharnée. Le gardien est déjà parti : probablement avec les ombres de la nuit. A-t-il même eu, avant de s'éloigner, un regard pour leurs deux corps nus? Leur plaisir, leurs plaintes l'avaient-elles tenu éveillé?

Emmanuelle, sur la plage, étire ses membres courbatus. Son apparition fait s'envoler des cormorans et des frégates, eux aussi les ailes encore raidies. Le sable, d'une finesse de talc, lui caresse les pieds. Elle s'accroupit pour en emplir ses paumes et le laisse couler. Puis se redresse, hume l'air, la tête tournée vers les lames qui viennent lécher le dos des rochers à huîtres, à quelques pas de son gîte nocturne. Elle rit au ciel, cambre les reins — les seins pointés, les cuisses fuselées, les jambes ancrées au sol tendre. Ses cheveux d'oiseau de nuit balayent en arrière la frange de crustacés, de coquilles émiettées, de varech, de débris de bambous et de fibres que le flux a poussée sur la côte. Puis elle les secoue dans le vent de l'aube et court, droit devant elle, faisant jaillir des gerbes vertes et blanches autour de ses chevilles et de ses genoux.

Elle plonge, s'éloigne vers le large; sa tête devient un simple point noir dans les trous de vagues, disparaît, resurgit, disparaît pour de bon.

Trois silhouettes franchissent la pointe rocheuse

qui ferme la crique. Elles avancent d'un pas de promenade, donnant des coups de pied aux épaves ou perçant du bout d'un bâton les méduses mortes.

Elles passent devant le chalet de bois, lui jettent un regard, mais elles sont en contrebas de la terrasse et ne peuvent voir Anna Maria endormie.

Ce sont de jeunes hommes, beaux, musclés, hâlés, blonds, au visage énergique et intelligent, qui se ressemblent trait pour trait : ils ne peuvent être que frères.

Ils s'immobilisent devant la mer, se consultent. L'un d'eux tâte l'eau du pied, approuve. D'un commun élan, ils se jettent à la nage. Eux aussi bientôt, échappent à la vue.

Lorsque les nageurs réapparaissent, ils sont quatre. Les trois hommes ont rencontré Emmanuelle qui flottait dans la houle, et ils l'ont entourée. Ils se sont d'abord contentés de la regarder, de lui sourire, puis ils lui ont demandé qui elle était, d'où elle venait, si elle était seule, et les autres questions que posent à une inconnue des jeunes gens qui commencent à former le plan de la séduire. Emmanuelle a répondu et ils savent que personne ne la protège, qu'à cette heure, dans cette anse isolée, il n'est pas probable qu'ils soient dérangés. Cependant, elle s'est évadée de leur encerclement ; ils ont dû lutter de vitesse avec elle ; ils sont ainsi revenus près du rivage.

Là, l'eau est plus transparente, elle leur découvre qu'Emmanuelle est nue. Leurs sens s'enflamment, ils se rapprochent d'elle, la touchent, d'abord un seul d'entre eux, puis tous ensemble, aux seins, aux fesses. Ils lui disent qu'ils n'ont jamais vu fille plus belle. N'a-t-elle pas d'amoureux, n'aime-t-elle pas les baisers ? Une main s'insère entre ses jambes.

Des doigts l'éprouvent, tentent de l'entrouvrir. Mais elle s'échappe de nouveau, moitié nageant moitié courant, et sort de la mer, anadyomène vêtue de gouttelettes, secouant sa chevelure mêlée d'algues, radieuse, le visage renversé vers le soleil.

Les garçons l'atteignent, au pied du bungalow : elle se laisse tomber sur le sable, leur abandonne son corps haletant, sa bouche, que le premier à la prendre mord de désir. Elle sent un sexe, dur comme le rocher proche, se frotter à ses cuisses, heurter son pubis. Elle comprend son impatience, s'ouvre à lui, s'offre sans conditions à la violence de ses coups. Elle est heureuse que son vainqueur n'ait pas cherché à obtenir son consentement, qu'il la prenne à son bon plaisir, sans se soucier de l'attendrir, se ruant au fond d'elle comme par hâte de la féconder. Ensuite, ce sera le tour des autres.

Mais non : après cette première furie il se contrôle, savoure avec plus de subtilité ce corps qu'il a désiré ; et ses baisers, maintenant, émeuvent Emmanuelle autant que la force de son rut.

Abruptement, il roule sur le côté, puis sur le dos, l'entraînant, de sorte qu'elle est désormais au-dessus de lui. Elle comprend l'intention de ce mouvement, lorsqu'elle sent des mains nouvelles caresser ses fesses, les écarter, et une autre verge, irrésistiblement, y pénétrer, sans que son premier amant se soit retiré de son sexe. Le sel de la mer a séché ses muqueuses, mais elle refuse de songer, en un tel moment, à se plaindre de la brûlure : comment pourrait-elle être autre chose qu'heureuse ? Le plaisir de ces virilités gémelles dans son ventre et ses reins est aussi son plaisir. Elle les imagine longues, fortes, cambrées, souveraines, résolues à se satisfaire — séparées, mais si peu, par de minces membranes. Elle voudrait que cet obstacle même s'abolisse et que les hommes, à force de la creuser et d'éroder, chacun de leur côté, ses parois, finissent par accoler en elle, chair contre chair, leurs sexes nus, les presser et les frotter, fraternellement, l'un à l'autre et les confondre en une éjaculation ineffable.

Mais ce n'est pas assez encore : un ultime accès, une autre ressource voluptueuse de son corps reste libre. Les doigts qui la saisissent aux tempes, elle les attendait : elle relève le visage et le phallus du troisième mâle entre dans sa bouche.

Bâillonnée ! Quand elle voudrait pouvoir crier de joie ! Rire, chanter, célébrer son sort enviable et l'orgueil de ces mystères. Que sa chance est étrange ! Et que ses héros sont beaux ! Lequel préfère-t-elle ? Mais a-t-elle besoin de choisir ? Ils sont pour elle un même amant, l'amant, l'unique amant, dont le corps triadelphe a été conçu dans le matin de la mer afin qu'Emmanuelle soit faite totalement femme.

Triomphe des sens ? Mais non ! Cette invention de l'homme, cet art qui regarde de haut la nature, qui oserait encore l'appeler charnel ? *Prodige éterniseur !* Elle aime ! Elle se souvient de l'anxiété de la vierge : « Est-ce cela, l'amour ? » Ces corps qui sont elle de toute part sont l'absolu de l'amour.

Qui est-elle ? D'où vient-elle ? Si loin que son existence remonte, il n'y a rien que l'abîme d'eau sombre frangée de neige dont elle se remémore que, pour être accordée au rêve des hommes, elle a été tirée. Déesse au passé sans mémoire oui, mais dans quel dessein, pour quel avenir inimitable ? *Ce n'est pas le plaisir de l'instant que je vous apporte, mais le plaisir du plus lointain...* À la question qu'une femme lui a posée, elle ne donnera d'autre réponse que l'impossible. *Je ne vous enseigne pas le plus commode, je vous enseigne le plus téméraire.* L'amour n'est pas de retenir dans ses bras, il est la limite que l'on recule.

Tour à tour, ses amants de l'instant jouissent en elle. Elle se libère — si brusquement qu'aucun des trois n'a le loisir de faire un geste. Ses cuisses se détendent, elle bondit sur la terrasse, franchit la porte de la chambre, où Anna Maria s'éveille.

Emmanuelle s'agenouille, ouvrant de ses deux mains les jambes de son amoureuse. Elle colle ses lèvres au sexe éclos et souffle en lui le sperme dont sa bouche est pleine.

TABLE DES MATIÈRES

Livre 1

1. La Licorne envolée 21
2. Vert paradis 51
3. Des seins, des déesses et des roses 87
4. Cavatine, ou l'amour de Bee 125
5. La loi 183
6. Le sam-lo 261

Livre 2

1. L'amour d'aimer est ce qui fait de vous la
   fiancée du monde 315
2. L'invitation 335
3. Combat d'Ève 349
4. La nuit de Maligâth 369
5. L'hétairie 395
6. Au bonheur d'Ariane 425
7. L'âge de raison 451
8. Deus escreve direito por linhas tortas .. 497
9. Les oiseaux sans masques 531
10. Le plus noble talent 549
11. La maison de verre 573
12. ... ses jambes nues sur vos plages de feu 601

Cet ouvrage a été composé
par EURONUMÉRIQUE à 92120 Montrouge, France

Imprimé en France sur Presse Offset par

BRODARD & TAUPIN

GROUPE CPI

4403 – La Flèche (Sarthe), le 04-10-2000
Dépôt légal : octobre 2000

POCKET – 12, avenue d'Italie - 75627 Paris cedex 13
Tél. : 01.44.16.05.00